À PROPOS DE PATRICK SENÉCAL...

« PATRICK SENÉCAL ÉCRIT DE FAÇON EFFICACE.
L'ACTION, LE RYTHME, LA *PRISE DE POSSESSION*
DU LECTEUR LUI IMPORTENT PLUS QUE LES
EFFETS DE MANCHE. TANT MIEUX POUR NOUS. »
Nuit Blanche

« SANS IMITER LE STYLE DE KING, PATRICK
SENÉCAL PARVIENT À SUSCITER AUTANT D'INTÉRÊT
QUE LE MAÎTRE DE L'HORREUR AMÉRICAIN. »
Québec français

« [...] SUPRÊME QUALITÉ, L'AUTEUR VA AU BOUT
DE SON SUJET, AVEC FORCE DÉTAILS MORBIDES. »
Lectures

« PATRICK SENÉCAL SE TAILLE UNE PLACE DE
CHOIX DANS LA LITTÉRATURE FANTASTIQUE.
LE THRILLER D'HORREUR AUSSI BIEN MAÎTRISÉ
NE SE VOIT QUE DANS
QUELQUES PLUMES ÉTRANGÈRES. »
Le Nouvelliste

« LE JEUNE ROMANCIER A DE TOUTE ÉVIDENCE
FAIT SES CLASSES EN MATIÈRE DE ROMANS
D'HORREUR. NON SEULEMENT ~~IL CONNAÎT~~ LE
GENRE ~~...~~
MAIS ~~...~~
LES ~~...~~

D1432846

... ET DE *SUR LE SEUIL*

« LA TERREUR […] SE TRANSMET AU LECTEUR
AU FUR ET À MESURE QU'IL TOURNE LES PAGES. »
Filles d'aujourd'hui

« […] UN THRILLER PALPITANT AUX ACCENTS
D'HORREUR ET DE FANTASTIQUE REDOUTABLES. »
Journal de Montréal

« AVEC *SUR LE SEUIL*, PATRICK SENÉCAL
S'AFFIRME COMME LE MAÎTRE DE L'HORREUR. »
La Tribune

« PATRICK SENÉCAL CONCOCTE DE MAIN DE
MAÎTRE UN SUSPENSE INSOUTENABLE
DANS LEQUEL LA TERREUR ET
LA PSYCHOLOGIE FONT BON MÉNAGE. »
Le Soleil

« UN SUSPENSE DIABOLIQUEMENT EFFICACE.
ON NE S'ÉTONNERA PAS D'APPRENDRE
QU'UN PROJET D'ADAPTATION
CINÉMATOGRAPHIQUE EST DANS L'AIR… »
Elle Québec

« AVEC *SUR LE SEUIL*, PATRICK SENÉCAL RÉUS-
SIT LÀ OÙ BIEN DES AUTEURS D'HORREUR,
DE NOS JOURS, ÉCHOUENT.
IL MAINTIENT LE LECTEUR
DANS UN ÉTAT PROCHE DE LA TRANSE. »
Voir – Montréal

ALISS

DU MÊME AUTEUR

5150 rue des Ormes. Roman.
  Laval, Guy Saint-Jean Éditeur, 1994. (épuisé)
  Beauport, Alire, Romans 045, 2001.

Le Passager. Roman.
  Laval, Guy Saint-Jean Éditeur, 1995. (épuisé)
  Lévis, Alire, Romans 066, 2003.

Sur le seuil. Roman.
  Beauport, Alire, Romans 015, 1998.

Aliss. Roman.
  Beauport, Alire, Romans 039, 2000.

Les Sept Jours du talion. Roman.
  Lévis, Alire, Romans 059, 2002.

Oniria. Roman.
  Lévis, Alire, Romans 076, 2004.

ALISS

PATRICK SENÉCAL

ALIRE

Illustration de couverture
JACQUES LAMONTAGNE

Photographie
SOPHIE DAGENAIS

Diffusion et distribution pour le Canada
Québec Livres
2185, autoroute des Laurentides, Laval (Québec) H7S 1Z6
Tél.: 450-687-1210 Fax: 450-687-1331

Diffusion et distribution pour la France
DNM (Distribution du Nouveau Monde)
30, rue Gay Lussac, 75005 Paris
Tél. : 01.43.54.49.02 Fax: 01.43.54.39.15
Courriel: liquebec@noos.fr

Pour toute information supplémentaire
LES ÉDITIONS ALIRE INC.
C. P. 67, Succ. B, Québec (Qc) Canada G1K 7A1
Tél.: 418-835-4441 Fax: 418-838-4443
Courriel: info@alire.com
Internet: www.alire.com

Les Éditions Alire inc. bénéficient des programmes d'aide à l'édition
de la Société de développement des entreprises culturelles du Québec
(SODEC), du Conseil des Arts du Canada (CAC) et reconnaissent l'aide
financière du gouvernement du Canada par l'entremise du
Programme d'aide au développement de l'industrie de l'édition
(PADIÉ) pour leurs activités d'édition.
Les Éditions Alire inc. ont aussi droit au Programme de crédit d'impôt
pour l'édition de livres du gouvernement du Québec.

À ma douce Sophie
qui a rallumé le soleil

TABLE DES MATIÈRES

I want to know everything
I want to be everywhere
I want to fuck everyone in the world
I want to do something that matters
Nine Inch Nails

Les charmes de l'horreur n'enivrent que les forts.
Baudelaire

Je le crois parce que c'est absurde.
Tertullien

Roum dum dum wa la dou,
C'est le temps des vacances!
popularisé par Pierre Lalonde

Il était une fois...

HÉLÈNE RIVARD, la mère :

Si je suis fière de ma fille ? Et comment donc ! Alice a tout pour nous rendre heureux, Marc et moi. Elle est brillante, a de très bonnes notes à l'école... C'est une des meilleures élèves du cégep, vous savez ! Je ne peux rien demander de plus. C'est vrai que, depuis environ un an, elle est un peu plus distante, mais... C'est normal, elle a dix-sept ans, bientôt dix-huit, c'est l'âge de la contestation, de l'indépendance, et tout ça. J'ai des amies qui ont des enfants de cet âge, et leur crise d'adolescence est beaucoup plus difficile ! Ils découchent souvent, prennent de la drogue, manquent de respect envers leurs parents... Alice n'est pas comme ça. Quand elle découche, elle nous prévient... Bon, elle sort moins avec nous qu'avant, elle fuit plus la maison, nous avons parfois quelques engueulades, mais... C'est tout, rien de grave. Elle continue à avoir de bonnes notes à l'école et à fréquenter des amis très corrects. Et je suis sûre qu'elle ne prend pas de drogue. Je ne suis pas naïve, quand même : l'autre soir, elle est rentrée d'un party et, de toute évidence, elle avait bu un peu plus qu'il est raisonnable de le faire. Mais on a tous fait ça à l'occasion, non ?... Honnêtement, la petite crise d'adolescence de mon Alice me semble très, très raisonnable, et j'en remercie le Ciel.

MARC RIVARD, le père :

C'est vrai qu'elle fait son indépendante depuis quelque temps, mais ça me fait plus rire qu'autre chose. La seule affaire qui m'inquiète un peu, c'est que je crois qu'elle... heu... je crois qu'elle a commencé à coucher avec Julien, son petit ami. Ma femme me dit qu'elle prend la pilule et qu'Alice est responsable... par rapport aux maladies, vous savez... Je ne le connais pas beaucoup, ce Julien, moi... Mais il a l'air correct. Il va au cégep aussi. Il est en sciences pures, comme Alice. Bon ! Je dois être un peu trop protecteur ! (rires) J'imagine que dix-sept ans, c'est l'âge auquel les jeunes commencent à faire ça aujourd'hui... J'essaie de lui en parler, mais elle me dit que je comprendrais pas. Ho ! Elle ne me dit pas ça en criant, ni de façon méprisante, non, non, mais quand même... Il y a une plus grande distance qu'avant, c'est tout. Je ne lui en veux pas, remarquez bien. Quand on est ado, hein ?

JULIEN GIROUARD, le petit ami :

Je la connais juste depuis cet automne. Je l'ai remarquée assez vite. Un, parce qu'elle est super belle (rires), et deux, elle est ben brillante. Elle participait beaucoup au cours, posait des questions intéressantes, des interventions ben bright. C'est une des seules élèves que je connaisse qui aime vraiment les cours de français : la littérature des siècles passés, les tragédies antiques... C'est pas tout le monde qui s'intéresse à ça ! J'étais dans le même cours de philo qu'elle. Normalement, tout le monde dort pendant ce cours-là, mais pas elle ! Quand elle était pas d'accord avec le prof, elle le disait clairement. Le genre de fille qui a pas peur de s'affirmer. Rebelle, mais pas conne. On s'est parlé durant le party de mi-session pis... on sort ensemble depuis ce temps-là. Ça fait presque deux mois. C'est une fille studieuse, qui vient d'une famille riche, mais elle est pas straight pour autant... Pis cultivée ! Elle lit beaucoup, écoute toutes sortes de musiques, toutes sortes de films... même des films européens! Elle m'épate pas mal... Côté sexe?... Ben... Elle a accepté très rapidement de coucher avec moi, pis dans un lit, elle est pas mal déniaisée, mettons. Franchement, elle m'en a même appris! (rire gêné) Je sais que je suis pas le premier gars avec qui elle couche, ni le deuxième, mais c'est pas une « agace », ni une fille facile qui baise avec n'importe qui! Elle a trop de caractère! Pis personne oserait la traiter de « guidoune »! C'est juste une fille... déniaisée. Qui aime explorer, essayer. C'est vrai que c'est pas tout le monde qui l'aime, mais les gens sont généralement impressionnés par elle... La drogue? Rien d'inquiétant. Elle prend du hasch de temps en temps, du pot... Quand elle est gelée, elle parle beaucoup pis elle raconte des drôles d'affaires. Par exemple, elle dit qu'elle est en train de se limiter, dans cette petite vie tranquille. Qu'elle doit défoncer les murs qui l'entourent. Des affaires de même. Ça me fait rire. Je l'aime ben, je pense.

MÉLANIE BOUDRAULT, la grande amie :

Elle a beaucoup d'amis, mais c'est pas tout le monde qui l'aime. Il y en a qui la trouvent un peu trop directe, mais koudon... C'est vrai qu'elle est difficile, des fois. Au secondaire, elle pétait des scores, mais combien de fois les profs l'ont envoyée chez le directeur parce qu'elle était une tête forte? Le directeur de l'école était ben embêté : pas facile de punir une étudiante qui a 95 pour cent de moyenne générale! Y en a aussi qui la trouvent un peu trop... audacieuse. Mais le monde de Brossard, c'est straight *! C'est sûr que ses parents feraient sûrement une crise cardiaque s'ils savaient qu'elle prend de la dope pis qu'elle a baisé avec cinq ou six gars, eux qui pensent qu'Alice est un ange! Mais ça enlève pas qu'elle est une bonne fille et qu'elle adore ses parents... Moi aussi, des fois, je*

trouve qu'elle y va fort, mais je la respecte tellement!
Elle est super intelligente! Une contestataire qui va
aller loin, je suis sûre.

LAURENT LÉVY, le professeur de philosophie:

Comme beaucoup d'adolescents brillants, elle est en-
core pleine de contradictions et son côté contestataire
peut paraître par moments puéril. Par exemple, nous
avons étudié un texte de Nietzsche, l'autre jour, un
texte dans lequel l'auteur dit qu'il faut arrêter de
diviser les choses en « bien » et en « mal ». Ça fait
toujours réagir les étudiants, vous pensez bien, parce
que plusieurs ont l'impression que Nietzsche veut
abolir toute forme morale, ce qui les scandalise.
Nietzsche a tellement été incompris! Les nazis, entre
autres, ont récupéré sa pensée et l'ont complètement
déformée! Mais je m'égare... Alice, donc, a été très
impressionnée par ce texte. Elle était d'accord et
s'est mise à dire qu'en effet la morale était un obstacle
à la liberté, qu'il fallait faire dans la vie tout ce qui
nous passait par la tête et que Nietzsche avait bien
raison. Elle était vraiment exaltée. Je lui ai expliqué
que la pensée du philosophe était un peu plus com-
pliquée, mais elle ne voulait rien entendre. Elle venait
manifestement de découvrir cet auteur et, dans l'enthou-
siasme, était convaincue de bien le comprendre après
avoir lu seulement quelques lignes de lui. C'est ça,
Alice: une passionnée brillante et curieuse mais trop
impulsive et, avouons-le, un peu naïve. Le plus drôle,
c'est qu'elle se contredit! Une semaine après avoir
lu ce texte, nous avons parlé de certains problèmes
éthiques, comme l'euthanasie. Et là, Alice s'opposait à
cette pratique, affirmant que nous n'avions pas le droit
moral d'enlever la vie à quelqu'un. Le droit « moral »!
Assez contradictoire, non? (rires) Je lui ai fait remar-
quer cette contradiction; elle ne m'a pas trouvé drôle,
évidemment. Peu importe ces paradoxes, au fond...

Pour l'instant, elle est tiraillée par des extrêmes, elle réfléchit à tout ça, se pose des questions, se contredit... À son âge, c'est une preuve d'intelligence. J'aime bien les étudiants qui se contredisent, qui maîtrisent mal les concepts mais qui au moins sont curieux intellectuellement. En tout cas, ils sont plus intéressants que ceux qui viennent à tous mes cours, qui font des travaux sans véritable point de vue personnel et qui croient qu'un film comme Forrest Gump *est une réflexion profonde sur le sens de la vie (rires)...*

MÉLANIE BOUDRAULT :

Il y a dix jours, au party de fin d'année, je lui ai demandé comment elle avait trouvé notre première année de cégep. Elle m'a dit : « Faut aller au bout de soi, Mélanie. Faut briser les conventions, sortir de l'ordinaire et des chemins tracés d'avance. Pis c'est pas en restant ici que ça va arriver ! » Quand elle parle de même, je sais pas trop ce qu'elle veut dire. Je lui ai demandé si elle voulait quitter Brossard, lâcher l'école. Elle m'a pas répondu. Elle aime l'école, elle aime sa famille, mais en même temps... Elle est un peu mêlée, je pense.

LAURENT LÉVY :

Alice est une fille très intelligente qui n'a pas encore le parfait contrôle de sa pensée. Sauf que, contrairement à plusieurs qui sont dans la même situation, elle va prendre les moyens pour trouver une réponse solide, pour se trouver elle-même. Je n'en doute pas un instant.

ALISS

ou

« La vie est ailleurs » et autres vérités troublantes

Notre conte, comme il se doit, s'ouvre sur une situation initiale en apparence équilibrée: c'est le mois de mai, le soleil brille et la journée s'annonce parfaite. Mais si on y regarde de plus près, nous constaterons que notre héroïne Alice a déjà pris une décision qui est venue briser cet équilibre et qui va amener de grands changements dans sa vie. De quelle décision s'agit-il donc? Approche, ami lecteur, approche! Alice est là, dans cette voiture… Allons la retrouver! L'aventure commence!

Je traverse le pont.

Drôle de *feeling*. Pas d'emprunter le pont Jacques-Cartier comme tel (je l'ai quand même fait une centaine de fois), mais de le traverser en sachant que je ne le reprendrai plus. Pas avant un bon bout de temps, en tout cas. Le fleuve Saint-Laurent, les poutres de métal toutes rouillées, la tour de Radio-Canada, la grosse enseigne de Molson, les *buildings* du centre-ville… Je les ai jamais regardés avec autant d'attention.

— Je te laisse où, la grande?

— N'importe où.

Première fois que je fais du pouce, aussi. Mes parents seraient pas contents. De toute façon, ils sont pas contents en ce moment même. Je leur ai annoncé la

grande nouvelle. Depuis deux semaines ma décision
est prise, mais j'ai attendu la fin des cours. En fait,
j'ai surtout attendu aujourd'hui, le 25 mai, jour de ma
fête. Le jour de mes dix-huit ans. Symboliquement, je
trouvais ça intéressant. En plus, c'est l'an 2000. Dix-huit
ans en l'an 2000 : c'est pas un hasard. C'est un signe.
Une preuve que je prends la bonne décision.

Au moment où ils me demandaient à quel restau
j'avais le goût d'aller pour ma fête, je leur ai balancé
la bombe. Papa, maman, je retourne pas au cégep en
août. Pis je vais aller rester en appart à Montréal.

Ils m'ont pas crue. Ils pensaient que je blaguais.
Ah, ah, sacrée Alice, une vraie comique. Ils ont pas ri
longtemps. Ils ont fini par réaliser que je niaisais pas.

C'est là que les cris ont commencé. Pas les miens,
les leurs. Fallait s'y attendre. Je suis restée calme
presque tout le long. J'ai même essayé de leur expliquer.
Je dis bien « essayé », parce que, honnêtement, c'est
pas super clair pour moi non plus. Je leur ai dit que je
me posais plein de questions, depuis quelque temps,
que je réfléchissais beaucoup. Ils l'avaient sûrement
remarqué, non ? Je leur ai dit que je les aimais, que
j'aimais mes amis, que j'haïssais pas non plus la vie
que je menais, mais…

— Mais quoi ? a tonné mon père. C'est quoi d'abord,
le problème ?

Papa qui jouait les gros méchants, qui voulait me
faire peur. Mais il était vraiment déconcerté, je le voyais
bien. J'ai continué à rester calme. J'ai répondu qu'il
fallait que je connaisse autre chose. Parce qu'il y a
d'autres choses, je le sais. D'autres possibilités de vie,
d'autres moyens d'envisager l'existence. Je veux expé-
rimenter l'ailleurs, aller au bout de moi-même. Qu'est-
ce qui existe, à l'extérieur de la famille, des amis et
de l'école ? Et, surtout, qu'est-ce qui existe en dehors
des conventions ? En dehors des règles ? En dehors
du conformisme ? En quoi cette vie est meilleure qu'une

autre ? En quoi cette ligne droite que nous nous ef-
forçons de suivre est plus pertinente ou intéressante
qu'une ligne sinueuse ? Là, j'ai vu qu'ils comprenaient
pas trop, que je les perdais un peu… J'ai changé de
cap et je suis redevenue terre à terre :

— Peut-être que j'aimerai pas ça, peut-être que je
vais me planter, mais il faut au moins que je le sache,
que je l'essaie, que je l'expérimente. Sinon, je vais
vivre le restant de ma vie sans savoir. Pis ça, je peux
pas. Vous me connaissez, je suis trop curieuse, trop
affamée de tout… Je vais aller essayer. C'est tout.

Ç'a été le tour de ma mère. Elle, ce n'est pas la
colère, son atout. C'est la déception. La désillusion. Les
hochements de tête, l'affaissement sur une chaise, le
visage entre les mains, toute la panoplie, quoi. Mais
dans son cas aussi, c'était honnête. Je le sentais.

— Je ne te reconnais plus, Alice, qu'est-ce qui t'arrive ? Abandonner tes études !

J'ai rectifié. Je n'abandonne pas, je fais une pause.
Pour voir. Pour essayer autre chose. J'y retournerai
peut-être, on verra. Cela n'a pas réconforté maman
du tout. Mais tu vas vivre de quoi, Alice, à Montréal ?
T'inquiète pas, maman, je vais me trouver un boulot.
Mais pourquoi, pourquoi, Alice, faire une telle folie ?
Tu cherches quoi, au juste ? Je le sais pas, maman. Je
le sais pas, mais je veux chercher, je veux essayer,
point final. Pis si je me suis trompée, je vais revenir !
C'est tout !

Les larmes ont commencé à monter aux yeux de
ma mère. Mon père s'approchait de plus en plus du
point d'ébullition. En silence, il tournait en rond. Ça
me faisait vraiment de la peine de les mettre dans un
tel état, de les décevoir ainsi. Jamais ils n'avaient
pensé que je prendrais une telle décision. Ils ne me
reconnaissaient tout simplement plus. Mais peut-être
m'avaient-ils toujours connue en surface, aussi… S'ils
savaient tout ce que j'ai déjà fait… Des choses dont
ils ne se doutent même pas…

La grosse voix s'est de nouveau élevée. Seulement cinq mots :

— Il n'en est pas question !

Mots absurdes, grotesques. Les mots de la loi. Et moi, la petite fille sage, j'avais toujours, en apparence du moins, respecté cette loi. C'est fini, ça. J'ai dix-huit ans, papa, tu peux plus rien m'interdire, maintenant. Je suis une adulte, je fais ce que je veux. Je ne voulais pas vous demander la permission, je voulais juste vous prévenir, c'est tout. Je me donne deux semaines pour me trouver un appart et une job à Montréal, ensuite je pars. Avec votre bénédiction, ce serait formidable, mais elle n'est pas indispensable.

— Écoute, la grande, moi, je m'en vais sur Rachel, ensuite sur Saint-Denis, jusqu'à Jean-Talon… Tu restes avec moi jusque-là ou je te dépose avant ?

Très court moment de réflexion.

— Je vais… je vais descendre sur Saint-Denis…

Quelle différence, puisque je n'ai aucune idée où je vais ? Parce que je suis partie pas mal plus tôt que je l'avais planifié, finalement. C'est ça, le problème : t'as beau tout planifier, ça arrive jamais tout à fait comme tu l'attendais. J'avais peut-être prévu la tristesse de mes parents, leur incompréhension, mais j'ai jamais pensé que mon père irait jusque-là…

— Écoute-moi, Alice, et écoute-moi bien ! Si tu renonces pas immédiatement à cette folie, c'est pas dans deux semaines que tu t'en vas, c'est tout de suite !

Ça m'a sciée ! Papa me connaît pourtant assez pour savoir qu'on menace pas une fille orgueilleuse comme moi-même en personne ! Très bien, parfait ! Mon calme et ma tristesse se sont évaporés d'un seul coup. J'ai pas réfléchi, j'ai crié je sais pas quoi et je suis allée préparer une petite valise. Vraiment petite. Là, c'est devenu vraiment caricatural. Mon père qui me menaçait, ma mère qui pleurait et qui me suppliait de réfléchir, et moi, en beau maudit, insultée, blessée, qui faisais ma valise en leur criant des affaires du genre : « Je me doutais que vous comprendriez pas, mais jamais que vous me menaceriez de même ! » ou « Ce que tu viens de me dire là, p'pa, ça démontre à quel point j'ai raison de vouloir aller voir ailleurs ! », et autres grandes phrases dignes du pire des mélos.

Sur le seuil de la porte, ma mère m'a implorée une dernière fois. Elle, je l'ai embrassée. Mon père, je l'ai regardé et, malgré le ressentiment que j'éprouvais, je lui ai dit assez calmement, mais assez froidement aussi :

— Si je me suis trompée, je vais revenir !

— Si tu t'en vas, tu reviens pas !

Criss d'orgueilleux ! Je retiens pas des voisins, c'est clair ! Je le sais qu'il le pensait pas vraiment, que c'était une façon désespérée d'essayer de me retenir, mais c'était la pire chose à me dire. Je suis partie sans ajouter un mot. Sans le savoir, mon père venait de me donner la plus grande motivation pour partir.

Et voilà. Ça fait même pas trois quarts d'heure de ça. Je suis restée pompée tout le long. Pompée quand j'ai commencé à faire du pouce. Pompée quand le gars m'a embarquée. Pompée quand on a roulé sur Taschereau. J'ai commencé à me calmer sur le pont Jacques-Cartier. Maintenant, rue Saint-Denis, j'ai repris le contrôle de mon moi-même en personne… Je réalise ce qui vient de se passer… pis j'en reviens pas.

— Ici, ça va ?

— C'est parfait.

Je descends avec ma petite valise, remercie le gars.

Je regarde autour de moi. Me voici à Montréal. Pour de bon. À part mes parents, personne ne le sait. À la vitesse où je suis partie, j'ai pas pu avertir personne. Ni Mélanie, ni Julien, ni personne. Dire qu'il y a un party d'organisé pour ma fête, ce soir, chez Julien ! Hé, ben ! Ils vont être surpris !

Faudrait que j'appelle Julien, pour le prévenir. Ou Mélanie. Mais j'ai pas envie. Appeler, expliquer, justifier… M'en sens pas capable… Plus tard. Quand je serai installée…

Installée !

Il est quatre heures de l'après-midi. Je suis lâchée lousse à Montréal. Sans appart, sans job.

L'angoisse. La vraie.

Tellement angoissée qu'une idée me fait de l'œil, sournoise : retourner à la maison, tout de suite. Après tout, j'étais pas malheureuse, à Brossard. Un peu limitée, mais pas malheureuse. J'ai un bel avenir devant moi ! J'ai…

J'oblige cette partie de moi à se taire immédiatement. Heille, tu voulais venir à Montréal, ça fait même pas cinq minutes que t'es arrivée pis tu veux retourner chez papa et maman ?

Je pense alors à Laurent Lévy, mon prof de philo. Qu'est-ce qui me prend de penser à cet épais-là ? Je le revois très bien avec son petit sourire condescendant, son air chiant qui voulait dire : *Tu es encore mêlée, Alice, mais en vieillissant, tu comprendras…* Je suis pas mêlée pantoute ! C'est lui qui comprend pas, ou qui ne comprend plus ! Il a déjà été jeune, lui aussi, il a sûrement déjà voulu conquérir le monde, mais là, il a vieilli, il a une job permanente et quand il tombe sur les jeunes qui lui rappellent sa propre jeunesse, il camoufle sa désillusion sous un air supérieur et ironique ! S'il était au courant de ce que je suis en train de faire, je suis sûre qu'il dirait à mes parents : *Inquiétez-vous pas, c'est une petite crise temporaire, la rébellion normale d'une jeune fille brillante qui ne comprend pas encore tout…* Ben va chier, Laurent Lévy ! Va chier, pseudo-intello qui n'ose plus !

Je m'efforce de me calmer. OK, c'est vrai : je suis seule et démunie, pas préparée ni rien. Mais je suis brillante, débrouillarde, et j'ai pas mal d'économies, quand même… Au fond, le défi n'en sera que plus grand, plus intéressant ! Si je retournais chez moi maintenant, je ne m'en irais plus, après. J'aurais plus le courage, je suis sûre. Juste à imaginer le sourire victorieux de mon père ! Et ma mère, qui dirait : « C'est bien, Alice, c'est une sage décision ! »

Sage décision ! Heille ! je veux plus être sage, justement !

Je prends ma valise et me mets en marche en observant les piétons que je croise, cette faune montréalaise si diversifiée que j'ai toujours tellement aimée !

Trois mois. Je me donne trois mois pour essayer. Pour essayer un autre genre de vie. Si ça foire, si je suis malheureuse, si je suis pas capable, je retournerai chez mes parents. Malgré ce qu'a dit mon père, je le sais qu'ils me reprendraient…

Essayer, au moins…

Alors voilà, tant qu'à me lancer un défi, je me le lance jusqu'au bout : je trouve un appart aujourd'hui même. N'importe lequel. Seules restrictions : ça doit être un 3 1/2, pas trop cher, et le proprio doit accepter de me signer un bail de trois mois. Le premier que je vois qui fait mon affaire, je le prends. Ensuite, je me trouve une job (je voudrais quand même pas trop entamer mes économies à la banque). J'essaie ça pendant trois mois, et après, on verra.

L'aventure, quoi.

Excellente décision. Je souris en marchant. Je sais pas où je vais, mais j'y vais.

◆

Faudrait peut-être que je pense à un endroit précis pour entreprendre mes recherches.

Pas très loin devant moi, je reconnais Sainte-Catherine. Au coin, des punks, des *skins*. Les « jeunes de la rue », comme on les appelle à *Enjeux* et autres émissions très, très sérieuses.

Mains tendues qui quêtent des sous aux passants.

— Un p'tit peu de monnaie, s'il vous plaît…

Il y en a un qui est même insistant :

— S'il vous plaît, monsieur, donne-moi un peu de change. Envoye donc, juste trente sous !

Je m'arrête, les observe un moment. Eux aussi, quand ils sont partis de leur maison, ils devaient avoir une soif d'absolu. Sauf qu'ils n'ont pas compris. C'est pas ça que je cherche, moi, je veux pas devenir comme ça. Je veux dire oui à tout, sauf à l'inertie. Celle du corps comme celle de l'esprit.

Un homme passe rapidement devant les jeunes. Trois mains se tendent.

— Un p'tit peu de change, monsieur ?

L'homme s'arrête, les regarde, hésite à repartir. Il finit par sortir son portefeuille avec empressement. Kling ! Les trois paires d'yeux s'allument comme des phares de voiture. L'homme tend un billet, sans viser un jeune en particulier. Le monsieur a pas l'air riche, pourtant. Vêtements vieillots, usés, qui ont sûrement déjà été beaux mais qui ont accumulé pas mal de millage.

Une âme charitable, j'imagine. Une bonne conscience.

Le billet est avalé par une main. Remerciements mous. L'homme se remet en marche, deux fois plus vite que tout à l'heure. Je le suis des yeux, machinalement. Il aligne distraitement son portefeuille vers la poche de son pantalon et… ziip ! Par terre, le portefeuille !

Le gars continue à marcher. Rien vu.

Quelques piétons passent près du portefeuille mais personne ne le remarque. L'homme s'éloigne de plus en plus.

Je vais ramasser le portefeuille. Une cinquantaine de piastres à l'intérieur. Là-bas, le monsieur est en train de traverser Saint-Denis. Sans réfléchir, le portefeuille d'une main et ma valise de l'autre, je m'élance à sa suite…

En même temps, la voix de mon prof de philo revient résonner dans ma tête.

Pourquoi tu ne gardes pas l'argent, Alice ?

Hein ? Mais voyons, parce que c'est pas correct, c'est pas le mien ! Il faut que je le lui remette.

Je vois. Tu respectes donc une convention sociale et morale, en l'occurrence l'honnêteté…

C'est quoi, ça, de l'ironie ? Fais de l'air, Laurent Lévy ! T'es plus mon prof, fait que disparais de ma conscience ! Là-dessus, je saisis un revolver virtuel et lui loge une balle dans la tête. Tiens. Je vais enfin avoir la paix.

Le monsieur est rendu de l'autre côté. Il se dirige vers une entrée du métro Berri, au pas de course. Je veux bien lui redonner son portefeuille, mais qu'il m'aide un peu ! J'ai une valise, moi, en plus !

Le temps que je traverse la rue, mon monsieur a disparu. Sûrement dans le métro. Je prends le même chemin que lui, descends l'escalier roulant. Je marche rapidement dans un corridor souterrain tapissé de pubs, rempli de gens. Au loin, je vois enfin mon monsieur, en train de payer son billet au guichet. J'accélère le pas, lui lance même un « Hé, monsieur ! » pourtant retentissant, mais l'autre n'entend que dalle. Quand j'arrive au guichet, il a déjà traversé le tourniquet et descend vers le quai.

Ben, tant pis ! Je paierai pas un ticket de métro pour aller lui redonner son portefeuille certain ! Y a une limite !

Quand même, cinquante piastres… Il risque d'être ben malheureux quand il va se rendre compte qu'il ne les a plus… En plus, il a vraiment pas l'air riche…

Hésitation, hésitation, quand tu nous tiens…

Je paie donc pour un billet, traverse le tourniquet et descends à mon tour vers le quai. De toute façon, il aurait fallu que je prenne le métro à un moment donné, non ?

Le métro arrive. Je cherche mon monsieur des yeux. Là-bas, il entre dans un wagon. Vite, vite, je m'élance, je me propulse, je me fusée-à-réactionne vers le wagon et réussis à me glisser entre les portes coulissantes à demi coulissées, exactement comme Indiana Jones.

Je dépose ma valise sur le plancher et ricane de satisfaction, ah, ah, ah ! Quand le monsieur va voir tout ce que j'ai fait pour le rattraper, il va peut-être me donner un petit dix dollars en guise de remerciement. On sait jamais…

Il n'y a que quatre autres passagers dans le wagon dont, évidemment, mon bonhomme. Assis, il se frotte les mains nerveusement. Pas l'air très rassuré.

— Monsieur.

M'entend pas.

— Hé, monsieur.

Il me regarde enfin. Il a une tête frisée, les cheveux châtain blond. Des yeux bleus ahuris. Pas loin de quarante ans, je dirais. Son regard tourmenté s'attarde sur moi, ignore complètement le portefeuille dressé sous son nez.

— Vous avez perdu ça, monsieur.

Je tends le *ça* avec insistance. Il le voit enfin. Ne comprend pas. Fouille dans les poches de son vieux veston, de son vieux pantalon. Il a une cravate noire, aussi miteuse que le reste de ses vêtements. Le genre de gars qui, malgré sa misère, tient encore à conserver une image de classe. C'est comique et triste à la fois.

Il allume enfin.

— Ho !… Je… Ho, hé b… b… b… bien !

Il tend la main pour reprendre son bien.

— Mer… mer… merci beauc… beauc… ccc… coup, madem… dem… dem…

Un bègue. Ce sera pas simple.

— … mademmm… mmm… moissss…

Ses yeux reviennent sur moi… et là, on dirait qu'il me voit vraiment. Sa main, qui avait presque atteint son but, s'immobilise. Ça se transforme soudain dans son regard, comme si on avait mis une ampoule neuve. Sa main s'abaisse, sans qu'il ait repris son portefeuille.

— Merci beaucoup, mademoiselle.

Eh ben voilà ! Il l'a dit ! C'était pas si difficile, hein, Vieille Cravate ? Il me contemple toujours, l'air fasciné, puis lance, comme ça, tout naturellement :

— L'honnêteté est une denrée si rare, de nos jours. Surtout chez les jeunes qui, en reniant leurs aînés, ont jeté par la même occasion les valeurs pourtant fondamentales que ceux-ci représentaient.

Batince ! Un livre ! Je parle à un livre ! Les pages ont un ton un peu nasillard, mais c'est un livre quand même !

— Faut pas généraliser, que je dis, amusée. Il y a encore des jeunes qui ont ben de l'allure.

— Bien sûr, vous avez raison. Généraliser est un raccourci intellectuel dangereux. Voilà une grossière erreur de ma part, mais, heureusement, *errare humanum est !*

Pas possible. Il doit être prof de littérature à l'université. Ou alors il travaille à la chaîne culturelle de Radio-Canada. Mais contrairement à cette bande de poseurs, il n'y a rien d'affecté chez lui, pas de pédanterie. C'est naturel, il s'en rend même pas compte.

Le métro s'arrête à la station suivante. Deux passagers en descendent, un autre monte.

— Alors voilà, bonjour.

Je viens pour sortir lorsque je réalise que je tiens toujours le portefeuille. Je reviens vers Vieille Cravate. Derrière moi, la porte coulissante se referme. Bon, je sortirai à la prochaine. Je tends le portefeuille vers l'autre.

— Vous êtes pas pour le perdre une seconde fois !

— Comment vous appelez-vous, mademoiselle?

Il ignore le portefeuille. Il veut jaser. Lui serais-je tombé dans l'œil? Ça m'amuse, ça.

— Franchement, vous pouvez laisser faire le vou-voiement. J'ai juste dix-huit ans…

— Si tu veux. Alors, comment t'appelles-tu, jeune fille?

— Alice.

Holà! La réaction! Je lui aurais dit «Roger» qu'il aurait pas autrement écarquillé les yeux!

— Alice, qu'il marmonne. C'est… c'est un bien joli nom…

— Vous, c'est quoi?

On dirait qu'il sait plus trop s'il devrait continuer à me parler. Mais son sourire revient.

— Charles.

— Hé bien, Charles, voilà votre portefeuille.

Et je lui tends son satané portefeuille en me disant qu'il va bien finir par le prendre. Il le voit même pas, merde! Il me dévore des yeux. Franchement, ça en devient presque gênant.

— Et qu'est-ce qu'Alice fait dans la vie, si je peux me permettre cette inoffensive indiscrétion?

— Je viens de quitter ma maison de Brossard pour venir vivre ici, à Montréal.

— Ah, bon? Et l'école? J'imagine que tu fréquentes le cégep, n'est-ce pas?

— Oui, hé ben, je le fréquenterai plus. C'était une relation enrichissante, mais qui manquait trop de piquant à mon goût.

— Que vas-tu faire, alors?

— Vivre autre chose. Découvrir une autre vie. Aller au bout.

— Au bout? Mais de quoi donc?

Il me prend au dépourvu. Je sais pas trop quoi répondre. Je hausse les épaules, comme ça, et je réponds avec négligence:

— Au bout de tout.

Ouais, bon, pas trop fort comme réponse, j'admets. Lévy ricane dans mon dos, hé, hé, hé. Ta gueule, le cadavre !

— Ça peut mener loin, ça, au bout de tout, jeune fille. Très loin. Parfois trop. À des endroits insoupçonnés.

Ah, non ! Pas de morale, *please* ! Je suis partie de chez papa et maman justement pour ne plus vivre dans le monde de Walt Disney ! Et puis, qu'est-ce qui me prend, de lui raconter tout ça ?

— Vous, vous faites quoi ?

Il se trouble de nouveau.

— Je suis mathématicien de formation. J'ai pratiqué ce difficile mais passionnant travail durant quinze ans. Je l'ai même enseigné durant quelques années en Angleterre.

— Ah ? Vous êtes Anglais ?

— Non, pas du tout. Je suis un Québécois de souche. On m'a proposé un contrat d'enseignement intéressant au pays du brouillard…

Le pays du brouillard ! Fiou !

— … et j'y suis resté environ cinq ans.

— Vous êtes revenu enseigner ici ?

— Non, je… Disons que… Enfin, bref, je n'enseigne plus, voilà.

— Ah ? Pourquoi ?

Aux signes déjà nombreux de malaise, Charles ajoute le mordillement de sa lèvre inférieure. Je sais pas s'il aurait répondu, mais un gars est venu le tirer du pétrin. Grand maigre, l'air hispano, habillé hyper *fresh*.

— T'aurais-tu l'heure ?

Le métro ralentit, s'arrête. Ça doit être la troisième ou la quatrième station depuis le début de ma conversation. Il ne reste dans le wagon que Charles, Fresh-Latino et moi-même en personne. Charles, qui a enfin saisi que la question lui était adressée, consulte sa montre.

—Il... il est sei... sei... seize heures dou... dou... dou... douze.

Le gars remercie, sort. Portes qui se referment, métro qui repart. Mais Charles fixe toujours sa montre, comme si elle venait de lui lancer une obscénité.

—Sei... sei... seize heures dou... douze ! Doux Jé... Jé... Doux Jéééé... ésus !

Hop ! Le voilà sur ses pattes à arpenter le wagon désormais vacant. Son stress est revenu, son bégaiement aussi et je n'existe plus, il parle même tout seul :

—Elle... elle a d... d... dit qu'apr... apr... après seize heures trente, elle ne s... s... serait plus l... l... là ! Et... il faut que je... je... je passe chez m... m... moi a... a... avant !

—En retard à un rendez-vous ?

Il se souvient de moi. Arrêt sec.

—Non... Je veux dire, oui... Enfin, c'est un peu compliqué, vois-tu...

Il se plante devant la porte. Il descend donc à la prochaine. Dommage, j'aurais aimé en savoir un peu plus sur lui. Je le trouve plutôt rigolo.

—Et pourquoi vous enseignez plus les maths, finalement ?

Le métro ralentit. Charles me regarde dans les yeux. Avec gravité.

—Parce qu'il n'y a plus de logique.

Je prends cette phrase, la couche sur une table d'opération, la dissèque, fouille dedans : je ne trouve absolument rien.

Quelle sorte de réponse que c'est ça ?

Le wagon est complètement arrêté, les portes coulissantes s'ouvrent et Charles sort. Je me lève, lui lance :

—Bonjour, là !

Il se retourne. Nous nous regardons longuement par les portes.

Portes qui demeurent ouvertes, d'ailleurs…

Il se passe quelque chose. Le temps est suspendu. J'ai toujours trouvé cette métaphore idiote, mais pour la première fois, je comprends ce qu'elle signifie.

Charles et moi nous observons toujours, immobiles. Lui sur le quai, comme s'il avait envie de me dire quelque chose, sans oser le faire; moi dans le wagon, me sentant toute chose, ne sachant que faire.

… et les portes qui ne se referment toujours pas…

Puis tout à coup, Charles s'éloigne, presque en courant.

C'est quoi, ça, dans ma main?… Merde! C'est pas vrai! Le portefeuille!

— Hé! Charles!

Au même moment, le temps se donne un élan et reprend son cours, car les portes coulissantes commencent enfin à coulisser. Je saisis ma valise et refais mon numéro d'Indiana Jones à l'envers. Je suis à peine sortie du wagon que le métro repart derrière moi.

— Charles!

Il se retourne enfin, sur le point de s'engager dans le couloir de sortie. Je brandis son portefeuille. Il comprend. Revient vers moi. Point de jonction. Échange de la marchandise. Enfin!

— Merci. La distraction est mon plus ancien compagnon.

— C'est pas grave, que je dis bêtement.

Il hésite de nouveau. Ce gars-là doit passer la moitié de sa vie à hésiter. Il regarde sa montre et s'affole.

— Il faut vraiment que je file. Au revoir, Alice, et… retourne chez toi.

Méchante douche froide! Charles repart au trot. Il disparaît dans le couloir de sortie et le bruit de ses sabots s'atténue jusqu'à extinction totale.

Retourner chez moi? Laisse donc faire!

Je m'assois sur un banc pour attendre la prochaine rame. Tout de même, je trouve que cette rencontre est un bon présage pour ma nouvelle vie à Montréal. Comme si ce portefeuille que j'avais trouvé était un signe du destin. Amusant. Très amusant.

Je jette un coup d'œil autour de moi. Pas un chat, désert, personne, *nobody*. On entend presque des criquets. À quelle station suis-je donc ? Je regarde sur le mur derrière moi. Le nom de la station est écrit nulle part. Je regarde de l'autre côté des rails, sur le quai en face. Désert aussi. Pas de nom de station non plus. Quand je suis partie de Berri, tantôt, j'ai pas fait attention. Tout ce que je sais, c'est que je suis sur la ligne verte, mais je sais pas quelle direction.

Ah ! tiens, il y a quelqu'un de l'autre côté, presque au bout du quai, là-bas. Une fille. Habillée d'un bustier et d'une jupe courte. Elle a l'air dans un sale état. Ses vêtements sont en lambeaux et ses cheveux anarchiques. Des cheveux bruns et longs, comme les miens. Je me demande même si je ne perçois pas des traces de sang sur son visage et ses jambes. Elle est assise, ou plutôt écrasée sur un banc. Elle semble à peu près de ma grandeur. Le même âge que moi, ou à peu près…

On dirait même que…

… comme si elle…

J'avance la tête, incrédule.

Voyons, c'est fou, ça ! Je la distingue pas parfaitement, mais on dirait vraiment que…

… comme si elle…

Je me lève sans cesser de la fixer. Ça se peut pas ! Il faut que j'en aie le cœur net ! Je me mets en marche vers le bout du quai, dans l'intention d'arriver à sa hauteur. Seulement séparée par la fosse des rails, je n'aurai aucune difficulté à bien discerner ses traits.

Tandis que j'avance, elle se précise de plus en plus, affalée sur le banc, comme un paquet jeté en tas… Elle est vraiment maganée. Comme si un autobus lui était passé dessus. Mais voilà que le métro arrive de l'autre côté et me cache la fille. Je me mets à courir.

Il faut au moins que je la voie à travers la vitre du wagon ! Au loin, je la distingue qui monte, titubante, vacillante. Plus vite, plus vite ! Mais le métro se remet en marche. Je cours le plus rapidement que je peux, pouf, pouf… Et le métro qui accélère ! Minute ! Il faut que je la voie, attendez ! Mais le métro va évidemment plus vite que moi et, trois secondes plus tard, lorsque j'arrive enfin au bout du quai, les phares moqueurs sont déjà loin dans le tunnel.

Un peu essoufflée, je finis par hausser les épaules. Bon. Tant pis. J'imagine que si je l'avais vue de près, la ressemblance aurait été moins frappante…

Je retourne m'asseoir sur un banc.

Attends.

Silence total. Même pas de musique quétaine dans les haut-parleurs.

Et toujours pas de métro. Serait-ce la grève qu'ils annoncent depuis plusieurs jours qui vient d'éclater ? Pas en plein milieu de la journée, quand même !

Au fait, qu'est-ce que j'ai à attendre ? Pourquoi je veux reprendre le métro ? Pour aller où ? J'ai oublié mon défi ou quoi ? Trouver un appart, n'importe où, le premier qui fait l'affaire…

Le hasard a décidé que ce serait ici. Alors aussi bien sortir et chercher.

En haut de l'escalier roulant, il n'y a personne non plus. Grande aire ouverte en béton, avec une seule sortie pour remonter vers l'air libre. Là, devant moi, le guichet.

Je cherche sur les murs le plan habituel des lignes de métro pour découvrir la station. Pas de plan. Vraiment, je suis tombée sur la station la plus mal entretenue de toute l'île !

Je vais au guichet. À l'intérieur, le Monsieur Métro regarde une télévision. Je ne vois pas l'écran, mais ça doit être l'image d'une caméra de surveillance. Quoique j'aie rarement vu un employé surveiller avec autant de zèle : il m'a même pas vue arriver. J'approche ma bouche de l'ouverture de la vitre.

— Excusez-moi…

Monsieur Métro tourne la tête. Il est blême à faire peur et très cerné. Il doit pas dormir souvent, celui-là.

— Oui ?

Le son de sa télévision me parvient très faiblement. S'il y a du son, c'est que ce n'est pas une caméra de surveillance. Une vraie télé ? Dans un guichet de métro ?

— J'aimerais savoir à quel métro on est.

Il me regarde, bras croisés, sourcils froncés.

— Je comprends pas.

Je hausse ma voix :

— Où on est ?

— Ah ! bon !

Il retourne à sa télévision et me répond évasivement :

— On est jeudi.

Je me demande si j'ai bien compris. Ai-je bien compris ? J'ai bien compris. Donc c'est lui qui m'a mal comprise. Voilà, c'est ça.

— Non, c'est pas ça que je vous demande.

— Dommage, parce que moi, c'est ce que je te réponds.

Il me rétorque ça calmement, sans même daigner me regarder. J'en demeure sans voix. Estomaquée. Bouche bée. Et autres synonymes.

Je distingue alors plus nettement les sons de la télé. C'est faible, mais… halètements, râles, ricanements, cris de plaisir…

Mais… mais ce gars est en train d'écouter un film porno ! C'est un film porno, j'en mettrais ma main au feu !

— Écoutez, vous pourriez être poli ! Je veux juste savoir à quelle station je suis !

Monsieur Métro me regarde enfin, d'un air totalement ahuri.

— Quoi, encore toi ?

— Hein ? Encore moi ? Ben oui, encore moi ! Je vous ai posé une question !

— Je suis pas là pour répondre aux questions, moi ! Je suis là pour surveiller, c'est tout ! Là, tu me déranges dans mon travail de surveillance !

Il se penche vers la télé et se remet à étudier l'écran avec un sérieux et une concentration parfaitement déroutants.

— Surveiller ! que je m'écrie avec mépris. Surveiller un film de cul !

— Pourquoi pas ?

Ça me bouche raide. Il continue :

— Les gens croient qu'on peut juste « regarder » un film porno. C'est faux. On peut le surveiller. C'est même étonnant tout ce qu'on peut surveiller là-d'dans…

Il retourne à son écran. Me revoilà sans voix. Estomaquée. Bouche bée. Sauf que là, je ne trouve plus de synonymes.

Ça y est, j'ai compris : un fou. Voilà. Il y a le fou du village ; lui, c'est le fou de la STCUM !

J'abandonne. Au moment de franchir le tourniquet, je lui lance, menaçante :

— Je vais me plaindre, vous savez ! Je vais appeler à la ville pis je vais vous dénoncer ! Ils vont vous jeter dehors !

Là-dessus, je franchis le tourniquet, fière de ma tirade. J'entends alors derrière moi :

— Ça m'étonnerait.

Je me retourne. Dans sa cabine, Monsieur Métro s'est tourné vers moi et, malgré la vitre, je l'entends me dire :

— Ça m'étonnerait qu'on me jette dehors. Sais-tu ça fait combien de temps que je suis ici ?

À voir son teint blême et ses yeux cernés, j'ai soudain l'impression absurde que lorsqu'il dit « ici », il parle littéralement de sa cabine. Un drôle de frisson fait un sprint le long de ma colonne vertébrale.

J'entrevois enfin, de l'angle où je suis, l'écran de sa télévision. Je distingue vaguement des corps nus qui bougent, qui gigotent, qui copulent…

… et il y a du rouge, aussi… beaucoup de rouge…

Ma salive devient pâteuse.

— T'as pas idée, ajoute Monsieur Métro, si blême, si cerné.

OK, c'est assez. J'ai besoin de revoir le soleil, tout à coup. Pis vite.

Je marche vers l'escalier roulant. Une fois dessus, je me sens mieux.

Un fou, un vrai criss de fou. Pervers, en plus.

Et ce rouge, à l'écran…

Comment ils ont pu engager ce gars-là?

Une minute après, je suis enfin dehors. Une rue ordinaire, anonyme, avec quelques piétons, quelques voitures qui passent. Je me tourne vers l'entrée du métro, pour connaître enfin le nom de la station. Sur la petite entrée de ciment, le logo blanc et bleu de la STCUM se dessine nettement, mais en dessous, le nom de la station est à peu près illisible. Les lettres blanches formant le nom sont presque toutes effacées ou arrachées, je sais pas trop. Vraiment la station la plus bordélique de tout le réseau.

Je tente quand même de deviner le nom de la station, malgré le peu de lettres encore visibles :

W   D   R   D

Je me répète mentalement les six ou sept stations de métro dont je me rappelle par cœur les noms. Aucune ne correspond à ces lettres.

Bref, je sais toujours pas où je suis.

Je regarde autour de moi. La rue est un boulevard plus ou moins achalandé. Beaucoup de commerces, quelques immeubles à logements. Un quartier comme il y en a tant à Montréal. Je jette un coup d'œil au panneau qui indique le nom de la rue :

LUTWIDGE

Ça me dit rien pantoute.

Mais où suis-je, nom d'une pipe de saperlipopette?

Bon. En tout cas, je suis pas au centre-ville. Toujours ça de certain.

En cherchant un piéton pour m'informer, j'aperçois mon Charles l'Angoisse, à une centaine de mètres devant moi. Il vient de sortir d'une petite rue transversale et marche maintenant sur Lutwidge, dans le sens opposé du métro, d'un pas toujours aussi pressé.

Je vais aller le rejoindre. Il me renseignera. Je prends ma valise et me mets en marche, mais tandis que j'approche de plus en plus de Charles, la vue de son pas pressé et de son attitude fébrile me fait ralentir. Soudain, je décide non pas de le rattraper mais de le suivre! Pour m'amuser! Pourquoi pas? Ce gars-là m'intrigue trop, et il m'a laissé sur ma faim, tout à l'heure. Je serais curieuse de savoir où il va, comme ça, si empressé…

Et me voilà-t-y pas en train de faire une Mata Hari de moi-même en personne et de suivre Charles le Mathématicien, à bonne distance, dans un quartier de Montréal que je ne connais pas du tout! Franchement, cette première journée à Montréal est plus mouvementée et surprenante que les deux derniers mois passés à Brossard!

Je traverse donc la rue en vitesse, mais un klaxon me fait reculer. Une Cadillac rouge aux vitres teintées passe devant moi. Pas très discret, comme bagnole. Je traverse enfin et me mets à suivre Charles à bonne distance. Durant ma filature, je croise plusieurs piétons. Quelques Noirs, quelques Asiatiques, mais surtout des Blancs. La rue est principalement occupée par des commerces: dépanneurs, bars miteux, magasins à petits budgets, quelques restaus *fast-food*… Apparemment, un quartier pauvre, mais de temps à autre, un restau très chic détonne, ou un bar aux allures très branchées, très *class*. Le même mélange de genres se fait voir chez les piétons. Rockeurs, quétaines, artistes, relax, mais quelques-uns arborent aussi le complet-cravate ou le tailleur chic des professionnels du centre-ville. Il y en a d'autres qui ont l'air tout simplement *weirds,* comme ce barbu hirsute en smoking ou cette fille habillée en pute mais avec deux sacs d'épicerie dans les bras. Ah ! La faune de Montréal !

Je suis Charles depuis une quinzaine de minutes et je commence à en avoir plein mon casque quand il tourne enfin dans une rue transversale. Je lis le nom de celle-ci :

DODGSON

Ça me dit rien non plus.

Je fais quoi ? OK, je prends une décision : je file encore Charles un peu et si, dans cinq minutes, il n'est entré nulle part, je l'accoste carrément et lui demande où je suis.

Dodgson est une rue plus calme, plus étroite et presque entièrement résidentielle. Deux longues rangées de duplex et de triplex, tous collés les uns aux autres, sans espace entre chacun d'eux, tous visiblement pauvres. Je ne croise qu'un ou deux piétons, la circulation est presque inexistante. Dans quelques instants, je vais sûrement voir Charles entrer dans un de ces immeubles.

Et là, je ferai quoi ? Pourquoi l'ai-je suivi, au juste ?

Je m'arrête et regarde Charles, à une vingtaine de mètres devant moi, me demandant si, au fond, je suis pas en train de perdre un temps précieux : je serais bien mieux de commencer à penser où je vais dormir ce soir…

J'en suis là dans mes pensées quand Charles traverse la rue pour aller s'immobiliser devant un immeuble. Un duplex qui, à première vue, est pas très différent des autres : façade de brique toute craquelée, fenêtres sales et vieillies aux deux étages, balcons en boiseries défraîchies et galeuses... Un beau trou à BS, comme dirait ma mère.

... oublie ta mère...

La différence, c'est que l'immeuble est en briques rouges. Pas un rouge brique traditionnel et normal, non, non : un rouge vif violent, comme si on avait carrément peinturé les briques. Un rouge hallucinant qui détonne sur le gris et brun du reste de la rue. Contrairement à la plupart des autres bâtiments, aucun escalier ne descend des balcons. Il n'y a qu'une entrée, en bas.

Justement, cette porte d'entrée attire l'attention. Pas en bois, ni en aluminium : en métal. Une grosse porte en métal rutilant, plein de boulons, comme les entrées de bases planétaires dans les films de science-fiction. Une porte de bunker. Une porte d'abri antinucléaire.

Une porte pas rapport.

Charles sonne à cette porte.

Une couple de secondes passent, puis on ouvre. Un *doorman*. Un vrai. Large comme un gorille, grand comme Frankenstein, smoking noir, nœud papillon, cheveux gominés. Le portier type d'un *night-club* cinq étoiles.

Sauf que ce mafioso *hyper-class* ouvre une porte métallique d'un duplex minable. Ça marche pas pantoute. Comme si Monseigneur Turcotte ouvrait la porte d'un bordel.

Charles et le Gorille discutent avec animation. Le Gorille soupire, désigne sa montre du doigt, comme pour lui dire qu'il est trop tôt, ou trop tard... Charles insiste, a l'air suppliant. J'entends pas ce qu'ils se disent. Finalement, le Gorille s'écarte, Charles entre et clac ! la porte métallique se referme.

C'est pas un immeuble à logements, ça. C'est un club privé. Ou quelque chose du genre.

Je lève la tête et observe l'immeuble avec plus d'attention. Pas de chaises sur les balcons. Personne aux fenêtres sales.

Non, pas sales… En fait, elles sont… bouchées. Condamnées.

Un club de danseuses ? Sur deux étages ? Ou un club encore plus… spécial ? *Gambling ?* Échanges de couples ? Piquerie ?

Ça marche pas, voyons ! Charles, avec sa voix de littéraire, ses belles manières… Je l'imagine pas dans ce genre d'endroit. Je l'imagine plutôt dans un salon de bridge.

C'est ça : c'est peut-être un genre de club de bridge.

Je traverse la rue et m'approche de la porte. Aucune affiche, aucune indication. Une seule sonnette. C'est tout.

Ah ! Pis qu'est-ce que j'ai à me poser tant de questions sur cet immeuble ? Au fond, je m'en sacre ben !

Je regarde autour de moi en soupirant. Je suis fatiguée morte. Quitter la maison en provoquant une guerre civile, ça épuise émotionnellement. Pis j'ai faim.

Un peu plus loin, de l'autre côté de la rue, à moins de cent mètres, je vois un immeuble à appartements de trois étages qui, de sa pancarte collée à une fenêtre, me lance une invitation :

LOGEMENTS À LOUER
MEUBLÉS

Hé ben voilà !

Je marche donc vers la bâtisse. Elle n'a vraiment pas meilleure mine que ses voisins. Entre l'immeuble et le trottoir, vingt centimètres de gazon. Pas de balcon aux étages. Sur la porte d'entrée, une affiche plus petite : POUR LOCASSION, ALLER A L'APARTEMANT NUMERO UN. J'hésite. Je tiens vraiment à rester dans ce quartier plus ou moins intéressant ? Il paraît que le

Plateau Mont-Royal, c'est l'endroit idéal pour les jeunes… Mais il paraît aussi que c'est cher…

Allons, bon! Je viens d'arriver et déjà j'essaie de changer les règles du jeu? En fait, c'est pas un jeu, ni un défi, mais un test: si je suis même pas capable de passer trois mois dans un quartier comme ici, aussi ben retourner tout de suite à Brossard dans ma belle chambre à coucher bleu ciel, avec mes beaux petits cadres et ma belle collection de clowns, et mon beau lit à baldaquin avec ma belle garde-robe pleine de vêtements *cute*, et les oiseaux, les fleurs, les frou-frous, la musique et tralala, cui-cui-cui…

Cette simple évocation me donne le vertige et un bon élan pour entrer dans l'immeuble. Je vais à l'*apartemant* un et frappe. Une femme dans la quarantaine avancée me répond. En vieille robe de chambre. Les cheveux pleins de bigoudis. Elle sort d'un roman de Michel Tremblay, celle-là.

— Oui?

— Vous louez des appartements?

— Oui.

— Combien de pièces?

— Trois et demi. Semi-meublé. Trois cent cinquante par mois.

— Tout compris?

Elle a l'air étonnée.

— Ben, évidemment! Eau chaude, électricité, téléphone…

Téléphone? Ça alors! C'est la première fois que j'entends ça! C'est vrai que j'ai jamais cherché d'appartement, mais quand même…

— Et… est-ce que c'est possible de signer un bail de trois mois?

Elle est de plus en plus surprise, la bonne femme. Pourtant, il me semble que je pose les bonnes questions… Ai-je l'air si novice?

— Ben… Oui, oui, ça devrait…

J'en reviens pas ! C'est le premier immeuble où je m'informe, et je trouve tout ce que je veux du premier coup ! Un autre signe du destin ! Ça me rend tout excitée, toute fébrile ! À un point tel que je lance, enthousiaste :

— Parfait, je le prends !

— Tu veux pas visiter avant ?

— Non, non, je suis sûre que ça va aller !

Tant qu'à vivre l'aventure, aussi bien la vivre jusqu'au bout !

— Parfait. Entre, je vais aller chercher la clé.

Je me retrouve dans une cuisine défraîchie, fade, mais propre et bien rangée.

— Assis-toi à la table, je reviens.

Elle disparaît dans une chambre. Dans le salon, juste à côté, je vois un homme en train de repeindre les murs. Une peinture rouge criard, rouge hurlant. Ça me fait mal aux yeux. Seigneur ! Deux jours dans un salon de cette couleur et on veut tuer quelqu'un ! L'homme, un quinquagénaire presque chauve et bedonnant, me voit enfin. Il arrête ses coups de pinceau. Me dévisage. Je tripote ma valise sur mes genoux, un peu gênée. Je souris poliment, hi, hi.

— Bonjour, monsieur.

— Est-ce que t'aimes ça ?

Aucune salutation. Pas très poli. Ça me désarçonne un peu.

— Pardon ?

— Cette couleur, sur les murs. T'aimes ça ?

— Oui, que je mens à pleine bouche. Oui, c'est très vivant.

Il plisse ses yeux.

— Menteuse.

Goulp ! J'en avale ma salive de travers. Malpoli, mais drôlement perspicace ! Et assez direct, merci ! Je cherche quelque chose à rétorquer, mais le bonhomme considère ses murs et continue :

— C'est vrai que c'est laid à crever. C'est pas mon choix, c'est ma femme qui veut cette couleur-là.

— Oui, c'est ta femme, pis tu sais pourquoi !

La proprio lance cette phrase en revenant à la cuisine. Le bonhomme secoue la tête :

— Oui, je le sais, mais je trouve ça ben con pareil. Elle viendra jamais te rendre visite ici, dans notre appartement, tu le sais ben !

— On sait jamais !

Le bonhomme soupire.

— Tu sais plus quoi dire, hein ? réplique sa femme, triomphante.

Il se frotte le front, puis hausse les épaules. Se refrotte le front, puis rehausse les épaules. Se rerefrotte le front, puis rerehausse les épaules. Ça en devient fascinant. Finalement, il lâche gravement :

— D'la marde !

Et sur cet argument sans réplique, il poursuit son badigeonnage. La proprio s'assoit et me prend soudain à témoin :

— Qu'est-ce que t'en penses, toi ? C'est pas impossible qu'elle vienne un jour me visiter personnellement, non ?

Je la dévisage, déconcertée. J'ai pas la moindre idée de qui ils parlent, moi ! Leur fille ? Leur tante Germaine ? La femme du Premier Ministre ? La proprio semble enfin se rendre compte de l'incongruité de sa question et marmonne, avec un geste indifférent :

— Oublie ça ! T'es nouvelle dans le coin, non ?

— Oui, j'arrive aujourd'hui. Justement, j'aimerais savoir quel est ce quartier. Je connais un peu Montréal, mais pas assez pour me replacer...

— Le quartier Daresbury.

— Daresbury ?... Ça me dit rien... C'est où ?

— C'est ici.

Pas vite, vite, la bonne femme. Je souris encore poliment, hi, hi.

— Oui, bien sûr, mais dans quel coin de Montréal ? Près du centre-ville ?

— Un peu.

— Dans l'est ?

— Pas tout à fait.

— Dans l'ouest, alors.

— Plus ou moins.

Si je vais me promener dans les Alpes, il faut que je me souvienne de l'engager comme guide… Elle est vraiment conne ou quoi ? Mais je continue de sourire poliment, hi, hi, une vraie dinde.

— Ça m'aiderait si vous étiez un peu plus précise…

— T'es venue pour me faire passer un test de géographie montréalaise ou pour louer un appartement ?

— On est à l'est du centre-ville, lance le mari sans cesser de peindre.

Bon. C'est pas la précision incarnée, mais ça me situe un peu. Miss Bigoudis glisse une clé vers moi.

— Alors, voilà, chambre numéro cinq.

— Et le bail de trois mois ?

— Ah, oui, c'est vrai, tu veux un bail…

Comment, je veux un bail ? C'est comme ça que ça marche, non ?

— Écoute, je t'en fais un cette semaine pis je monterai te le faire signer quand il sera prêt, OK ?

Drôle de façon de fonctionner mais, bon, pourquoi pas ?

— D'accord.

Je me lève.

— Oubliez pas, hein ? Pour trois mois seulement. Je vais peut-être rester plus longtemps, mais je veux commencer par trois mois.

— Tous mes locataires restent plus longtemps. Ils sont ici depuis plus de dix ans, pis ils sont jamais partis.

— Il y en a quand même un qui est parti, puisque vous en louez un.

Elle réfléchit, fait une petite moue admirative.

— Bon raisonnement…

Hé ben, ça lui en prend pas beaucoup.

— Mais il est pas parti. Il est mort.

— Ho !

Comme si elle lisait dans mes pensées, elle ajoute rapidement :

— Inquiète-toi pas : il est pas mort dans l'appart.

J'avoue que ça me rassure. Je prends la clé.

— Parfait, je vais monter. Alors, vous viendrez me faire signer le bail quand il…

— Inscris-moi donc ton nom ici, justement, pour pas que je l'oublie.

Elle me désigne un crayon et une feuille sur la table. Je me penche et prends le crayon en me disant que je vais écrire mon nom pour la première fois depuis ma prise de décision, depuis mon départ, depuis cette nouvelle vie, depuis que je suis adulte, depuis que je suis une autre Alice.

Une autre Alice…

Alors, sous une impulsion subite, sans y avoir vraiment pensé, sans même me demander si c'est ridicule ou non, j'inscris :

Aliss Rivard

Je contemple avec orgueil mon nouveau prénom. Finalement, c'est pas ridicule pantoute. C'est même *cool*.

Miss Bigoudis prend la feuille. Lit mon nom.

— Aliss ? Avec deux « s » ? C'est rare, ça, non ?

— Oui, je réponds en souriant fièrement. C'est même tout nouveau.

VERRUE

ou

Plus longtemps durera le cocon,
plus beau sera le papillon

L'élément déclencheur est donc déclenché: une nouvelle vie commence pour Aliss! Notre héroïne est prête à rencontrer tous les personnages qui peupleront ses aventures! Mais lesquels seront ses amis et lesquels seront ses ennemis? Elle devra être vigilante… et toi aussi, ami lecteur, ouvre l'œil!

Franchement, l'appart est pas aussi miteux que je le craignais. Bon, c'est pas le Ritz, c'est sûr. Le papier peint est laid, mais en bon état. Le plancher est pas au niveau, mais en beau bois franc. Les meubles datent du Déluge, mais sont encore utilisables. Le four et le frigo sont d'un jaune vomitif, mais ils fonctionnent. Quant à la salle de bain, la pièce que je redoutais le plus, elle me rassure: minuscule, mais assez propre. Et comme le téléphone est compris, j'ai déjà une ligne téléphonique.

Je prends un gros cinq minutes pour faire le tour de mon nouveau chez-moi. Voilà! Ce sera mon décor pour au moins les trois prochains mois! La mélancolie et l'angoisse en profitent pour m'attaquer sournoisement par-derrière. Normalement, à cette heure-ci, je serais chez moi, avec papa et maman, et on se préparerait à aller au restau…

Je devrais peut-être leur téléphoner.

Non, non, c'est trop tôt. Allons, je faiblis, moi ! Ho, là là ! Il faut me refaire des forces ! Vite, vite, des vitamines !

Je sors dans le vestibule. J'ai l'appartement cinq, au troisième. Je passe devant le numéro six, dont la porte est entrebâillée. Une musique provient de l'intérieur. Une chanson qui m'est familière, un chanteur super kitch que ma mère écoute souvent… Comment se nomme-t-il, déjà ?… Jo Dassin, c'est ça ! Je m'arrête et tends l'oreille, amusée :

> On s'est aimés comme on se quitte
> Tout simplement sans penser à demain
> À demain qui vient toujours un peu trop vite
> Aux adieux qui quelques fois se passent un peu
> trop bien

Une des préférées de maman, en plus. Maudit que c'est quétaine ! J'ai aucune difficulté à m'imaginer le locataire : une matante qui lit des Harlequins à longueur de journée. Pathétique. Comme je viens pour m'éloigner, un rire se fait entendre de l'intérieur de l'appart. Un rire d'homme, rauque, vieux, plein de roches et d'épines. C'est donc un mec qui écoute ça ? Un gars qui, si on se fie à son rire, a pas l'air très en forme.

Accompagnant le rire, une odeur vient me chatouiller les narines.

Du hasch. Du bon, en plus.

Il y a un homme qui écoute du Jo Dassin en rigolant et en fumant un joint.

Je descends les marches, perplexe.

Je croise un gars qui monte. Dans la vingtaine. Cheveux noirs longs en queue de cheval. Veste de cuir. *Cute* à mort. Je peux pas m'empêcher de le regarder avec intensité. Quand un gars me plaît, moi, j'hésite jamais à le lui faire savoir. Mes amies m'ont toujours trouvée pas mal audacieuse, là-dessus… Souvent, les gars baissent la tête, intimidés : ça me fait rire. Lui, par contre, soutient mon regard et me lance même un

petit sourire pas mal vicieux. Je le suis des yeux, surprise, gênée et ravie. C'est le genre de regard qui aurait
pu nous mener loin si on s'était rencontrés dans un
bar ! Le gars arrive au troisième, entre dans l'appart
numéro six et je l'entends crier :

— Calvaire ! t'écoutes pas encore cet ostie de
morron-là !

Il ferme la porte derrière lui.

Est-ce qu'il vit là ? Un beau voisin comme ça, ça
ferait mon affaire… Et l'autre, avec lui ? Son coloc ?
Le rire avait l'air vieux. Son père, peut-être ?

Dehors, je me mets en marche vers la rue Lutwidge,
vraisemblablement la rue principale du coin. En face,
je vois l'immeuble rouge, avec sa porte de métal.

Ça, faut absolument que je découvre ce que ça
cache…

J'aperçois alors, accrochée à la devanture d'un
immeuble voisin, à six mètres du sol, une immense imitation de clé, grosse comme un traîneau, sur laquelle
est inscrit : SERRURIÈRE. Ça me donne l'idée d'aller
me faire un double de ma nouvelle clé.

Je rentre chez la serrurière. Un long comptoir. Les
murs recouverts de clés. Une dame derrière le comptoir.
Elle examine une clé avec une loupe, l'air très concentré.

— Bonjour.

Elle lève la tête. Cheveux en bataille. Quarantaine
avancée. Elle me voit, marque de la surprise, puis
sourit :

— Oui ?

— Je voudrais faire un double d'une clé.

Elle approuve :

— Et tu as chosi la milleure plce por ça ! Madme
Letndre, c'st la srrurière nméro un dans le qurtier !

Que c'est ça ? Est-ce du français ? J'ai compris ce
qu'elle a dit, mais j'ai vraiment l'impression qu'elle
a parlé tout croche. Elle dépose sa loupe et me dit :

— Dnne-mo ta clé, je te fas ça tut de site.

Mais quelle sorte de dialecte elle parle ? On dirait un extraterrestre qui voudrait imiter notre langue ! Je lui tends la clé, sans cesser de la dévisager, comme si je fixais un handicapé.

— Madame Letendre, c'est vous ?

— Letndre, oui, c'st moi.

Elle prend ma clé, toute gentille :

— Prfait. Ça va prndre un ptit instnt.

Elle s'affaire sur sa machine, me tournant le dos. C'est incroyable. Ça doit être une maladie qui attaque la prononciation ou quelque chose du genre.

— Volà. Ça fra un gros dollr et cinqunte sous.

Je prends les clés, paie. J'arrête pas de la fixer, elle va finir par me trouver impertinente. Elle ne se rend compte de rien, prend l'argent, sourit toujours.

— Mrci, june flle. Au revor.

Je marche vers la porte. Dans mon dos, la serrurière me lance :

— Si tu as bsoin de quo que ce soit, revens me vor.

— De quoi que ce soit ? Vous faites juste des clés, non ?

— Est-ce qu'l y a qulque chse de plus imprtant qu'une clé, madmoislle ? Ça put tout ouvrir.

Je souris aussi, avec indulgence. Elle prend son métier un peu trop au sérieux, on dirait.

— Merci, madame Let… heu… merci, madame.

Je sors. Hé, ben ! Drôle de bonne femme !

J'arrive dans Lutwidge. Trouve un petit restaurant. Mange une lasagne gratinée. Pas mauvaise. Le restau est à peu près vide. La serveuse est bizarre : elle veut absolument me convaincre que le repas n'est pas à mon goût.

Café et réflexion : qu'est-ce que je fais de ma première soirée à Montréal ? Je sors ? Je vais au ciné ? Dans un club ? Je vais bouquiner ? Rien de tout cela me tente, au fond. Je suis épuisée. À bout. Grosse journée.

Je rentre donc dans mon nouveau chez-moi. Défais ma valise. Suspends les vêtements que j'ai apportés, range les quelques livres et quelques disques…

Puis, je me plonge dans *Hygiène de l'assassin*, le roman d'Amélie Nothomb. Une couple d'heures de lecture.

Je perçois de la musique. Ça vient d'à côté, du numéro six. Une autre toune quétaine, si j'en juge. Est-ce que le gars fume encore un gros batte en écoutant cette merde ?

Je me demande si le beau mec de tantôt est avec lui.

— Baisse ça, tabarnac, ou je criss mon camp ! retentit une voix assourdie mais suffisamment claire.

J'ai ma réponse.

La musique baisse, suivi du même rire rocailleux que tout à l'heure.

Je vais m'accouder sur le bord de la fenêtre ouverte et sors la tête. J'observe la rue, faiblement éclairée par les lampadaires. Personne.

Un piéton passe. Disparaît.

Plus loin à droite, de l'autre côté de la rue, je vois l'immeuble écarlate. Une ampoule est allumée au-dessus de la porte de métal. Rouge aussi.

Ça fait bordel en maudit, ça.

La porte extraterrestre s'ouvre. Ho, ho ! Je deviens attentive. Qui va en sortir ? Charles ? Le *doorman* ? Un envahisseur de l'espace ?

Deux hommes. Ils s'arrêtent sur le trottoir. L'éclairage de l'ampoule rouge est discret, ils ne sont donc pas faciles à distinguer. En tout cas, l'un a un chapeau particulier, on dirait un haut-de-forme.

Ils parlent tous deux quelques instants. Ils émettent un ricanement sonore, puis s'éloignent ensemble vers Lutwidge.

Je reviens au bâtiment rouge. Un bordel, j'en suis sûre. Et les deux gars qui sont sortis, sûrement deux clients.

Charles qui fréquente un bordel ? Ça colle tellement pas…

J'aimerais bien le revoir, lui, tiens.

Je bâille. Dix heures, pis déjà fatiguée ! Allez, au lit. Demain, je commencerai ma nouvelle vie pour vrai. Disons que, pour ce soir, on va mettre la *switch* à *off*.

Le lit est un défi en soi. Ça grince, zzincc, zzincc, c'est mou, c'est pas récent, ç'a dû servir pendant la guerre de Corée… Je demeure les yeux ouverts longtemps.

Des petites pointes d'anxiété. Des pensées fugitives, pour papa et maman.

Un peu de crainte. Un peu d'angoisse.

Allons, c'est normal, c'est ma première nuit. Faut que je me laisse une chance, quand même…

N'empêche, je peux pas m'empêcher de penser à mes parents. À Brossard. Au cégep. Puis, je me mets à reculer. L'école secondaire. Mon premier chum. Je recule encore. Mes cours de piano. Ma petite école primaire… Déjà, à huit ans, j'étais audacieuse pas mal… Je voulais tout essayer…

Le gros arbre interdit, dans la cour d'école, au primaire…

On l'appelait comme ça parce que les professeurs nous interdisaient d'y grimper. Moi, petite tête forte, durant une récréation, je me tenais devant l'arbre et je me disais : « Vas-y ! Grimpe ! » Je savais que je me ferais chicaner, mais je voulais le faire quand même. Par défi. Je sais que plusieurs enfants sont comme ça, sauf que moi, quand je désobéissais, je le faisais sans me cacher, devant tout le monde. J'affichais ma désobéissance avec fierté.

J'étais sur le point de grimper dans l'arbre quand la concierge est arrivée. C'était une drôle de femme. Elle ne parlait à personne mais avait pas l'air méchante. Elle m'a regardée et m'a dit, doucement :

— Grimpe si tu veux, ma petite fille. L'important, ce n'est pas que ce soit permis ou interdit. L'important, c'est que tu assumes les conséquences de tes actes.

Pour une fillette de huit ans, c'était une drôle de phrase…

Alors, j'ai grimpé. Jusqu'en haut. Sur la plus haute branche, je triomphais, tandis qu'en bas les élèves me regardaient avec admiration et les profs me criaient de descendre tout de suite.

Et je suis tombée ! Ben oui ! Une méchante chute ! Je suis tombée sur mon bras, il a cassé net ! Je braillais comme un saule pleureur, à m'en crever les poumons. C'était la panique autour de moi. Malgré mes larmes et ma douleur, j'ai remarqué la concierge. Elle ne s'énervait pas du tout. Elle me regardait et souriait. Pas un sourire moqueur, ni moralisateur, non, non. Un sourire qui semblait me poser une question, qui me demandait, en fait : « Alors, petite fille, assumes-tu les conséquences ? » J'ai arrêté de pleurer preque instantanément. Je venais de comprendre quelque chose.

J'ai passé trois semaines dans le plâtre, mais j'ai jamais regretté d'être montée dans l'arbre. Jamais. J'ai assumé.

Quand je suis retournée à l'école, la concierge n'y travaillait plus. Toutes sortes d'histoires ont couru sur elle. Qu'elle était détraquée, qu'elle avait commis un crime quelconque, qu'elle s'était sauvée de la prison. N'importe quoi. Les enfants grossissent tout.

De temps en temps, le souvenir de cette aventure réapparaît. Je me souviens pas du nom de cette femme et à peine de son visage, mais je me souviens de la situation. Je me souviens des mots précis qu'elle m'avait dits. Je me souviens du ton. Et je suis convaincue que cette rencontre de quelques secondes, entre elle et moi, a eu un impact sur le reste de ma vie.

Bon ! Avec tous ces souvenirs, je ne suis plus fatiguée du tout. Quoi faire, flûte de merde ?

Je vais me masturber, tiens. L'effet relaxant est garanti. Rien de tel qu'un bon orgasme digital pour dormir.

Je m'humecte les doigts et réchauffe le moteur.

Normalement, mes fantasmes tournent autour du même thème : trois ou quatre gars qui me baisent en même temps. Très cochons, mes fantasmes. J'en ai déjà parlé à Mélanie. Elle m'a regardée avec horreur. « Honnnn ! Que c'est donc dégoûtaaaaaaaant, Alice ! Comment peux-tu trouver excitant de penser à de telles chooooooooses ! » On sait ben ! Son rêve à elle, c'est de s'envoyer en l'air avec un inconnu sur une plage. Heille ! C'est pas du fantasme, ça, c'est de la carte postale !

J'ai les yeux fermés. Il y a quatre gars autour de moi, bien érectés... mais ça marche pas. Ça m'excite pas, ce soir...

Je repense alors au beau gars de cet après-midi, dans l'escalier.

Soudain, métamorphose : les quatre hommes virtuels ont tous le visage du beau gars. Flouchhhh ! Je mouille instantanément. Mes doigts s'activent. Les quatre clones me font des choses... des choses... Le plaisir monte, l'orgasme est proche. Quatre belles faces, quatre superbes membres, quatre regards pervers, quatre fois le même super mec, pis ça monte, ça monte...

Etttttttttt... bang ! Ça y est ! Et un orgasme pour célébrer ma première nuit à Montréal, un !

Bon. Ben, voilà, c'est fini.

Je regarde ma main toute humide et l'essuie nonchalamment sur les draps. C'est ben le fun de se masturber, mais ça reste un prix de consolation. Jusqu'à maintenant, j'ai couché avec six gars, et si je compare ce score avec celui de mes amies, ça fait de moi une fille très expérimentée. Les gars en question étaient loin d'être tous des experts en la matière, n'empêche : la réalité est toujours mieux que le virtuel. Surtout que moi, ça m'arrive de venir vaginalement. Une vraie chance si je me fie aux témoignages de certaines copines. Mélanie peut même pas venir clitoridiennement, même en se stimulant pendant la pénétration ! C'est pas drôle, ça ! Elle dit qu'elle fait semblant pour pas décevoir son chum. Pauvre Mélanie ! Elle va faire semblant toute sa vie. Dans le sexe pis dans le reste.

Pas moi.

Même si rien ne bat une vraie baise, j'avoue que ce soir, pour un travail manuel, c'était assez bien payé. Faut croire que le beau gars de tantôt m'a fait de l'effet.

Ça serait un autre beau défi, ça : *cruiser* mon beau voisin. Coucher avec lui ? Hmmm… pourquoi pas ?

Je me retourne sur le côté en ricanant. Ça s'annonce excitant !

Toujours les bruits, à côté.

Vaguement, je pense à la maison…

Ça me prend bien du temps à m'endormir.

Allez, debout, debout, hop ! hop ! Grosse journée, faut s'y mettre ! Petit déjeuner et après, au centre-ville pour magasinage !

La porte du six est encore entrouverte. Je viens pour descendre les marches quand une voix provenant de l'intérieur se fait entendre :

— Y a quelqu'un ? Mario, c'est toi ?

Une voix rauque et maganée.

— Mario, c'est toi, oui ou non ?

J'hésite, puis finis par répondre :

— Non, c'est… c'est moi, votre nouvelle voisine.

— Une nouvelle voisine ?

— C'est ça…

Je fais un pas pour m'éloigner.

— Vous pouvez venir, un instant ?

Nouvel arrêt. Nouvelle hésitation. Pourquoi pas ?
Je vais peut-être rencontrer mon beau mec d'hier !
Excellent, ça !

J'entre. Je me retrouve dans un salon, avec les
mêmes meubles que les miens, sauf qu'ils sont sales,
recouverts de poussière, tachés. Plusieurs cendriers.
Tous pleins.

— Par ici, appelle la voix éraillée.

J'arrive à la cuisine. C'est immonde. Des casseroles
sales, le four souillé, de la bouffe moisie qui traîne un
peu partout. Ça sent l'intestin grêle. Je grimace, pouah !

— Dans la chambre, persiste l'autre.

Dans le mur droit de la cuisine s'ouvre la chambre.
J'entre. Pas un meuble, pas un lit, pas une chaise. Par
terre, le bonhomme est assis, le dos appuyé contre le
mur du fond. En pyjama. Enfin, si on peut appeler ses
guenilles un pyjama.

L'homme a au moins soixante ans. Ses cheveux sont
d'un blanc sale et lui tombent sur les épaules. On
dirait de vieux glaçons tordus pour les arbres de Noël.
Sa face a été labourée par tous les tracteurs du monde.
Il y a tellement de rides que j'ai peine à distinguer sa
bouche fermée. Son nez est long et pendant, une masse
de chair vide.

Une loque.

Mais au milieu de ce désastre, ses petits yeux sont
calmes, clairs, lucides.

Sur le sol, à sa droite, un radio avec lecteur CD.
Des dizaines de compacts éparpillés sur le sol, autour
du vieux. Un seau, dans un coin, à portée de sa main.

Une vision vraiment étrange. Pour enrober le tout,
une odeur pas très agréable.

— Bonjour, que je dis en souriant, malgré mon
dégoût.

La loque, assise contre le mur, a une jambe étendue,
l'autre repliée. Appuyée contre son genou relevé, sa
main recouverte de taches brunes tient un joint précai-

rement suspendu entre de longs doigts osseux. Le vieux écarquille les yeux de surprise, puis ouvre la bouche pour parler. Il en a donc une. Petite, mince. Et sans dents. Beau spectacle.

— Mais tu es toute jeune…

Ça commence mal.

— Pas tant que ça. J'ai dix-huit ans.

Il prend une touche et fait une moue hautaine.

— C'est ce que je disais.

La voix sort d'un broyeur à déchets. Il prend une longue *pof* de son joint, pffffffffff. Il semble apprécier.

— Tu vis donc dans l'appartement de Pinto ?

— Pinto, c'est celui qui est mort ?

— Qui t'a dit ça ?

— La proprio.

Il ricane en se grattant la joue droite. Mouvements parmi les rides. Le ricanement fait peur, plein de glaires et d'années glauques.

— Oui… C'est une explication qui se vaut…

— Il est mort ou non ?

— Disons qu'elle est venue le chercher… Enfin, pas elle en personne, mais…

— De qui vous parlez ?

Autre touche. Autre moment de béatitude. Il parle peut-être de la Mort… Il se croit poète, le pauvre.

— Alors, voilà. Je suis votre nouvelle voisine, Aliss. Enchantée.

— Tu en veux ?

Il a sorti un autre joint de la poche de son pyjama et me le tend.

Il veut me tester, hein ? Il pense impressionner la petite jeune, c'est ça ?

— Oui, merci bien.

Je prends le joint. Ramasse un carton d'allumettes qui traîne sur le sol. M'allume, sous le regard indifférent du vieux.

Je prends une longue *pof*. C'est vraiment du bon hasch.

— De la qualité, que je dis en prenant un air d'experte.

— J'ai juste des bonnes choses.

Il fouille dans son autre poche. Deux petits flacons de plastique. Pleins de pilules.

— Ça, c'est encore mieux. T'en veux ?

Du chimique. Des drogues dures. Ça m'a toujours attirée, ça, mais en même temps, ça me fait peur…

— Non, merci. Une autre fois, peut-être.

— Peut-être, oui…

Il remet les pilules dans sa poche, d'un air entendu et supérieur.

Je prends une dernière touche du joint, puis le dépose dans le cendrier.

— Bon. J'y vais. Au revoir.

— Attends ! J'aimerais que tu me rendes un service.

J'attends, méfiante.

— J'aimerais que tu me fasses quelques commissions. Normalement, c'est Mario qui les fait pour moi, mais il est parti en beau simonac, hier. J'ai l'impression qu'il reviendra pas avant un jour ou deux, alors…

— Vous faites jamais vos commissions vous-même ?

— Non.

— Vous êtes paralysé ?

Pof. Fumée.

— J'aime mieux pas trop bouger.

— Écoutez, j'ai moi-même pas mal d'achats à faire aujourd'hui, ça fait que…

— Attends, attends…

Il fouille de nouveau dans son pyjama. Ce sont pas des poches, mais des tiroirs ! Il en sort un billet de vingt dollars.

— C'est pas compliqué : tu m'achètes pour vingt piastres de nourriture. Rien pour boire, juste de la bouffe. N'importe quoi. Pour vingt piastres.

Il me tend le billet. Je bouge toujours pas. Il soupire d'un air las et insiste :

— C'est pas la fin du monde, il me semble !

Il est pas gêné, celui-là ! Non seulement il ose me demander de faire ses commissions, mais en plus il me met de la pression ! Incroyable ! J'ai jamais rencontré tant de gens malpolis en si peu de temps : le Monsieur Métro, la proprio, le mari de la proprio, la serveuse du restau, et maintenant lui, ce vieux schnock ! Ça va faire ! Je vais jouer sur le même terrain, moi aussi ! Ils vont voir que j'ai pas la langue dans ma poche !

— Je suis pas votre servante, vous saurez ! Pourquoi je ferais ça pour vous ?

Je m'attends à ce qu'il me traite d'égoïste, mais non. Il fait l'étonné, baisse son billet et réfléchit :

— C'est vrai, ça… Pourquoi tu ferais ça pour moi ?

Ça me surprend tellement que, malgré moi, je dis :

— Mais… Pour vous rendre service, tout simplement !

La vieille peau émet un sifflement méprisant.

— C'est la raison la plus ridicule que j'ai jamais entendue !

Sur quoi, il croise ses jambes à l'indienne et avance sa face pleine de rides vers moi.

— Qui es-tu, au juste ?

— Je vous l'ai dit, je m'appelle Aliss, et…

— Non, non ! Je te demande qui tu es.

Il appuie ses mots avec insistance. Bon ! Il veut philosopher, maintenant ! Pas envie de ça ce matin…

— Il faut que j'y aille. Au rev…

— Reste ici, Aliss !

Pardon ? Il vient de me donner un ordre, la vieille guenille ! Ça, je le prends pas !

— Heille, vous avez beau avoir l'âge de mon grand-père, vous commencerez pas à me dire ce…

— Si tu m'achètes de la bouffe, je te donne tous les joints que tu veux.

Je le regarde longuement. Il insiste :

— Du bon stock de même, c'est cher, tu sais…

Il a l'air tellement suffisant, malgré son triste état, tellement fat ! Comment peut-on avoir l'air d'une merde pareille et dégager tant de prétention en même temps ? Comme un Empereur qui se rendrait pas compte que son trône est une chiotte !

Je jette un coup d'œil au joint. C'est vrai que c'était du bon.

— OK. Marché conclu.

Il me donne le billet de vingt dollars.

— Parfait, Aliss. À tantôt.

Et sans plus s'occuper de moi, il met en marche son lecteur CD. Je reconnais une vieille chanson de Francis Martin, le roi des quétaines des dernières années.

> *Quand on se donne*
> *À une femme d'expérience…*

Le vieux fredonne l'infect refrain, puis éclate de rire, sans raison.

— Nectar ! marmonne-t-il. Pur nectar !

Sur quoi il prend une touche de son joint, tandis que le pauvre Francis continue de s'égosiller. Manifestement, je n'existe plus. Je finis par sortir, déconcertée. Spécial en criss, le bonhomme…

Je descends les marches, clop-clop-clop. Les deux touches du joint m'ont mise en forme.

Ce Mario, qui fait habituellement les commissions du vieux, ça doit être le beau gars d'hier. Mario. Faut que je retienne ça. Le beau Mario…

◆

Pour mes achats, aussi bien rester dans le quartier. Je vais acheter tellement de choses que c'est plus pra-

tique d'être près de chez moi. Il y a sûrement moyen
de trouver un ou deux magasins pas trop *cheap*…

Je trouve assez rapidement un magasin d'électronique. J'explique au vendeur que je cherche une télé,
un vidéo et une radio-cassettes-lecteur-CD. Pas trop
cher, si possible. Le vendeur est bizarre, on dirait qu'il
est gelé. Chaque fois qu'il me fait la démonstration
d'une télé ou d'une radio, il monte le son au maximum.
Les murs tremblent, les vitres menacent d'exploser,
mes cheveux se déracinent, mais le vendeur, pas du
tout incommodé, me hurle avec extase : « Ça crache,
hein ? Ça crache en ostie ! » Ah, pour cracher, ça crache,
j'en ai les plombages qui décollent ! Devenue à moitié
sourde, je trouve néanmoins tout ce qu'il me faut :
mille dollars. Merde, alors ! Mais pour un minimum
de qualité, je peux rien avoir de moins cher.

Comme j'ai pas de carte de crédit, je veux payer
par Interac, mais le vendeur, presque insulté, refuse.
« On prend pas ça, ici. On paie *cash*. Je te préviens,
c'est comme ça dans tous les magasins du coin. » J'en
tombe sur le cul ! Ils sont encore au Moyen Âge, on
dirait ! Je lui demande de m'indiquer la banque la plus
près. J'ai de nouveau droit à un regard ahuri.

— Une banque ?

— Ben… oui, un guichet automatique…

— Ah, oui ! Un guichet ! Ouais, ouais, il y en a un.
Il sert pas souvent, mais il y en a un…

Comment, il sert pas souvent ? Pourquoi il me dit
ça ? Cette fois, plus de doute possible : il est gelé. Le
vendeur m'explique où je dois aller. Je retourne sur
Lutwidge et, après deux minutes de marche, j'aperçois
le panneau : GUICHET AUTOMATIQUE. J'entre. Pas
de banque, pas de magasin, juste une petite pièce
avec un guichet automatique, tout nu. Hé, ben.

J'hésite. J'ai deux mille cinq cents dollars dans
mon compte. Deux mille cinq cents dollars ramassés

en deux ans, à travailler à temps partiel comme réceptionniste dans l'entreprise de mon père.

Et là, je me prépare à ouvrir ce robinet que je m'étais juré de ne jamais actionner avant l'université.

Pas le choix. Faut bien que je vive. De toute façon, j'ai l'intention de me trouver un emploi dans le coin assez rapidement… Bon. Il faudrait que je retire mille sept cent cinquante. Batince, ça me fait mal au cœur… mais…

… mais si j'avais l'intention de tout garder, de toucher à rien, de conserver ma sécurité, fallait rester à Brossard !

Je programme donc le retrait de mille sept cent soixante, en me disant aussitôt que c'est inutile puisque les guichets acceptent des retraits de cinq cents dollars maximum. À ma grande surprise, la machine me crache le tout en billets de vingt et de cent. Les guichets montréalais sont-ils plus généreux que ceux de la Rive-Sud ?

Nerveuse d'avoir une telle somme sur moi, je retourne rapidement au magasin. Je dois payer un supplément de vingt dollars pour qu'un employé m'aide à transporter les boîtes chez moi.

Une heure plus tard, les mains libres de nouveau, je retourne sur Lutwidge, mais vais cette fois dans l'autre direction. Même mélange de genres chez les piétons, du plus ordinaire au plus bizarre… Quelques-uns me dévisagent, je sais pas trop pourquoi.

Je veux me trouver des vêtements, mais les magasins me découragent un peu. Je ne cherche ni du Gap, ni du Calvin Klein (marques bourgeoises et hyper-capitalistes que je *boycotte* de toute façon), mais un minimum de bon goût, quand même !

Je marche depuis quelques minutes lorsque j'aperçois une bâtisse, au loin, dont l'entrée est constituée d'imitations de colonnes grecques. Sur une grosse affiche au-dessus de la porte imposante, en lettres qui rappellent l'écriture hellénique, il est inscrit : *CHEZ ANDROMAQUE*. Une librairie ! C'est déjà ça ! Je vais aller m'approvisionner de quelques nouveaux livres. Il y a un auteur, en particulier, que je veux lire depuis plusieurs mois…

Plus j'approche de l'édifice, plus je ralentis le pas. Il y a des photos collées sur les murs : des filles nues, des couples qui s'embrassent… et des inscriptions : DANSES ET SPECTACLES CONTINUELS À PARTIR DE DIX-HUIT HEURES.

Je m'arrête à quelques mètres de l'édifice. *Chez Andromaque,* un club de danseuses ? J'ai mon voyage ! Pourquoi pas la piquerie *Chez Baudelaire*, tant qu'à y être ? C'est ben juste à Montréal qu'on peut voir ça ! En région, les bars de danseuses portent des noms évocateurs du genre *Sexy Amazones* ou *Les pétards de Brossard*… Mais *Chez Andromaque* ! Ça doit être un club plus sélect, plus raffiné que la moyenne. Avec un patron lettré.

Je regarde les photos des filles. Aguichantes, regards langoureux, bouches entrouvertes, cambrées à s'en faire un tour de rein… Je me suis souvent demandé quel *feeling* ça faisait de danser à poil devant un paquet de gars inconnus… Ça m'intrigue. Mélange de répulsion et de curiosité. Mélanie dit que ça prend juste moi pour me poser des questions pareilles. Pauvre Mélanie. Elle est ben fine, ben brillante, mais des fois je me demande pourquoi on était tellement amies. Elle est tellement *straight*.

L'année passée, je suis allée dans un club de danseuses, avec mon ex, Sébastien. Par curiosité. Sébas en revenait pas, mais il s'était pas fait prier. J'avais trouvé ça ridicule mais fascinant en même temps. Je trouvais que les danseuses avaient l'air tellement plus en contrôle que les épais qui les regardaient… Une forme de pouvoir sur eux… J'avais même fait une

danse à Sébastien, en revenant chez lui. Pour voir.
Pour essayer. Lui, ça l'avait excité. Il me trouvait
super *open*!… Et moi? Ben, j'avais pas haï ça. Ça
m'avait gênée, mais aussi excitée… Pendant que je
dansais devant lui, je me trouvais… je me trouvais
forte. Sexy et forte. C'est ça qui m'avait excitée.

Tiens, il y a des photos de gars. Il y a donc aussi
des danseurs?

— On est pas encore ouvert…

Je sursaute. Un grand Noir vient de sortir du club
et est appuyé contre l'une des colonnes. Bien habillé,
complet sombre, cheveux rasés.

— On ouvre à six heures… Si ça t'intéresse, on a
des bons shows, aujourd'hui…

Il me lance un clin d'œil. Je me sens gênée, mais
pas question que je le lui montre. Je hoche donc la
tête et dis:

— Merci du renseignement…

Je m'éloigne. S'il pensait m'intimider!

Je finis par trouver un magasin pas trop *cheap* et
m'achète pour deux cent cinquante dollars de vêtements. Je passe ensuite une partie de l'après-midi à
m'acheter une série de trucs essentiels: nécessaire de
toilettes, quelques assiettes et verres, ustensiles… J'ai
les bras pleins de sacs. Mon Royaume pour un camion!
Je retourne chez moi porter tout ça. Je ferais bien une
pause, mais j'ai pas fini! Hé, non! Faut bien manger,
aussi! Encore sur Lutwidge, cette fois du côté du
métro. Il me semble y avoir vu une épicerie, ce matin…

Je tombe sur une librairie d'occasion qui m'avait
échappé tout à l'heure. À l'intérieur, je vais directement
à la section philosophie et trouve rapidement ce que
je veux: *Ainsi parlait Zarathoustra,* de Nietzsche.
Depuis qu'on a étudié un court extrait de ce livre dans
mon cours de philo, je veux absolument lire l'œuvre
au complet. Car ce Nietzsche m'a beaucoup ébranlée:

son concept antimoral m'a touchée, m'a fait réfléchir. Je dirais même qu'il a été un élément déclencheur, pour moi.

Sauf que Lévy, mon prof, m'avait dit que je simplifiais Nietzsche, que je ne le *saisissais* pas bien ! Ha ! Et si c'était lui qui ne le *saisissait* pas ?

Deux hommes, au bout de l'allée, attirent mon attention. Surtout le plus grand. Dans la quarantaine, il est habillé d'une longue redingote bleu foncé, avec chemise, plastron, tout l'attirail classique et désuet de l'aristocrate précieux. Il tient même une canne à pommeau ! Le plus remarquable est son chapeau haut-de-forme. Sûrement le gars d'hier soir, celui qui sortait de l'immeuble rouge : les hommes qui portent un tel couvre-chef doivent pas être légion dans le coin. Celui qui l'accompagne semble avoir le même âge ; il est habillé très propre aussi, mais son veston et sa cravate sont plus modernes que la redingote de l'autre. Il a ni chapeau ni canne, mais porte aux pieds des espadrilles qui jurent pas à peu près avec son costume.

Un drôle de duo qui doit pas passer inaperçu.

Je fais semblant de feuilleter un livre et les observe à la dérobée. Ils consultent un gros bouquin, tournent les pages, parlent entre eux, manifestement très intéressés par le contenu du livre. Ils échangent des commentaires, affichent des moues parfois admiratives, parfois méprisantes, ricanent souvent en tournant une page… Tout ça en conservant une expression très noble, très digne.

Ils finissent par remettre le livre dans l'étagère et s'éloignent.

Curieuse, je vais prendre le livre en question. Le titre me saute au visage, toutes griffes sorties : *Torture à travers les siècles*. Ça promet d'être gai ! Je feuillette rapidement. Tels des flashs, des photos atroces défilent devant mes yeux en une succession d'horreurs : gens suspendus par des crochets qui traversent la peau de leur ventre, doigts ensanglantés, pieds écrasés dans des étaux, yeux aux paupières coupées…

Je referme le livre avec dégoût. Seigneur !

Je cherche des yeux les deux zigotos qui trouvaient ce livre si distrayant. Trop tard, ils sont sortis.

Je bouquine encore un peu, prends trois autres livres et achète le tout.

Je retrouve le supermarché.

◆

Au numéro six, coup de chance : c'est le beau gars d'hier qui vient me répondre. Les cheveux attachés, la veste de cuir. Mario. Le beau Mario.

— Ouais ?

— Heu… J'ai fait des commissions pour, heu… pour le monsieur qui vit ici…

— Ah, ouais ?

— Oui, je suis sa nouvelle voisine…

— Ouais, ouais…

Il me regarde de haut en bas, sans gêne, effronté. Il me déshabille des yeux, c'est clair. Mais je réagis pas, le dévisage avec défi. Je veux qu'il sache que je suis pas une petite effarouchée. Enfin, avec un léger sourire, il s'écarte.

— Entre…

Dans sa chambre, la vieille loque est toujours dans la même position, assise sur le sol, appuyée contre le mur. Il fume encore un joint. Il écoute toujours sa musique quétaine, mais le son est moins fort.

— Votre commande…

Il hoche la tête, sans me remercier. Mario entre derrière moi :

— J'te dis, mon Verrue, que tu te trouves un remplaçant assez vite quand je suis pas là pour faire tes commissions !

Verrue? Charmant surnom. Le pire, c'est que le vieux n'en a même pas une, de Verrue. Celui-ci, pas du tout offusqué du sobriquet, fait les présentations :

— Mario, Aliss. Aliss, Mario.

Je lui tends la main.

— Enchantée.

— Ouais, j'imagine.

Petit fendant ! Ça lui enlève pas mal de son *sex-appeal*, ça. Il a toujours son sourire goguenard. Il doit me tester.

— Tu me prépares ça, Mario ?

— Ouais, ouais…

Il prend le sac d'épicerie et disparaît dans la cuisine. Je reste seule avec le vieux. Il sort une pleine poignée de joints de sa poche de pyjama.

— Vas-y, Aliss. Paie-toi.

Je me demande combien je dois en prendre. Ah ! *Let's go* : je les prends tous. C'est comme ça que ça marche, ici, non ? Pas de niaisage, pas de fausse politesse ! Dans le fond, c'est ben plus simple comme ça. Je fais disparaître les joints dans ma sacoche.

— Merci, monsieur… heu… monsieur…

— Appelle-moi Verrue.

Et il l'aime, en plus, cet affreux surnom ? Je suis pas sûre que je vais être capable de l'appeler comme ça.

— Merci.

— Tu t'en allumes pas un ?

— Ben sûr.

Je m'exécute. Une longue *pof*. Hmmmm, vraiment bon !

— Alors, voilà : je vous ai acheté un steak, de la viande hachée, des…

— Je veux pas le savoir, dit-il d'un air plein de morgue. Du moment que c'est de la nourriture.

Il monte le son de la musique. Voilà, je n'existe plus. Je devrais m'en aller, sauf qu'il y a Mario, derrière… C'est l'occasion ou jamais de faire connaissance…

Je vais à la cuisine. Sur le comptoir se trouve la nourriture de Verrue. Nourriture fraîche dans cuisine dégueulasse. Mario, lui, installe un robot culinaire à côté des victuailles. Je m'appuie contre la table, prends une touche en regardant Mario. Faut que j'aie l'air *cool*, sûre de moi. Il doit les aimer comme ça…

— C'est toi, d'habitude, qui fais les commissions de… de Verrue ?

— Ouais.

— Depuis longtemps ?

— Assez, ouais…

Il me regarde même pas. Ça me déçoit. Je suis sûre pourtant qu'il me trouve belle. Il fait encore son fier, je suppose… Maudit macho !

— C'est drôle, un jeune qui joue la nounou d'un vieux…

Il me regarde enfin. Pas choqué. Juste un peu surpris :

— Pourquoi c'est drôle ?

Je sais pas trop quoi répondre. Mario hausse les épaules. Prend la viande hachée. La met dans le récipient du robot culinaire. Ajoute une tomate. Une pomme. Un des deux fromages. Mes yeux s'agrandissent.

— Qu'est-ce que tu fais là ?

— T'as pas remarqué que Verrue a pas de dents ?

— Oui, mais… Quand même, tu vas pas…

Ma phrase est coupée par le long hurlement du robot. Flotch, scratch, bleptch, tout se mélange, se désintègre, se liquéfie dans le récipient. Ça devient informe, laid et de couleur brunâtre. Mario arrête l'engin, verse le tout dans un énorme verre. Ça coule lentement, ni tout à fait liquide, ni très solide, passablement gluant, parfaitement immonde. Une sorte de guimauve cancéreuse à lever le cœur.

— Voyons donc, il va pas manger ça !

— Certain.

Il met le reste de la bouffe dans le récipient de l'appareil, sauf la tranche de steak.

— Tu viens lui faire ça tous les jours?

— Pas tous les jours, une couple de fois par semaine.

— Le reste du temps, il fait quoi?

— Il fume. Écoute de la musique. Reçoit des amis.

— Est-ce qu'il sort de son appart des fois?

— Non.

— Il se lève de temps en temps, quand même!

— Jamais.

Bon. C'est sûrement une façon de parler. Comme s'il avait lu dans mes pensées, Mario se tourne vers moi et répète avec insistance:

— Jamais.

— Voyons donc!

Il coupe le steak en petits morceaux.

— Depuis cinq ans, il est assis dans sa chambre, pis il s'est pas levé une fois. Même pour dormir, il reste assis, accoté sur le mur.

— Tu me prends pour une épaisse, de croire des affaires de même?

Les morceaux de steak tombent dans le récipient du robot culinaire. Mario continue, la voix égale:

— Il pisse pis il chie dans un seau, à côté de lui. Quand on vient le voir, on vide le seau dans les toilettes. Pis moi, je le nourris.

Il dit ça sans se moquer, sans gravité non plus. Je sais pas quoi penser. Je prends une touche de mon joint.

— Mais ses jambes fonctionnent, non? Il est pas handicapé…

— Pas pantoute. C'est un choix.

— Un choix? Pourquoi, ce choix?

— Pour être un cocon.

Il met à nouveau le robot en marche. Re-flotch, re-plash, re-bletch.

Un cocon.

Je regarde le joint. Est-ce que je commence déjà à décoller ?

Mario vide le tout dans un deuxième verre. Il prend une cuiller (sale), la met dans un des deux verres pleins et retourne à la chambre. Je le suis, perplexe.

Verrue a la tête appuyée contre le mur, les yeux fermés, comme s'il dormait. Il ouvre les paupières aussitôt que nous entrons. Je jette un coup d'œil dégoûté au seau, près de lui. Il a l'air vide. C'est toujours ça. Mario lui tend les deux verres en maugréant :

— Baisse ça, Verrue ! Tu le fais exprès, hein, de mettre le son aussi fort quand je suis ici ?

Verrue baisse le volume de la radio en émettant un petit rire. Il prend une cuillerée de la saloperie. L'avale. Ne grimace même pas. En prend une autre.

Il se peut pas, ce gars-là ! Faut que je lui pose des questions ! D'ailleurs, le hasch m'enlève toute gêne, je me sens très bien.

— Incroyable, que vous mangiez cette gélatine. Vous aimez ça ?

Il avale en secouant la tête.

— Que j'aime ça ou non a aucune importance. Le seul but est de me nourrir.

Oui, oui, je vois. Très logique.

— Pis le cocon ?

— Quoi, le cocon ?

— Vous voulez devenir un cocon ?

— Mais je suis un cocon, maintenant.

Ah, oui ? Ah, bon. Ah, bon, bon, bon. Je rigole. Regarde Mario. Il rigole pas du tout. Merde, il est vraiment plate, lui.

Mon joint est fini. Je regarde autour de moi. Je sais plus quoi dire.

Faut que je relance Mario.

— T'habites dans l'immeuble ?

— Non, un peu plus loin.

Il sourit. Son même petit sourire cochon qu'hier.

— Ça t'intéresse ?

Bon, enfin, il se déniaise. Je souris à mon tour, engourdie.

— Peut-être. Je me disais qu'on pourrait prendre un verre, ce soir, tous les deux.

Mario fait non de la tête, puis dit d'un drôle d'air :

— Non, je suis… occupé.

— Tu travailles ?

— Je quoi ?

Il éclate de rire. Verrue aussi, la bouche pleine. Pis moi aussi, tant qu'à y être, même si je sais pas pourquoi.

— Disons que je m'occupe d'un gros projet… Bon, faut que j'y aille !

— Je vais sortir avec toi.

Pas subtil, mon affaire, mais tant pis.

— Au revoir, les enfants, nous lance Verrue en prenant une autre cuillerée de sa ratatouille, d'un air indifférent.

On se retrouve dans le vestibule.

— Pourquoi tu fais tout ça pour lui ? je demande.

— Il a de la bonne dope.

Ça, c'est vrai en sacrament !

— Pis il est intéressant, aussi. Vraiment.

— Lui ?

— Viens lui parler, de temps en temps. Tu vas être surprise.

— Il a l'air tellement au-dessus de tout le monde.

— C'est exactement à ça qu'il aspire : être au-dessus de tout. D'où le cocon, tu *catches* ?

— Oui, oui, que je mens avec une totale conviction.

Ils commencent à m'emmerder, avec leur cocon.

Mario s'allume une cigarette. J'attends qu'il me dise quelque chose. Il me regarde enfin, neutre.

— Bon. Ben, salut, Aliss. On se reverra.

— J'espère bien.

Encore son regard de haut en bas, son déshabillage visuel. Il a un sourire en coin et dit, tout bonnement :

— Faudrait ben qu'on baise ensemble, un moment donné…

Mon engourdissement se volatilise d'un seul coup. Quelqu'un peut reculer le ruban que j'écoute à nouveau ? Je suis là, la bouche grande ouverte, pas capable de rien dire, et Mario, toujours aussi naturel, conclut :

— Bon, ben, salut !

Il dévale l'escalier, clop, clop, clop. Et moi ? Je vais rester longtemps, plantée comme ça, la gueule béante ? Je me penche vers l'escalier et crie, sans trop réfléchir :

— N'importe quand !

Je le regrette déjà. Heille, wohh, là ! J'y vais fort un peu, non ? Mario s'arrête, lève la tête vers moi.

— Ouais ? Correct, ça. Ben correct…

Il s'en va.

J'en reviens pas. Wow ! J'ai jamais été timide, mais là, je m'épate pas mal !

Je rentre dans mon appart. Je me jette dans mon divan et je ris, excitée et gênée en même temps.

◆

Le reste de la journée, j'installe ma télé, mon vidéo, ma radio et je me paie la traite : *Korn* résonne dans tout l'immeuble et *Beck* ébranle les fenêtres, ce qui fait hurler à Jean Leloup que *Le monde est à pleurer.* Durant cette orgie musicale, je remplis ma pharmacie, mes armoires et ma garde-robe en chantant à tue-tête. Bon ! Ça commence à ressembler à un vrai appart !

La proprio m'appelle et me dit de descendre chez elle. Elle m'attend avec ses bigoudis et deux feuilles de papier.

— Tiens, ton bail de trois mois.

On s'installe au salon fraîchement repeint, car cette fois le mari est en train de badigeonner les murs de la cuisine, du même rouge vif. Je me demande comment quiconque pourra manger dans une telle pièce.

Je lis les deux copies. Elles sont chiffonnées, jaunies, mais ça ressemble à un bail. On a seulement biffé les endroits indiquant « douze mois » et on a remplacé par « trois mois ». Ça me semble tigidou. Je signe les deux feuilles, tout excitée. Mon premier vrai bail ! La proprio fait de même et me donne une copie. J'ouvre ma sacoche et lui donne les trois cent cinquante dollars.

— Hé bien, voilà, je suis officiellement votre locataire, que je dis en souriant.

— On dirait bien, réplique miss Bigoudis avec l'enthousiasme aussi resplendissant qu'une panne d'électricité.

De retour chez moi, j'écris deux lettres. Une à Mélanie, une à mes parents. Je leur explique ce que je fais. Pourquoi je fais ça. Je supplie mes parents d'essayer de me comprendre. Je laisse mon nouveau numéro de téléphone.

Cela a été difficile d'écrire. Parce que ça me rendait un peu nostalgique, évidemment, mais aussi parce que j'arrivais pas à expliquer clairement mes intentions. En fait, je me rends compte qu'elles sont pas si claires. Au fond, c'est normal. Je viens d'arriver. Faut que je m'habitue.

Il est vingt et une heures. C'est ce soir que ça commence. C'est ce soir que j'explore, que je marque mon territoire. Sortir. Aller veiller. Aller danser, tiens. Si le quartier est en général assez minable, j'ai vu un club ou deux qui avaient l'air pas trop miteux.

Je me prépare : jupe et gilet moulants, avec petit veston. *Sexy* mais pas vulgaire. Maquillage sobre. Comme seuls bijoux, boucles d'oreilles. Cheveux détachés. Je me regarde dans le miroir. Très jolie.

Je termine un joint que j'avais commencé, puis sors. Il fait chaud, on est bien.

Sur Lutwidge, il y a pas mal de monde. Ça tourne doucement dans ma tête, c'est *cool*. Toutes sortes de gens, toutes sortes de styles. Joie de vivre, ambiance d'été. *Cool, cool, cool.*

Je passe devant un ou deux bars. Des vrais trous.

Une boîte à lettres à tribord. Je sors les deux enveloppes de ma sacoche. J'ouvre la boîte et jette les deux lettres dedans. Bye, bye. Je regarde dans la fente ouverte, où mes deux enveloppes ont disparu.

Il y a un drôle de bruit, qui vient de l'intérieur.

Je tends l'oreille.

Bruit de vent. De vide. Comme si l'intérieur de la boîte aux lettres était un précipice.

Je ricane, hé, hé, hé. Ouais, je suis plus gelée que je le pensais.

Je finis par trouver un *dancing-club* qui a ben de l'allure : *Le Parallèle*. Branché, grande piste de danse, clientèle de tout âge, musique alternative super-bonne.

Je danse beaucoup. Prends deux, trois bières. Je regarde personne, je veux juste danser. M'étourdir. Faire sortir le méchant. Je me défoule. C'est la danse de la victoire, la danse de la nouvelle vie, la danse primale, initiatique, égocentrique, psychédélique... Je danse, je saute, je me fous de tout le monde, je fais ce que je veux. Il fait chaud, mes cheveux sont plaqués sur ma figure, mon gilet me colle à la peau, mon veston pèse une tonne, mais je danse, j'arrête pas, je suis le *beat*, boum-boum, boum, je vais m'arrêter juste quand je serai plus capable...

... boum, boum, boum, boum...

Plus capable. Retourne au bar.

La drogue ne fait plus effet, mais l'alcool a pris le relais. Je regarde autour de moi. Certains clients ont au moins cinquante ans ! Je vois plusieurs consommateurs qui fument de la dope, sans se cacher. Trois ou quatre couples, éparpillés dans le bar, s'embrassent en se caressant de façon très audacieuse, sans pudeur. Ça me surprend et m'amuse en même temps. Toute une ambiance ! Je prends un shooter. Dans le fond du club, deux gars parlent. Un semble menacer l'autre. Ah, non ! Pas une bagarre, ça va trop bien, la vie est trop belle ! Mais les deux gars finissent par sortir. Tant mieux !

Un mec m'a *spottée* et ses yeux se transforment en périscope. Cinq minutes après, il est près de moi et on se parle. Il a un accent anglais. Je sais pas trop ce qu'il me dit, j'entends mal. Musique trop forte, alcool trop engourdissant. Je perçois une couple de mots : belle, bar, chaleur, reine...

Reine ?

Je lui fais signe que je comprends pas. Sa bouche se colle à mon oreille :

— J'ai pas mal d'argent, ce soir... Je t'invite au Palais, *what do you think ?*

De quoi il parle ? Pis ça me tente pas de parler ! Je lui crie :

— Viens danser !

Fait signe que non. Tant pis, moi, j'y retourne !

Boum, boum, boum ! Ça repart ! Je deviens la musique, je la précède, je vais plus vite qu'elle ! Je la défie ! Je vais danser tant qu'elle durera ! Je vais danser tant que mon corps le supportera ! Je vais danser...

... jusqu'au bout...

Boumboumboumboumboum...

Assez ! De l'air frais !

Je me retrouve dehors. M'accote sur le mur. Reprends mon souffle. Je transpire comme si je venais de monter le mont Everest en courant.

Un vieux monsieur passe sur le trottoir. Puis une femme qui a l'air ben pauvre et qui parle toute seule. Puis, trois punks qui rigolent. J'entends l'un d'eux dire :

— Au Palais ? Pis tu vas payer comment ? En nature ?

Ils éclatent de rire, s'éloignent. Encore ce Palais ? Ça doit être un club très, très chic...

Ça se calme dans ma tête. Je me souviens pas la dernière fois où je me suis défoulée de même. Batince que ça fait du bien !

Ça tourne encore, mais moins. J'ai dû suer la moitié de l'alcool que j'ai bu.

Un gars sort du club. Celui qui me *cruisait*. Il s'appuie sur le mur à côté de moi et me sourit. Je lui montre toutes mes dents à mon tour.

— T'es nouvelle dans le coin, *right* ?

C'est-tu écrit dans ma face, koudon ?

— Ouais, que je réponds.

— OK… Le Palais, ça te tente ? Ou t'aime mieux qu'on aille tout de suite chez vous ?

Rapide, direct, pas très galant ni subtil… mais ce soir, je m'en fous. Même que ce soir, ça m'allume. Je veux marquer mon territoire, non ?

— Chez nous, que je réponds après une demi-seconde d'hésitation.

Vingt minutes après, on est au milieu du salon de mon appart, en train de s'embrasser comme des clichés. Il me déshabille en même temps. Ça m'excite, je mouille au max. On est tout nus, on s'en va dans la chambre. Zoum, dans le lit, sans se lâcher ! Comme dans les films ! Il m'embarque dessus. Il est dur comme une barre à clou. Je l'attire vers moi, je le veux DANS moi…

… mais, wohh-là ! Minute ! Éclair de lucidité qui déchire l'ivresse et le désir.

— Attends ! T'as-tu un condom ?

Ça, c'est pas pantoute comme dans les films !

Il me regarde. Cheveux défaits. Ahuri. Haletant.

— Un quoi ?

Moi aussi je suis haletante, j'ai encore la noune qui brûle de désir, mais une partie de moi est revenue sur terre. Juste à temps.

— Un condom.

— *You can't be serious !*

— Je suis sérieuse certain !

Il ricane.

— Laisse faire ça !

Il se recouche sur moi. Sa queue me frôle le clito, ça me fait frissonner jusque dans l'œsophage… mais, non, non, ça marche pas, ça, non ! Je le repousse.

— Écoute : pas de condom, moi, je le fais pas !

J'ai vraiment repris le contrôle de mon moi-même en personne.

— Tu prends pas la pilule ?

— Oui, mais c'est pas ça ! Voyons, tu le sais !

Il me dévisage.

— Non, je comprends pas…

Il me niaise ou quoi ?

— Ben, les… tu le sais, là, les… les maladies…

Merde ! Ça change un *beat*, ça ! Un petit cours de biologie, avec ça ? Il me regarde comme si j'étais une parfaite niaiseuse. Je me sens tout à coup gênée d'être toute nue, sous lui.

— Tu te fous de moi, là, *right* ? Arrête de te compliquer la vie ! *Come on, let's fuck !*

Let's fuck ??? Ça m'assèche avec autant de rapidité que le soleil du Sahara.

— Écoute, moi, je prends pas de risque, ça finit là.

Il comprend enfin. Se lève. J'en profite pour remonter les draps sur moi. Il me considère avec mépris. Oui, mépris, carrément !

— Si t'es pas prête à courir des risques, tant pis pour toi !

Il s'en va au salon. Je l'entends se rhabiller. Deux minutes après, il sort.

Je ne suis plus soûle du tout.

Ostie d'épais ! Je suis prête à me défoncer, mais y a des limites ! Pas au risque de ma vie, quand même !

Pourtant, je me sens un peu bizarre. Ça doit être la frustration.

Je me lève. Bobettes et t-shirt. Je vais me pencher par la fenêtre. La soirée avait bien commencé, mais la fin est plutôt moche. Criss.

Tout est calme, dehors. L'ampoule rouge est toujours allumée au-dessus de la porte de métal de l'immeuble.

Un homme approche. Sonne à la porte de métal. Le gorille lui répond. Le laisse entrer. La porte se referme.

En dix minutes, je vois cinq ou six personnes entrer dans l'immeuble. Elles sont toutes habillées chic.

Un bordel, je suis sûre. Sauf qu'il y avait deux couples, tantôt. Est-ce que les couples vont dans les bordels ?

Si je veux savoir ce qui se passe dans cette bâtisse, va falloir que je me déniaise…

La porte de métal s'ouvre. Un homme en sort, s'arrête, hésite. Il tourne la tête. Il est loin, mais l'éclairage rouge tombe directement sur son visage : c'est Charles !

Je suis sur le point de l'appeler, mais deux hommes sortent de l'édifice et vont rejoindre Charles. Je les reconnais aussi : c'est Chapeau Haut-de-forme et son acolyte en espadrilles. Je me tais et observe.

Match de lutte. À droite, pesant ensemble entre trois cent cinquante et quatre cents livres, Chapeau Haut-de-forme et son compagnon, qui parlent à Charles, rigolent, lui donnent des tapes dans le dos, essaient de le ramener à l'intérieur. À gauche, pesant dans les cent cinquante livres maximum, Charles, qui résiste, bougonne, tente de s'éloigner, rétorque avec humeur, semble en beau maudit. J'assiste à ce duel, intriguée. Finalement, ils laissent aller Charles, qui s'éloigne en vitesse. Les deux autres se marrent. À croire qu'ils ne savent faire que ça.

Ils discutent tous deux quelques instants, puis s'éloignent à leur tour. Je les observe toujours, avec curiosité… Un chat traverse alors la rue, juste devant eux, en miaulant, miaoowwwww, et disparaît dans une ruelle. Les deux hommes le suivent des yeux, échangent quelques mots, puis entrent dans la ruelle à leur tour.

Ils disparaissent de ma vue.

Dans la ruelle, les cris du chat se font entendre. Miaoww, miaoww… *Wwouiiiiiiiiiiiiiiiiinnnssshhhhhh!*

Quel miaulement atroce! Tout à coup, bruits de bagarre, poubelles renversées… Nouveaux hurlements de l'animal… Enfin, d'autres sons, plus bizarres, plus… dégoûtants… Les cris du chat se cassent, se brisent, deviennent râlements…

Merde, ils sont en train de massacrer la pauvre bête! Je suis figée. Il n'y a plus de sons. Le silence est revenu.

Trois, quatre. Six. Dix minutes passent. J'attends toujours. Finalement, les deux silhouettes sortent de la ruelle. Elles reviennent sur leurs pas, en discutant calmement, puis entrent de nouveau dans l'immeuble rouge.

Et le pauvre chat? Est-il mort? Agonise-t-il au fond de la ruelle?

Je retourne m'étendre sur mon lit, toute bouleversée. Ils sont fous, ces deux-là!

Bruits sourds de conversation à côté. Verrue a de la visite.

Je regarde l'heure: deux heures du matin. Je suis pas fatiguée pantoute.

Je colle mon oreille sur le mur: conversations, musique quétaine de fond, mais pas moyen de savoir si Mario s'y trouve.

Est-ce que j'ose? J'ose.

Je m'habille et sors. La porte six est entrouverte. J'entre sans frapper. La conversation vient de la chambre, au fond. Je m'approche en me disant que je suis vraiment effrontée de rentrer, comme ça. Heureusement, l'effronterie, ici, semble une manière de vivre très populaire, alors…

Je m'arrête dans l'embrasure de la porte, toute timide. Un homme et une femme sont debout et parlent avec le vieux, toujours assis par terre. Verrue me voit, sourit de son air fat :

— Tiens, la petite Aliss… Bonsoir…

Les deux autres se retournent. Je souris en me donnant un air *cool*. Verrue fait les présentations :

— Aliss, voici Hugo et Micha.

— Bonsoir. J'habite à côté.

Hugo et Micha sont dans la fin de la vingtaine. Encore des jeunes qui fréquentent une vieille épave comme Verrue, c'est vraiment curieux. Ils sont tout deux habillés de façon quelconque et me regardent avec une absence totale d'intérêt.

— Nouvelle ? demande Micha en prenant une touche de son joint.

— Oui, je viens d'arriver.

— Dans l'appartement de Pinto, c'est ça ? poursuit Hugo en prenant une gorgée de sa bière.

— Oui, c'est ça.

— En voilà un qui aurait mieux fait de se mêler de ses affaires, ricane Micha en prenant une gorgée de sa bière.

— Oui, je me demande comment il a pu croire qu'il s'en sortirait ainsi, acquiesce Hugo en prenant une touche de son joint.

— Qu'est-ce qui lui est arrivé ? je demande.

Le bras gauche appuyé sur son genou relevé, Verrue écoute notre conversation avec un certain intérêt. Micha et Hugo me dévisagent, comme si je venais de proférer une sornette.

— Il a joué dans les plates-bandes de la Reine, daigne expliquer Micha en prenant une touche de son joint et une gorgée de sa bière.

— Il a voulu faire de la concurrence, ajoute Hugo en prenant une gorgée de sa bière et une touche de son joint.

— La Reine? Quelle Reine, de qui vous parlez?

Ils lèvent les yeux avec lassitude.

— On voit bien que tu es nouvelle, fait Micha en prenant une gorgée de son joint.

— Faut vraiment rien connaître pour demander ça, renchérit Hugo en prenant une touche de sa bière.

Ils m'étourdissent, ces deux-là! Et ils sont bien malpolis! Pourquoi ils me regardent de haut, comme ça? Ils sont pires que Verrue! Ils me prennent pour une petite *twit*, c'est ça? Par défi, je sors un joint de ma sacoche et m'allume. Je prends une longue touche et dis avec assurance:

— Justement, je suis nouvelle, alors, ce serait gentil de m'expliquer.

Les deux autres n'ont pas l'air impressionné. Ils se tournent vers Verrue.

— Qui c'est, cette fille?

— D'où vient-elle?

— Que veut-elle?

— Pourquoi est-elle ici?

— Comment?

— Quand?

— Et si?

— Et ça?

— Et puis?

— Et alors?

Malgré son air blasé, Verrue a un petit sourire amusé. Moi, ma tête commence déjà à tourner.

— Je lui ai demandé, cet après-midi, qui elle était, fait Verrue. Elle n'a pas su quoi me répondre…

Sur quoi, il me lance un drôle de regard. Je viens pour rouspéter à ça, mais les deux suffisants émettent un bâillement sonore. Décident de s'en aller. Sont fatigués. Sortent. Me disent même pas bonsoir.

Bon débarras! Si tous les amis de Verrue sont comme ça, je manque pas grand-chose!

Ah, non: il y a Mario, tout de même.

Je me tourne vers le vieux. Son regard bat de l'aile.
De sa radio sort une chanson de Céline Dion. Seigneur!
Il collectionne les quétaines du monde entier, on dirait.
Je prends une autre touche de mon joint, puis lance:

— Sympathique, le monde de ce quartier!

— Tu viens d'où, exactement?

— De Brossard.

— Le dépaysement doit être assez déroutant...
Pourquoi tu es partie de là-bas?

— Je veux aller jusqu'au bout.

J'avoue que le sérieux avec lequel j'ai dit ça est
un peu ridicule...

— Jusqu'au bout de quoi?

— De mon moi-même en personne.

— Pourquoi?

En voilà une question! Je sais vraiment pas quoi
répondre à ça. Verrue avale la fumée de son joint, les
yeux mi-fermés, puis, comme s'il énonçait une grande
vérité, déclame:

— Pour aller au bout de soi-même, il faut franchir
plusieurs étapes... Chaque étape est une frontière qui
nous amène un peu plus loin. Il s'agit de découvrir
quelle frontière nous arrêtera... C'est cette frontière
qui nous révélera à nous-mêmes.

— Mais de quoi vous parlez?

Il ricane dédaigneusement, de son affreux rire de
fourchette qui racle un fond d'assiette. Jette le mégot
de son joint. Se gratte le coude. S'écrase un peu plus
sur le sol. Prend son air supérieur.

— Il faudrait que tu rencontres Mickey et Minnie.
Côté frontières, ils sont intéressants... Mais je suis
pas sûr que tu vas te rendre jusque-là...

Mickey et Minnie? Ah, là, là! Le pauvre vieux dé-
bloque complètement. Et Donald Duck, il va m'inviter
à souper bientôt? J'essaie de le ramener un peu dans
la réalité. Car malgré tout, il m'intéresse, le débris.

— Et vous, vous êtes qui?

— Moi ? Je suis un cocon.

— Ah, oui, c'est vrai. Pourquoi ce choix de devenir un cocon ?

— Vois-tu, il y a cinq ans, j'ai réalisé que je n'étais pas fait pour vivre parmi cette pauvre et minable humanité. Alors, j'ai décidé d'arrêter de bouger. Pourquoi bouger si rien ne change ? C'est vain !

— Pourtant, vous voyez encore du monde ! Pis Mario vous aide.

— Je méprise les gens, mais je les trouve, à l'occasion, distrayants.

— C'est gentil pour vos amis, ça.

— Ho, mais ils le savent, inquiète-toi pas. Ça les amuse.

— Vous me méprisez aussi ?

— Évidemment.

Pourquoi je pars pas ? Je suis pas obligée de me faire insulter de même ! Pourtant, j'arrive pas vraiment à être choquée. Quelque chose l'emporte sur la colère.

— Et le cocon ?

— Ah, oui, le cocon…

Il s'allume un autre joint. Combien peut-il en fumer par jour ?

— J'ai donc décidé d'arrêter de bouger… Mais je me sentais toujours lié, physiquement, à cette médiocre existence… Je me suis donc mis à prendre de plus en plus de drogue… Gelé, je suis hors de cet univers pitoyable, je suis au-dessus de tout ça, tu vois… Par contre, je sais que c'est une illusion : je suis pas vraiment hors du monde… Grave problème…

Il porte le joint à sa bouche.

— Ça faisait six mois que je bougeais pas… Et c'est là que j'ai compris que je devenais un cocon… que je me transformais en papillon.

Pour la première fois, son sourire est ému, dénué de mépris ou de moquerie. Pendant une seconde, il est un peu moins laid. Juste un peu.

— J'avais enfin trouvé ce que j'aspirais à être : un papillon, un papillon qui volerait toujours au-dessus des autres. Toujours.

Il parle en métaphores ou il faut prendre ça au pied de la lettre ? Il peut quand même pas se croire vraiment. J'ose pas lui demander, mais je risque une ironie :

— Sauf que cinq ans, pour un cocon, ça commence à être long, vous trouvez pas ? Faut éclore un jour…

Il secoue la tête lentement. Son air dédaigneux réapparaît.

— Je serai prêt… Bientôt…

Je hoche la tête. Son délire commence à me lasser et la fatigue se fait enfin sentir. Je lui dis bonne nuit, viens pour partir. Il me demande alors :

— Mario pourra plus faire mes commissions. Tu veux le remplacer ?

— Mario viendra plus ?

— Il m'a dit qu'il se ferait plus rare et que je ne pourrais plus compter sur lui. À cause de son mystérieux projet…

Je fais une moue. Je veux le revoir, moi, ce mec. J'ai un défi à relever !

— Alors, tu veux le remplacer ? Au même salaire que la dernière fois.

Il est là, écrasé, appuyé sur le mur, un joint entre ses doigts, le visage ridé, la bouche édentée, l'air hautain. Et malgré ce triste spectacle, je sais bien qu'il me fascine. Je sais bien que j'aurai envie de lui parler encore. Car mine de rien, il entrebâille des portes encore mystérieuses pour moi.

— Oui, je veux bien.

— Parfait. Viens me voir après-demain. J'aurai des commissions à te faire faire.

Je dis OK et je sors. Verrue monte les cordes vocales de Céline Dion. Je ne peux m'empêcher de revenir sur mes pas et de lui lancer :

— Pour un gars qui trouve l'humain minable, vos choix musicaux me semblent assez paradoxaux !

— Au contraire, c'est très logique.

— Logique ? Je vois pas de logique là-dedans !

— Parce que tu prends la logique dans son sens le plus conventionnel.

Il ferme les yeux, écoute la musique.

Le sens conventionnel de la logique ?

— Il y a d'autres logiques, tu sais, marmonne-t-il.

Je suis vraiment fatiguée.

Sors. Vais me coucher.

J'ai une pensée pour papa et maman. J'aimerais bien qu'ils m'appellent. Oui, j'aimerais bien.

◆

Samedi matin, je me mets à la recherche d'une job. Là non plus, je serai pas difficile.

En moins d'une heure, je trouve : *waitress* dans un petit restaurant, *Bouffe-croûte*. Du jeudi au lundi. De onze heures à dix-huit heures. Quatre piastres de l'heure plus pourboire. Parfait. Je vais savoir ce que c'est que de travailler dans le vrai monde, à la dure. Un autre défi. Le patron (un gros tout trempe pour qui mes courbes semblaient le meilleur CV) mâchouille sa cigarette et me demande :

— Tu commences tout de suite, ça te va ?

Ça me prend au dépourvu, mais je dis oui.

Étourdissant, tout ça : en moins de trois jours, je me suis trouvé un appart, je l'ai rempli et, maintenant, je commence un nouveau travail. Ça déboule pas mal ! C'est bon signe, au fond ! Très bon signe.

◆

À dix-huit heures dix, je retourne chez moi, le pas un peu moins enthousiaste que ce matin.

Bilan de ma première journée de travail : le costume est assez *cheap* merci (petite jupe noire moulante avec chemisier blanc) et j'ai eu droit à plusieurs commentaires très édifiants de certains clients qui se rapprochent dangereusement du stade neandertal. Le restau est peu fréquenté et les pourboires sont presque inexistants, ce que j'avais pas prévu. Pour un repas complet, j'ai cinquante cents de pourboire ! Et pas tout le temps ! Bref, en comptant ma paye de base, j'ai dû me faire à peine quarante dollars. Ç'a pas de sens ! J'ai connu des serveuses qui se faisaient jusqu'à soixante-quinze piastres de pourboire par jour ! *Fuck !* Seul avantage : mon gros *boss* tout trempe me sacre la paix. C'est toujours ça.

Allons, faut pas que je déprime trop. Je suis pas habituée à ce genre de job, c'est tout. C'était mon premier *shift*. Demain, ça ira sûrement mieux. Pour me remonter le moral, je décide de sortir encore ce soir. Cette fois, je prends pas de chance : je décide de m'acheter des condoms.

Le pharmacien, un endormi à la barbe hirsute, me regarde d'un drôle d'air, puis marmonne un : « Il doit bien m'en rester une boîte quelque part… » Il finit par revenir au comptoir avec une boîte de douze condoms recouverte de poussière. Je sors de la pharmacie, un peu perplexe.

À neuf heures trente, sur mon trente-six, je me retrouve donc de nouveau sur la chaude et grouillante Lutwidge. Quel est donc cet endroit dont j'ai entendu parler ? Le *Palais*… Je pourrais essayer de le trouver… Mais si c'est un club chic, j'aime mieux pas trop dépenser. Je pourrais aller veiller au centre-ville… Quoique le *Parallèle,* hier, c'était bien. J'y retourne donc.

Je ramène un autre gars chez moi. Une fois qu'on est tout nus, je sors la boîte de condoms. Il débande d'un coup.

Monsieur refuse de se mettre ça. Il dit qu'avoir ça sur la queue, c'est « comme fourrer une poupée gonflable ». Vraiment très délicat de sa part.

Évidemment, je refuse de baiser sans le condom. On tient chacun notre bout. Pas du condom, de notre idée. Ho, que je suis drôle.

Il s'exaspère. Il s'en va.

Fin de ma seconde *date* explosive.

Koudon, c'est-tu eux autres qui sont vraiment cons ou c'est moi qui suis trop téteuse ? Mes autres *one-night* ont toujours accepté de se mettre une capote ! Je peux pas croire que tous les gars de Montréal sont inconscients !

Couchée dans le lit. Me sens déprimée.

Je repense aux frontières de Verrue. C'est peut-être pas si idiot, ce qu'il racontait. En venant vivre ici, au fond, j'ai traversé une frontière.

Faudrait peut-être que j'en traverse une autre…

Je rentre chez Verrue sans frapper et vais le rejoindre dans sa chambre. Même position, joint entre les doigts. Ça ne me surprend plus. Ce qui me surprendrait, maintenant, ce serait de le voir debout. Il commence à sentir mauvais. En plus, je pense que son seau est à moitié plein, ouach ! Il paraît que des gens le lavent de temps en temps. En tout cas, qu'il compte pas sur moi !

Il me donne vingt piastres.

— Comme l'autre jour, ma jolie…

— Parfait. Je vais vous ramener ça en début de soirée. Je travaille.

— Déjà ? C'est bien.

De sa radio sort une ballade imbuvable de Ricky Martin.

— As-tu passé une bonne soirée, hier, Aliss ?

— Non… pas vraiment…

— Difficile, hein, de traverser les frontières ?

Il sourit en se grattant la joue. On dirait qu'il sait ce qui m'est arrivé… Il avance la tête. Un relent de moisi me passe sous le nez.

— Tu comprends donc pas encore comment pensent les gens ici ?

De quoi il parle ? Et qu'est-ce qu'il veut dire par *ici* ? Le quartier ? Montréal ?

— Qu'est-ce que vous voulez dire ?

Il soupire et détourne les yeux, plein de suffisance.

— Je suis tellement fatigué que les gens comprennent rien… Quand je vais être papillon, je vais pouvoir voler au-dessus de vous tous, ici, ailleurs, *là-bas,* et rire, rire…

Il regarde la radio, écoute la musique une seconde, puis ricane en disant :

— … comme je ris en écoutant ça…

Je roule le billet de vingt dollars entre mes doigts. On dirait que je veux pas m'en aller tout de suite. Pourquoi ai-je tellement envie de parler avec ce vieux prétentieux qui méprise tout ce qui bouge ?

— En tout cas, c'est un drôle de quartier… Le monde est spécial…

Verrue examine son joint, impassible.

— Par exemple, l'immeuble en briques rouges, en face, avec la porte de métal… C'est quoi qu'il y a là-d'dans ?

Verrue secoue doucement la tête.

— Une frontière à la fois, Aliss…

— Laissez faire les paraboles pis dites-moi ce…

Mais il monte le son de la musique, ferme les yeux et plane dans une autre stratosphère. Ah ! Pis mange d'la marde, maudit cocon « passé date » ! Je viens pour lui lancer son vingt piastres en lui disant de se le fourrer où je pense… mais je le fais pas, évidemment.

Parce que je veux revenir. Je veux lui reparler.

Je tourne les talons.

— Aliss…

Il pointe le doigt vers la chaudière à côté de lui.

— Vide donc ça, en sortant, et ramène-la…

— Hein? Jamais de la vie! Vous me prenez pour qui?

— Je te le dis pas, c'est un secret.

— Désolée, mais même votre bonne dope vaut pas ça…

Il hausse les épaules, indifférent, et je sors. Heille! Aliss est la ramasse-merde de personne, qu'on se le dise!

Il est onze heures moins quart, je me dirige vers le restau. Aujourd'hui, ce sera sûrement plus agréable.

La population très hétéroclite du quartier attire de moins en moins mon attention. Moi qui venais à Montréal pour voir grand, j'ai l'impression, depuis quatre jours, d'être dans un espace réduit au décor répétitif. C'est comme ces Cadillac rouges aux vitres teintées. Quand je me promène dehors, j'en vois une à toutes les dix minutes, sans exagérer! Il y a un concessionnaire dans le coin qui a fait une vente de liquidation ou quoi?

Aussitôt que j'aurai une journée de congé, je prends le métro et je vais faire un tour au centre-ville.

Je passe devant *Chez Andromaque*. Le portier noir change les ampoules autour des affiches. Il me voit passer. Me sourit, comme l'autre jour. Je lui demande alors :

— Vous ouvrez toujours à six heures?

— Toujours.

Je poursuis ma promenade, perplexe. Qu'est-ce qui m'a pris de lui parler, à celui-là? Je voulais faire ma *smatt*?

J'arrive au restau. Hop, hop : au boulot!

◆

Franchement, c'était pas plus excitant aujourd'hui qu'hier. Peu de clients. Et ils *tipent* aussi mal que ceux d'hier, gang de gratteux! Je suis pas sûre que je vais garder ce travail longtemps…

Le soleil est encore chaud. On se croirait en juillet. Je marche sur Lutwidge, blasée. Je pense qu'il est temps que je change d'air. Le centre-ville, par exemple. J'arrive au métro: surprise! Une pancarte collée dans la porte indique GRÈVE GÉNÉRALE DE LA STCUM. Bon, ça y est! Ils l'ont déclenchée, leur grève! Je cherche un arrêt d'autobus, mais n'en trouve pas. De toute façon, si toute la STCUM est en grève, les autobus le sont aussi, je suppose…

Un taxi? C'est cher pas mal, ça…

Bon, ben je vais marcher… Cette foutue rue Lut-widge, par exemple, elle doit bien aboutir quelque part, mener ailleurs! Allons-y, marchons! Ça va m'ouvrir l'appétit! Ça va faire du bien à mon cardio! Ça va me remonter le moral, surtout!

Je marche, je marche, je marche. Je croise au début beaucoup de rues transversales, puis elles finissent par disparaître. Les bâtisses deviennent rares, les piétons aussi; les immeubles ressemblent de plus en plus à des lieux abandonnés et, au bout d'une trentaine de minutes, plus de constructions du tout, juste une rue encadrée de terrains vagues. L'horizon s'allonge et je vois, très loin devant moi, légèrement sur ma gauche, le pont Jacques-Cartier. Enfin, un point de repère connu! Ça fait du bien.

Et la rue s'arrête.

Comme ça. Elle se termine sur une pancarte: CUL-DE-SAC. Au-delà, un autre terrain vague, avec des grues vides, des tuyaux rouillés, des blocs de ciment perdus. Au-delà, à une couple de kilomètres, on distingue à peine les maisons et les bâtiments qui réapparaissent.

Peut-être qu'ils sont en train de construire le reste de la rue…

Je soupire. Regarde le pont Jacques-Cartier, là-bas, très, très loin. Je l'ai jamais vu de cet angle. Il a l'air différent, je sais pas trop pourquoi.

Bizarre, quand même, cette rue commerciale qui ne débouche pas, qui se termine dans ce *no man's land*… Tous ces terrains vagues tout autour… Pas un bruit. Personne.

Le soleil commence sa lente descente. Je tourne les talons et me remets en marche. Au bout d'une quinzaine de minutes, les rues transversales réapparaissent, les bâtiments et les magasins aussi, la population *idem*, et me voilà revenue dans le quartier.

Comme si j'étais sortie d'un petit village du Far West pour me retrouver dans le désert, puis que j'étais revenue.

Tant pis. Mon exploration hors du quartier sera pour une autre fois.

Au supermarché, j'achète la bouffe de Verrue. La caissière anglophone est une grosse rousse qui a les yeux pleins d'eau, comme si elle était sur le point de pleurer. En retournant vers la maison, je vois deux gars qui se battent sur le trottoir. Quelques piétons les observent, mais la plupart des gens les contournent avec indifférence.

Sur Dodgson, je passe devant une petite ruelle. Des souvenirs me reviennent alors: il y a deux jours, le soir… Chapeau Haut-de-forme et son copain qui ont suivi un chat dans cette ruelle… les horribles miaulements…

Qu'ont-ils fait, au juste, à ce chat? Est-il toujours là?

J'hésite. Je finis par entrer dans la ruelle. Ah! La morbide curiosité qui amène les piétons à devenir les voyeurs des accidents de la route!

Vers le milieu de la ruelle, je trouve le chat.

Étendu sur un petit carré de terre dure, il n'a plus de poils. Des plaies vives s'ouvrent partout sur son corps. Plusieurs os dépassent de sa chair, brisés, cassés. Il est écartelé, comme un cobaye de laboratoire sur une table d'opération.

Vraiment horrible ! Demi-tour, pis vite ! Mais de la gueule du pauvre minou, quelque chose dépasse. Une petite chaîne.

Je dépose mes deux sacs sur le sol et m'approche, trop curieuse. En grimaçant, je me penche et tire du bout des doigts la chaînette. Celle-ci sort de la gueule… ainsi que la montre-gousset, ensanglantée, attachée au bout.

Cette montre incongrue m'apparaît plus horrible que le chat mutilé.

Je lâche la montre-gousset, prends les deux sacs et sors en vitesse de la ruelle, angoissée.

Ces deux fous ont disséqué un chat et, après l'avoir littéralement vidé, ils lui ont enfoncé une montre dans la gueule ! Pour l'amour du Ciel, pourquoi ? Pourquoi faire quelque chose de si horrible et de si absurde en même temps ?

Et ces deux maniaques fréquentent le mystérieux immeuble rouge… Immeuble rouge devant lequel je passe justement…

Je l'examine avec une certaine appréhension.

Je monte les marches, encore ébranlée par la découverte du chat. Je vais à la porte numéro six, qui s'ouvre subitement. Une fille en sort.

Mes amies et moi, quand on venait à Montréal, on était toujours bien amusées de voir des filles comme ça. À Brossard, c'est impensable, ou en tout cas très rare. Bustier ultra-moulant, minijupe en vinyle, bottes qui montent jusqu'aux cuisses. Bref, une pute. Sans l'ombre d'un doute. Sûr et certain. Deux et deux font quatre.

Une pute qui sort de chez Verrue ?

La fille me dévisage, curieuse, puis descend.

J'entre sans frapper. Je le retrouve toujours assis par terre, sauf qu'il y a quelque chose de différent. Je ne saurais dire quoi.

— C'est qui, la fille, qui vient de sortir?

— J'ai une maman qui prend soin de moi, maintenant?

— C'était une pute, pas vrai?

Mon intention est pas de lui faire la morale, vraiment pas. Je suis juste ahurie à l'idée qu'une fille puisse accepter de coucher avec lui. Verrue grimace en levant une main fatiguée.

— Ho, les gros mots… Tu manques vraiment de classe, pour une petite fille de Brossard…

— C'était une pute, oui ou non?

— Une Fille de la Reine. C'est mieux, non?

— Encore cette Reine? C'est qui, au juste? Une prostituée? Une tenancière de bordel?

J'ai un flash. Reine… Le club de danseuses *Chez Andromaque*… Mes cours de littérature me reviennent en mémoire: Andromaque, c'était une Reine de l'Antiquité, non?

— Je sais: c'est la propriétaire du club *Chez Andromaque*!

Verrue éclate de rire. Un rire atroce, plein de bruits grinçants et métalliques, comme si son organisme était mal huilé et craquait de partout.

— Ah, Aliss! Tu es vraiment distrayante… Allez, va donc préparer mon mélange!

En maugréant, je vais à la cuisine et, comme Mario, je réduis toute la nourriture en bouillie, dans deux gros verres. J'apporte le tout à Verrue, avec une cuiller. Il mange l'horrible putréfaction lentement, en m'ignorant complètement.

— Vous méprisez peut-être les gens, mais quand vous avez envie de baiser, vous êtes prêt à payer pour le faire. C'est assez ironique, non?

— Tu penses que j'ai couché avec cette fille ? Tu me connais bien mal, ma petite…

Il prend une autre bouchée. De la radio sort une musique western consternante.

— Je la paie pour danser, c'est tout.

— Elle danse devant vous ?

— Mais oui. Si tu crois que je vais m'abaisser à baiser avec ta race… Par contre, une belle femme qui danse nue, c'est distrayant…

Comme s'il avait lu dans mes pensées, il ajoute avec un sourire plein de rides :

— Et, non, je me masturbe pas en la regardant danser… À part pour pisser, je pense que ma quéquette n'est plus bonne à grand-chose…

Cela semble plus l'amuser que le désoler. Hé ben ! Bravo pour lui.

— Vous la payez, elle danse, et elle part ?

— Elle me lave, aussi…

Ah, voilà ! C'était ça, la différence : il est propre. Deux centimètres de crasse en moins, ça vous transforme un homme.

— … et elle me rend des services que certaines personnes refusent de me rendre…

En disant ça, il jette un regard entendu vers le seau, à côté de lui. Il est vide. Grand bien lui fasse.

— En passant, je fais une petite fête ici, après-demain… Tu es invitée…

Et il ajoute avec un regard coquin :

— Mario va sûrement être là.

Je ne réponds rien. Je finis par sourire.

— Ouais… Je vais peut-être venir faire un tour…

C'est incroyable, c'est rendu que je développe une complicité avec cette ruine snobinarde !

Il prend une autre cuillerée de sa merde. Fouille dans ses poches. En sort plusieurs joints. Les jette par terre.

— Ta paye, Aliss…

Je regarde les joints. Il y a quelque chose de misérable, il me semble, à me faire payer en drogue. Je hausse les épaules en disant :

— Écoutez, franchement, je peux bien vous rendre ce genre de services sans être payée…

Ho, là, là, le mépris, dans ses yeux ! Je crois qu'il regarde son seau avec plus de considération.

— T'as vraiment rien compris, hein, Aliss ?

— Merde ! Est-ce que je peux encore rendre service à quelqu'un gratuitement sans me sentir téteuse ? Je le sais qu'ici la générosité est pas très à la mode, mais quand même !

J'ai un air boudeur. Silence. Sauf la musique western. En soupirant, je me penche vers les joints :

— Ah, pis, vous avez raison ! Pourquoi je voudrais rendre service gratos à un vieux schnock qui me méprise ?

Ricanement de crécelle.

— T'as raison, Aliss… Je suis même prêt à t'accorder un petit bonus, aujourd'hui. Juste parce que je suis de bonne humeur.

Retour dans les poches de son pyjama. Apparition de deux petits contenants en plastique. Pleins de pilules. La drogue chimique de l'autre jour.

— Ça t'intéresse ?

Je me relève, le visage grave.

— Je suis pas sûre…

— C'est vrai, j'oubliais : tes principes.

Le tabarnac, il le fait exprès !

Fuck !

Fuck, fuck, fuck !

Je prends les deux pots et les regarde.

— C'est quoi ? Acide ?

— Non, non… Rien d'aussi… vulgaire.

Il change de position. S'allume un joint.

— Les petites jaunes, ce sont des Micros. Les vertes, des Macros.

— Des quoi ?

— Micro et Macro.

— Connais pas ça.

— Y a ben des affaires que tu connais pas…

Mon regard lui tire un coup de Magnum, puis revient aux pilules.

— Ça fait quoi, comme effet ?

— Aliss, depuis que tu es arrivée ici, tu veux tout savoir sans rien essayer. Si c'est comme ça que tu veux connaître le monde, reste chez vous et regarde la télévision.

Boum, dans le mille ! Il sait exactement quoi me dire pour me faire enrager, pour me faire sentir niaiseuse, pour me…

Pour me décider, oui !

Je mets les deux flacons dans mon sac, résolue.

— Merci. J'accepte l'augmentation de salaire. J'essaierai ça… un moment donné.

— Tu m'en reparleras…

Le chanteur western se plaint interminablement à la radio. Verrue ferme les yeux et sourit, mi-extatique, mi-ironique.

Les Invités du party

ou

*Les effets paranoïdes de la masturbation
sur la voyeuse néophyte*

Voilà! Les lieux sont définis, certains personnages se sont affichés: Aliss est prête à vivre ses premières péripéties. Mais n'oublie pas, ami lecteur: au début de son aventure, le héros n'est pas encore très expérimenté… Sa première péripétie est donc souvent très déconcertante pour lui.

Dix heures du soir. Beau et chaud.

Congé demain et après-demain. Ce soir, ça va barder.

Je finis mon joint, sors dehors, traverse la rue et marche vers l'immeuble rouge. Je m'arrête devant la porte de métal.

Nerveuse.

Mon doigt monte… lentement… vole sur une longue distance, des millions de kilomètres… s'approche de la sonnette… la collision est inévitable… le choc est imminent… Tout le monde en position d'urgence, ça va donner un gros coup!…

Je sonne.

J'attends. Je regarde en l'air, stupidement. Les fenêtres condamnées ont l'air bien hautes, ce soir.

La porte s'ouvre. C'est le gorille. En smoking. Impeccable. De l'intérieur provient de la musique techno. Je souris à m'en fendre les lèvres. Je dois avoir trois mille dents dans la bouche.

— Bonsoir.

Et je m'avance, pour entrer.

Mais peux pas.

Peux pas, Gorille est là, et Gorille veut pas.

Je m'arrête, le nez contre sa poitrine large comme un terrain de football.

Voilà, c'est raté. Comment ai-je pu croire que ça marcherait ? Je fonds sur place. Je tremble. Je veux me sauver en courant, vite, vite, vite, jusque chez nous, jusqu'à Brossard, jusque…

Ho, non ! Non, pas question, non, non !

J'ose lever la tête. J'ose jouer la surprise. J'ose dire :

— J'aimerais entrer.

— Bonne nuance.

Le gorille a la voix de Darth Vader. Respiration comprise.

— Quelle nuance ?

— Tu as utilisé le conditionnel. C'est très bien.

Je déglutis. Il est calme, impassible, et poursuit :

— Pour ma part, je vais employer l'impératif, si tu le permets.

— Je vous en prie, allez-y.

— Décriss.

C'est drôle, le verbe « décrisser » est presque toujours employé à l'impératif présent. J'essaie d'imaginer ce que ça donnerait au subjonctif imparfait… Que je décrissasse…

Je lève un doigt. Je veux ajouter quelque chose. Je commence :

— Heu…

La porte est déjà refermée.

Je me frotte le visage. Je suis en beau tabarnac. J'haïs être gelée et en tabarnac en même temps. On se gèle pour être heureux, pas pour être en tabarnac.

M'éloigne. Me sens humiliée. Il pensait peut-être que j'étais mineure ? Non, ça m'étonnerait. J'ai toujours eu l'air plus vieille que mon âge.

Un club privé, je suppose… Dans un quartier si minable, c'est un comble !

— Gang de snobs…

Je m'allume un autre joint. En pleine rue, pas de problèmes ! Je me fous du monde ! De toute façon, j'ai vu beaucoup de gens en faire autant.

Je marche sur Lutwidge, un peu déprimée.

Une voiture passe… Un clown, à l'intérieur, me fait une grimace…

J'ai encore rien fait de vraiment hors de l'ordinaire depuis que je suis arrivée. Je me déçois beaucoup. Pourquoi je suis partie de chez nous si rien ne change vraiment ?

Faut qu'il se passe quelque chose ce soir, n'importe quoi.

Une grosse bâtisse devant moi. Plein de lumières. Ça flashe, ça résonne de musique… C'est *Chez Andromaque*. Le grand Noir est devant la porte, sérieux.

J'y vais ! Pourquoi pas ? Si je me fie aux affiches, il y a aussi des danseurs ! Allez, je fonce !

Je jette mon joint, passe devant le Noir. J'arrête pas de le regarder, comme si je le défiais de m'arrêter. Il me fait un petit salut, impassible.

J'entre.

◆

Grande salle à éclairage tamisé et électrique, genre *blue light*, avec tables et chaises en imitation de marbre, comme un amphithéâtre grec. Une vingtaine de clients, hommes et femmes de tout âge, installés autour d'une scène surélevée, en faux marbre aussi, mangée de tous côtés par des plantes grimpantes. Au beau milieu de cette scène, une colonne grecque sur laquelle trône un buste de marbre représentant une femme. Nom gravé sous le buste : Aphrodite.

Bar à droite. En simili-marbre aussi, avec barman habillé d'une toge et coiffé d'une couronne de lauriers. Console de musique à gauche, avec technicien portant le même genre de costume théâtral. Sur les murs de la salle, bustes sculptés, graves figures antiques, sortis tout droit d'un musée historique. Je parcours quelques noms : Pyrrhus, Andromaque, Hermione, Hector…

Si Racine avait su que sa pièce inspirerait un décorateur de bar de danseuses, il serait devenu plombier. En même temps, je suis impressionnée, car, avouons-le, ç'a de la gueule.

Une fille danse sur la scène. À poil, évidemment. Elle ondule, se couche, écarte les jambes, se relève, ondule de nouveau. La musique est forte. Drôle de musique, d'ailleurs : instrumentale, mélange d'opéra et de techno, avec des chorales imposantes… Très dramatique, très tragique, et rythmée en même temps…

Faut que j'aille m'asseoir, j'ai l'air nouille, debout, comme ça… Quelques clients me regardent avec curiosité, sans plus. Ils sont occupés soit à parler, soit à regarder le spectacle.

Je marche entre les tables. Clientèle aux styles très diversifiés. Je vois même une femme, assise, qui tient une laisse au bout de laquelle un homme en cravate est attaché, docile.

Je m'assois à une table libre, assez loin de la scène.

J'en reviens pas : je suis dans un club de *strip-tease*, toute seule ! Je ricane.

Maintenant, je fais quoi ?

Je parcours la salle des yeux. Il y a quelques femmes qui sont seules, comme moi. Je détonne pas trop.

— On te sert quoi, ma belle ?

Le serveur ! Wow ! Le seul morceau de tissu sur son corps est un *G-string*. Le reste n'est que chair musclée, huilée et ferme. Pas une tonne de gros muscles comme les *body-builders* à la télé, non, non. Juste ce qu'il faut à la bonne place. Assez impressionnant, merci.

J'admire son corps pendant cinq-six secondes, éberluée, avant de me rappeler qu'il a aussi un visage. Je
lève les yeux. La face est un peu plus décevante, mais
bon, c'est pas si mal. Il a aussi une petite couronne
de lauriers sur la tête.

— Je… heu… je vais prendre, un… une… Un
shooter. Tequila. Non : deux shooters.

L'étalon s'incline, s'éloigne.

Je regarde enfin la danseuse avec un peu plus d'attention. À peu près vingt-cinq ans. Elle est belle, c'est
sûr, mais… honnêtement, là… Je pense que… Oui, je
pense que je suis plus belle qu'elle… En tout cas,
autant… Mes seins sont un peu plus petits, mais je
l'accote sans problème.

Son numéro ressemble à celui des danseuses que
j'ai vues, l'an dernier, c'est-à-dire sans grande imagi-
nation. Sauf que ses mouvements suggestifs, ses regards
langoureux et ses sourires vicieux me paraissent un
peu plus enthousiastes, un peu plus naturels, un peu
plus vrais. Les filles que j'avais vues étaient plus
blasées, alors que, elle…

La toune finit, applaudissements, clap, clap ; j'ap-
plaudis aussi, machinalement. La fille descend les
marches, s'en va au fond, disparaît derrière un rideau.

— Tequilas pour la jeune dame…

Super Body dépose les deux shooters devant moi.

Je me sens plus à l'aise. N'empêche, je vais pas regarder des filles à poil toute la soirée, quand même…
Il y a aussi des danseurs, non ?

Une voix sort des haut-parleurs :

— Ô ! Pauvre Oreste qui se sent trahi ! Pauvre Oreste
dédaigné de sa bien-aimée Hermione ! Pauvre Oreste
abandonné ! Rêve, Oreste ! Rêve à Hermione, et à tout
ce que tu n'auras jamais avec elle !

Là-dessus, un homme et une femme montent sur
la scène. Habillés tous deux de toges et de sandales,
comme dans la Grèce antique. Pas laids du tout. La

musique commence, encore ce style épique et grave, avec des chœurs dramatiques…

Le couple s'embrasse, se caresse, se déshabille mutuellement, tout ça chorégraphié avec un certain style. Théâtral en diable. Rien à voir avec ce que j'ai vu l'an passé… J'ai déjà entendu parler de ces spectacles érotiques, où un couple fait semblant de baiser. Un peu ridicule, non ?

Sauf que la fille caresse le sexe du gars pour vrai…

Sauf que le sexe gonfle réellement…

Sauf que la fille se met à genoux et…

Mais c'est une pipe, ça, mes petits enfants !

Et c'est pas trop long que les choses s'activent. Avant que j'aie compris comment la transition s'est effectuée, la fille se retrouve à quatre pattes, et monsieur le Grec de la pénétrer sans l'ombre d'une supercherie, par en arrière, avec une ardeur qui force l'admiration.

Bref, ils baisent. Ils copulent. Sans triche. Là, devant moi, devant nous tous, merde, en direct !

Personne n'a l'air surpris, sauf moi, évidemment !

Je prends mon premier shooter : cul sec.

La fille est maintenant sur le dos et elle crie afin de nous faire partager son bonheur. Je sais pas si elle simule son plaisir, mais elle y met de la bonne volonté.

Le gars sort alors sa verge de sa collègue et… il éjacule ! *Live* ! C'est pas un trucage, ça, voyons, je vois bien ! Je vois très bien le long jet de sperme sortir du membre dressé, l'arc presque parfait qui traverse l'espace, spectaculairement éclairé par un projecteur opportun, l'éclaboussement final sur le ventre de la fille ! En un mot comme en cent : il lui est venu dessus, c'est aussi simple que ça !

Comme si un joueur de baseball venait de frapper un circuit, la foule applaudit avec enthousiasme !

Le gars et la fille saluent. Ils ont l'air presque émus ! La demoiselle est toute souriante, le ventre luisant de sperme ! C'est surréaliste !

Je *cale* mon second shooter. Mais c'est interdit, des shows comme ça, non ? La police doit pas être au courant certain !

En tout cas, interdit ou non, faut avouer que c'est quand même pas désagréable...

Je ricane. Je commence à pogner le *beat*, on dirait. C'est bon, ça. Très bon !

Je regarde autour de moi. Je suis ici, en ce moment, et je suis contente ! Contente de vivre ça ! De connaître ça !

Mais il manque un verbe, on dirait. Je sais pas lequel.

Plus d'alcool. J'en veux d'autre. D'autres shooters.

Je me lève. Ho, là ! Mes jambes sont molles, la salle est devenue une toupie. Je réussis à distinguer le bar, au large. J'y vais. D'un pas chancelant, mais j'y vais. L'important, c'est d'y aller.

Commande un autre shooter au pseudo-grec. Gloup, d'un coup. Je devrais y aller mollo, je le sais, mais c'est pas grave.

Ça va bien. Ça va trèèèès bien.

Je reste appuyée au bar. Cette fois, deux filles viennent faire un numéro sur scène. Rien de censuré là non plus ! Ça se bouffe la chatte, ça crie, ça gémit, ça s'enfonce des vibrateurs dans tous les orifices... Ça alors !

Let's go, un autre shooter ! Me sens toute chose, toute chaude. Cette ambiance de sexe survoltée, ça... ça finit par donner des idées... Surtout que ça fait deux baises, dans mon cas, qui tombent à plat, je commence à me sentir frustrée.

Le numéro se termine, la musique s'arrête. Les deux filles saluent. Applaudissements. Soudain, un client se lève et crie :

— Du sang !

Tout le monde le regarde, même les deux filles sur la scène. Le gars, un barbu habillé d'un vieux jean et d'un t-shirt trop petit, répète, comme s'il scandait un slogan communiste :

— Du sang ! On veut du sang !

Ai-je bien entendu ?

— *Shut up, Durand !* crie quelqu'un.

Les deux filles, en haussant les épaules, sortent par la porte du fond. Mais le trouble-fête continue à gueuler :

— Du sang, j'ai dit ! On veut du sang, pas juste du cul !

Mais de quoi il parle, il est fou ? Pourtant, il n'a pas l'air ivre du tout ! Plusieurs voix cette fois lui crient de se la fermer et soudain, de sa console de musique, le technicien lui crie, agacé :

— Ça suffit, Durand ! Y a pas de ça ici, pis tu le sais ! T'as juste à aller au Palais !

Encore ce Palais !

— C'est ce que je vais faire ! beugle l'autre.

Là-dessus, il s'éloigne, sous les rires méprisants des clients. Une femme lui crie :

— Arrangé de même, ils te laisseront même pas entrer !

Nouveaux rires. Le client, indifférent, finit par sortir.

La musique reprend.

Qu'est-ce que c'est que ce foutu Palais où l'argent semble si important et où on peut…

… avoir du sang ???

Un flash : l'immeuble rouge, en face de chez moi, c'est le Palais ! Et cette Reine dont j'ai entendu parler, c'est la patronne de ce Palais ! C'est sûrement ça !

Mais qu'est-ce qui peut bien s'y passer ?

Un autre shooter, vite. J'ai le ventre barbouillé, j'ai la tête lourde, mais tant pis, faut que je boive un autre verre.

Oublie le Palais, pour l'instant ! Et hop ! Un autre verre ! Mon foie me lance des SOS… Pas grave, pas grave !

Deux employés parlent, pas très loin de moi. Je reconnais mon serveur de tout à l'heure. L'autre est une femme, une grande Noire dans la quarantaine, très belle. Cheveux d'ébène frisés très longs. Maquillage théâtral mais superbe. Elle est habillée d'une longue toge couleur or et porte une couronne de faux diamants sur la tête. Malgré cet accoutrement un peu cucul, elle réussit tout de même à être flamboyante. J'entends le serveur lui dire :

— Ça va, Andro, il est parti ! On le laissera plus entrer !

La femme, le visage grave, acquiesce, le regard méchant-méchant.

Andro... Andro pour Andromaque... C'est peut-être elle, la Reine dont j'entends parler ? Non... Non, l'autre jour j'ai formulé cette hypothèse à Verrue et il s'est foutu de ma gueule... Pourtant, elle est attriquée comme une Reine...

Ma tête tourne... Me sens de moins en moins bien. On dirait qu'une partie de water-polo se déroule dans mon estomac. La vue embrouillée et pleine de guimauve, je réussis tout de même à voir le spectacle sur scène. Deux gars, cette fois. Nus. L'un qui sodomise l'autre. *For real.* Sueurs. Cris de plaisir.

Dans mon estomac, la piscine menace de déborder...

Je titube vers la sortie. Juste avant de franchir la porte, je vois un sourire dans le noir, à une table, là-bas... Quelque chose de maigre, derrière ce sourire... de flou, d'à peine esquissé...

Faut que je sorte...

Dehors, enfin. Je fais quelques pas sur le trottoir, me retourne. Le Noir est toujours planté devant la porte, imperturbable. Il me demande poliment :

— Passé une belle soirée ?

— Super, que je dis en souriant.

Et je vomis sur le trottoir.

◆

Méchant mal de tête.

Il est onze heures du matin, je suis encore couchée. Je pense que je vais rester dans mon lit toute la journée. Juste déplacer ma tête sur l'oreiller provoque une guerre civile dans mon crâne. Hé, merde… La dernière fois que j'ai été malade de même, c'est à ma première brosse, à quinze ans. Et encore.

J'ai beau être à l'état de zombie, je regrette pas ma soirée d'hier. Du sexe en direct, hétéro, homo… On est loin du bingo de Brossard. En plus, je suis sûre que c'était un spectacle interdit, illégal… Excitant, ça…

En tout cas, c'est autre chose et ça existe. Je l'ai vu. J'y ai assisté.

Encore une fois, je sens qu'il manque un verbe. Un verbe que je n'ai pas encore conjugué…

J'ai tellement mal à la caboche ! Je ferme les yeux. Je veux faire le vide, dormir encore. Mais une question n'arrête pas de me harceler.

«Et après ?»

Pourquoi cette question ? Qu'est-ce qu'elle veut dire, au juste ?

Et après ?

M'endors là-dessus…

◆

Il est huit heures du soir, je me sens vraiment mieux. J'ai l'intention d'aller au party de Verrue. Et le beau Mario va être là… Mon petit doigt me dit que je finirai pas la nuit toute seule… Parfait, parfait ! Mes baises avortées des autres soirs m'ont laissée sur ma faim ! En plus, la soirée d'hier, c'était hautement aphrodisiaque…

Comme j'ai pas envie d'arriver trop tôt chez Verrue, je commence la lecture de *Ainsi parlait Zarathoustra*.

C'est plus compliqué que je le pensais. Je passe certaines pages qui me sont trop obscures. Mais je veux comprendre, je *dois* comprendre, ne serait-ce que pour contredire ce con de Laurent Lévy !

Puis, peu à peu, il y a des éclaircies… des passages qui s'insinuent en moi, du sens qui se forge… En parlant de la démocratie, il dit qu'il s'agit du «plus froid de tous les monstres froids». Étonnant, mais pas faux… Qu'est-ce que la démocratie, sinon un système qui ne représente que l'opinion du plus grand nombre ? Un système qui érige en règles les vertus dominantes et rassurantes ! Peuh !

D'ailleurs, Nietzsche parle aussi de la vertu :

«Et certains qui ne peuvent voir ce qu'il y a d'élevé en l'homme appellent vertu le fait de voir de trop près ce qu'il y a de bas en lui : ainsi appellent-ils vertu leur regard malveillant».

Les limites de la vertu… l'hypocrisie de ceux qui l'appliquent… C'est vrai, tellement vrai…

« Pour que vous vous fatiguiez de dire : "Ce qui fait qu'une action est bonne, c'est qu'elle est désintéressée." Ah ! Mes amis que votre moi tout entier soit dans l'action comme la mère est dans l'enfant : cela doit être, à mon sens, *votre* mot de la vertu.»

L'action ! Voilà : la seule vraie vertu, c'est l'action ! Agir ! Foncer ! Aller au bout !

Je referme le livre, étourdie, fascinée, pleine d'énergie. C'est exactement ce que je veux faire ! Voilà ma philosophie ! Voilà ma nouvelle vie ! Pis Lévy qui croyait que je ne comprenais pas Nietzsche ! Ah ! Que dit-il, déjà, sur la nature propre de la vie ?… C'est ici, quelque part… Ah ! Voilà : la vie, c'est « ce qui est contraint de se surmonter soi-même à l'infini ! ». Il faut que je la souligne, celle-là…

Il faut que je bouge ! Vite, chez Verrue ! Il est dix heures, il doit y avoir du monde d'arrivé ! Dont Mario ! Plus que jamais, je veux le voir, je veux l'avoir…

J'entre sans frapper. Beaucoup d'invités. Au moins une vingtaine de personnes, éparpillées en petits groupes, dans toutes les pièces. Je traverse l'appartement, discrète. Tous ces inconnus ont légèrement calmé mes ardeurs. Mais ça va revenir, je m'inquiète pas. Le temps de m'imprégner un peu de l'ambiance…

Comme au bar *Le Parallèle,* comme *Chez Andromaque,* comme dans les rues même du quartier, c'est la diversité totale dans les styles et les genres. Au salon, une espèce de Hell's Angel noir discute avec un gars et une fille tout droit sortis d'un film de Fellini. Sur le divan, deux gars dans la quarantaine parlent ensemble, en se tenant les mains. Les petits sourires et les coups d'œil langoureux qu'ils se jettent sont déjà en soi des préliminaires à une nuit qui s'annonce torride. Dans le corridor, je croise trois filles à peine plus vieilles que moi, habillées en hippies, puis une Asiatique dans la trentaine, habillée très BCBG, les cheveux en chignon, genre avocate cliché. Appuyée contre le mur, elle prend des notes dans un calepin, très concentrée. Elle me voit passer. Me regarde, intriguée. Se remet à écrire.

Tout ce beau monde consomme soit de la dope, soit de la bière, parfois les deux. Fumée, vapeurs alcooliques, odeurs contrastées…

Je vais m'allumer un joint aussi, tiens. Ça va me mettre dans le *beat.*

Me voilà dans la cuisine. Une vieille femme est assise à l'indienne sur la table. Elle doit avoir dans la soixantaine, est habillée toute en cuir et a même un anneau dans le sourcil. Une mémé à la mode, on dirait. Cinq ou six personnes sont autour d'elle et l'écoutent. Elle vocifère comme une prêcheresse, son long doigt jauni brandi en l'air :

— L'égalité chez l'homme justifie la peine de mort. La chaise électrique ramène le condamné à ce qu'il y a de plus essentiel en lui, c'est-à-dire la pisse et la merde.

Qu'est-ce qu'elle raconte là ? Je prends une touche de mon joint et écoute attentivement.

— La chaise électrique peut avoir un effet placebo sur l'acte criminel. Et ça, mes amis, c'est la condition inhérente à l'égalité. Pas d'effet placebo, pas d'égalité. Donc pas de peine de mort.

Les autres approuvent en marmonnant entre eux. J'ai dû en perdre un bout. Voilà l'occasion de m'immiscer un peu. Je demande donc :

— Vous pourriez répéter ce raisonnement, s'il vous plaît ?

Tous se tournent vers moi. Surpris. Agacés. Un peu méprisants, même. La vieille pince les lèvres.

— T'es qui, toi ?

— Je m'appelle Aliss…

— Elle vient d'arriver, fait une femme.

— Elle connaît rien, fait un homme.

Je les reconnais, ces deux-là… Micha et Hugo. Toujours aussi sympathiques.

— Faut être patient avec elle, fait Micha en jetant son joint.

— Faut lui donner une chance, ajoute Hugo en jetant sa bouteille.

— Lui expliquer patiemment.

— Retourner à la base.

— L'éduquer.

— L'éveiller.

— Vous êtes peut-être bien bons pour rire de moi, que je réplique avec humeur, mais le raisonnement de cette femme m'a pas l'air très logique…

— Écoute-moi, fait la vieille en avançant la tête. Écoute-moi bien : pas d'effet placebo, pas d'égalité. Jusque-là, ça va ?

— Absolument pas.

Soupirs exaspérés de tous. La vieille est patiente :

— Tu sais ce qu'est un effet placebo ? Bon. Les tests ont prouvé que, parfois, il y a autant de gens qui guérissent parmi ceux qui ont pris le vrai médicament que parmi ceux qui ont pris le placebo. Tout le monde a donc la possibilité de guérir, par vraie médication ou par effet placebo. Tous les malades sont donc égaux. L'effet placebo crée donc l'égalité. Enlève l'effet placebo, l'égalité n'existe plus.

— Mais voyons, ça marche pas pantoute, ça !

— Comment ça ? s'énerve la vieille. Oui ou non, le placebo peut guérir autant qu'un vrai médicament ?

— Ça peut arriver, oui.

— Oui ou non, les malades, autant ceux qui prennent les vrais médicaments que ceux qui prennent un placebo, peuvent donc tous guérir ?

— C'est une possibilité, oui.

— Oui ou non, cela fait donc de ces malades des personnes toutes égales devant la maladie ?

— J'imagine, oui…

— Oui ou non, cette égalité est possible grâce à l'effet placebo ?

— Heu…

— Comment, e ? Ce n'est pas un choix de réponses, que je te demande, c'est oui ou non !

— Je… je suis pas sûre… Ça ressemble plus à un sophisme qu'à un…

— Un sophisme ? Ridicule ! Je continue : pas d'effet placebo, pas d'égalité. Pas d'égalité, pas de peine de mort. J'imagine que cette dernière prémisse t'échappe aussi ?

Je suis tombée dans un colloque de fous ou quoi ? J'ouvre la bouche pour répondre, puis, en voyant les regards hostiles des autres, renonce. Ah, pis *fuck* ! Qu'ils délirent entre eux ! Ils sont trop gelés et trop soûls, ça vaut pas la peine ! Je m'éloigne en maugréant, grmmll, grmll, tandis que la vieille poursuit :

— Bon. Maintenant, mes amis, méditez ceci : si un arbre tombe dans la forêt, est-ce qu'il va faire du bruit même si aucun artiste ne fait un documentaire là-dessus ?

Du couloir proviennent des bruits d'engueulade. Un homme et une femme, dans la quarantaine, habillés *straight,* marchent rapidement vers la porte de sortie tandis que quelques personnes, derrière eux, les invectivent violemment :

— Ça va faire ! On a dit qu'on avait pas le goût de participer à vos petites séances !

— Ouais, c'est-tu clair, ça ? Décriss, Mickey ! Retourne au Palais !

Encore ce Palais ! Toujours ce Palais !

Et ce nom, Mickey…

L'homme, digne malgré les insultes qu'on lui lance, ouvre la porte et dit à la femme qui l'accompagne :

— Viens, Minnie… Ils sont trop fermés d'esprit…

La femme, impassible, sort la première. L'homme, après avoir lancé un regard noir aux autres, la suit et referme la porte.

Mickey et Minnie… Verrue ne délirait pas, l'autre jour : ils existent vraiment. Ils ne jouissent manifestement pas de la même popularité que leurs homonymes dessinés.

J'entre enfin dans la chambre de Verrue. Mario doit y être. Le beau Mario. Que j'ai ben envie de baiser. Ce soir.

Mario n'y est pas. Seulement trois hommes, debout, appuyés contre les murs. Verrue, par terre, toujours assis, toujours un joint en main. Et une fille qui danse devant lui. Elle n'a plus de chemise, juste un soutien-gorge. Elle est en train de déboutonner sa jupe. Je m'arrête, interloquée. La fille baisse sa jupe. Juste en sous-vêtements, maintenant. Les trois mecs observent le spectacle, un vague sourire blasé aux lèvres. Verrue, amusé et dédaigneux à la fois, la quitte pas des yeux.

La fille danse sur une des chansons quétaines de Verrue, tourne sur elle-même. Pas laide, mais pas un pétard non plus. Assez ordinaire, finalement. Elle me voit. Me sourit, puis continue à danser. Pas achalée du tout.

Je me racle la gorge, un peu gênée par cette scène. D'une voix que je veux *cool*, je demande :

— Mario est ici, Verrue ?

— Pas loin, fait une voix dans mon dos.

Je me retourne. Appuyé sur le cadre de porte, Mario me sourit. Son sourire cochon.

— Il paraît que c'est toi qui t'occupes de Verrue, maintenant ?

— Ben oui, t'as plus le temps de le faire. Trop occupé ?

Je suis *relax*. Excitée par en d'dans, mais en parfait contrôle. Je prends une *pof*.

Mario passe une main sur sa barbe de trois jours, l'air mystérieux.

— Ouais… ben occupé…

— À quoi ?

Hésitation. Son regard se déplace, s'en va derrière moi. Je me retourne. La fille est maintenant toute nue. Elle a le postérieur tendu vers Verrue et se le dandine comme un hochet. Je reviens à Mario.

— Une autre de ces Filles de la Reine, je suppose ?

Mario fait la moue.

— Ça m'étonnerait. Elle est pas assez belle. Pis pas besoin d'être Fille de la Reine pour faire *ça*…

Son regard retourne à la danseuse. Ses yeux brillent, il apprécie le spectacle, je n'existe plus, tout à coup.

OK. J'ai compris. Faut que j'agisse. Pour vrai.

Je m'approche de lui. Me colle.

— Je peux te donner mieux…

Je lui marmonne ça dans la face. J'appuie mon pubis bien comme il faut sur son bas ventre. Il me regarde enfin. Profondément. Ça commence à durcir dans son jean, pis ça commence à mouiller dans le mien. Il doit être surpris que je sois audacieuse de même. Je trouve toujours ça tellement drôle, cette surprise que je crée chez les gars qui me prennent pour une sainte-nitouche ! La voix de Mario, par contre, est ni étonnée ni gênée.

— Ah, ouais ? Quand, ça ?

— Tout de suite.

J'avoue que ce soir je suis quand même un peu plus directe que d'habitude… Je veux le faire. J'en ai envie. C'est comme ça que ça marche, maintenant… « Que votre moi tout entier soit dans l'action », comme dirait Nietzsche. « Cela doit être, à mon sens, votre mot de la vertu »…

— Viens me rejoindre dans les toilettes, marmonne-t-il. Dans deux minutes.

Les toilettes ? Sur le coup, ça me déstabilise un peu.

— Mais mon appart est juste à côté…

— Les toilettes, qu'il répète d'une voix ferme.

Et avant que je puisse répliquer quoi que ce soit, il sort de la chambre.

Je reste sur place, comme un point d'interrogation en déséquilibre… puis je souris. Prends une dernière touche du joint. Le jette par terre. Sors de la chambre.

Je me fraie un passage parmi le monde. Vais à la salle de bain. Essaie d'ouvrir la porte. Verrouillée.

— Mario, c'est toi ?

Sa voix traverse la porte de bois.

— Ouais…

— Ben, alors, ouvre !

— Non, toi, ouvre.

— C'est barré !

— Trouve un moyen.

— Arrête donc de me niaiser !

— Si t'as vraiment envie de me rejoindre, tu vas trouver un moyen.

Je fixe la porte. Il me niaise ou quoi ? Mais je peux pas m'empêcher de sourire. Le jeu m'excite. Car c'est un jeu. Tout doit être un jeu…

Je vais à la cuisine, dans l'espoir de trouver un couteau, quelque chose. La vieille, sur la table, raconte toujours ses niaiseries :

— Le temps est une question linéaire. Une question sémantique. Et aussi une question grammaticale, d'un certain point de vue.

Pas de couteau. Juste des cuillers, batince !

Je vais au salon. Je commence à être sur les nerfs. Y a un bouchon de champagne en moi qui va sauter d'une seconde à l'autre, et j'ai pas envie de le recevoir dans l'œil…

Au milieu de cette mosaïque humaine, un visage connu. Madame Letendre. Ou plutôt Letndre. Seule dans un coin, à boire un verre.

Madame Letndre, la *serrurière*…

Ah-ah !

— Madame Letndre !

— Tens, Alss… Bnsoir…

Elle me sourit. C'est drôle, ce sourire m'est familier, tout à coup…

— Bonsoir, bonsoir ! Vous auriez pas un passe-partout, par hasard ?

Ben voyons ! Un serrurier porte toujours un passe-partout sur lui, c'est connu ! Comme un pompier traîne toujours un tuyau d'arrosage dans tous ses déplacements !

— Ça n'exste pas, ça, Alss, des passe-prtout uni-vrsels.

Je me tais, prise au dépourvu. Ah, non ? Madame Letndre me considère avec douceur :

— Je te l'ai dt, l'atre jour : il exste une clé pur chque prtes.

— Je sais, je me souviens ! C'est pour ça que je viens vous voir.

Je me rends compte que cette conversation est absurde, et cela me fait rire, un rire de joie et d'excitation sur le point d'atteindre un paroxysme dangereux.

La serrurière hoche la tête, satisfaite.

— Qulle prte vex-tu ouvir ?

— La salle de bain.

Madame Letndre sort une clé de sa poche. Elle cherche pas, elle hésite pas : elle la sort comme si c'était la seule chose qui se trouvait dans son pantalon.

— Volà.

Incrédule, je fixe la clé. Longtemps.

Trop longtemps !

Pogne la clé. Vire de bord. Cours à la salle de bain. Rentre la clé dans la serrure. Ça marche. La porte s'ouvre. Entre. Referme la porte derrière moi. La verrouille.

Mario est assis sur le bord du bain. Il termine une cigarette.

— Il était temps.

Je dis rien. J'attends. J'ai hâte. Je transforme mon regard en deux grappins qui vont le chercher, qui l'accrochent, qui le ramènent.

On s'enlace. On s'embrasse. Je sens quelque chose de dur dans ma bouche et je comprends qu'il a un clou dans la langue, détail que j'avais pas remarqué auparavant. Ça m'excite, ce contact métallique… On se cogne partout, sur les murs, sur la cuvette. Bruits de ceintures, de pantalons qui tombent. Ça me dégouline sur les cuisses, c'est pas mêlant ! On baisse nos bobettes. Son membre rebondit sur mes cuisses, erre un moment, vient m'effleurer le sexe. Le frisson ! Je me penche. À genoux. Je prends la queue de Mario, gloup, je l'avale. Elle est grosse, elle est bonne. Je suce avec appétit. Mario haït pas ça, je l'entends bien.

Il me remonte, me retourne, me penche par en avant. Mes deux bras contre le lavabo. Il va me pénétrer, je le sais, pis il a pas de condom, je le sais aussi. Mais je décide de m'en crisser !

De m'en crisser complètement !

Il me pénètre, vite, sans caresses, sans délicatesse. Je suis tellement mouillée, ça rentre tout seul.

Ho ! Hoooo oui ! Ouf ! que ça fait du bien !

Il s'active comme ça pendant deux-trois minutes. C'est tellement bon ! Mon plaisir monte de plus en plus. Ses mains restent sur mes fesses, les agrippent, les massent, les frottent. Je gémis plus fort.

Petits éclairs lucides… Les autres, dans le party ?

On s'en fout, des autres ! Baise-moi, Mario, baise-moi fort !… Je veux que sa queue rentre profondément, qu'elle transperce et tue mon ancien moi… Chaque coup de hanche qu'il donne est un drapeau planté, le drapeau de ma nouvelle vie !

Fourre-moi, vas-y, fourre-moi ! Mais j'ose pas dire cette vulgarité à voix haute…

— Je vais venir ! grogne-t-il alors. Je vais venir…

— Viens ! Oui, oui, viens !

— Non ! Pas comme ça !

Il sort de moi et me retourne. Son visage en sueur contre le mien. Son regard délirant d'excitation.

— Agenouille-toi ! qu'il souffle.

Je suis encore tout excitée, pleine de désir, mais je comprends ce qu'il veut dire.

Non ! fait une petite voix en moi. *Non, pas ça, quand même !*

Des images du bar *Chez Andromaque* me traversent l'esprit… l'arc de sperme, jaillissant sous l'éclairage bleuté…

À ma grande surprise, je m'agenouille. Il se masturbe, tout près de mon visage. Je regarde son sexe gonflé, hypnotisée. De nouveau, cette voix dans ma tête.

Relève-toi, Aliss ! Relève-toi !

Je reste à genoux. Je fais rien, je dis rien, je bouge pas, passive et fascinée. Fascinée par ça, par moi-même en personne. Par ce qui va arriver d'une seconde à l'autre.

Et ça arrive. Tout d'un coup.

Réflexe : ma tête fait un bond en arrière, en même temps que je ferme les yeux. Le premier jet atteint ma joue droite. Puis un autre. Puis un troisième…

C'est fini. Chaud et gluant. Trop surprise pour aimer ou détester ça.

J'entends Mario, haletant, se laisser choir par terre. J'ose pas ouvrir les paupières. Peur que ça me dégouline dans les yeux. Ma main tâtonne. Trouve une serviette. M'essuie.

Je regarde enfin Mario. Je me sens gênée, tout à coup. Il est assis sur le carrelage. Il a une petite moue satisfaite.

— C'était pas pire pantoute…

— Ouais, que je dis avec un petit rire incertain.

Encore un peu sous le choc…

On se rhabille tous les deux. En silence. De l'autre côté de la porte, le party bat son plein.

— C'était la première fois, hein ? fait Mario.

— Que je baisais ? Jamais de la vie !

— Non. Ce que je t'ai fait à la fin… c'était la première fois ?

Julien a déjà éjaculé dans ma bouche, une fois ou deux. Mais jamais… jamais comme *ça*…

— Oui. De cette manière, c'était mon baptême…

Je ricane derechef, m'essuie encore le visage même s'il est sec.

— Je m'en doutais.

— Ça paraissait ?

Il sourit.

— Un petit peu…

Je sais pas si cela doit m'humilier ou m'amuser. Il me fait un clin d'œil :

— Faudra remettre ça…

Sans un mot de plus, il sort et referme la porte derrière lui.

Je m'assois sur la cuvette et soupire, éberluée.

Ça alors !…

J'ai pas eu d'orgasme, mais… c'était bien. Oui, c'était très bien.

Et la grande finale ? Disons que c'était… nouveau.

Nouveau, donc intéressant.

Je me regarde dans le miroir. Rien de changé. La peau plus rouge, peut-être.

Ça alors…

Des relents de peur m'assaillent soudainement : pas de condom… Je me regarde encore dans la glace. Non. Non, pas de crainte pour ce soir. Ça va trop bien.

De toute façon, je sais que je le referais. N'importe quand. Et que je serais encore meilleure !

L'action. L'action est ma seule vertu.

Je m'envoie un petit bec dans le miroir et sors de la salle de bain. Je suis grande, je suis fière, je suis conquérante ! Dans l'appartement, tout le monde m'ignore complètement ! Tant pis pour eux !

Je vois madame Letndre ouvrir la porte. Avant de sortir, elle me lance :

— Je vais me couchr. Bnne sorée, Alss.

Un détail me frappe enfin. Ça fait deux ou trois fois qu'elle m'appelle par mon nom. Comment le connaît-elle ? Mais elle est déjà sortie.

Je cherche Mario des yeux. Le vois pas. Pas au salon non plus. Déjà parti ? Ça me déçoit.

Je vais à la fenêtre et regarde dehors. Après la baise avec Mario, j'ai l'impression qu'il n'y a plus rien d'intéressant, tout à coup. Il faudrait que je fasse autre chose de nouveau, de stimulant, que je continue sur ma lancée…

La rue est déserte. Là-bas, la porte de métal est éclairée par l'ampoule rouge. Un couple très chic approche. Le Gorille ouvre la porte. Laisse entrer le couple.

Pourquoi eux et pas moi ?

J'ai réussi à relever un de mes deux défis : me taper Mario. Il n'y a donc aucune raison que je réussisse pas le second : trouver ce qui se passe dans cet immeuble.

C'est le Palais, je suis sûre. Et dans ce Palais ? Il se passe quoi ?

Je me rappelle le gars, chez *Andromaque*…

« Du sang ! On veut du sang ! »

Merde, c'est pas compliqué : j'ai juste à demander à quelqu'un ici, n'importe qui ! Il y en a un qui va me répondre, je peux pas croire !

Une voiture débouche au bout de la rue. Encore une de ces Cadillac rouges aux vitres teintées. Une vraie épidémie, ces voitures ! Elle roule lentement, puis finit par s'arrêter devant notre immeuble, juste sous mes yeux.

Personne ne sort de la voiture.

Retour au salon. Un gars est près de moi, seul. Il boit une bière, le visage morne. Il ressemble à un flic, avec sa grosse moustache.

— Est-ce que vous connaissez le Palais ?

Il me dévisage, puis sourit. Gros nounours gentil.

— Bien sûr.

— C'est un club privé ?

Il m'observe toujours, intrigué.

— Comment on peut entrer ? Il faut être membre ?

— T'as pas envie qu'on aille parler de ça chez moi ?

Ho ! merde, quel connard ! Je fais un geste exaspéré, mouvement de la main, affaissement d'épaules et autres signes physiologiques du même genre, puis m'éloigne en vitesse.

Je regarde les gens qui parlent, qui s'embrassent, qui fument, qui rient… Fais quelque chose, Aliss… T'es pas pour aller te coucher après ce qui vient de t'arriver !

Je vais à la salle de bain et pisse un coup. Embêtée. Je pourrais toujours fumer un joint… ça m'inspirerait peut-être… Je remonte mes culottes, fouille dans ma sacoche… et tombe sur les deux petits flacons de pilules, les Micros et les Macros.

Je les regarde longuement.

De la drogue chimique. Que je connais pas.

J'ouvre le flacon de Micros. Prends une pilule. L'étudie avec attention, comme si je m'attendais à trouver la liste des ingrédients inscrite dessus.

J'ai peur comme c'est pas possible. Et cette peur m'excite au plus haut point.

La vertu dans l'action, hein, mon Nietzsche ?

J'avale la Micro. Gloup. J'attends. Il se passe rien.

Les nerfs, poupoune. Laisse le temps d'agir.

Je sors de la salle de bain.

C'est le silence total dans l'appartement. On entend juste la musique de Verrue en sourdine.

Tout le monde est immobile. Tout le monde est silencieux. Tout le monde a l'air très nerveux. Et tout le monde regarde vers la porte d'entrée. Aussi bien regarder dans la même direction.

La porte est ouverte. Deux hommes se tiennent debout à l'intérieur. Deux stéréotypes de mafiosi. Habillés en noir. Cravates, pantalons, vestons, tout y est. Sauf trois aspects étranges qui viennent égratigner quelque peu le cliché. Les verres de leurs lunettes, leurs souliers et leurs cheveux sont rouges. Rouge vif. Lunettes, souliers et cheveux. Rouges. Vif.

Ces détails sont grotesques et devraient provoquer le rire. Personne ne rit. Moi non plus.

Ils ne bougent absolument pas. Je ne pensais pas que des êtres humains pouvaient être à ce point inertes. C'est sûrement la première fois que le mot «pétrifié» peut s'appliquer à quelque chose de vivant sans être une métaphore. Mains croisées sur le ventre. Ils attendent.

Personne ne fait rien. Personne ne parle. Tous regardent. Avec beaucoup d'inquiétude.

Enfin, quelqu'un remet le film en marche : la proprio en personne. Elle arrive par-derrière, apparaît dans le cadre de porte et, tout essoufflée d'avoir monté les marches si vite, la tête couverte de ses sempiternels bigoudis, s'adresse avec une excitation toute juvénile aux deux blocs de béton :

— Vous vous êtes trompés d'appartement ! Je reste en bas, moi, au numéro un ! C'est moi que vous vouliez voir, n'est-ce pas ? Vous êtes venus m'annoncer la visite de la Reine, c'est ça ? Ho ! Mon Dieu ! la Reine va enfin venir me remercier personnellement pis vous êtes venus me prévenir de son arrivée !

L'un des deux (celui qui a une fossette au menton) bouge enfin la tête vers elle. Preuve irréfutable qu'ils sont vivants. Du moins, celui-là.

— Non.

Ce « non » est aussi dénué d'émotion que le serait un mot qui n'a pas de sens en lui-même. Comme si le mafioso avait dit « pour » ou « que », sans contexte. La proprio en prend pour son rhume. Le mafioso continue de parler. Une roche douée de parole ne produirait pas un moindre effet.

— On vient voir Verrue.

Sa tête pivote lentement. Un périscope qui examine l'océan. Mais aucun poisson bouge ou parle. Tous restent la bouche ouverte, toujours sur le qui-vive, toujours anxieux.

— Où est-il ?

Une tonalité interrogative, cette fois. Ça relève de l'exploit. Moi-même en personne ne peux m'empêcher de les observer avec une fascination totale.

Enfin, un quidam ose dire, sur un ton déjà plein de regrets :

— Il est dans sa chambre, au fond…

Les deux mafiosi se mettent en marche. Leurs pas sont d'une gravité historique. La proprio trottine derrière eux, fâchée :

— Il faudra bien qu'elle vienne me visiter un jour, cibole ! Sinon, je pourrais bien me tanner de lui servir de musée !

De quoi elle parle, avec son musée ?

Ils s'arrêtent. Se retournent. Les verres teintés rouges se fixent sur l'agaçante. C'est une bonne chose qu'on voie pas leurs yeux. Cela serait insupportable, j'en suis sûre.

La proprio se rappelle que sa grande gueule peut aussi se fermer. Je la vois trembler. Littéralement. C'est pas une hyperbole, c'est une observation. Elle se rappelle aussi qu'elle a des jambes et file aussitôt, non sans maugréer des mots inintelligibles.

Les deux robots se remettent en marche. Tous s'écartent, Moïse en serait jaloux.

Je les vois entrer dans la chambre de Verrue. Chambre de laquelle proviennent bruits de musique et ricanements divers… À l'entrée des deux robots, les ricanements fondent. Une seconde après, la musique n'existe plus. Long silence. Puis la voix vide :

— Dehors.

Un battement de cœur plus tard, la danseuse nue et les trois mecs sortent rapidement. L'un des deux gars est même à poil. Ils disparaissent dans le fond de la cuisine.

Je devrais pas faire ça, je le sais, mais je marche lentement vers la chambre. Discrètement. Ces deux gorilles m'intriguent trop. Et puis…

… j'ai peur pour Verrue, je dois bien le dire.

Je m'arrête près de la porte et regarde à l'intérieur. Les deux automates marchent lentement dans la pièce. Leurs souliers rouges écrasent les mégots et les disques compacts qui traînent partout. Ils viennent se planter de chaque côté de Verrue. Celui-ci est évaché par terre, toujours avec son air blasé, vaguement écœuré. Mais quelque chose danse dans ses yeux, une petite panique embryonnaire qui se demande encore si elle a raison d'exister.

— Tu sais pourquoi on est ici, Verrue.

— Vous voulez virer un petit party parmi le bon peuple ?

Il ricane. Sous la rocaille de son rire, une note plus aiguë, moins convaincue, détonne.

— Je vais t'expliquer. Tu n'as pas payé ta dîme.

C'est toujours Fossette qui parle. Pas de reproche dans sa voix. Comme une voix électronique qui dirait : « Vous avez appuyé sur la mauvaise touche. »

— Ah, oui, ma dîme…

Verrue aspire longuement son joint. Sa main tremble-t-elle ? Un peu, peut-être. Il déplace nerveusement ses jambes, ne sait plus comment se tenir assis.

— Bon. Alors, voilà, on est venus se faire payer.

— C'est que…

Verrue ricane de nouveau en se grattant la tête, sous ses rares cheveux.

— C'est que, là, tout de suite, je peux pas…

— Ah, bon.

— J'ai pas une cenne, là, vous voyez… En tout cas, pas assez…

— Ah, bon.

— Je… je peux pas. Pas ce mois-ci.

— Ah, bon.

Pas surpris, le Fossette. Il enregistre, tout simplement.

Je sens que tout le monde, derrière moi, est figé. Je ressens une émotion près de la peur, mais c'est pas ça. C'est plus désagréable. Je sais qu'il va se passer quelque chose. Nous le savons tous. On attend, on fait rien. Car faire quelque chose déclencherait l'hécatombe. C'est clair, même pour moi qui comprends pas du tout ce qui se passe.

Les deux robots attendent, les mains croisées devant eux. Verrue allonge ses jambes et jette un regard vers nous. Il est humilié, c'est évident. Sa bouche sans dents devient si mince que, parmi les rides, je ne la distingue plus. Fossette parle enfin :

— Tes économies doivent commencer à fondre, n'est-ce pas ? Après toutes ces années, il ne doit plus te rester grand-chose. Et avec toute la dope que tu achètes… Tu devrais peut-être augmenter le prix de celle que tu revends…

— Dites à la Reine que le mois prochain je lui envoie le double du montant habituel.

— Non.

Implacable. Lourd.

— On ne dira pas ça à la Reine, parce que la Reine n'acceptera pas. Elle va se contenter de nous dire d'appliquer la sanction, et on va devoir revenir te l'infliger. Perte de temps. On va donc brûler les étapes superflues, si tu permets.

Je retiens mon souffle. Faut que j'intervienne. Faut que je me sauve. Faut que je crie. Faut que je fasse quelque chose.

Je fais rien. Personne ne fait rien.

Le second robot, le muet, met la main sous son veston. Geste classique qui, normalement, annonce le pire. Pas de surprise : c'est bel et bien un revolver qu'il fait surgir. Un gros. Un vrai.

Voyons donc ! je rêve ! Ça se peut pas, c'est un gag !

Un gag, oui, c'est ça.

Verrue essaie de ricaner. Résultat pathétique. Il lève une longue main tordue :

— Voyons, les gars, c'est…

Bang ! J'aurais jamais cru qu'un coup de revolver faisait autant de bruit ! Je pousse un cri tandis que mon cœur fait du rodéo quelques secondes. Personne d'autre a crié, j'en suis sûre !

Le genou droit de Verrue explose, dans le sens sale du terme. Explosion de tissus, de chairs et de sang.

La stupéfaction n'a même pas encore terminé de me secouer la cervelle que je fonce vers l'avant, malgré moi. Parce qu'il faut faire quelque chose, même si je sais pas encore quoi! Mais Robocop se tourne vers moi, braque le canon de son arme dans ma direction.

Je m'arrête net. Ça y est, je suis morte. Il va me tirer dessus, il va me tuer, c'est sûr! J'ai un fusil braqué sur moi, ça veut dire que je vais mourir, non? Je pleure un peu, deux ou trois hoquets, les yeux incapables de se détacher de l'arme. Mais lentement, le revolver retourne dans le veston, et je finis par comprendre que mon heure n'est pas encore venue.

Des cris, des hurlements, des imprécations: Verrue. Il est tombé sur le côté et se tient la jambe à deux mains en poussant les pires cris de douleur qu'on puisse entendre. En ce moment, il ressemble vraiment à ce qu'il est: un vieillard décharné, paumé, qui souffre le martyre.

Les deux robots le regardent sans l'ombre d'une réaction.

— On te laisse quelques jours, dit Fossette. Bonsoir, Verrue.

— Allez vous faire enculer par des porcs, osties de chiens galeux! salue à son tour Verrue.

Les deux terreurs sortent. Je me pousse sur le côté. Tout le monde m'imite. La vieille folle, toujours assise sur la table, les regarde avec un souverain mépris.

Aussitôt qu'ils ne sont plus dans l'appartement, le mouvement revient de façon générale et spontanée. Tous se mettent à parler en même temps.

— Voilà! fait la vieille sur la table d'un air de triomphe. Voilà, vous venez d'assister à la preuve de tout ce que je vous ai dit ce soir! De tout ce que je vous dis depuis des années! De tout ce que je dirai jusqu'à ma mort! Et même de tout ce que je n'ai jamais dit!

Je m'élance vers Verrue. Il se contorsionne toujours par terre en tenant sa jambe. Il y a beaucoup, beaucoup de sang. Ça me fait un peu tourner la tête.

C'est pas que le sang qui m'étourdit, il y a autre chose… J'y suis : la Micro doit commencer à faire effet. C'est pourtant pas le temps !

Je reste debout près de lui, je sais pas quoi faire, je me tortille les mains.

— Verrue, c'est… tu… Ça fait mal ?

Existe-t-il un trophée pour la question la plus stupide du monde ? Parce qu'il faut me le donner, immédiatement !

— Les minables ! gargouille le vieux, la face tellement tordue de douleur qu'on dirait une feuille toute chiffonnée. Les osties de minables !

Il y a tellement de sang ! Je me retourne, prise de panique. Il y a beaucoup de gens dans la porte de la chambre. Ils observent Verrue d'un air désolé et intrigué à la fois. Je leur crie alors :

— Il faut appeler la police !

On me regarde comme si j'étais arriérée.

— Pis une ambulance ! je poursuis. Que quelqu'un appelle une ambulance, un médecin !

— Non, non ! Pas de médecin !

Il doit délirer, ma parole !

— Voyons, Verrue, il faut…

— Pas de médecin ! éructe-t-il sans lâcher son genou mutilé. C'est clair ?

— Mais pourquoi ?

— Je veux pas qu'on me touche ! Je veux pas qu'on dérange mon corps ! Je veux pas qu'on ruine mon cocon !

Ç'a pas de sens, il déraille complètement ! Je reviens aux autres.

— Allez, que quelqu'un appelle un médecin !

— Mais puisqu'il ne veut pas ! rétorque l'un.

— Il veut pas qu'on le touche ! fait une autre.

— C'est vrai, on a pas à agir contre sa volonté.

— Ça le regarde, après tout.

— Ils ont raison ! souffle Verrue. Allez, le party continue ! Que tout le monde s'amuse !

Les invités, satisfaits, retournent discuter, boire et fumer. La bonne humeur revient.

J'arrive pas à y croire.

Je-n'arrive-pas-à-y-croire !

Bande de salauds ! Bande d'égoïstes salauds !

Et Verrue ? Il essaie de se rasseoir convenablement, s'appuie le dos contre le mur, tient les restes de son genou. Il se calme graduellement, le visage couvert de sueur, les yeux fermés.

— Verrue, que tu le veuilles ou non, j'appelle un médecin.

— Aliss…

Il ouvre les yeux. Le regard du vieillard est plein de souffrance, mais aussi de menaces. Des menaces vraiment menaçantes.

— Aliss, si tu ramènes un docteur ici, je te préviens, je… je te…

Il est pas en état pour me quoi que ce soit, et pourtant je sens qu'il est sérieux et que j'ai avantage à écouter.

Il s'efforce de sourire. Même s'il souffre terriblement, il s'allume péniblement un joint et, calvaire ! il réussit même à reprendre son air digne !

— Bon. Je crois qu'on a évité le pire.

Ah, bon ?

Et le sang qui coule toujours de son genou, c'est fou !

— Verrue, ça n'a pas de sens ! Pourquoi ils t'ont fait ça ? Et c'est quoi cette histoire de dîme ?

— J'ai pas envie d'en parler…

— C'est qui, cette Reine ? Ciboire, est-ce que quelqu'un va finir par me le dire ? C'est qui, cette Reine !

— Une frontière à la fois, Aliss…

Il prend une touche, puis examine son genou. Chairs crevées, hémoglobine partout. Je crois même voir un bout d'os…

— Ça devrait coaguler, fait Verrue en réussissant à grimacer et à sourire en même temps.

Je détourne les yeux, écœurée. Dans la cuisine, tout le monde parle, rit, fume, boit, discute. On ne s'occupe plus de Verrue. Comme si rien ne s'était passé.

Ça suffit. C'est trop. Il faut que je sorte d'ici !

Je marche rapidement vers la porte de l'appartement, tends la main vers la poignée…

Mais là…

… ça

c'est

la poignée change, elle est plus grosse, tout à coup trop grosse

Je recule en clignant des yeux.

Je comprends. La Micro.

Non, non, pas là, pas maintenant !

Je cligne des yeux avec force. OK, la poignée a repris des proportions raisonnables.

Je sors. Marche vers la porte de mon appart. Cherche la clé dans ma… Merde, ma sacoche !

Retourne vers la porte de Verrue. Et la

la poignée

la poignée est encore grosse, trop grosse

… tellement grosse que je peux pas la tourner avec mes deux mains…

Fuck ! c'est pas le temps d'halluciner, Aliss, pas le temps pantoute ! Je ferme les yeux avec tellement de force que ça me fait mal, que je vois des *spots* violets. Les rouvre.

… la poignée est encore bien trop grosse…

De l'air, faut que j'aille prendre de l'air ! Ça va me replacer les esprits. Je descends les marches en courant. Je commence à avoir chaud. J'aime pas ça.

En bas, par la porte vitrée qui mène dehors, je vois que la Cadillac rouge est toujours là. Les deux robots aussi. Sur le trottoir, ils parlent avec un gars à l'intérieur de la voiture.

Un gars avec un chapeau haut-de-forme.

Je m'arrête à quelques pieds de la porte vitrée.

Les deux robots tournent la tête. Me voient.

Ils ont l'air bien plus grands que tout à l'heure.

J'ai peur, tout à coup. Ben peur. Je veux pas sortir. Je veux pas passer devant ces deux gars-là. Ils vont prendre leur fusil. Me tirer une balle dans le genou. Ou dans les deux. Ou dans la tête.

Tourne les talons, éperdue. Remonte l'escalier. Mais c'est difficile, essoufflant. Les marches

les marches ont

les marches ont l'air

… ont l'air ben plus hautes que tout à l'heure…

Non, non, ça se peut, j'hallucine, *j'hallucine, criss!*

Je me sacre une claque sur la gueule, paf! Une forte, une grosse, ça fait mal! Je me secoue la tête, je pousse un cri! HHHHIIIIIIIIIIIIIIII!

Ça marche. L'escalier est redevenu normal. Il me semble, en tout cas.

J'arrive en haut. Entre chez Verrue. Où j'ai mis ma sacoche, donc?

À l'intérieur, tout le monde s'est ramassé au salon. Une fille parle, au milieu du rassemblement

— Allons, ça prend un ou une juge!

— La nouvelle! On choisit la nouvelle!

— Bonne idée, c'est la seule qui a jamais vu le concours, jusqu'à maintenant.

Des bras se tendent vers moi. Me traînent au salon. Je les regarde, ahurie.

— Laissez-moi, je veux m'en aller! Je suis juste revenue chercher ma… ma sacoche!

La fille se penche vers moi, hilare:

— Tu vas être notre juge! Après, tu pourras partir.

— Juge de quoi ?

— Du concours !

— Quel concours ?

— Notre concours de crosse !

Ils vont jouer à la crosse ici ? Dans l'appartement ?

— La plus belle éjaculation gagne ! poursuit la fille. C'est toi qui décides, fille, OK ?

Éjaculation ?

— Laissez-moi ! Faut que je trouve… je veux partir, je veux…

— Pas tout de suite !

Et le visage de la fille me semble

soudainement

ben gros

ben ben gros

… trop gros…

… surtout ses yeux…

Je ne bouge plus, pétrifiée de peur.

— C'est mieux ! fait la fille.

Elle m'assoit sur une chaise. Tout bouge, tout tourne, j'aime pas ça…

Faut que je me lève, que je m'en aille, que que que

Une dizaine de gars dans le salon. Baissent leurs culottes. Commencent à… à se…

Je dois rêver !

Ils se masturbent ! Comme ça, debout, l'air de trouver ça très drôle ! Un jeune avec des cheveux verts… un vieux, dans la cinquantaine, avec la cravate qui pend sur son pénis en action… un autre, laid à faire peur, avec des lunettes épaisses comme des fonds de bouteille… cinq ou six autres… tous en train de se branler ! Là, devant moi !

Autour, les invités regardent, intéressés ; certains font des gageures :

— Dix piastres sur Souris !

— *Five bucks on Dodo !*

— Tenu !

Un des gars arrive pas à bander. L'un des spectateurs lui lance :

— Trop soûl, mon Louis ?

Tout le monde rit. Louis aussi !

Ça suffit, je veux ma sacoche ! Ma sacoche !

Je viens pour me lever

mais là

là là

les pénis dans les mains des gars

ont l'air très

gros…

… longs…

… je jette des regards autour de moi… je cherche
de l'aide… mais tout le monde a grandi… tout le monde est
rendu si grand, si immense… leurs encouragements leurs rires
sont tonitruants… me font mal aux oreilles… et les géants qui
continuent à se masturber… avec des mouvements de poignets si
larges… si grands que ça provoque des remous, des tempêtes…
un d'eux dit quelque chose… et sa voix… sa voix est celle d'un
haut-parleur dont l'écho ferait vibrer l'immeuble… une voix
impossible… une voix qui me transperce le crâne…

**—JE VAIS VENIR ! ÇA Y EST, JE VAIS
VENIR !!!!!!**

… et du bout de son engin colossal, un torrent de sperme
sort… un tuyau de pompier qui crache son eau… un tuyau d'égout
crevé qui laisse jaillir son contenu… un puits de pétrole qui
explose… le sperme éclabousse l'appartement, les spectateurs qui
applaudissent… pourtant je ne sens rien, aucune goutte, aucune
éclaboussure, même si je vois le sperme qui se répand partout…
partout… tout à coup… les autres éjaculent aussi… ce sont dix
canaux, dix rivières, dix pipelines qui débordent… et ça fuse… et
ça gicle… et ça se transforme en raz-de-marée… et moi je me
recroqueville sur ma chaise… je gémis… j'ai peur… peur de me
noyer… car le sperme monte… monte de plus en plus… tout le
monde marche et clapote dans cette rivière qui monte, mais personne s'en rend compte… ils s'approchent de moi… immenses…

— QUI A GAGNÉ ?

… des bouches énormes… des yeux menaçants… je gémis de nouveau en rongeant mes doigts… ho j'ai peur… je veux juste m'en aller… donnez-moi ma sacoche et laissez-moi partir… le sperme monte, je veux pas me noyer… pourquoi êtes-vous si gros si gros…

— ma sacoche… je veux juste ma sacoche…

… ma voix est si petite… ils l'ont sûrement pas entendue…

— QUI A GAGNÉ !!!!

… tous autour de moi… certains sont encore bandés… des gouttelettes grosses comme des melons pendent au bout de leurs glands… leurs visages s'approchent… trop gros… j'ai si peur…

— tous… vous avez tous gagné… tous…

… je me mets à pleurer… je pleure de peur, de terreur… je veux partir… je veux voir ma maman… je veux retourner chez moi dans ma petite maison… je pleure je pleure… les autres crient de rage, hurlent de colère… leur fureur est la fin du monde, la fin de tout…

— CRISS TON CAMP, P'TITE CONNE !!!!

… on me pousse dans le dos… je tombe dans le sperme qui me monte jusqu'aux hanches… pourtant je suis pas mouillée, je sens pas d'humidité… mais je vois le liquide blanc partout autour de moi… qui me colle… me paralyse… j'essaie d'avancer en pleurant… sortez-moi de là, au secours… je vais me noyer, au secours… et les géants me toisent comme si j'étais un minable insecte… l'océan de sperme éclabousse à peine leurs chevilles alors que moi il m'atteint maintenant la poitrine… c'est horrible, je veux sortir… j'avance péniblement… aller voir Verrue… lui m'aidera… lui me sauvera… entre dans la chambre de Verrue… sa radio flotte dans la rivière spermatique qui s'est rendue jusque-là… Verrue flotte aussi… il souffre encore, il grimace… mais il me sourit quand même…

—TU AS L'AIR TERRORISÉ, ALISS ? Y A UN PROBLÈME ?

… pourquoi il hurle comme ça, lui aussi… son genou en compote… le sang coule toujours… mais à gros bouillons, maintenant… des torrents d'hémoglobine… l'océan est maintenant de sperme et de sang… liquides rouge et blanc, c'est horrible… et ça monte toujours… je surnage là-d'dans, j'appelle à l'aide… je nage hors de la chambre en pleurant… dans la cuisine, je vois la table qui flotte sur les flots spermo-sanglants, telle une bouée perdue… et dessus, la vieille est toujours assise à l'indienne, solide malgré la table qui tangue de tous côtés… ses yeux sont écarquillés… agrandis de fureur et de folie… elle lève un doigt prophétique… hurle dans ma direction…:

—ON EST TOUJOURS LE SOPHISME DE QUELQU'UN ! TOUJOURS !

… je m'éloigne, éperdue de terreur… mes larmes tombent dans la mélasse gluante… suis dans le corridor… plus capable de nager, vais sombrer, vais couler… quelqu'un crie du salon…

—ENVOIE, VA-T'EN ! SI TU VEUX PAS DÉSIGNER UN GAGNANT, VA-T'EN !

… quelqu'un ouvre la porte… ça crée des rapides terribles dans le fleuve… je me sens emportée par le courant… je peux m'accrocher à rien… à l'aide, à l'aide… le sperme et le sang dévalent l'escalier en cascades assourdissantes… je dégringole, tourbillonne, me perd, me perd… le courant m'emporte jusqu'au dehors… dans la rue… non, non, la voiture rouge est là, les robots sont là… vont me tirer dessus… mais non… la voiture est partie… les robots aussi… le fleuve s'étend dans la rue… s'écoule dans les égouts… disparaît enfin… je demeure couchée sur l'asphalte… à moitié noyée… suffoquée… éperdue de terreur… et je pleure toujours… je relève la tête… je suis au milieu de la rue… pourrai jamais la traverser… ça donne rien, je serai pas capable… ça va me prendre des années… je pleure, pleure, pleure, maman, au secours maman… une fenêtre en haut qui s'ouvre de l'appartement de Verrue… quelqu'un lance quelque chose vers moi…

—PIS AMÈNE TES AFFAIRES AVEC TOI !

… ma sacoche, c'est ma sacoche… elle atterrit à côté de moi… je trouve la force et le courage de la prendre… elle est tellement grosse, je tombe presque à l'intérieur… fouille dedans à la recherche de je sais pas quoi… trouve les deux flacons de pilules… Micro et Macro… c'est l'ostie de Micro qui me fait délirer, qui me fait sentir comme ça… faut que je m'en sorte… la

Macro… ça doit inverser le processus… peut-être… sais pas… rien à perdre à essayer… ouvre le couvercle du flacon de Macros… tellement dur à ouvrir… il pèse une tonne… réussis… prends une pilule… la mets dans ma bouche… on dirait que j'ai un couvercle de poubelle dans la gueule… réussis à l'avaler… rien se passe, rien… me sens aussi minable, aussi insecte, aussi sans défense, aussi écrasable… couchée sur le dos, me remets à pleurer…

… minutes passent…

… minutes passent…

… pis là…

… pis là…

… il se passe quelque chose…

quelque chose de différent

La peur s'en va par couches, par strates.

Je me lève. Je peux me lever, c'est pas compliqué.

Traverser la rue ? Y a rien là, voyons ! Voilà, je la traverse !

Je suis de l'autre côté ! Pis je peux la retraverser, si je veux ! Voilà, je la retraverse ! Une fois ! Deux fois ! Trois fois ! C'est vraiMENT PAS COMPLIQUÉ ! TIENS, JE PEUX MÊME LA TRAVERSER D'UN BOND ! D'UN SEUL PAS, MÊME ! D'AILLEURS, SI JE LE VOULAIS, JE POURRAIS TRAVERSER LE QUARTIER EN DEUX MINUTES ! LA VILLE ! LA PLANÈTE, CRISS ! JE RIS ! AH, AH, AH ! QUE C'EST QUE J'AVAIS À CAPOTER, TANTÔT, FRANCHEMENT ! Y EST OÙ, MARIO ? J'Y FERAIS UNE DE CES PIPES, JE LE SUCERAIS JUSQU'AU SANG ! C'EST QUOI, ÇA ? UNE VOITURE QUI APPROCHE ! ELLE KLAXONNE POUR QUE JE ME TASSE ! HA ! J'AURAIS JUSTE À ÉTERNUER PIS ELLE S'ENVOLERAIT ! JE ME TASSERAI PAS ! SI ELLE ME FRAPPE, C'EST ELLE QUI VA ÉCLATER EN MORCEAUX ! JE

L'ATTENDS EN RIANT, LES MAINS SUR
LES HANCHES ! ENVOIE, FRAPPE-MOI, 'TIT
BAZOU ! LE CHAR SE TASSE, PASSE À CÔTÉ
DE MOI ! LE GARS SORT LA TÊTE PAR LA
VITRE, M'ENGUEULE !

— tasse-toi de là, ostie d'épaisse…

PETITE VOIX DE TAPETTE ! S'IL PENSE
ME FAIRE PEUR ! JE VOIS L'IMMEUBLE
ROUGE DEVANT MOI ! LE REPAIRE DE LA
REINE ! LE PALAIS ! CE SOIR, JE RENTRE !
PERSONNE VA M'EN EMPÊCHER ! MARCHE
VERS LA PORTE DE MÉTAL ! MES PAS
FONT TREMBLER LA RUE ! ARRIVE À LA
PORTE ! PAS BESOIN DE SONNETTE ! BANG !
BANG ! BANG ! ILS VONT BEN PENSER, LÀ-
D'DANS, QUE C'EST UN TANK QUI ARRIVE !
VOYONS, C'EST BEN LONG ! BANG-BANG-
BANG ! ÇA S'OUVRE ! LE MÊME PORTIER
QUE D'HABITUDE ! MAIS À SOIR, IL RES-
SEMBLE PLUS À UN CHIMPANZÉ QU'À
KING KONG !

— SALUT ! J'ENTRE ! JE VIENS VOIR LA
REINE !

V'LÀ LE CHIMPANZÉ QUI PREND UN AIR
AGACÉ ! Y SE REND PAS COMPTE QUE JE
PEUX LE RÉDUIRE EN PURÉE !

— je te l'ai dit, l'autre fois… fais de l'air…

HEILLE ! À SOIR, Y M'AURA PAS !
MARCHE VERS LUI ! VAIS LUI PASSER À
TRAVERS ! HEIN ? VOYONS, ÇA MARCHE
PAS ! J'Y POUSSE DESSUS ! Y DEVRAIT S'EN-
FONCER DANS LE SOL, SE PULVÉRISER,
MAIS Y BOUGE PAS ! Y RIT ! TABARNAC !

TASSE-TOI ! JE SUIS ALISS LA CONQUÉ-
RANTE ! TASSE-TOI, MINABLE TROU D'CUL,
VER DE TERRE ! JE FESSE, JE FRAPPE, Y
BOUGE PAS, L'OSTIE !

— JE VEUX ENTRER, CRISS !

MAIS Y FERME LA PORTE ! Y A PAS LE
DROIT ! PERSONNE PEUT ME RÉSISTER !
J'ESSAIE D'OUVRIR ! C'EST VERROUILLÉ !
FRAPPE DANS LA PORTE, BANG BANG
BANG ! TOUS LES IMMEUBLES AUTOUR
TREMBLENT, CRAQUENT, FISSURENT !
MAIS PAS LA PORTE ! ELLE BOUGE PAS ! JE
HURLE À EN FAIRE EXPLOSER TOUTES
LES VITRES DU QUARTIER :

— OUVRE-MOI LA PORTE ! OUVRE SINON
JE VAIS SOUFFLER SUR TA MAISON DE
PAILLE ! JE VAIS SOUFFLER JUSQU'À CE
QU'ELLE S'ENVOLE !!!

COMMENCE À SOUFFLER ! FFFFFFLLLLL !
JE SOUFFLE, JE SOUFFLE ! ÇA MARCHE
PAS ! MON SOUFFLE FERAIT POURTANT
CHANGER L'ORBITE DE LA TERRE MAIS
LA PORTE BOUGE PAS ! JE REGARDE
PARTOUT, EN OSTIE ! JE VAIS CASSER UN
POTEAU DE TÉLÉPHONE ! JE VAIS ARRA-
CHER L'ASPHALTE ! JE VAIS MANGER LA
RUE AU COMPLET ! C'EST QUOI, ÇA ! LA
PANCARTE EN FORME DE CLÉ DE LA SER-
RURIÈRE LETNDRE ! MADAME LETNDRE !
ELLE VA ME DONNER UNE CLÉ ! JE VAIS
LA RÉVEILLER PIS ELLE VA ME DONNER
UNE CLÉ, COMME TOUT À L'HEURE ! MAIS
PAS BESOIN DE LA RÉVEILLER ! Y A LA

GROSSE CLÉ SUSPENDUE AU-DESSUS DE L'ENTRÉE! LA VOILÀ, LA CLÉ! C'EST ELLE! FAUT QUE J'AILLE LA CHERCHER! J'Y VAIS! LA CLÉ EST HAUTE! PAS GRAVE! RIEN DE TROP HAUT POUR MOI! HOP! JE GRIMPE SUR LE MUR SANS PROBLÈMES! ME V'LÀ EN HAUT! JE SUIS SUR LA CLÉ, ASSISE DESSUS! ELLE EST AUSSI GROSSE QUE MOI, MAIS C'EST PAS GRAVE! RIEN EST TROP GROS POUR MOI! J'AI JUSTE À CASSER LES CHAÎNES QUI RETIENNENT LA CLÉ! AUCUNE CHAÎNE PEUT ME RÉSISTER! DU BRUIT! UNE FENÊTRE QUI S'OUVRE À CÔTÉ DE MOI! C'EST MADAME LETNDRE! EN PYJAMA! ELLE SORT LA TÊTE!

— alss… qu'et-ce que tu fais sr mon affche…

— JE VEUX LA CLÉ! POUR ENTRER CHEZ LA REINE!

— c'est ps la bnne clé alss… tu cmprnds pas…

DE QUOI ELLE PARLE?! PIS ELLE POUR-RAIT PARLER PLUS FORT, JE COMPRENDS RIEN! UN AUTRE BRUIT! TOURNE LA TÊTE! LÀ-BAS LA PORTE DE MÉTAL DE L'IM-MEUBLE ROUGE S'OUVRE! QUELQU'UN SORT! JE LE RECONNAIS! C'EST CHARLES! LUI-MÊME EN PERSONNE! LUI, Y VA M'AIDER! LUI, Y VA M'EXPLIQUER! JE L'AP-PELLE! CHARLES! CHARLES! Y TOURNE LA TÊTE! REGARDE EN L'AIR! ME VOIT! Y EST TOUT ÉBAHI!

— aliss… seigneur du ciel, qu'est-ce que tu fais ici… et que diantre fabriques-tu là-haut…

Y A L'AIR PLUS VULNÉRABLE QUE JAMAIS! PAUVRE CHARLES!

—J'ARRIVE, CHARLES, JE VAIS TE RE-JOINDRE !

— ne saute pas, aliss, je t'en supplie… c'est trop haut, le risque de te blesser est considérable…

—INQUIÈTE-TOI PAS, CHARLES ! J'AS-SUME LE DANGER ! COMME DANS L'AR-BRE INTERDIT QUAND J'AVAIS HUIT ANS ! PIS RIEN EST TROP HAUT POUR MOI !

PLUSIEURS FENÊTRES SONT OUVERTES ! PLUSIEURS PERSONNES ME REGARDENT ! CERTAINES SONT DANS LA RUE ! JE RECONNAIS DU MONDE DU PARTY DE VERRUE ! Y ONT L'AIR AHURIS ET AMUSÉS EN MÊME TEMPS ! BANDE D'INSECTES ! VOYEZ MA GRANDEUR ! VOYEZ MA FORCE ! JE REDOUBLE MES CRIS ! MES DÉCIBELS FONT EXPLOSER DES GALAXIES !

—J'ARRIVE, CHARLES ! UN SIMPLE PETIT PAS PIS JE SUIS LÀ !

— non, aliss, non, ne bouge pas, ne…

TROP TARD ! ME VOILÀ ! JE FAIS UN PAS ET… ET… QU'EST-CE QUE… LE VIDE… JE TOMBE JE… JE SUIS EN TRain de tomber ! Ho, mon Dieu ! Le trottoir ! Le trottoir ! Pourquoi j'ai qu'est-ce qui m'a ho je tombe l'arbre interdit je tombe mais c'est plus ho je tombe je tom-

Je marche sur une longue route, une route qui s'étend devant moi, une route dont je ne vois pas la fin, une route qui se perd au loin. Cela ne me décourage pas. Je vais marcher jusqu'à ce que j'arrive au bout.

Une voiture approche, au loin. Elle arrive à ma hauteur et s'arrête. La vitre s'abaisse et je vois Laurent Lévy, derrière le volant. Il me sourit.

— Je te laisse chez tes parents, si tu veux. Tu montes ?

— Non. Je ne vais pas dans la même direction.

— Ah, bon ? Tu vas où ?

Au lieu de lui répondre, je me remets en marche. Derrière moi, j'entends le moteur de la voiture de Lévy, qui ne repart toujours pas.

Soudain, au loin, tout au fond, là où la route est bouffée par la ligne d'horizon, une silhouette apparaît, immense, énorme, lumineuse. Une silhouette blanche, aux traits indistincts, qui se dessine dans le ciel. Une silhouette qui porte une couronne.

J'accélère le pas. Quelqu'un se matérialise alors devant moi, un homme, grand et mince, avec un chapeau haut-de-forme.

— Je veux continuer ! je lui dis.

— Ça te prend la bonne clé, susurre l'homme.

— Où est-elle, cette clé ?

L'homme enlève son haut-de-forme et, ouverture vers le haut, le tend vers moi. Je plonge ma main dans le chapeau. Mes doigts entrent en contact avec une matière tiède et gluante. Je ressors ma main. Elle est pleine de sang et de sperme, de viscères et de salive, de merde et de vers.

Je veux essuyer ma main, mais me rends compte que je n'ai plus de vêtements. Je suis nue. Je lève la tête. L'homme remet son chapeau, l'horrible contenu de son haut-de-forme lui dégouline tout le long du visage, mais il sourit quand même.

Et au loin, au bout du chemin, la silhouette royale resplendit de mille feux.

CHARLES

ou

Tourments d'un mathématicien chercheur de rêves

Hé bien, hé bien! Voilà une première péripétie assez mouvementée! Comment s'en est sortie Aliss? Est-elle blessée? Ou, pire, morte? Allons, ami lecteur, ne t'inquiète pas trop. Les héros ont-ils l'habitude de mourir dans les contes? Et puis, nous n'en sommes même pas au tiers de notre histoire… Nous avons besoin d'elle jusqu'à la fin…

J'ouvre les yeux. Plafond cancéreux.

Je suis dans un lit mou et inconfortable. Encore tout habillée. Nu-pieds.

Suis-je dans mon appartement?

Je tourne la tête. Chambre à coucher. Une commode. Un bureau. Une chaise. Des papiers épars sur le bureau. C'est pauvre, le papier peint est jaunâtre, la peinture défraîchie. Le jour entre par une fenêtre aux rideaux usés. À première vue, un appart encore plus minable que le mien.

Sauf qu'il y a plusieurs *posters* sur les murs: fleurs, couchers de soleil, paysages sous-marins. La chambre à coucher d'une fillette fleur bleue?

Où suis-je donc?

Épouvantable mal de tête, mais pas une migraine de lendemain de brosse. Je touche mon front. Une belle grosse bosse.

Ça me revient. Mon *bad trip* sur la Micro ; tout le monde qui se masturbait ; mon autre *buzz,* mais cette fois sur la Macro ; cette sensation de conquête, d'immensité…

Verrue qui se fait tirer dans le genou…

Mais où je suis, koudon ? Je veux me lever. Ouille ! Une douleur me déchire la cheville droite.

Une foulure. Super.

— Y a quelqu'un ?

Ma voix est rauque, me fait mal à la gorge.

Des pas. Quelqu'un entre dans la chambre à coucher. C'est Charles. Charles qui sortait de l'immeuble rouge, hier. Qui m'a vue tomber de l'affiche. Ça me revient aussi.

— Bonjour, Aliss.

Il vient s'asseoir à côté de moi sur le lit et sourit, timide et inquiet.

— Comment te sens-tu, jeune fille ?

— Pas fort…

Il me tend un verre d'eau.

— J'ai pensé que tu ressentirais le besoin de te désaltérer après une telle aventure nocturne.

Je prends le verre et le vide d'un trait. Ça fait du bien. Je me redresse un peu.

— Je suis chez vous, j'imagine ?

— Bien deviné, perspicace demoiselle.

Il regarde autour de lui avec dépit et me lance un sourire d'excuse :

— Comme tu es à même de le constater, on se croirait plus chez Bukowski que chez Proust.

Aucune idée de quoi il parle. J'imagine que ça veut dire que ça fait dur chez lui.

— C'est gentil de m'avoir ramenée chez vous…

— Tu étais blessée… Il était tout à fait normal que j'accomplisse cette action relevant de la plus élémentaire décence humaine.

Traduction : « Y a rien là, Aliss. »

— J'ai aussi, bien sûr, rapatrié ton sac à main.

Il me le désigne du doigt, là, au pied du lit. Vraiment gentleman, le Charles.

— J'ai fait une folle de moi… Est-ce que… est-ce que j'ai créé un scandale ? La police est pas intervenue ?

Charles me dévisage soudain avec consternation, je comprends pas pourquoi. L'air grave, il se penche un peu :

— Aliss, pourquoi… pourquoi diantre être venue ici ?

— Je vous l'ai dit l'autre jour, je veux vivre à Montréal pour…

— Non, non : pourquoi es-tu venue *ici* précisément ?

— Vous voulez dire dans ce quartier ?

Il a un petit soupir. Sans conviction, il approuve :

— Oui… Oui, dans ce quartier…

— Je sais pas, c'est un hasard.

— Il n'y a pas de hasard.

Il dit cela d'un ton sans réplique. C'est vrai, c'est un mathématicien.

— En fait, je vous ai suivi.

— Que dis-tu là ?

— Oui, à la sortie du métro. Je vous ai suivi.

— Mais pourquoi diable ? Quel démon t'a donc soufflé une telle idée ?

Je ne peux m'empêcher de sourire. Vraiment pas ordinaire, ce Charles.

— Pour rien. Pour le fun.

— Pour le *fun* !

La façon qu'il a de prononcer ce mot, avec son air stupéfait… C'est parfaitement incongru et hilarant.

— Oui, pour le plaisir, pour le…

— Je sais ce que veut dire « fun », Aliss !

Je hausse les épaules.

— Ben, c'est ça. Je vous ai suivi… Je vous ai vu entrer au Palais.

— Au Palais !

— Oui, dans la bâtisse rouge avec la porte de métal. C'est bien le Palais qui se trouve là, non ?

— Que sais-tu à propos du Palais ?

— Rien, justement. Sauf que j'entends parler souvent d'une certaine Reine, alors j'imagine que c'est la patronne de ce… de ce Palais.

— Et… et que sais-tu de la Reine ?

— Mais rien, je vous dis ! Tout le monde en parle, mais de façon confuse, abstraite ! J'y vais par suppositions, c'est tout ! Je suppose que ce Palais est une sorte de club privé, de bordel, de secte, je le sais pas ! Que cette Reine en serait la patronne ! Pis depuis hier, je… je me demande même si la mafia est pas mêlée à ça ! En tout cas, quand on paye pas sa dîme à cette Reine, on le regrette ! Est-ce que c'est ça ? Elle exerce une sorte de chantage criminel dans le quartier ? Il faut la payer sinon on se fait tirer dessus ? Comme dans les films ?

Charles me dévisage en silence. À son air, je vois que j'ai pas tout à fait tort, mais pas tout à fait raison non plus. Je m'impatiente :

— C'est capoté, tout ça ! Pourquoi vous appelez pas la police, que vous leur racontez pas tout ?

Spectacle parfaitement inattendu : Charles ricane. C'est la première fois que je le vois faire ça. Il se laisse aller, ma parole ! Mais il n'y a rien de drôle dans ce son bref et sec. C'est un ricanement désabusé, plat, sans relief. Une sorte de prix de consolation.

— Pauvre Aliss, tu ne comprends pas…

— Ben, je demande juste ça ! Depuis que je suis arrivée qu'on me tient à l'écart pis que je passe pour une tache qui comprend rien ! Moi, j'attends juste qu'on m'explique une fois pour toutes !

— Ho, non ! *Non decet !* Aucune information concernant la Reine Rouge ne franchira mes lèvres, sois-en assurée !

— La Reine Rouge ? Vous l'appelez comme ça ?

Charles mordille ses lèvres qui, tout compte fait, ont laissé franchir quelque chose.

— Ça suffit, Aliss. Le silence est désormais mon maître.

Je laisse tomber ma tête sur l'oreiller en grommelant, gmllmll, grlmgr… Tout le monde me prend pour une petite fille fragile ! Merde !

Je regarde vers la fenêtre, vers l'extérieur.

— Jamais vu un quartier de même ! Tout le monde ici est tellement bizarre…

— Voilà un bel euphémisme, maugrée mon hôte.

— Mais en même temps… Je sais pas, mais… Moi qui cherchais l'inhabituel, je peux pas vraiment me plaindre…

J'entends soupirer Charles. Toujours en regardant vers la fenêtre, je continue :

— Par exemple, les drogues que j'ai prises hier… la Macro et la Micro…

— Dieu du Ciel ! qui t'a donné ça ?

— Mon voisin, on l'appelle Verrue…

— Ah ! Guère étonnant de la part de cette loque subversive !

Il le connaît, on dirait…

Je regarde toujours vers la fenêtre ; un nuage cache le soleil. Je m'humecte les lèvres.

— Mais… il y a eu aussi cette histoire, avec Verrue. Les deux mafiosi… Ça, c'est… c'est plutôt inquiétant…

— De quoi parles-tu ?

Je lui explique la scène. Charles est pas surpris du tout. Au contraire, il s'exclame sur un ton victorieux :

— Bon ! Alors, tu vois, n'est-ce pas ? Tu vois à quel point il serait déraisonnable de rester ici, dans cet endroit livré au chaos ?

— Pourquoi vous vivez ici, vous, si vous trouvez ça si effrayant ? Pourquoi vous partez pas ? Et puis, ce Palais qui vous répugne tant, ça fait deux fois que je vous vois y aller ! Trois, même ! Comment vous expliquez ça ?

Il se trouble. Il se passe la main dans les cheveux. Évite mon regard.

— C'est… c'est extrêmement complexe, Aliss… Tout est complexe, surtout lorsque la logique abandonne l'Homme…

— Vous pourriez pas être clair ?

— Certainement ! Écoute ceci : pars ! Va-t'en ! Une fille comme toi n'a rien à faire dans un tel endroit, est-ce suffisamment limpide ?

Nous nous regardons longuement droit dans les yeux.

— Je suis pas si pure que ça, vous saurez !

— Mais si, tu l'es.

— J'ai fait des affaires, hier, que vous trouveriez pas trop pures !

— Je… ce… c'est du passé, maintenant.

— Écoutez, Charles, j'ai pas du tout l'intention de m'en aller ! C'est vrai que dans le coin il y a des gens pas très… recommandables, disons, mais en venant vivre ici, je m'attendais à ça !

— Vraiment ? Tu t'attendais à *tout* ça ? Même aux événements de la soirée d'hier ?

J'élude, agacée :

— Faites-moi donc confiance ! Je suis capable de prendre soin de moi, inquiétez-vous pas !

Jiminy Cricket est consterné. Il me prend la main et commence :

— Pauvre Aliss ! Comment pourrais-je te faire comprendre…

Il s'interrompt alors, contemple longuement ma main et, graduellement, son expression se modifie, faisant place à une sorte de fascination subite. D'une voix lointaine et différente, il marmonne :

— D'un autre côté, ta lumineuse présence pourrait apporter un peu de beauté et de rêve dans ce monde perdu…

Il est ailleurs. Je sais pas où, mais loin d'ici, en tout cas. Qu'est-ce qu'il veut dire, au juste ? Il cligne alors des yeux, revient sur la planète Terre et lâche ma main, gêné. Il se lève brutalement :

— Mais non… Non… Il faut que tu partes, évidemment… Évidemment…

— Ça suffit, Charles, j'ai plus envie d'en parler ! Alors, merci pour l'hospitalité, mais je vais partir, maintenant…

— Tu retournes chez tes parents ! s'exclame Charles avec espoir.

— Non, à mon appart !

Il a une moue déçue. J'essaie de me lever avec son aide, mais ma cheville me fait renoncer à la position verticale.

— Batince ! Faut que je marche, pourtant !

— Ta cheville ne me semble pas trop mal en point. Une légère foulure, sans plus. Je crois que dès demain tu pourras de nouveau déambuler à ta guise, avec une légère claudication, certes, mais tout de même… Je te propose donc de passer ta courte convalescence ici.

Sur le moment, l'idée m'enthousiasme pas trop, mais comme j'arrive pas à marcher… J'accepte donc l'offre en remerciant mon hôte. Mon hôte a l'air gêné et heureux en même temps. Mon hôte est vraiment pas simple.

— Tu en profiteras aussi pour réfléchir à ce dont nous venons de parler, glisse-t-il subtilement.

C'est ça, papa.

Il regarde sa montre.

— Ciel, je suis en retard… Écoute, Aliss, je dois me rendre à un rendez-vous… D'ici mon retour, je t'invite à disposer du peu de commodités de mon antre afin de rendre ta convalescence un tant soit peu agréable…

Bref, je fais comme chez nous. Merci, mon Charles.

Il s'en va. Je soupire. Ça va être long.

Je reste une couple d'heures dans le lit. À réfléchir. Je repense à Verrue. Au coup de fusil. Aux deux gars envoyés par la Reine.

Au fond, je devrais peut-être renoncer à vouloir tant découvrir qui est cette Reine et ce qui se passe dans ce Palais. Vouloir vivre une autre vie à Montréal ne m'oblige pas à me mêler à la mafia…

Le temps passe. C'est long et plate.

Envie de pisser. En sautant sur un pied et en me tenant aux murs, je me rends jusqu'à la salle de bain. Le reste de l'appartement est aussi pauvre que je m'y attendais, mais c'est propre et bien entretenu. Charles a trop de dignité pour vivre dans la crasse. Comme je meurs de faim, je fouille dans les armoires et trouve quelques biscuits que j'avale d'un coup. En revenant dans la chambre, toujours à cloche-pied, je m'approche du bureau de Charles sur lequel se trouvent des livres. Tous des livres théoriques sur les mathématiques… Rien de très divertissant. Il y a aussi beaucoup de feuilles de papier qui traînent. J'en prends une au hasard. L'écriture est rapide, fiévreuse, difficile à déchiffrer :

Il y a la logique et l'anti-logique, qui est une autre logique. C'est celle qui règne ici. À un point tel que c'est la logique conventionnelle qui semble illogique…

Je dépose la feuille en soupirant. Hé ben ! Il a l'air de s'amuser, notre Charles !

Je regarde les tiroirs du bureau. Moi qui ai toujours été fouilleuse et indiscrète… Sans l'ombre d'une culpabilité quelconque, j'ouvre le premier tiroir. Feuilles blanches, crayons, rien d'intéressant. Fouille dans le second. Houla ! Une véritable pharmacie ! Joints, pilules, poudre… J'examine tout cela, un peu perplexe.

Charles qui se drogue ? Ça lui ressemble tellement pas ! Si je me fie à ce *kit* de survie, il se contente pas d'un petit joint ! Les apparences sont vraiment trompeuses, on dirait…

J'ouvre le troisième tiroir. Vide, sauf une feuille de papier pliée en quatre. Je la déplie. C'est une lettre écrite à la main, dans un anglais précieux et érudit. Je réussis à traduire tant bien que mal :

Oxford, mars 1999

Si je vous réponds, Charles, ce n'est ni par (mot inconnu)*, ni par pitié. De* (même mot)*, il ne saurait être question, et de la pitié, je ne pourrai jamais en ressentir pour vous. Je vous écris pour vous demander, pour vous ordonner même, d'arrêter de nous écrire. Cessez ces* (mot inconnu) *grotesques. Vos lamentations et vos regrets ne réussissent nullement à nous toucher. Il est trop tard pour les regrets, vous le* (mot inconnu) *que trop.* (Phrase complète que je ne comprends pas.) *Vos lettres ne font que nous rappeler ces tristes événements, bien qu'il soit impossible que nous les oubliions un jour. Dans notre mémoire, votre nom est devenu synonyme d'abomination et de* (inconnu)*. Vous avez eu bien de la chance que nous exigions seulement votre départ de l'Angleterre, cela en considération des* (inconnu) *que vous avez accomplis pour notre Université. Mais si jamais vous nous écrivez une autre fois, si vous persistez à demander un pardon que vous n'obtiendrez jamais, je vous jure que je fais éclater l'affaire au grand jour et que la justice* (expression obscure)*. Si vous voulez un pardon, demandez-le à Dieu. Lui seul vous l'accordera peut-être.*

Dr J. H. Liddell

C'est pas drôle, ça. Pas drôle du tout.

Qu'est-ce qu'il a fait, Charles, en Angleterre ? Qu'a-t-il fait de si terrible ? De me trouver dans son appartement me donne soudain le frisson. Et s'il m'attaquait ?

Il a l'air plus malheureux que dangereux. Cette lettre indique même qu'il est plein de remords...

Je repense au tiroir pharmaceutique. C'est sûrement une affaire de drogues. Dans le milieu universitaire, ça doit être scandaleux. Surtout en Angleterre.

Je range la lettre dans le tiroir. Ma cheville me fait trop mal, je retourne m'étendre dans le lit.

Charles... la seule personne qui, jusqu'à maintenant, m'apparaissait à peu près normale...

Normale... Un mot que je déteste tant, ce mot que j'ai voulu fuir en quittant Brossard...

Fatiguée. Vais essayer de dormir un peu.

◆

Charles revient en début de soirée. Je l'entends ouvrir la porte, marcher dans l'autre pièce d'un pas curieusement lent. Il finit par entrer dans la chambre. Je suis assise dans le lit et l'attends. Il a changé depuis tout à l'heure. Regard halluciné, teint pâle, gestes lents. Il est gelé raide, oui. Je repense à la lettre et me sens un tantinet inquiète. Il me sourit. Un sourire plein de sentiments contradictoires.

— Regarde, Aliss, je t'ai... apporté de... quoi te sustenter...

Il me donne un sac qui contient deux hamburgers. Je me mets à manger avec voracité. Charles s'assoit sur le lit à côté de moi et me dévisage, les yeux fous, la bouche grande ouverte. Le hamburger passe moins bien dans ma gorge, tout à coup. Son sourire revient. Plein de tendresse, d'amour... et de quelque chose de plus tordu... Je décide d'y aller à fond.

— Charles, qu'est-ce qui s'est passé pendant votre séjour en Angleterre ?

Son visage devient tout à coup une motte de beurre sous un soleil californien. Il se lève, recule. Franchement, il fait plus pitié que peur. Il se laisse tomber sur une chaise et se met à marmonner, plus pour lui-même que pour moi :

— J'ai touché la beauté… Je l'ai touchée, je l'ai tenue… et, malheureux que je suis ! je l'ai brisée, tel un verre de cristal…

Bon. C'est pas ses métaphores qui vont m'aider à comprendre. Il se frotte les yeux et gémit :

— Je dois retrouver le rêve…

Silence. Il se perd dans ses pensées. Je l'observe en terminant mon second hamburger, puis je dis doucement :

— Mais pourquoi ici, Charles ? Si vous cherchez le rêve, pourquoi demeurer ici ?

Il se met à parler vite, le visage grave.

— Ici règne la laideur, le cauchemar… Mais au bout se trouve l'inverse… C'est une question d'équilibre… Au bout du cauchemar doit exister le rêve… Au bout de la laideur, la beauté… Tout doit s'équilibrer, c'est logique… C'est logique…

Charles revient à moi et son visage s'illumine. Il se lève. On dirait une résurrection. Il manque juste les cloches.

— Ta présence en est la preuve irréfutable ! Tu es la preuve que j'ai raison ! Que ma mission a un sens ! Sois à mes côtés, Aliss ! Demeure, pour prouver le rêve ! Pour donner une chance à la beauté !

— Vous vouliez que je parte…

Retour de la motte de beurre. Retour sur la chaise.

— Que je sois damné, tu as raison !… Tu dois partir… Une bougie ne peut qu'être étouffée par une si vaste nuit…

Il est vraiment déconnecté, ça devient mystique… Il me fait penser à Verrue, en ce moment, mais sans le cynisme… Le mieux sera de le questionner quand il sera à jeun. Il répète alors, comme à regret :

— Oui, Aliss, pars… Va-t'en, avant que la Reine te recouvre de son ombre…

Encore celle-là ! Ras le bol !

— Heille, c'est qui, cette Reine Rouge ? Dites-le-moi, Charles !

Son regard a quelque chose de désespéré, qui me fait frémir.

— Elle est l'autre logique…

Là-dessus, il se couvre le visage des deux mains et se met à pleurer. Vraiment mélo, tout ça. Je trouve rien à dire, embarrassée et, avouons-le, un peu ennuyée. Mon hôte finit par s'essuyer les yeux, gêné :

— Je… je vais me coucher…

Ma montre n'indique que sept heures trente, mais il a effectivement l'air complètement brûlé. Il se lève, me considère avec embarras.

— Je… tu es dans mon lit, et… je me demande si…

Il se tait, hésitant, entre le délire hallucinogène et la réalité concrète. Un désir brûle au fond de ses yeux. Je me raidis, soudain sur le qui-vive. Il se reprend rapidement :

— Non, je… le divan est une solution plus adéquate…

Je fais un petit signe d'assentiment. Il a un sourire confus :

— Il s'agit d'un meuble qui a vu de meilleurs jours, mais dans le triste état où je me trouve, j'arriverais à dormir dans quelque réceptacle que ce soit, aussi inconfortable soit-il.

Amen, mon cher Charles, amen ! Il sort, la démarche molle. Il referme la porte derrière lui.

Je soupire.

Papa, maman, vous en reviendriez pas si vous pouviez voir tout ce qui m'arrive !

Je suis pas fatiguée, moi ! Je me laisse retomber sur l'oreiller en soupirant. La soirée va être longue !

Demain, je sors d'ici, cheville guérie ou non !

◆

Un coup de sonnette me tire des limbes. Nuit noire. Les chiffres lumineux de ma montre m'affirment qu'il est deux heures trente du matin. Autre coup de sonnette. C'est sûrement pas le laitier.

Dans la pièce d'à côté, j'entends Charles grogner, se lever. Une porte s'ouvre. Bribes de conversation. Pas assez fortes pour que je puisse saisir les mots.

Qui peut bien venir à une heure pareille ? Ça m'intrigue drôlement. Je me lève. Ma cheville va déjà mieux, même si ça élance encore. En boitant, je vais jusqu'à la porte et l'entrouve discrètement.

Dans le salon miteux, un homme marche lentement. C'est Chapeau Haut-de-forme. Je frissonne en me rappelant le chat écorché dans la ruelle. Il a toujours son couvre-chef, sa redingote d'une autre époque et sa canne à pommeau. De sa main libre, il tient une petite mallette rouge. Il n'est pas avec son copain, cette fois. Il jette un œil autour de lui et marmonne, railleur :

— Une couche de peinture ne serait pas un luxe, Charles, vous ne pensez pas ?

Charles, à l'écart, ébouriffé, endormi, embêté, grogne :

— Ça su... su... suffit, Bone, venez-en au... au... au... au fait. Qu'est-ce qui me v... v... vvvaut cette vi... vi... cette vi... site quelque peu tar... tar... tardive ? Je s... s... ssuis d'ailleurs étonnnn... nn... né de vous voir s... s... sans votre si... si... siamois...

Ce n'est pas un bégaiement de peur, mais un vrai handicap. Un handicap qui disparaît en ma présence...

Le dénommé Bone émet un léger rire.

— Il m'attend dans la voiture, en bas. Je lui ai dit que je pouvais me charger de cela tout seul…

J'espionne le plus discrètement possible, oreilles grandes ouvertes. Bone s'humecte les lèvres, puis :

— Vous n'auriez pas du thé, Charles ? Une bonne tasse me ferait un bien immense. Je n'en ai pas bu depuis quatre heures cet après-midi, vous imaginez ?

— Bone, s'il v… v… v… vous plaît !

Le visiteur soupire, dépose sa canne sur un fauteuil, puis se tourne enfin vers Charles, mains croisées devant lui, toujours en tenant la mallette. Il sourit, poli, courtois. Il est bien rasé, il a les favoris impeccables, le visage presque noble. Sa voix est éduquée et aristocrate, avec un minime accent anglais à peine perceptible. Par contre, quelque chose de bizarre danse dans son regard, quelque chose d'instable, qui contraste avec le calme et la finesse de son attitude… Charles est visiblement impatient, même s'il ose pas trop rouspéter. Par crainte, peut-être ? Bone parle enfin :

— Mario ne serait pas ici, par hasard ?

— Qui ?

— Mario, vous savez bien… Le jeune rockeur…

Ho, ho ! Qu'est-ce que mon bel éjaculateur facial vient faire dans cette histoire ? J'arrête carrément de respirer pour tout entendre. Bone ajoute :

— On le cherche. Il s'est passé quelque chose, aujourd'hui…

— Et pour… pour… pourquoi serait-il i… i… ici ?

Bone prend un air entendu.

— Ce ne serait pas la première fois que vous cachez un fuyard. Nous connaissons tous votre grande âme de justicier…

— Vous… vous… vous suréva… va… valuez ma répu… ppp… putation…

Il y a quelque chose de vraiment surréaliste dans cette conversation. Elle est toute en politesse, en bonnes manières, avec vouvoiement et tout, mais sous cette étiquette grouille une ambiance malsaine, sinistre, pas nette du tout…

— Alors, il est ici?

— Absolument p… p… pas.

Bone sourit. Il fait un ou deux pas, le regard inquiétant. Charles a un imperceptible mouvement de recul, mais son visage demeure froid.

— Charles, vous savez que la Reine ne supporterait plus quelque complicité que ce soit de votre part avec un fuyard… Elle a été indulgente dans le passé, mais tout a une limite…

— Ja… ja… jamais la Reine ne s'att… tt… ttaquera à… à… à moi. Je lui sss… suis trop indispen… pen… pensable…

— Croyez-vous?

Charles relève la tête, prenant un air assuré et provocant.

— L'anti-lo… lo… logique n'a de sens qu… qu… que si elle se con… con… confronte à la lo… lo… lllogique…

Bone passe lentement un doigt long et fin sur son sourcil gauche. Ce geste, d'une extrême élégance, m'apparaît pourtant particulièrement terrifiant dans sa lenteur et sa précision.

— La Reine commence à en avoir plein le dos de vos discours sur la logique, Charles. Cela l'amusait au début, mais maintenant ils commencent à la lasser. Et je vous avouerai que je partage sa lassitude.

Charles ne répond rien, toujours droit. Bone, avec un sourire coquin, ajoute:

— Comme elle est lassée, elle dit: là, c'est trop… Vous saisissez?

Charles cligne des yeux. Il ne saisit pas. Moi non plus, d'ailleurs. Bone insiste:

— Lassée… là, c'est trop… «lassé», «là c'est»… Vous saisissez?

Ça y est, je saisis. Un calembour ! Dans une discussion aussi grave ? Charles, moins étonné que moi de cette incongruité, répond avec ennui :

— Je… je s… s… saisis, oui…

— Donc, vous la saisissez… *la sai*sissez… la sai… lassé… Vous voyez ?

Il rigole, vraiment fier de ses ridicules jeux de mots. Charles demeure de marbre. Moi, je suis déconcertée. Bone toussote en mettant sa main devant sa bouche, comme pour redevenir sérieux :

— Mais elle vous aime bien quand même, la Reine… Alors, bien sûr, elle vous invite officiellement pour la grande fête. C'est dans trois semaines, vous savez…

Il tend un carton d'invitation vers Charles. Ce dernier ne bouge pas, hautain. Bone émet un gloussement fin, poli, maniéré, qui renferme en même temps des notes menaçantes, bizarres, un peu folles. Tout est contrasté, presque contradictoire, chez cet homme tout droit sorti du dix-neuvième siècle, et l'effet ainsi créé est vraiment troublant. Ces bonnes manières et ce savoir-vivre désuets font plus peur que n'importe quel brigand masqué armé d'une mitraillette.

— Allons, Charles, ne jouez pas les purs ! Nous savons tous que vous viendrez, vous, un habitué du Palais…

Charles serre les dents, le regard assassin. Mais il dit toujours rien. Stoïcisme impressionnant. Bone dépose délicatement le carton sur une petite table chambranlante.

— Et Mario ? Ici ou non ?

— N… nn… non.

Les deux hommes se mesurent longuement des yeux. Le regard de Bone est terrible. Il a beau sourire et paraître calme, ses prunelles sont deux scalpels qui vous ouvrent le cerveau pour mettre vos pensées à nu. J'aurais été incapable de soutenir ce regard, mais

Charles le supporte sans ciller, bien que je le sente
ébranlé.

— V... v... vous pouvez fou... fou... fouiller si
vous n... ne me cro... cro... cro... croyez p... p...

— Ce ne sera pas nécessaire, je vous crois, Charles.
Vous êtes incapable de mentir.

J'arrive pas à décider s'il dit ça pour complimenter
ou avec condescendance. Peut-être les deux. Les con-
trastes, toujours...

— En passant, j'ai de la nouvelle marchandise pour
votre petite sculpture... Je me suis dit que je pourrais
profiter de ma visite pour vous montrer ça?

Sur quoi, il lève à hauteur de poitrine sa petite mallette rouge. Charles semble alors pris dans un terrible
dilemme (pour faire changement!). Il se met à se frotter
les mains, à se mordiller les lèvres, à danser d'un pied
sur l'autre; bref, l'ensemble des signes de nervosité
répertoriés par tous les romanciers du monde. À croire
qu'il se caricature lui-même. Bone trouve l'attitude
de son hôte très distrayante. Il finit par demander:

— Alors? Je vous montre?

— P... p... pas ici! soupire Charles sur le ton de
la défaite. À la cu... cu... cuisine.

Bone reprend sa canne et les deux hommes sortent
de mon champ de vision. Ça me frustre un peu. Est-ce
que je devrais sortir et aller voir? L'idée de me faire
prendre par ce Bone me donne le frisson. Pour moi, il
ne fait aucun doute que cet homme est extrêmement
dangereux.

Je décide donc de rester à mon poste d'observation
et de redoubler d'attention auditive. J'entends des
chaises poussées, une mallette s'ouvrir... et je finis
par distinguer la conversation...

BONE — Comme vous voyez, le choix est assez
vaste, cette fois...

CHARLES — C'est immmmm... immonde... J'ai
peine à cc... c... c... croire que j... j... je sois en tr...
tr... ttrain de...

BONE — Cessez ces réactions de vierge offensée, Charles, vous me les faites subir chaque fois.

Silence, puis :

CHARLES — Cel... cel... celle-là, c'est... je crois que... je la pr... pr... prends...

BONE — Vraiment ? Vous en avez déjà une, non ?

CHARLES — Celle-là est m... m... mieux.

BONE — Si vous le dites. De toute façon, ce n'est pas la première fois que vous revenez sur vos premiers choix, n'est-ce pas ?

Ricanement charmant et poli. Bruits étranges. Batince que j'aimerais voir ce qu'ils font !

CHARLES — Comb... comb... combien pour cette bou... bou... bou...

BONE — Laissez, c'est un cadeau. Pour me faire pardonner d'avoir pensé que vous cachiez Mario. Puisque j'ai cru que votre demeure était une cache, je refuse le *cash*...

Petit gloussement.

BONE — Cache, *cash*... Pas mal, non ?

Mais quel genre d'homme peut donc être si *gentleman* et menaçant en même temps, tout en s'amusant à inventer de minables calembours ? Ça me dépasse complètement ! Charles, lui, répond avec indifférence. Il doit être habitué.

CHARLES — As... as... assez lu... lu... ludique, oui... Et mer... mer... merci pour le ca, ca... cadeau...

Le « merci » de Charles est froid et sans reconnaissance. Bruit de mallette refermée, de chaises déplacées.

BONE — Voilà, Charles, je vous laisse retourner dans vos rêves... Bonne nuit...

CHARLES — V... v... vous de mê... êêê... ême.

Porte qui s'ouvre, se referme. Silence. Bone est parti. Je me rends compte que quelque chose se détend en moi. Les nerfs, entre autres.

Charles réapparaît dans mon viseur. Il tient quelque chose dans sa main, un petit récipient de verre. Peux pas voir ce qu'il y a à l'intérieur. Sûrement sa nouvelle acquisition pour sa sculpture. Il la regarde longuement, l'air désespéré. Il finit par déposer le récipient sur la petite table. Ouvre un tiroir de celle-ci. Sort une seringue avec une cordelette de caoutchouc. J'ai alors droit à la scène, désormais connue de tous grâce à la télévision, du drogué qui se *shoote* par intraveineuse.

Charles ferme les yeux. Pousse un long soupir de satisfaction. On dirait que cinq livres de graisse fondent automatiquement sur lui (déjà qu'il est pas très gros !). Je commence à avoir des crampes dans le cou, mais je peux pas me décider à m'éloigner. Je veux voir.

Il finit par se relever, comme au ralenti. Il reprend le petit récipient en verre et marche vers une porte du fond. Il l'ouvre et actionne une lumière à l'intérieur. Sûrement une sorte de débarras, de petite remise. Il se met alors à travailler sur quelque chose d'impossible à discerner, qui est situé au fond et à droite du débarras. Je vois les bras de Charles s'activer, mais ses mains disparaissent derrière le mur. Ça semble compliqué, délicat… Toutes sortes d'émotions se succèdent sur son visage tourmenté : béatitude, colère, horreur, désespoir, mélancolie, bonheur, remords… On dirait un acteur qui pratique une série de faciès devant un miroir. Après quelques minutes, il se passe les mains dans les cheveux en gémissant :

— Pourquoi con… con… continuer ! C'est v… vain, tellement v… v… vain !

Il tourne alors son regard droit vers… merde ! droit sur la porte derrière laquelle je suis postée !

— Sur… surtout depuis qu… qu… qu'elle est i… i… ici…

Je referme doucement la porte, convaincue qu'il m'a vue. Je m'appuie contre le bois, retiens ma respiration. Après tout, j'ai rien fait de mal. Ils parlaient juste à côté, c'est assez normal que j'aie tout entendu…

Mais Charles n'approche pas. J'entends ses sanglots, accompagnés d'autres bruits, et enfin le silence.
Après de longues minutes, j'ose rouvrir légèrement la
porte. Lumière éteinte. Forme couchée et ronflante sur
le divan. Charles fait dodo.

En boitant et en grimaçant, je retourne aussi dans
le lit.

La Reine Rouge qui fait une grande fête dans trois
semaines… Une réunion de mafiosi ?

Mario recherché par la Reine…

La sculpture de Charles…

Il y a encore tant de choses à découvrir, ici… Tant
de choses qui ont l'air étranges et fascinantes…

… et dangereuses, surtout. Ne l'oublie pas, ma
petite Aliss…

Je m'endors sur ce sage rappel de ma conscience.

◆

Quand je me réveille, je sens que ma cheville va
beaucoup mieux. Je marche vers la porte. Un léger
claudiquement, une vague douleur, sinon ça va. Ça
fait deux jours que j'ai les mêmes vêtements sur le
dos, que je me suis pas lavée… Je me sens infecte. Il
est huit heures. J'ai le temps d'aller me doucher et de
manger avant de me rendre au travail.

Au travail… Ça me démoralise juste d'y penser…

Au salon, Charles ronfle toujours.

— Charles ?

Rrrron, rrron, zzz… Rien à faire. Je sais pas ce
qu'il s'est injecté dans les veines cette nuit, mais ça
l'a rendu aussi insensible à l'environnement qu'un
ours qui hiberne.

Attendre qu'il se réveille ? Ça risque d'être long.

Bon, ben, je vais m'en aller, on dirait. Je prends
ma sacoche, regarde Charles une dernière fois, puis

traverse le salon. Je passe devant la petite table sur laquelle Bone, cette nuit, a déposé la carte d'invitation. J'y jette un coup d'œil.

LA REINE ROUGE
VOUS CONVIE À LA CÉLÉBRATION
DU DEUXIÈME ANNIVERSAIRE
DE SON RÈGNE
LE 18 JUIN 2000, AU PALAIS
SUR INVITATION SEULEMENT

Très officielle, tout ça… Deuxième année de règne… Qu'est-ce que ça peut bien signifier ?

Je n'ai qu'à voler cette carte à Charles, et je pourrai enfin entrer dans ce « Palais ». Charles aura aucune difficulté à obtenir une autre invitation, alors que moi…

J'y tiens vraiment ? Si je tombe en plein milieu d'un congrès de hors-la-loi ?… Voyons, j'exagère ! Tous ces gens qui parlent du Palais, autour de moi… Ils en parlent vraiment comme s'il s'agissait d'un club…

Je regarde le carton un bon moment, puis le remets sur la table en soupirant. Je vois alors la porte du débarras. Celui qui renferme la sculpture de Charles.

Ça, par contre, il n'y a aucune raison pour que j'y jette pas un coup d'œil tout de suite.

Et Charles ? Rrron, rron, zzzz, statu quo. Parfait.

Je vais ouvrir le placard. Je tire sur une petite cordelette et une ampoule s'allume. J'entre dans le débarras et tourne la tête vers la droite, là où doit se trouver la fameuse sculpture. Sûrement quelque chose de très sentimental, de très maniéré…

La chose est là, sur une tablette. Je dis « la chose » parce que sur le moment, je saisis pas trop ce que c'est. Rapidement, je distingue les éléments.

Un crâne… la base est un crâne humain… Et dessus, on a…

Collé ? Fixé ? Épinglé ?

Voyons, c'est sûrement pas… C'est du toc, c'est un pastiche certain ! Une imitation ! Ces orbites, ce scalp, ces lèvres, ces oreilles… Tout ça est…

Collé ?… Fixé ?… Épinglé ?

… posé, en tout cas, sur ce crâne… et du sang partout, coagulé, comme de la colle qui aurait séché sous les morceaux grossièrement appliqués…

Plus je regarde, plus je me rends compte que… Non, c'est pas un pastiche ! C'est réel, c'est vrai ! J'en suis sûre, sûre, sûre ! Et là, sur la tablette, d'immondes reliefs de cette œuvre en progression… autres lèvres… autres yeux épars… nez sanglants… morceaux de chairs utilisés, puis enlevés, remplacés…

Je respire trop vite, je vais étouffer si ça continue… Pourquoi je sors pas, pourquoi je reste ici ?

Parce que j'arrive pas à détacher mon regard de ce puzzle humain, vaguement féminin et pleinement cauchemardesque… parce que ces yeux arrachés, vacants, sont fixés dans les miens, veulent me dire qu'ils ont déjà appartenu à une autre tête, à d'autres lèvres, à d'autres cheveux… Sur ce crâne, c'est pas une morte que je vois, mais deux, trois, quatre cadavres, peut-être plus, rassemblés ici par un artiste fou, par un créateur dément, par…

Par Charles !

Qui dort, juste à côté de moi !

Cette idée réussit enfin à me faire bouger. Malgré le plancher qui tangue, malgré la porte qui change constamment d'endroit, malgré l'escalier qui se dérobe sous mes pieds, malgré le corridor, en bas, qui s'étire tel un labyrinthe, je me retrouve dehors, haletante, appuyée contre le mur de briques.

Je veux retourner dans mon appart, tout de suite !

Des piétons passent. Il me semble en reconnaître quelques-uns. Pas sûre. Je cherche un point de repère. Dans quelle rue suis-je ? Connais pas. Une intersection sur ma gauche, tout près. J'y vais en courant, la jambe douloureuse. Lutwidge, voilà ! Je reconnais les magasins, les restaus. Le supermarché, là, tout près. Je me mets en marche d'un pas rapide.

Ostie de malade ! Pis j'ai passé la nuit chez lui ! Avoir su ! Jamais j'aurais cru ça de lui, jamais…

Tout en marchant, je me calme graduellement, la panique s'estompe. J'ai hâte d'arriver chez moi, de prendre une douche, de me changer… Je devrais peut-être appeler la police, non ?

Je monte les marches en boitant, passe devant l'appart de Verrue. Ma douche m'apparaît soudain moins urgente et, sans réfléchir, j'entre chez le vieux.

Partout, des vestiges du party. En passant devant le salon, je repense aux gars qui se sont masturbés devant moi… Je traverse le couloir. Bouteilles vides, mégots, morceaux de vêtements… Pis l'odeur ! Ça pue comme la première du *Allô Police*. Verrue, lui, est assis dans son coin et déguste son hasch. Son genou est dans un sale état. Sous le trou du pyjama on voit une sorte de cratère rougeâtre avec chairs durcies et relevées, comme une boîte de carton qui aurait explosé. Le sang a séché, l'hémorragie est arrêtée, mais ça me rassure pas pour autant. Verrue, lui, me sourit. Comme d'habitude, relax. Comme d'habitude, planant. Comme d'habitude, hautain.

— Vous souffrez pas ?

— Plus vraiment. Ça élance un peu, mais, bon… C'est comme un engourdissement perpétuel, ça s'endure très bien…

— Je suis pas sûre que c'est très bon de laisser une jambe dans un tel état…

— C'est pas grave… Le cocon va bientôt s'ouvrir…

Je hoche la tête. Quand il embraye sur ce sujet, inutile d'essayer de le suivre.

— Et toi, petite Aliss, ça va mieux ? La dernière fois que je t'ai vue, tu étais sur un méchant *trip*… On m'a même dit que tu te balançais aux enseignes des commerces… Ça devait être très divertissant à voir…

— C'est de votre faute, aussi. Avec vos Macros et vos Micros…

— Question d'habitude. La première fois, ça surprend, c'est sûr… Mais on contrôle vite. Dès la deuxième fois, en fait.

Là-dessus, il me lance un regard entendu. Je décide de changer de sujet.

— Verrue, je ferai plus vos achats au supermarché. Maintenant que je travaille, ça risque d'être compliqué.

Je me tais. Il m'observe, indifférent, puis demande, lassé :

— Tu es venue juste pour me dire ça ?

— Non, c'est…

Je m'interromps. J'allais dire quelque chose du genre : « Je trouve les gens bien bizarres, ici. » Je me retiens juste à temps. Une telle déclaration me vaudrait sûrement un regard narquois et ironique. Il faut pourtant que j'en parle, j'en ai besoin. J'ose donc :

— Je pense que je devrais faire attention à mes fréquentations.

— Ah ? Est-ce que je fais partie des fréquentations à éviter ?

— Je…

J'observe son genou éclaté. Repense aux deux mafiosi.

— Je sais pas.

— Parce qu'à part moi, tu fréquentes pas grand monde, il me semble…

Impossible de l'éviter : j'ai droit à son sourire moqueur. Je dis rapidement :

— Il y a un gars, par exemple, qui s'appelle Charles… Il a l'air de vous connaître, il…

— Charles ? Tu trouves que ce bon Charles est une fréquentation à éviter ?

— Ouais, ben j'ai vu des affaires assez épouvantables, chez lui ! Je me demande même si je devrais pas appeler la police pour...

— La police ?

Là-dessus, il éclate de rire. Il a vraiment le don de me faire sentir épaisse ! Piquée, je rétorque :

— J'étais venue vous demander conseil, mais je pense que je vais oublier ça !

Il redevient alors sérieux et, solennel, me dit lentement :

— Chaque fois qu'on m'a demandé conseil, j'ai toujours donné le même : il faut garder son sang-froid. Toujours.

Ça m'avance en maudit, ça ! Je me passe une main dans les cheveux. Ils sont tellement sales !

— Bon, je vais aller me laver...

— Bonne idée...

Sur quoi, il appuie sur le « play » de sa radio, et une chanson western anglophone se fait entendre.

Je sors de la chambre en soupirant.

MIROIR (1)

À la suite d'une première aventure, un héros est souvent amené à s'interroger sur lui-même, sur ce qui lui arrive. Aliss en est là : sa tête est pleine de questions. Des questions que toi-même, ami lecteur, tu te poses peut-être.

La voix passionnée de Tori Amos sort de mon lecteur CD. Je suis étendue toute nue sur le divan, le corps encore ruisselant d'eau, et je jouis de ma propreté. Hélas ! il est dix heures passé et je dois aller travailler bientôt dans mon superbe restaurant. On appelle ça un coït interrompu.

Et ces images qui me sortent pas de la tête : Verrue qui se fait tirer dans le genou, les pénis géants qui éjaculent, la sculpture de Charles…

Je m'habille et vais à la cuisine. Tandis que je déjeune, je fouille dans ma sacoche pour voir si rien ne manque.

Je tombe sur les deux flacons de Macros et de Micros. Je devrais les jeter tout de suite, mais je le fais pas. Bon : c'est vrai que mes deux *trips* avec ces drogues ont été désastreux, mais le problème dans les deux cas, c'est que j'avais pas le contrôle. Verrue n'a-t-il pas dit que, dès le second essai, tout se déroulait beaucoup mieux ?

Dès la deuxième fois…

J'ai les deux flacons dans les mains. À droite, la poubelle ; à gauche, ma sacoche. Quelle destination choisir ? Optons pour le compromis : je les laisse sur la table. Me lève. Vais me maquiller.

Il est onze heures moins vingt. Le *Bouffe-croûte* m'attend, ainsi que mon gros *boss* tout trempe. Batince que ça me tente pas ! Faut que je me motive. Facile à dire…

Sur la table, je vois le flacon de Macros.

Me motiver.

Je me souviens des effets : cette impression que je pouvais conquérir le monde. C'était exagéré, je délirais, mais…

… motivation…

Je prends le flacon de Macros. L'idée de passer encore sept heures dans ce restau de merde me déprime tellement…

J'ouvre le flacon, prends une des deux capsules qui restent et l'avale, gloup. Je vais m'asseoir au salon. Attends. J'ai un peu peur. Les minutes passent.

Et puis…

… tranquillement…

je commence à me

à me sentir très bien, en pleine foRME EN SUPER FORME MÊME ! TELLEMENT EN FORME QUE JE PENSE QUE JE VAIS ALLER DIRE À MON GROS *BOSS* TOUT TREMPE QU'IL EST JUSTE UN OSTIE DE TWIT DÉGÉNÉRÉ QUI WOHH LÀ ! DU CALME DU CALme Aliss, allons, du calme ! Garde cette énergie, mais ne délire pas, canalise ! Voilà ! C'est… c'est parfait, ça ! Je peux contrôler les effets ! Je me sens explosive, j'ai confiance en mOI COMME JAMAIS, MAis je contrôle ! C'est super ! L'idée d'aller travailler me déprime déjà beaucoup moins ! Je suis même convaincue que je vais péter le feu au restau ! Je pense à mes clients primates pis ça me choque même pas ! Pis s'ils me passent encore des commentaires débiles, hé ben, je vais tout simpLEMENT LEUR RENTRER UNE FOUR-CHETTE DANS LE CUL ! ILS VONT VOIR QUE C'EST MOI LA PLUS FORTE ! QUE C'EST MOI QUI NON NON NON ALISS NON REVIENS SUR TERRE, CONTRÔLE, CONTrôle, contrôle, voilà, c'est mieux ! Énergique, forte, immense, conquérante, mais en contrôle ! Voilà ! Voilà !

C'est extraordinaire ! Quel *feeling !* Quelle sensation de puissance !

Allez, au boulot ! J'y vais ! J'y cours ! J'Y VOLE !

◆

Samedi trois juin, sept heures du soir. Une autre journée ensoleillée. En fait, il n'a pas plu une seule fois depuis mon arrivée à Montréal. Assise à la terrasse du *Mange-mange,* mon petit restau préféré (malgré ses serveuses bizarres), je termine mon souper en regardant les piétons sur le trottoir. Dix jours que je suis ici. Qu'est-ce que j'en conclus ? Satisfaite ? Déçue ?

Petit bilan des dernières journées.

Jeudi : je suis donc allée travailler et l'effet de la Macro a duré quelques heures. C'était vraiment mieux. J'étais plus rapide, plus sur les nerfs, mais j'étais effi-cace et je me gênais pas pour répondre aux commen-taires machos de certains clients, au grand amusement de mon gros *boss* tout trempe. Parmi les clients, j'ai même reconnu un des gars qui s'étaient masturbés devant moi au party de Verrue. Comme j'étais toujours sur les effets de la Macro, sa présence m'a pas gênée du tout et à son sourire moqueur, j'ai répondu par un regard suprêmement dédaigneux. Verrue aurait été fier de moi. Les trois dernières heures, par contre, ont été plus difficiles, *because* dissipation des effets de ladite drogue.

Dans la soirée, je me suis dit que je pouvais bien
en profiter pour essayer aussi une Micro. Ce que j'ai
fait, toute seule dans mon salon. Ça s'est assez bien
déroulé. Au début, je me sentais encore toute vulnérable, comme la dernière fois, et la paranoïa me gagnait
de plus en plus ; puis, graduellement, j'ai réussi à transformer cette sensation d'infériorité en *feeling* d'intério-
risation, et c'est devenu très agréable, très zen. Comme
si je retournais dans mon for intérieur et que plus rien
ne comptait. C'était très... relaxant.

Alors que, vers dix heures, les effets s'estompaient,
je me suis mise à penser à papa et à maman. Ils avaient
dû recevoir ma lettre. Pourquoi ne m'avaient-ils pas
appelée ? Étaient-ils encore en guerre contre moi ? Et
Mélanie ? Brève mélancolie...

Vers dix heures trente, alors que je songeais à aller
visiter Verrue, on a sonné à ma porte. Surprise : c'était
mon beau Mario ! Il venait demander asile chez moi.
J'ai accepté, émoustillée et curieuse. Je lui ai demandé
pourquoi la Reine le cherchait. Il a refusé de me le
dire. Je lui ai demandé qui était cette Reine. Encore
une fois, pas de réponse. Il m'a dit qu'il était pas venu
pour parler de la Reine. J'ai compris. On a baisé. Sans
condom. C'était encore très animal, mais très excitant.
La troisième fois, je lui ai demandé de venir en moi.
Il a accepté. Et j'ai eu mon orgasme. Un bon, un vrai.
Mario s'est endormi vers quatre heures du matin. Moi,
toute réveillée, je planais de satisfaction et de tendresse. Pour vivre à fond cette douce sensation, j'ai
pris la dernière Micro de mon flacon. L'effet a été
magique : nous étions seuls au monde, Mario et moi,
retirés et hors de tout. J'en ai pleuré d'attendrissement.
Le lendemain, très tôt, alors qu'il partait, je lui ai
demandé si on allait se revoir. Pas impossible, m'a-t-il
dit de son petit air de dur. Sur quoi, il m'a embrassée.
J'en étais toute chose. J'ai alors réalisé le danger que
j'avais couru en acceptant chez moi ce gars recherché

par une pseudo-mafia. Mais ça valait le coup. Suis-je en train de tomber amoureuse ? Avec un gars comme ça ? Sans culture, pas particulièrement intelligent, macho et tout ? Ça me semble pas très raisonnable. C'est peut-être exactement pour cette raison que je m'attache à lui.

Vendredi : j'ai pris la dernière Macro pour aller travailler. Je savais que cela n'avait pas de sens, que je pouvais quand même pas toujours prendre de la dope pour aller au boulot, mais ce travail me met tellement *down*... Il faut vraiment que je trouve une autre *job*.

En revenant chez moi, je constate, Ô surprise ! que je n'ai plus ni Micros, ni Macros. Première réaction : tant pis, je m'en passerai. Sauf que, plus les heures avançaient, plus je regrettais de ne plus en avoir. Non pas que je me sentais en manque, pas du tout, mais pourquoi me passer de quelque chose de si agréable ? Je venais de lire Nietzsche et une phrase m'avait frappée : « Toutes tes passions sont devenues des vertus et tous tes démons des anges. » Tout ce qui est passion ne peut donc être mauvais. Si cette drogue me fait du bien, elle ne peut donc être malsaine. Et voilà !

Je suis allée chez Verrue. Son genou ressemblait à une toile de Riopelle. Je crois même qu'il y avait du pus. Il refusait toujours de voir un médecin. Tant pis pour lui, je suis écœurée d'essayer de le convaincre. Je lui ai demandé d'autres petites pilules magiques. Comme je ne fais plus ses commissions, il fallait maintenant que je paie. Normal. Il m'a annoncé le prix : trois cents piastres ! Pour trois Micros et trois Macros ! Je l'ai traité de fou et de voleur, mais il m'a dit, peu impressionné, que c'était comme ça. Brillant argument ! « Tu pourrais me faire un prix d'amis ! », que je lui ai lancé, passant pour la première fois du vouvoiement au tutoiement. Rien à faire. J'ai cédé. Fulminante, je suis allée au guichet et j'ai retiré l'argent. Il restait juste quatre cents dollars dans mon compte. Batince !

que j'ai dépensé vite, ça m'a donné le vertige ! Mais au diable ! Je laisserai pas de vulgaires raisons pécuniaires décider de ce que je veux ! Je suis sûr que Nietzsche a jamais laissé l'argent diriger ses passions ! De toute façon, maintenant que je travaille, je peux bien me permettre une couple de folies, non ? J'ai beau me dire que mon salaire risque de pas être très élevé, j'ai pas envie d'y penser. Faut prendre le plaisir quand il passe ! Je suis donc retournée chez Verrue et j'ai acheté mes six capsules. Je pense que je vais les ménager. J'ai quand même pris une Micro dans la soirée. Ça me détend tellement.

Puis, il est arrivé quelque chose d'important. J'ai poursuivi ma lecture de Nietzsche. Comme l'autre soir, je comprenais pas tout, mais un mot a soudain attiré mon attention, m'a accrochée : surhomme.

Je me suis mise à lire avec attention. Avec l'effet de la Micro, j'avais l'impression d'entrer dans le texte, de planer entre les lignes, de glisser sur les mots. Des phrases lumineuses m'ont alors déchiré les yeux. Le surhomme « doit surmonter l'homme »… Il est un « franchissement et un déclin »… Nietzsche, en parlant au surhomme, lui dit quoi faire : « Surmontez les petites vertus, les petites astuces, les égards pour grains de sable, le farfouillis de fourmis, le misérable bien-être, le bonheur du plus grand nombre… » Et cette phrase, terrible, incroyable : « Car le mal est la meilleure force de l'homme ! » Est-ce possible ? C'est sûrement un symbole !… Bien sûr, un symbole ! Le mal, c'est la désobéissance ! Le mal, c'est dire « je veux » à la place de « il faut » !

Je me sentais hallucinée, éclairée, révélée. Connard de Laurent Lévy ! Je le savais bien que Nietzsche était la réponse, un guide, *mon* guide ! C'est pour ça que j'ai quitté ma ville, que je suis ici ! C'est pour surmonter le petit, le misérable, le commun, le *bien* ! Car tout ça est obstacle au surhomme… ou à la *surfemme* !

Je me suis couchée, ce soir-là, la tête pleine d'étoiles, car je savais enfin ce que j'étais venue faire ici : je voulais devenir la *surfemme*.

Mais aujourd'hui, samedi, mon enthousiasme s'est refroidi. Il y a un peu plus d'une heure, à la fin de ma journée de travail, mon gros *boss* tout trempe m'a donné ma première paye. Comptant. Pas de retenue d'impôts. Bref, je suis payée au noir. Hé, ben ! C'est une faible consolation, car le total se monte à un malheureux cent vingt-deux dollars. Avec mes misérables pourboires, je me suis fait une première semaine de cent quatre-vingts dollars environ. Bon, je peux vivre avec un tel montant, mais à condition de me cloîtrer dans mon appart. Le problème, c'est que je suis pas venue à Montréal pour me cloîtrer, merde ! Cette fois, c'est clair : il faut vraiment que je me trouve un autre emploi !

Bref, depuis la méga-soirée chez Verrue, les choses sont plutôt tranquilles. Je voulais me tenir loin des gens bizarres que j'ai rencontrés, et c'est ce que j'ai fait. Je voulais arrêter de m'interroger sur ce maudit Palais, et c'est ce que j'ai fait aussi. Hier, j'ai vu Charles, de l'autre côté de la rue, et je me suis éloignée en vitesse, avant qu'il me voie. Résultat de toutes ces prudences : je m'emmerde. Je travaille, écoute un peu la télé et beaucoup de musique. Super ! Je suis pas convaincue que l'emmerdement est le meilleur moyen de devenir la surfemme. La surfemme s'emmerde sûrement jamais.

Le soleil poursuit sa longue descente. J'observe de nouveau les piétons dans Lutwidge. Lutwidge, Dodgson… toujours les mêmes rues ! Toujours les mêmes piétons, toujours les mêmes magasins ! Ça fait dix jours que je suis ici pis que je mijote dans les deux mêmes kilomètres carrés ! Maudite grève de métro !

Très bien : je vais encore marcher jusqu'au bout de Lutwidge, comme l'autre jour, mais dans l'autre direction. Voilà tout.

Je sors du restau, et c'est un départ. Voilà, je vais marcher jusqu'à arriver ailleurs, jusqu'à arriver au centre-ville. Je suis pas pressée.

Je marche, je marche, je marche.

Comme l'autre jour, les piétons deviennent rares. Les immeubles aussi. Les terrains vagues apparaissent.

J'aime pas ça. J'ai une impression de déjà-vu.

J'arrête pas de marcher, de plus en plus mal à l'aise.

Au bout de trois quarts d'heure, j'arrive au cul-de-sac. Le même que la semaine passée. Le même chantier de construction désert devant moi. Et, surtout, le pont Jacques-Cartier, au loin, du même point de vue que la dernière fois.

Voyons ! Je suis absolument certaine que j'ai pas refait le même chemin que l'autre jour ! J'ai fait Lutwidge dans l'autre sens, je peux pas arriver à la même place !

Je fixe le pont Jacques-Cartier au loin, avec le soleil déclinant en arrière-plan. Je reste immobile pendant cinq, dix minutes. Tout à coup, je tourne les talons. Reviens vers le quartier. Le pas raide.

Les bâtiments réapparaissent. Les piétons aussi. Le bon vieux quartier.

Je me sens vraiment pas bien.

Je prends la première rue transversale et me mets en marche. Immeubles à logements, quelques piétons… Au bout d'une quinzaine de minutes, les immeubles disparaissent… les terrains vagues apparaissent et… et…

… le pont Jacques-Cartier, là-bas…

Minute, là… Minute ! Ça marche pas, ça, ça marche pas pantoute !

Reviens en courant dans Lutwidge. Prends une autre rue, n'importe laquelle ! Marche… non, cours ! À bout de souffle !

Le même décor fait graduellement son apparition…

Je halète, couverte de sueur, plantée devant le terrain vague qui s'étend devant moi…

Mon cœur bat trop vite, beaucoup trop vite…

Attends, attends, attends, ça… ça…

Reviens en courant. Retour dans Lutwidge. Voitures, piétons, décor familier. Tout a l'air normal…

J'ai mal au cœur.

J'arrête un piéton au hasard.

— Le centre-ville… Quelle direction il faut que je prenne si je veux aller au centre-ville ?

Ma voix est trop forte, trop aiguë. Le gars, dans la trentaine et moustachu, me dévisage avec étonnement.

— Tu veux aller au centre-ville ?

— Oui ! Comment je fais ?

— Hé ben… Il faut prendre le métro…

— Pis si je veux y aller à pied ?

Il me considère comme si j'étais une malade mentale, puis se fâche :

— Tu te fous de ma gueule ou quoi ?

Il s'éloigne rapidement. La panique approche, rampe vers moi. J'accroche un autre piéton. Pis un autre. Pis un autre. Tous ahuris. Tous me parlent du métro. Personne comprend quand je leur dis que je suis à pied.

— Un taxi ! que je crie au dernier, au bord de l'hystérie. Je peux quand même prendre un taxi !

— Un taxi ? Ici ?

Il éclate de rire.

La panique ne rampe plus. Elle grimpe. Le long de mes jambes, de mon corps.

De nouveau, j'arrête un piéton, une femme. Lui demande dans quel quartier on est.

— Daresbury, me répond-elle.

— Je le sais, mais c'est où, ça ?

— J'sais pas trop… à l'ouest de Verdun, je pense…

L'ouest de Verdun ? Ben voyons donc ! Le mari de la proprio a dit qu'on était à l'est du centre-ville !

Un autre piéton. Même question.

— Heu… au sud du Plateau… Mais je suis pas sûre…

Un autre.

— Je dirais pas loin d'Anjou.

— Quelqu'un m'a déjà dit qu'on était proche de Rosemont.

— J'sais pas, moi… Entre Pointe-aux-Trembles pis NDG, tiens !

J'ai la tête qui tourne, une toupie, une tornade, une roulette de casino…

En courant, je retourne à mon immeuble. En courant, je monte chez Verrue. En courant, je m'en vais dans sa chambre.

— Verrue, comment on fait pour sortir d'ici ?

Pas de bonjour, rien, je lance la question directement, à bout de souffle. Le vieux croûton réalise enfin que je suis là.

— Hein ?

— Comment on fait pour sortir d'ici ? Du quartier ?

Son regard dédaigneux monte jusqu'à moi.

— Tu veux t'en aller, Aliss ?

— Je veux aller au centre-ville ! Comment on fait ?

— Voyons, c'est pas compliqué, tu prends le métro…

— À part le métro !

Verrue prend une longue *pof* de son joint. Pas pressé. La blessure de son genou commence à ressembler à de la choucroute brune. Sa cuisse, sous son pyjama, a doublé de grosseur.

— Pourquoi tu poses des questions dont tu connais les réponses, Aliss ?

Je le regarde. Ses rides, son regard goguenard, sa radio qui crache une musique insipide, son pyjama, sa saleté, son appart, les murs, la fenêtre, l'air, l'ambiance… Je me penche vers lui. C'est la première fois que je suis si près de ce vieux débris et l'odeur qui me traverse les narines me fait presque reculer.

— Verrue… Où c'est qu'on est, ici ?

— Tu oublies le conseil que je t'ai donné, Aliss : garde ton sang-froid…

— Verrue, ostie, où c'est qu'on est !

— C'est pas la bonne question.

— Comment ça, c'est pas la bonne question ?

— Il y en a une beaucoup plus fondamentale.

— Mais de quoi tu parles !

Je me redresse, tourne en rond dans la chambre en me frottant les mains. Il y a quelqu'un qui va me donner une explication intelligente, sinon, je… je… je…

— Si t'es pas capable de te poser les bonnes questions, Aliss, prends le métro et pars !

— Le métro est en grève !

— Mais non, la grève est finie depuis deux jours.

Je le considère avec de grands yeux, des yeux éberlués, des yeux de poisson. Des grands yeux de poisson éberlué.

Je me précipite vers la porte, mais Verrue m'interpelle. Je m'arrête, me tourne vers lui. Il me regarde avec un air hyper sérieux, sérieux comme je lui en ai jamais vu.

— Si tu prends le métro, Aliss, je suis pas sûr que tu vas pouvoir revenir ici. Pas sûr du tout.

— Qu'est-ce… qu'est-ce que tu veux dire ?

Il prend une touche, ne répond rien.

Calice de vieux fou !

Je sors. De la chambre, de l'appartement, de l'immeuble, de la rue. Cours dans Lutwidge. Arrive au métro.

La pancarte « grève » n'est plus là.

Je pousse sur la porte : elle s'ouvre. J'entre. Je descends. J'arrive au guichet et reconnais immédiatement le guichetier fou de l'autre jour. Il surveille toujours l'écran de sa télé.

— Un ticket ! que je dis en fouillant dans ma sacoche.

Il tourne son regard cerné vers moi.

— Tiens, encore toi…

— Comment, vous me reconnaissez ?

— Il y a tellement peu de gens qui passent ici…

Je regarde autour de moi. Désert. Complètement.
Une horloge indique neuf heures trente.

— Alors, tu veux quoi ? me demande Monsieur
Métro.

Je m'humecte les lèvres. Pourquoi j'hésite comme
ça ? Je veux aller au centre-ville ? Eh bien, j'ai juste à
y aller ! En fait, c'est faux. Je sais très bien que si je
prends le métro, je vais m'en aller plus loin que le
centre-ville. Je vais me sauver, littéralement.

Je repense à ce qu'a dit Verrue : je pourrai peut-être
plus revenir ici, si je pars…

Absurde !

— À quelle station de métro on est, ici ?

Il secoue doucement la tête, le visage étrange.

— C'est pas la bonne question.

Qu'est-ce qu'il a dit ? J'ai bien compris ?

— Un ticket ! que je répète enfin en donnant l'argent.

Je passe le tourniquet, descends sur le quai. Incapable de m'asseoir, j'attends en marchant de long en
large. Réfléchis. Pourquoi Verrue a dit que je pourrais
peut-être pas revenir ? La réponse m'apparaît, immense,
en cinémascope.

Je ne retrouverais pas la station.

Voyons, n'importe quoi !

Et pourtant, je suis sûre que c'est vrai.

Je vois alors un téléphone sur le mur. Sans réfléchir, prise d'une impulsion, je le prends, mets vingt-cinq
sous dans la fente, compose un numéro.

— Oui ?

La voix de ma mère. Je frémis en l'entendant.

— Maman…

Je veux lui dire que je vais revenir, que je suis sur
le point d'aller les rejoindre, parce que…

Parce que quoi ? Pour quelle raison je veux donc partir ?

Parce que cet endroit… cet endroit… Je n'ose même pas terminer ma pensée, c'est trop fou !

— Alice ! s'écrie alors ma mère. Alice, ho, mon Dieu, enfin, nous avons de tes nouvelles !

Je comprends aussitôt que ma lettre s'est pas rendue jusqu'à eux…

J'entends alors la voix de mon père, derrière, qui s'écrie :

— Alice ? Prête-la-moi !

Confusion, bruits, puis la voix de papa :

— Alice, c'est toi ?

— Oui, c'est moi, papa… Je… je vais…

Mais dis-le, maudit ! *Je vais revenir* ! C'est pas compliqué !

— Où es-tu, Alice ?

Je le sais pas, c'est ça le plus capoté, je le sais pas ! C'est ce qui me donne envie de partir, mais en même temps c'est ce qui me donne envie de… de rester, pour… afin de… parce que…

— Je suis en appartement, je suis bien installée, c'est juste que… que…

— Alors tu l'as fait ! me coupe mon père, la voix sombre, pleine d'une sourde rage. Tu as osé nous défier, nous, tes parents !

Je dis rien, subjuguée. Encore la colère ? Encore l'orgueil ? Même après dix jours ?

— Tu n'as plus besoin de nous, c'est ça ? fait-il dans un ricanement sans joie. Tu peux te débrouiller seule ? Très bien ! Débrouille-toi, si tu es si indépendante !

J'entends ma mère protester, derrière, mais mon père poursuit. Je sens bien qu'il y a de la tristesse et du désespoir dans sa voix, sauf qu'il refuse de les laisser paraître, il persiste dans son image de dur :

— Débrouille-toi et ne nous appelle plus si tu es si forte !

Je raccroche et recule de deux pas, abasourdie et folle de rage. Salaud ! Ostie d'orgueilleux ! Je le sais qu'au fond il voudrait que je revienne ! Quelle victoire ce serait pour lui ! Quelle preuve de sa supériorité ! La petite Alice qui a réintégré les rangs ! La petite bourgeoise qui est redevenue sage ! *Fuck !*

Je peux pas retourner là-bas !

Pis ici ?

Lumière dans le tunnel. Le métro s'en vient.

Mais comment puis-je seulement envisager de rester ici ? Je suis… je suis dans un endroit qui… qui n'est pas…

Dis-le, calice !

Je suis *nulle part !*

Bruit sourd, lumière plus forte. Le métro approche.

Non, c'est pas vrai, je suis pas nulle part. C'est plus compliqué et plus simple que ça…

Les wagons passent devant moi à toute vitesse, ralentissent… s'arrêtent…

Les portes coulissantes s'ouvrent.

Wagon grand ouvert devant moi. Ouvert et vide.

Moi, je reste debout sur le quai, immobile devant les portes coulissantes ouvertes.

Entre. Entre, pis va-t'en.

Je bouge pas.

Portes ouvertes. Aliss immobile. Aliss qui veut entrer. Aliss qui entre pas.

Finalement, les portes se referment. Le métro repart.

Je regarde ses phares rouges disparaître dans le noir et, lentement, je remonte.

Monsieur Métro me regarde même pas passer.

Je retourne dehors. Il fait complètement noir, maintenant. Je marche dans Lutwidge.

Cette rue existe, non ? Je suis donc quelque part.

Je reviens dans Dodgson. Marche vers mon immeuble. Cet immeuble existe aussi, n'est-ce pas ?

Rentre chez moi. M'assois sur le divan. Prends une Macro. Non, deux, les deux qui me restent. Je les avale. Les deux en même temps. Ça risque de fesser. Tant pis.

Je sais pas où je suis… Mais je sais une chose, par exemple : je veux devenir la surfemme. Et c'est *ici* que je vais pouvoir y arriver. Pas ailleurs. Pas à Brossard certain ! Ni même dans un autre quartier de Montréal. Pour devenir la surfemme, il faut traverser des frontières. Ces frontières dont Verrue parlait… Elles ne se trouvent qu'à un endroit : *ici*. Je le sais, je le sens. Si je m'en vais, je pourrai plus revenir… et tout aura été inutile.

Où je suis ? C'est clair, voyons. Je suis…

… je suis…

… je suis ailleurs…

Ailleurs.

Alors voilà, je vais trouver ces nouvelles frontières et je vais les traverser parce que j'en suis capable parce que la surfemme est capABLE DE TOUT ! JE SURMONTERAI L'HOMME, JE ME SURMONTERAI MOI-MÊME EN PERSONNE JE SURMONTERAI TOUT CE QU'IL Y A DE PETIT EN MOI ! JE SUIS ICI POUR CA ! POUR DEVENIR LA SURFEMME ! ALORS VOUS M'AUREZ PAS ! VOUS ME FAITES PAS PEUR ! JE PARTIRAI PAS EN COURANT ! J'AI PAS PEUR ! J'AI PAS BESOIN D'EXPLICATION RATIONNELLE ! LE RATIONNEL EST POUR LES FAIBLES ! PAS POUR MOI ! AUCUNE FRONTIÈRE PEUT M'ARRÊTER ! AUCUNE ! AUCUNE ! AUCUNE ! JE SERAI LA SURFEMME ! LA SURFEMME ! LA SURFEMME ! LA SURFEMME ! LA SURFEMME ! LA SURFEMME ! LA SURFEMME ! LA SURFEMME !

ANDROMAQUE

ou

*Amertume d'une pute littéraire en attente
d'un second couronnement*

*Ah, ah! Aliss a désormais un but, une mission! Enfin!
Car que serait un héros sans quête, je te le demande, ami
lecteur! Mais toute quête est parsemée d'embûches,
d'épreuves! Heureusement, notre héroïne se sent mieux
préparée pour les affronter! Elle est maintenant prête à
foncer!*

— Verrue, batince, ça peut plus durer! T'as vu l'é-
tat de ta jambe?

Le spectacle est affreux. Verrue fait de la fièvre. Il
pue à vingt pieds. La fenêtre est grande ouverte, impossible d'aérer davantage. Son genou est de toutes
les couleurs. Dans la plaie, il me semble voir des choses
bouger... Des vers?

Les yeux fermés, pâle et luisant de sueur, il écoute
une chanson française quétaine, tout en prenant de
grosses cuillerées de son horrible mélange de bouffe
broyée. Je ne sais pas qui lui fait ses emplettes depuis
que je ne m'en occupe plus, et je m'en fous. Je ferme
sa radio avec agacement.

— T'as entendu ce que je t'ai dit?

— Crains rien, Aliss... Mon cocon va craquer d'une
journée à l'autre... Le papillon est tout près...

Il sourit, plus ridé, plus magané que jamais. J'abandonne. C'est pas la première fois que je me dis ça,

mais là c'est vrai. De toute façon, c'est pas pour ça
que je suis venue.

— Je voudrais des Macros et des Micros, j'en ai
plus…

J'ai plus beaucoup de fric non plus… Ce matin, j'ai
essayé de me trouver un autre emploi. J'ai vu deux
jobs de vendeuse à temps partiel et trois autres de serveuses, dans des restau aussi minables que le mien.
Bref, rien de mieux. Si je trouve pas une job plus
payante, va vraiment falloir que je m'en aille. Que je
prenne le métro.

Et tout ça n'aura rien donné.

Pas question!

— Tu commences à avoir de la misère à t'en passer?
me lance Verrue, railleur.

— C'est pas ça! Je suis dans une période de… de
transition, disons; ça me remonterait le moral.

— Trois cents piastres, tarif habituel.

— Verrue, si je te donne ça, je suis pratiquement
dans la rue! On pourrait pas s'arranger autrement?

C'est fou, mais je compte sur son «amitié», même
si je sais très bien que ce mot a aucune valeur pour
lui. J'attends, sans grand espoir. J'ai vu juste, car il dit
avec désintérêt:

— À part l'argent, je vois pas, non…

— Bon, ben, *fuck you*, vieux con!

Je marche vers la porte. Je l'implorerai pas certain!

— Aliss…

Je me retourne aussitôt, les yeux allumés. Je dois
ressembler à la réincarnation du chien de Pavlov. Verrue
dépose son verre sur le plancher, me considère longuement, puis marmonne:

— Tu pourrais, évidemment, me divertir… Tu vois
ce que je veux dire…

Je ressens un tel dégoût que mon sang se transforme en boue. Je me demande si je devrais rire ou

hurler. Mais Verrue m'évite l'un et l'autre, car il grimace et fait un geste de la main :

— Mais non, voyons, à quoi tu penses ! Tu sais
bien que le sexe m'intéresse pas ! Non, je pensais que
tu pourrais danser pour moi…

Pardon ? *Quid ?* Ai-je bien ouï ?

— Danser ? Toute nue ?

— Non, en habit de scaphandrier… Évidemment,
toute nue !

C'est vrai : il trouve distrayant ce genre de spectacle.
Une autre belle occasion de se faire mépriser, oui !
J'émets un son dédaigneux, genre : « ah ! », ou « peuh ! ».

— Si tu penses que je vais faire ça !

— Très bien, n'en parlons plus et bye-bye.

Il redonne de la voix à la radio et retourne dans
ses pensées papillonesques. Je sors, outrée.

Chez moi, je me laisse tomber dans mon divan.
Heille ! Je suis pas une junkie en manque, quand même !

J'allume la télé. Je regarde les infos du soir, sans
vraiment voir. J'ai l'impression de ne plus être con-
cernée par tout ce qui se passe dans le monde…

Je pense à Verrue. Je l'imagine en train de ricaner,
à côté.

La surfemme resterait pas chez elle à regarder la
télé, voyons !

Je jette un œil à l'horloge : huit heures et demi.
Let'go, je sors ! Faut que je me défoule ! Avec ou sans
Macro, je vais m'éclater ! Sans me changer, sans me
maquiller ni rien, je prends ma sacoche et sors.

◆

Minuit passé. Je suis pas mal soûle. Ça sera pas
facile de travailler demain. Ou plutôt tout à l'heure.

Passé la soirée au *Parallèle*. Bu pas mal. Me suis
fait *cruiser*, mais y en a pas un qui m'intéressait.
Pensais juste à Mario.

Me semble que Lutwidge est plus longue que d'habitude… Hâte d'arriver chez nous… Dodgson, enfin. Passe devant le Palais. Le criss de Palais… Arrive à mon immeuble… Entre… Commence à monter les marches… Ça tourne pas mal. Je m'arrête, m'appuie sur la rampe. Ris un peu, ah, ah, ah… Je suis vraiment faite…

Une bonne Micro, ça me ferait relaxer. Mais j'en ai pas. Maudite marde.

Continue à monter les marches… J'en arrache… La Macro, c'est ben plus le fun que l'alcool parce que ça magane pas comme ça…

Fuck!

Devant la porte de Verrue, j'entends la musique de sa radio. Il est toujours pas couché. Peut-être qu'il attend après quelque chose.

Après moi…

Fuck, fuck, fuck!

Ben, je vais le faire, batince! Je vais le faire, parce qu'au fond y a rien là! Pis au fond, une danse pour trois cents piastres, c'est un maudit bon *deal!* C'est sûrement pas une petite danse à poil qui effrayerait la surfemme! D'ailleurs, j'ai déjà dansé pour un de mes chums, pis j'avais pas haï ça! Faut pas que je pense à Verrue, c'est tout! Faut que je pense au pouvoir! À la force!… Pis à la dope…

Je rentre chez moi, titube jusqu'au salon. Fouille dans mes cassettes et mes disques.

Faut que je pense au dépassement!

Une cassette des Beastie Boys. Parfait, ça! C'est de la bonne musique! En plus, leurs tounes sont courtes!

Faut que je pense à pourquoi je suis venue ici!

Je sors de chez moi. Rentre chez Verrue. Me rends dans sa chambre, légèrement titubante.

Faut que je pense à la surfemme!

— Ta proposition, Verrue, ça marche toujours?

Ma voix est pâteuse, je parle trop fort. Verrue hausse un sourcil, un vague sourire aux lèvres.

— Ben sûr…

— Je comprends pas… T'as besoin d'argent, t'as même reçu une balle dans la jambe à cause de ça, mais t'es prêt à perdre trois cents piastres juste pour me voir danser?

— Ça vaut la peine, des fois, de perdre de l'argent…

Je l'observe un bref moment. Il veut me tester… OK… OK, OK…

— Je vais le faire, mais je veux mettre *ma* musique. Je refuse de danser sur tes… tes maudites tounes plates.

— C'est ben correct.

Je hoche la tête. Là, j'hésite. Ça dure juste une seconde. Je me penche. Le vertige me pogne. Vraiment soûle. Je réussis à rester en équilibre. Enlève la cassette quétaine. Mets celle des Beastie Boys.

Je ferme les yeux. Attends. Ne pas penser à Verrue. Ne pas penser à la danse comme telle. Penser à ma puissance.

La chanson commence.

Je rouvre les yeux et me mets à danser. J'ai les yeux ouverts mais je vois rien. Je veux rien voir. Je regarde à l'intérieur de moi. Je regarde la force et la volonté en moi.

Je commence à me déshabiller.

Ce n'est pas aux pièces de vêtements perdues que je pense. Je pense aux pas que j'accomplis vers une nouvelle frontière. Une frontière que je vais dépasser. Pour me rendre plus loin.

Me voilà nue.

Je ressens pas ma nudité. Je ressens ma réussite d'avoir dépassé cette frontière. Au-delà des murs de cet appartement minable, j'entrevois le chemin devant moi. Le reste du chemin que j'ai l'intention de parcourir. Nu-pieds, s'il le faut.

Parce que je suis forte.

Parce que je peux.

Pis je veux.

Oui, je suis nue ! Je suis nue, je danse nue pis je me fous de Verrue ! Je me fous de tout le monde ! Y a que moi, moi pis ma volonté ! C'est lui, l'humilié, le faible, qui est prêt à perdre trois cents piastres pour me voir à poil ! C'est lui qui se fait avoir ! Par moi ! Par moi ! Parce que moi, je vais avoir ce que je veux ! La vertu dans l'action ! Dans l'action !

… la chanson s'arrête.

Quelque chose fond et tombe autour de moi, dégouline puis s'évapore. Je vois enfin Verrue. Je vois enfin mon corps nu et me sens affreusement gênée, tout à coup. Vite, vite, mon linge ! Je me rhabille en vitesse, maladroite, en évitant de regarder le vieux. Me sens pas mal dégrisée. Je l'entends me dire :

— C'était pas pire. Pas spécialement cochon, mais…

— Tu voulais une danse, t'as pas précisé qu'il fallait que je fasse la plotte ! que je rétorque sèchement.

Une fois habillée, j'affronte enfin Verrue. Soudain, ma froideur disparaît et je dois me retenir pour pas rire, comme ça, stupidement. J'arrive pas tout à fait à croire que j'ai fait *ça*. Finalement, j'opte pour un sobre ricanement. Incrédule et… Non, juste incrédule, sans connotation positive ou négative. Incrédule, voilà.

Verrue, le front moite de fièvre, a un sourire entendu.

— Toi qui cherchais une job plus payante, je pense que t'as du potentiel…

Qu'est-ce qu'il veut dire ?

— Malgré ton manque d'expérience, je suis sûr qu'Andromaque te prendrait… Tu es son genre…

Là, il y va un peu fort.

— Si tu penses que je vais aller baiser sur une scène !

— Pas besoin de faire les shows érotiques… Tu peux juste te contenter des danses en solo…

Je l'observe un bon moment. Je me demande s'il est sérieux ou s'il rit de moi.

— Le tout, ajoute Verrue, c'est de garder son sang-froid. Comme tu viens de le faire.

Je change de sujet et tends la main.

— Ma dope…

Une fois ma paye en main, je viens pour partir, mais Verrue me relance :

— Penses-y, Aliss… Les filles font au moins six cents piastres par semaine, chez Andromaque…

Le chiffre m'ébranle quelque peu. Pour camoufler l'impact, je raille :

— Pour un gars qui bouge plus depuis cinq ans, tu sais pas mal comment ça marche dehors !

— Je me tiens au courant…

Il me sourit. Je lui rends la pareille. C'est fou, mais je peux pas le détester. Malgré son attitude à mon égard, malgré tout ce qu'il est, j'y arrive pas.

Je retourne chez moi. Toujours incrédule.

Je l'ai fait, c'est pas croyable.

En me couchant, je prends une Micro. L'extase.

Et je me dis que oui, ça valait le coup.

J'ai gagné.

◆

Toute la matinée, malgré mon mal de tête, j'ai cherché une job. J'ai voulu me concentrer sur des bureaux de professionnels, genre médecins, avocats, dentistes… Réceptionniste dans un bureau, ce serait un emploi intéressant, non ? Je n'ai trouvé aucun avocat, aucun médecin, ni rien de ce genre. Aucun bureau de professionnels, en fait.

Ça m'a d'abord déroutée, puis je me suis rappelé : je suis ailleurs. Vraiment ailleurs.

Journée infernale au restau. Normalement, j'ai congé les deux prochaines journées, mais mon gros *boss* tout trempe m'a demandé si je voulais rentrer demain. C'était un ordre déguisé en demande. Qu'est-ce que je pouvais dire ? J'ai tellement besoin d'argent…

Sur Lutwidge, j'ai vu passer une Limousine rouge. Ça m'a rappelé les Cadillac de la même couleur qui passent souvent. Sauf que cette fois, tous les piétons, absolument tous, ont observé la Limousine passer. Ils la regardaient avec un mélange de crainte et d'admiration.

J'ai eu un flash : c'est la voiture de la Reine Rouge.

Mais qui est donc cette femme qui réussit à imposer le respect dans tout le quartier ?

J'ai longuement suivi la Limousine des yeux et, tout à coup, la réponse s'est imposée.

Elle est la surfemme !

Bien sûr ! Seule la surfemme, seule celle qui s'est affranchie de tout peut susciter un tel mystère et une telle admiration, détenir un tel pouvoir ! C'était clair, évident, sans l'ombre d'un doute ! La Reine Rouge est l'équivalent féminin du surhomme de Nietzsche !

Moi qui m'étais dit, il y a quelques jours, que je devais oublier cette Reine, que je devais même accélérer le pas en passant devant son mystérieux Palais… Maintenant, je veux la rencontrer ! Absolument ! Si je veux devenir moi-même en personne la surfemme, il faut que j'en rencontre une autre ! Mais comment rencontrer cette Reine Rouge ? Pas en travaillant dans un minable restau certain. Il faut franchir d'autres frontières… car la surfemme se trouve au-delà des frontières.

Le soir, je suis retournée faire un tour chez Andromaque. J'ai seulement pris un verre de bière. Quand c'était une fille seule qui dansait, je l'observais avec attention, elle et la réaction des clients… Ces clients presque plus respectueux que ceux du *Bouffe-croûte*…

Je suis retournée chez moi, perplexe dans le plus profond de ma perplexité.

Là, je suis dans mon lit. Je réfléchis toujours.

Je pense à Mario. Je danse devant lui, et il me trouve très bonne.

Moi aussi, d'ailleurs…

◆

Le client est laid, sale et antipathique.

Il m'engueule de sa grande gueule, et moi, je lui fais la gueule. Son ami assis en face de lui a aussi une sale gueule. Une journée à casser la gueule de tout le monde, finalement.

— Mais elle est froide, ta calice de soupe ! Je mangerai pas de la soupe froide certain, ciboire !

— Elle est pas froide, tous les clients avant vous l'ont mangée sans dire un mot.

J'ai pris une Macro avant de venir travailler. Faut croire qu'elle était concentrée, parce que je me retiens à deux mains pour pas lui crever les deux yeux, au gros morron. Je me laisserai pas marcher sur les pieds, pas aujourd'hui. Pas jamais, d'ailleurs. Je reste calme en l'écoutant, mais ma main gauche arrête pas de gratter ma cuisse. Tellement fort que ça fait mal. Le copain du connard assiste à la scène d'un air très intéressé, en se décrottant le nez consciencieusement.

— Je m'en tabarnaque-tu, des autres clients ! persiste poliment le client discret. Moi, je la trouve froide, c'est tout !

— Impossible, monsieur, elle sort du chaudron.

Je me gratte trop fort, ma cuisse va saigner. Ça bouillonne en moi, j'ai une fournaise dans le cul qui va exploser pis gicler de ma bouche dans trois secondes ! S'il ajoute une autre objection, juste une autre, je réponds pas de mes actes. Entends-tu l'avertissement mental que je te lance, le cromagnon ? Si tu fermes pas ta gueule, tu mangeras plus jamais de soupe de ta vie !

L'orang-outan me regarde un bref moment en silence. À croire qu'il a lu dans mes douces pensées. Faux espoir : après avoir pris une respiration, comme s'il allait sortir le discours du siècle, il commence à beugler :

— Écoute, la niaiseuse, ta soupe est pas…

Il a pris une respiration pour rien, le pauvre monsieur, car je le laisse pas terminer son oraison. D'un geste calme et presque élégant, je prends le bol de soupe, lui fais faire une trajectoire ascendante, puis, par un axe de quatre-vingt-dix degrés, le transporte latéralement jusqu'au-dessus de la tête du client. Ce dernier, qui s'est brusquement tu, suit le voyage de son bol avec une fascination presque mystique. Il a pas encore compris ce qui va se passer et j'en jouis à l'avance. Son ami, le doigt figé dans sa narine gauche, observe aussi la trajectoire du bol, mais d'un œil méfiant. Je le soupçonne d'être un neurone plus intelligent que son comparse.

Enfin, j'effectue le mouvement final et fatal, c'est-à-dire la rotation du poignet. Le bol suit le mouvement, idem pour la soupe dedans. Qui rapidement ne se trouve plus dedans, mais dessus. Dessus la tête, les épaules, le visage, le torse, un peu partout.

L'homme hurle. Je le comprends.

— Vous voyez bien qu'elle est encore chaude, que je dis avec un calme qui m'étonne moi-même en personne.

Là-dessus, le grand brûlé se lève et court en couinant vers les toilettes. Son copain le suit en trottinant.

Derrière moi, mon gros *boss* tout trempe a sûrement tout vu. Je me tourne en me préparant à lui dire : «C'est pas moi, c'est la Macro ! », mais quelle n'est pas ma surprise de le voir s'esclaffer, ouah-ah-ah, un rire aussi gras que sa bedaine.

— Impayable, Aliss ! C'est la meilleure que j'ai vue depuis longtemps !

Moi, j'ai juste envie de pleurer.

Ça suffit. Vraiment. *Closing time*.

Je marche vers la porte. Mon ex-gros *boss* tout trempe ne rit plus.

— Hé ! Il est juste trois heures !

— Justement : il est pas trop tard pour que je lâche cette job avant de devenir folle !

— Ouais, ouais ! Pis je suppose que tu vas revenir dans deux jours pour que je te reprenne !

— Ce serait étonnant.

— Ben, j'espère ben, parce que je te reprendrai pas ! Même si t'étais prête à coucher avec moi, je te reprendrais pas ! Même si tu travaillais pour moi gratuitement, je te reprendrais pas ! Même si tu me payais pour travailler ici, je te reprendrais pas ! Même si…

Je saurai jamais jusqu'où il était prêt à aller pour pas me reprendre, car une fois dans la rue, je ne l'entends plus.

Je marche d'un pas décidé. J'arrive devant *Chez Andromaque*. Je m'arrête, regarde les colonnes.

Allez. Une autre frontière.

Le cœur battant à tout rompre, j'entre.

◆

Ça fait drôle de voir la salle tout éclairée. Les bustes des héros grecs sont moins impressionnants. La scène m'apparaît plus petite. Les plantes grimpantes ont l'air en plastique. Le faux marbre a l'air de ce qu'il est : faux. Je suis assise à l'une des tables et j'attends, aussi nerveuse que lorsque j'ai baisé pour la première fois, il y a trois ans. Au bar, l'employé continue à ranger ses bouteilles, sans s'occuper de moi.

La porte du fond, celle des employés, s'ouvre et le portier noir revient dans la salle. Il est juste parti depuis trois minutes, mais il me semble que ça fait trois jours.

— OK, dit-il en s'approchant. La patronne va arriver dans un instant.

— Merci.

Je souris bêtement, hi-hi, regarde partout en jouant avec mes doigts. Le grand Noir, debout, m'observe avec curiosité.

Qu'est-ce que je suis venue faire ici ! Lève-toi pis va-t'en !

Mais je bouge pas.

J'entends alors un bruit étouffé, en provenance d'une autre pièce, au-delà des murs de la salle. Un bruit incongru, absurde, le son le plus inattendu qu'on puisse entendre dans un endroit pareil.

Les pleurs d'un bébé !

Je dresse l'oreille, incrédule, mais le silence est revenu.

— T'es venue une couple de fois, toi, non ?

Le grand Noir.

— Oui, deux fois.

— T'es pas mal *cute*, tu savais ça ? Je pense que la patronne va te prendre sans problème.

— Merci, c'est… c'est gentil.

Il s'allume une cigarette.

— T'as l'air nerveuse, par exemple. T'as jamais dansé ?

— Non. Mais je… Je suis majeure, inquiétez-vous pas.

— Majeure ?

Il éclate de rire, ah, ah, ah, en se tournant vers l'employé au bar. Ce dernier rit aussi, ah, ah, ah. Ils rient tous les deux, ah, ah, ah, ç'a l'air ben drôle. Moi, je sais pas trop comment prendre ça.

Le Noir revient à moi, tire sur sa cigarette, narquois :

— Hé bien, ça nous rassure beaucoup…

Le gars au bar recommence à rire. Ils se foutent de moi ou quoi ? Ça commence bien !

Un autre ricanement, comme un écho. Je tourne la tête en tous sens, cherchant la provenance de ce rire. Au fond de la salle, quelqu'un est assis sur une chaise, les jambes remontées contre sa poitrine, les bras entourant ses genoux. Un gars. Il est loin, moins bien éclairé.

Et maigre. Très, très maigre.

Il a cessé de ricaner, mais je vois son sourire. Un drôle de sourire qui, même de loin, est beaucoup trop grand pour sa face étroite et maigre. Un sourire qui m'est familier, qu'il me semble avoir déjà vu, ici, quand je suis venue la première fois. Je rétrécis les yeux pour mieux voir le gars. Il est parfaitement immobile.

De nouveau, j'entends ces pleurs de bébé, lointains. Ça dure quelques secondes, puis ça cesse.

Le gars au bar se tourne vers le fond de la salle :

— Chess, tu viendrais pas me donner un coup de main ?

Manifestement, il parle au mec assis dans le fond. Le gars bouge pas. Il se contente de pencher la tête sur le côté en souriant. Le gars au bar renifle avec rancœur :

— Non, évidemment…

Ricanement aigu et fêlé de la part du dénommé Chess. Un autre *weirdo*. Un de plus. Bienvenue dans le club.

La porte du fond s'ouvre et une grande Noire fait son apparition. Une quarantaine d'années. Longs cheveux frisés qui tombent presque jusqu'aux fesses. Expression grave et sévère, mais traits souples, harmonieux. Vraiment très belle. Je me rappelle l'avoir déjà vue. Elle porte une longue robe blanche, aussi cérémonieuse que celle qu'elle portait l'autre soir, mais dans cette salle éclairée froidement et sans ambiance, c'est un peu quétaine. Au moins, elle n'a pas, comme la dernière fois, de couronne de lauriers dans les cheveux…

— Voici Andromaque, la propriétaire, me présente le Noir.

Elle s'approche de moi. Elle me considère avec une hauteur affectée. Une Verrue féminine ? Non, pas vraiment. Il n'y a aucune ironie dans son expression, aucune dérision. Elle attend que je parle, on dirait. Je me lance :

— Heu, oui, alors, je... Je voudrais être... danseuse. En solo.

Elle parle enfin, d'une voix calme et solennelle :

— Bon, c'est pas impossible que j'te prenne sous
      mon aile,
    Comme ça, tout habillée, tu m'as l'air assez belle.
    Mais des vêt'ments, tu sais, c'est plutôt hypocrites.
    Ça cache les vergetures, les traces de cellulite...

J'approuve en silence, fascinée par sa façon de parler, partagée entre le fou rire et l'admiration. Comment elle fait ça ? C'est un texte qu'elle a appris par cœur ou quoi ?

— Je comprends très bien, que je dis.

Je pourrais lui dire qu'une couple de ses danseuses ont de la cellulite, mais c'est pas le temps de faire la *smatte*.

— Quel âge que t'as, au juste ? Vingt et un ? Vingt-
      deux ans ?
    T'as l'air jeune : un bon point. Ça, ça plaît aux
      clients.

C'est incroyable, elle parle vraiment comme ça naturellement !

— J'ai dix-huit ans, que je dis.

Je m'empresse d'ajouter, pour mettre tout de suite les choses au clair :

— Écoutez, moi, je veux danser, c'est tout. Je me masturbe pas, je me rentre pas de vibrateur, je baise pas sur scène, rien de ça. Je danse nue, point final.

Elle sourit pour la première fois. Un beau sourire, cela la rend presque sympathique.

— Tout ce que j'te demande, c'est d'être très sen-
    suelle.

Et pour ça, ma belle chouette, pas besoin de
    bébelles.

La paye de base : trois cents. Rajoute une couple
    de cents

Avec les danses aux tables pis les « tips » des
    clients.

J'approuve. Mon cœur bat un peu plus vite. Ça
commence à faire pas mal d'argent. Mais je vais-tu
être capable de faire ça ? Vraiment capable ?

Une chose à la fois, Aliss… Une frontière à la fois…

— Ça me va, dis-je.

Andromaque hoche la tête, mais elle a toujours ce
petit air non convaincu.

— Je te regarde mieux, là… OK, tu fais pas dur,

Mais tes seins sont pas gros… Je sais pas, j'suis
    pas sûre…

Elle m'examine de haut en bas et prend un air déçu.
Elle joue, elle *fake*, parce que dans ses yeux, une certaine satisfaction brille, je le vois bien qu'elle me
trouve *cute* ! Elle est juste trop fière pour montrer son
enthousiasme ! Cela me donne un regain d'énergie et
je redresse la poitrine en lui lançant un regard plein
d'audace. Le Noir intervient alors :

— Voyons, Andro, elle est très belle, cette fille-là !
On en a des moins sexy qu'elle, tu le sais !

Andromaque lui jette un regard noir foncé.

— J'suis toujours prête, Bowling, à entendre tes avis.

Y a une manière, par contre, de les dire… Tu
    me suis ?

Le dénommé Bowling baisse les yeux, puis ajoute
plus doucement :

— Je dis juste que, physiquement, je trouve qu'elle
fait parfaitement l'affaire…

Andromaque revient à moi, fait la moue.

—Je suis pas convaincue… pas convaincue du
tout…

Son regard continue d'affirmer le contraire. Je
bronche pas. Elle m'humiliera pas ! Je vais rester digne
et fière, c'est elle qui va craquer. Pas moi ! La surfemme craque jamais !

Un rire, dans le fond. C'est le maigrelet, le visage à
moitié caché derrière ses jambes repliées. Andromaque
se tourne vers lui, agacée.

—Ça veut dire quoi, ça, Chess, ce rire par en
dessous ?

Il se tait un moment, puis, sans cesser de sourire,
parle enfin. Une voix faible et nasillarde, un peu planante, un peu craquée. Une voix de *cartoon*.

—Tu vas la prendre et tu le sais bien…

Je souris de triomphe. Tiens, la péteuse de broue,
prends-en pour ton rhume ! Le regard de la patronne
devient deux grenades. Bowling a l'air mal à l'aise.
Mais Chess, pas impressionné du tout, ajoute :

—Allons, arrête de prendre tes grands airs, duchesse…

Andromaque se redresse de toute sa grandeur, furibonde, et, honnêtement, elle fait assez peur. Elle devient
même rouge de rage, ce qui, compte tenu de sa pigmen-
tation, relève de l'exploit.

—Quoi ? Comment tu m'appelles, minable petit
étron ?

Répète jamais ça, Chess ! Répète-le plus, sinon…

Elle ne termine pas sa phrase. Chess continue de
la narguer, de loin :

—Sinon quoi ?

Il rigole, de son ricanement névrosé. Andromaque
pointe le doigt vers lui, serre les dents, se mord les
lèvres, tremble de rage. Bowling l'observe comme s'il
redoutait le pire. Et soudain, la rage de la patronne
tombe, s'affaisse, se dégonfle. On dirait, tout à coup,

qu'elle regrette ses paroles, une vague crainte altère son visage et elle suggère, incertaine :

— Va-t'en, Chess, s'il te plaît… Va faire un tour, tu veux ?

Pis Bowling aussi, tiens ! Sortez donc, tous les deux…

Chess déplie alors ses membres, longs et frêles. Ai-je bien entendu des craquements ? Il s'avance vers nous et je le distingue enfin clairement. Difficile de mettre un âge. Vingt-cinq ? Trente ? Trente-cinq ? Jamais je n'ai vu être humain aussi maigre. Gwynneth Paltrow est obèse comparée à lui. Il flotte dans un pantalon et un t-shirt, et je me dis que nu, il doit faire frémir. Tout est en long, chez lui : ses membres, sa face, ses yeux, son nez, ses cheveux… Il n'a qu'une chose de large : son sourire, qui mange la moitié de son visage, avec des dents grandes comme des feuilles de papier. Ces dents blanches et saines étonnent, d'ailleurs, dans cette figure creuse, longue et pâle. Tellement pâle que la peau est presque transparente.

Il va rejoindre Bowling et tous deux marchent vers la porte du fond, même si, manifestement, le grand Noir n'est pas très enchanté d'accompagner le grand maigre. Chess me jette un dernier regard, un dernier sourire, puis sort de la salle avec l'autre.

Andromaque m'étudie toujours. Elle finit par s'allumer une longue cigarette qu'elle pique au bout d'un porte-cigarettes désuet. Elle dit enfin, en affectant de le regretter :

— Bon, très bien, je te prends, même si t'es pas Bardot.

Même que je vais t'apprendre un vrai bon numéro.

Faut voir ce que t'as l'air comme danseuse, sous un spot.

Tu regardes certaines filles, on dirait le jackpot,

Mais aussitôt qu'elles dansent, elles deviennent
      des banquises.

C'est comme si elles dansaient dans un sous-sol
      d'église.

J'approuve, de nouveau nerveuse. Andromaque
regarde sa montre et dit :

— Prends donc un verre, au bar. Après, tu viendras
      m'voir.

Tu prends la porte, là-bas : c'est au bout du
      couloir.

Là-dessus, elle s'éloigne et disparaît à son tour.

Je vais m'asseoir au bar, incertaine. Sans un mot,
le barman me donne un shooter de je sais pas quoi, en
me regardant à peine. Fébrile, je descends le verre d'un
trait. Ce qui m'attend, de l'autre côté de cette porte,
c'est une audition, une vraie. Ça fait partie de la *game*.
Elle va me montrer un numéro et me faire danser.

Sauf que j'ai pas de Macro sur moi.

Je serai jamais capable.

Bon, ben, fais-le pas, Aliss, c'est tout.

Je remonte ma sacoche sur mon épaule, me lève et
regarde les deux portes. Celle du fond et la sortie du
bar. Deux portes. Une rassurante qui m'enfonce dans
l'inertie. Une angoissante qui me fait avancer.

L'action. L'action.

Je me dirige vers la porte au fond de la salle.

De l'autre côté, un long couloir. Je passe devant
plusieurs portes. L'une est ouverte et donne sur une
pièce pleine de miroirs illuminés, de comptoirs, de
chaises et de vêtements accrochés aux murs. Sûrement
la loge des « artistes ». Loge où je vais me retrouver
bientôt.

Le cœur me débat, un vrai rodéo.

Les autres portes sont fermées. Sur l'une est inscrit
« bureau ». Sur une autre, « appartement : privé ».

Je marche sans quitter des yeux la porte au bout,
ma destination. Plus j'en approche, plus j'entends le

même son absurde que tout à l'heure : des pleurs de bébé.

Je cogne à la porte. On me hurle d'entrer.

La pièce est comme un mini studio de danse, avec miroirs, barres parallèles et console de son-éclairage. Sur une table se trouve un interphone, un panier rempli de fruits, deux bouteilles de vin et du linge blanc en tas. Andromaque se promène de long en large, en tenant dans ses bras un… ? Un ? Hé oui ! Un bébé qui pleure ! Un vrai ! Un petit Noir miniature qui doit avoir un an et demi ! La vue de ce bébé, ici et maintenant, me fait le même effet que si je tombais sur un clown dans un salon funéraire.

Andromaque est manifestement très agacée par les cris de l'enfant ; elle tente de les ignorer et me dit, la voix forte pour couvrir celle du poumon ambulant :

— Bon. C'est là qu'on va voir, pour vrai, ce que tu vaux.

Enfile donc cette longue robe, c'est pour ton numéro.

Elle me fait mettre un costume pseudo-grec, un genre de longue toge blanche, l'accoutrement que portent la plupart des danseuses et danseurs du club. Sous le costume, je suis nue, sans sous-vêtements. Je chausse aussi des sandales à lanières et la fameuse couronne de lauriers. Coup d'œil dans le miroir : comique. Je ressemble à une actrice de vieux films historiques *cheap*. Je ricane même un peu, hé-hé, mais aucun hé-hé ne sort d'Andromaque. Pendant tout ce temps, le bébé continue de manifester son trop-plein de vie par moult cris. Je l'observe sans arrêt du coin de l'œil, plutôt inquiète, mais sa mère me parle en feignant d'ignorer totalement les vociférations du bambin. Peine perdue : elle camoufle difficilement un agacement souverain. Un peu pénible, comme ambiance.

Elle veut m'expliquer le principe de mon numéro, mais, franchement, je n'y comprends goutte. Ce que je lui fais remarquer, d'ailleurs. Alors, elle perd ouvertement patience. Elle lève le bébé à hauteur de son visage et se met à le secouer en tous sens, comme un réveille-matin qui fonctionnerait pas ! Sauf que celui-ci fonctionne très bien ! Sa sonnerie stridente en est l'assourdissante preuve.

— Veux-tu ben m'dire pourquoi j'ai voulu t'avoir, toi !

Pourquoi je t'ai gardé ? Je me l'demande, des fois !

Là-dessus, le bébé lui vomit dessus, floushhh ! Un beau jet vert digne de *L'Exorciste* ! Elle trouve pas ça drôle, la maman. Une belle robe grecque recouverte de vomi, ça éclabousse une mythologie.

— Sacrament, c'est pas vrai ! Pas une autre fois ! Ah, non !

Une robe fraîch'ment lavée ! Cochon, cochon, cochon !

Elle le frappe, tiens, plaf ! Une claque en pleine face ! Là, j'ose réagir. C'est plus fort que moi.

— Voyons donc, faites pas ça ! C'est un enfant, un bébé ! Il comprend pas !

Andromaque me regarde en clignant des yeux, interdite pendant quelques secondes. L'enfant, lui, devient écarlate à force de hurler. Consternée, elle réalise ce qu'elle vient de faire et une couple de bougies s'allument dans son regard. Elle serre alors son bébé tout contre elle en gémissant :

— Je m'excuse, Astyanax ! Mon cœur, mon chou, mon beau !

Non, maman frapp'ra plus, c'est fini, les bobos !

Un peu tard pour les pardons, si on se fie aux plaintes apocalyptiques d'Astyanax. Astyanax ! C'est beau *triper* sur Racine, mais me semble qu'il y a une limite ! Andromaque va à l'interphone sur la table et appuie plusieurs fois sur une touche. Après quoi, elle continue de cajoler son enfant. Comme celui-ci persiste à se démener et à crier, je vois l'impatience de la mère revenir comme une marée montante.

Heureusement, Bowling arrive. Andromaque lui tend le bébé :

— Essaie de l'endormir, moi, je suis plus capable !

Sinon, j'vais perdre la tête pis l'clouer sur la table !

Le grand Noir, tout souriant, prend le bébé. Miracle : la sirène s'arrête instantanément ! Bowling sort avec l'enfant en lui gazouillant des mots doux. On dirait qu'il a le tour, Bowling. Sûrement le père… Andromaque le regarde sortir, vexée. Jalouse, la tragédienne ?

Il y a quelque chose de bizarre dans ce bébé. Pas juste le fait qu'il pleure *non-stop*, pas juste le fait qu'il se trouve dans un endroit parfaitement incongru… Il y a autre chose…

Andromaque nettoie le vomi sur sa robe en maugréant, puis m'explique enfin le numéro. Je suis censée être une sorte de vierge grecque ; j'entre sur scène en tenant un panier de fruits que je viens offrir à la déesse Aphrodite (dont le buste se trouve au milieu de la scène de la grande salle). Après avoir déposé le panier de fruits sur le sol, après m'être inclinée devant la déesse, je me relève en même temps que la musique change de *beat* et je commence à danser. L'offrande de fruits est une intro qui doit durer à peine trente secondes. Au moment où je commence à me dandiner, j'ai environ une minute et demie pour me mettre flambant nue. Je danse comme ça pendant environ deux minutes, puis, quand le rythme de la musique change de nouveau, je prends la bouteille de vin dans le panier et m'en vide le contenu sur tout le corps. Andromaque explique avec beaucoup de passion, bien fière de ses idées artistiques :

— C'est comme si, à la fin, tu dansais pour Bacchus !

Bacchus, le dieu du vin ! D'la fête ! Dois-je en dire plus ?

Non, non, j'ai compris, pas besoin d'un doctorat en mythologie grecque pour comprendre toute la subtilité de ce grand numéro. Mais me badigeonner de vin… Pas évident, ça…

J'ai juste à m'en aller si je trouve ça si débile.

Je reste. J'écoute.

— Je vais le faire une fois, regarde attentiv'ment.

Tu dois saisir l'ambiance, c'est le plus important.

Elle va à la console, arrange l'éclairage et vient se placer sous le halo de lumière. Au début, la musique est pastorale, bucolique, et Andromaque, en s'agenouillant devant la table (qui représente la déesse Aphrodite pour les besoins de la cause), me semble un peu ridicule. Mais lorsque la musique se transforme en un mélange d'opéra et de techno, l'attitude de la danseuse change complètement. Nue, splendide malgré les quelques traces qu'ont laissées sur son corps la maternité et l'âge, elle danse avec une sensualité dévastatrice et une grâce parfaite. Lorsqu'elle verse le vin sur son corps et que de longues coulées rouges dégoulinent le long de sa peau d'ébène, je ressens alors un long frisson agréable me parcourir tout le corps, ce qui me gêne un peu… Elle a beau avoir quarante ans et quelques plis en surplus, elle ferait bander n'importe quel jeune homme de vingt ans, j'en suis convaincue. Andromaque a carrément l'air en extase. Elle joue, mais en même temps, elle vit. Elle vit son corps et sa sensualité, elle se fait caresser par l'air, par les atomes de l'air, par les atomes du vin. C'est naturel et en même temps d'une absolue théâtralité.

La chanson se termine dans un tonnerre de voix et de cuivres éclatants, et Andromaque s'affaisse sur le sol.

Silence. S'il y avait eu un rideau, il serait tombé.

Deux minutes après, elle a une nouvelle robe sur le dos et une serviette qui recouvre ses cheveux tout mouillés. L'ambiance chaude s'est dissipée : elle est redevenue la hautaine et froide propriétaire du club.

— Ça te donne une idée du style visé, tu vois ?

T'as compris le principe ? J'espère, car c'est à toi.

Là, maintenant, tout de suite ? Elle me dit de m'installer et s'en va vers la console au fond de la salle.

Je tremble de tout mon corps. Sans dope, je serai jamais capable, jamais, c'est trop difficile, trop gênant ! En plus, j'ai la folle impression que ce serait plus facile s'il y avait du monde ! Pourtant, je m'installe à deux mètres de la table, le souffle court. Les lumières s'éteignent. Mon corps se recouvre instantanément de sueur sous la toge blanche.

C'est ridicule ce que je fais là, ridicule !

Je suis vraiment sur le point de m'en aller lorsque la musique commence. Alors, malgré moi, je me mets en marche.

Ridicule, ridicule…

Plus que ridicule : insensé ! Tout est insensé : ce que je fais, cette femme, ce club, ce quartier, ma présence ici… Tout !

Et pourtant, j'y vais.

Je prends le panier de fruits. Tente de marcher de façon… heu… de façon pure, innocente, je sais pas trop… Je dépose le panier devant la table. Trop fortement, une pomme tombe. Je m'agenouille devant la table, joins les mains comme si je priais. Une table, je prie une table ! Je ne peux m'empêcher de pouffer de rire, c'est nerveux…

Je suis atrocement mauvaise !

Je reste à genoux, comme une nouille : j'attends que la musique devienne rythmée ; c'est le signal pour que je danse. Mais c'est long en batince, je suis allée trop vite !

Voilà, enfin ! Je me lève. Commence à danser. Je suis gênée, tellement, tellement gênée.

… je finis par me déshabiller…

… je regarde partout et nulle part en même temps…

… ma danse est hésitante… j'ose rien de vraiment sensuel…

… en me versant du vin sur le ventre, je pousse un petit cri : c'est tellement froid !…

… en m'en versant sur la figure, je m'étouffe… tousse…

… je danse mal, mes pieds glissent dans le vin…

… je ricane une ou deux fois… un ricanement idiot…

… je me laisse tomber sur le sol beaucoup trop tôt, la musique joue encore pendant quinze secondes…

Silence, enfin. Enfin, enfin !

Je reste sur le sol, la figure sous mon bras. Je veux pas me relever, jamais, jamais…

Les lumières se rallument. Je reste couchée. Ho, que je suis gênée !

J'entends Andromaque toussoter. Me lève, pas le choix. Rouge de vin et de malaise. Je prends une serviette, m'essuie. J'ose pas regarder Andromaque, là-bas, derrière la console. Je remets la toge blanche. Ainsi habillée, je me sens mieux. Je lève enfin les yeux vers la patronne.

Elle me dévisage. Pas contente du tout, du tout. Non, non, non. Ho, qu'elle n'est pas contente !

— Tu te fous de ma gueule ? Qu'est-ce que tu viens d'me faire ?

La chute de Rome, peut-être ? La descente aux Enfers ?

— Je… c'était pas fort, je sais, mais… c'était la première fois pis…

Elle avance vers moi, terrible. Elle a enlevé la serviette sur sa tête et ses longs cheveux noirs ressemblent à des tentacules de ténèbres. Ses yeux verts s'ouvrent sur de sombres fonds marins. Je fais un pas de recul. Mon assurance de tantôt est partie, volatilisée, disparue.

— Sais-tu c'est quoi le pire ? C'est que j'te donne
      une chance !

Demain, c'est ta première… peut-être ta dernière
      danse !

Parce que *tomorrow night*, si tu es aussi plate,

Non seulement le public va t'lancer des tomates,

Mais j'te jure que moi-même, j'te soulève par
      les boules

Pis j'te *criss* dans la rue. C'est-tu clair, ça, ma
      poule ?

Se faire menacer en alexandrins, c'est assez spécial
merci. Cette lamentable audition devrait être suffisante
pour me décourager, et, pourtant, j'émets un faible
« oui », comme si je m'obstinais. Andromaque approuve, fière de son petit effet. Puis, d'un geste théâtral,
elle fait claquer sa robe et se dirige vers la porte, sans
un regard vers moi.

Bon, ben, je pense qu'il me reste juste à me rhabiller
et à tirer ma révérence.

Franc succès, Aliss. Bravo, bravo. Supplémentaires
assurées.

Fuck !

◆

Je retourne chez moi d'un pas mécanique. Je crois
pas encore ce qui vient de m'arriver. Ce que je viens
de faire. Et ça commence demain. J'en reviens pas
encore qu'Andromaque m'ait prise après une si piètre
performance…

Il est juste cinq heures. Je vais aller raconter ça à
Verrue, tiens. Je sais pas pourquoi.

Peut-être parce qu'il est le seul à qui je peux parler…

En entrant chez lui, j'entends du brouhaha en provenance de sa chambre. Il y a du monde. Au moins
trois personnes. Verrue a pas l'air de bonne humeur.
Discussion vive et pas très gaie.

— Maudits traîtres ! Je vous avais pourtant dit que je voulais pas voir de docteur !

— C'est vrai, mais là, il y a une limite, Verrue !

— Tu vas crever, si on fait pas quelque chose.

— Ils n'ont pas tort. Vous savez que vous faites 44 de fièvre ?

Docteur ? Il y a donc des médecins dans le coin ? Moi qui ai pas vu un seul cabinet ! Ils se cachent ou quoi ?

J'entre dans la chambre. Il y a Micha et Hugo. Sans bière et sans joint, ils sont méconnaissables. Avec eux, un homme habillé en complet-cravate, presque chauve, avec lunettes et barbiche. Et Verrue, *of course*, assis par terre, l'air enragé. De la radio, en sourdine, sort une magnifique chanson du grand Michel Louvain. Tous les regards se tournent vers moi.

— Il ne manquait plus qu'elle, fait Micha en soupirant.

— Ouais, elle décolle pas facilement, ajoute Hugo.

— Qu'est-ce qui se passe ici ? que je demande en ignorant totalement les deux smatts.

— Ce charcuteur veut m'amener chez lui ! vocifère Verrue.

— Charcuteur, ah, ah, très amusant, fait le médecin avec un sourire forcé. Écoutez-moi, Verrue, si je ne vous opère pas d'urgence, vous perdrez non seulement votre jambe, mais tout le reste. C'est la gangrène qui chemine là-d'dans, vous comprenez ce que ça veut dire ? Gangrène : mortification et putréfaction des tissus.

Du regard, j'évalue le membre infecté. Le tissu du pyjama a été arraché, on voit donc la jambe à nu. Si on peut encore appeler ça une jambe. C'est enflé, ça gondole, c'est humide de pus, c'est jaunâtre et rouge à la fois. Dans le cratère du genou déborde une tripaille, une infecte salade, un mélange de mayonnaise et de sauce tomate. Bref, y a pas de mots. Inquiète, je renchéris :

— T'as entendu, Verrue ? La gangrène ! T'as plus le choix, maintenant !

— Elle a raison, la petite nouvelle, approuve Hugo.

— Elle peut dire des choses sensées, comme tu vois, approuve l'autre.

— Je veux pas bouger d'ici ! persiste le vieux en donnant des petits coups sur le plancher, la voix hargneuse mais affaiblie par la fièvre. Je veux pas briser mon cocon ! Dans très peu de temps, je vais éclore, je veux pas tout gâcher !

— Si vous gardez cette jambe, vous mourrez avant trois jours. C'est aussi simple que ça.

Verrue ferme les yeux et soupire. Il a l'air d'avoir trois cents ans. Pour la première fois, j'ai vraiment pitié de lui. Sentiment que lui-même serait pourtant incapable de ressentir. Il croasse, toujours les yeux fermés :

— Si vous voulez m'enlever cette jambe, faites-le ici.

Micha et Hugo soupirent d'exaspération. Le médecin, par contre, réfléchit et nous demande :

— La proprio habite en bas, c'est ça ?

— Oui, que je dis. Au numéro un.

— Je reviens tout de suite.

Il sort. Qu'est-ce qu'il peut bien lui vouloir, à la proprio ?

— T'es pas raisonnable, Verrue, gronde doucement Micha.

— Tu résistes inutilement, ajoute Hugo.

— Tu t'entêtes.

— Tu persistes.

— Tu t'enlises.

— Tu chavires.

— Tu perdras.

— Tu verras.

Verrue hausse les épaules. Moi, je ne sais trop quoi dire. C'est vraiment pas le moment de lui parler de mon audition.

Michel Louvain continue de fausser.

Le docteur revient en disant :

— Votre proprio a eu la bonté de me prêter ceci.

Le « ceci » est une hache. C'est sûrement un mauvais gag.

— Que c'est ça ? que je m'étouffe presque.

— Ça ? Une hache, voyons. Hache : instrument servant à fendre, formé d'une lame tranchante de forme variable, fixée à un manche.

— Vous êtes pas sérieux !

— Je vous jure que c'est vraiment une hache.

— Vous avez quand même pas l'intention de lui couper la jambe avec ça ?

— Vous avez une meilleure idée ?

— Sans anesthésie ? Sans instruments, sans l'endormir, sans rien ?

— Dans ma valise, ici, j'ai tout ce qu'il faut pour désinfecter, refermer et bander le moignon. Mais pour l'anesthésie, il faudrait aller chez moi. Monsieur a le choix.

— Ici ! grommelle sombrement Verrue. Qu'on fasse ça ici, et qu'on n'en parle plus !

Je me penche sur le vieillard, alarmée.

— Verrue, la fièvre te fait délirer, c'est pas possible ! Tu vois bien que ce supposé docteur est fou !

— Vous n'êtes pas très polie, mademoiselle ! J'ai étudié à l'Université de Montréal, vous saurez ! J'ai travaillé douze ans au Montreal's Children !

— Fais pas ça, Verrue ! Ça risque encore plus de t'achever que la gangrène ! Pis la souffrance ! T'as pensé à la souffrance ?

Verrue m'agrippe alors par le chemisier et approche son visage raviné tout près du mien. La puanteur de son haleine me fait défaillir. Il a mangé du chien crevé, ma parole !

— Je m'en fous ! Tu comprends donc pas encore ? Seule l'éclosion est importante, point final !

Je me relève, ébranlée. Verrue lâche froidement :

— Allez-y, docteur !

— Vous pourriez au moins prendre quelque chose qui vous aiderait à supporter la souffrance, même si vous vous en « foutez », comme vous dites, propose le pseudo-médecin. Vous n'avez pas une forme d'analgésique quelconque ? Analgésique : qui supprime ou atténue la sensibilité à la douleur.

Verrue fouille dans ses poches. Il en sort un flacon de Macros. Il en avale trois, d'un seul coup !

Ça suffit, il faut que j'arrête cette folie ! Je m'avance vers le médecin en tendant les bras :

— Vous, le malade ! Donnez-moi ça !

— Vous voulez opérer vous-même ? Je ne suis pas sûr que vous soyez qualifiée.

— Micha, Hugo, occupez-vous donc d'elle ! lance Verrue.

Les deux interpellés me saisissent, chacun par un bras, et me tiennent solidement. Je me débats, comme dans un mauvais film.

— Heille, vous deux, lâchez-moi tout de suite !

— Tout doux, la petite hystérique.

— On reste sage.

— On se calme.

— On relaxe.

— On se décontracte.

— On respire.

— On écoute les oiseaux.

— On batifole dans les prés.

J'arrête de me débattre, à bout de souffle… Regard suppliant vers Verrue… Il ne me voit plus. Sa surdose de Macro fait rapidement effet. Pis tout un effet ! Ses yeux s'agrandissent, explosent, deviennent deux feux d'artifice. Tout son corps se raidit, ses lèvres se retroussent. J'ai l'impression de le voir rajeunir de dix ans tandis qu'il se met à crier :

— Parfait ! Parfait, parfait ! Envoye, docteur, vas-y ! Coupe-moi ça, c'te jambe-là ! Coupe ça pis crisse-la au vidange ! Je veux un corps en santé pour mon éclosion ! Un corps pur ! Coupe, vas-y, j'ai pas peur ! Je méprise ma jambe, je méprise la peur, je méprise la souffrance, je méprise la hache, je te méprise toi aussi, le toubib ! Je vous méprise toute la gang ! Je méprise tout ce qui relève de l'humain ! Coupe ! Envoye, coupe, coupe, coupe !

— Je vais donc procéder, fait calmement le docteur.

Il lève bien haut la hache.

— Arrêtez ! que je hurle en me débattant de nouveau. Arrêtez, pour l'amour du Ciel, arrêtez !

Et la hache s'abat. Je ne ferme pas les yeux. Comme si j'espérais que la force de mon regard fasse dévier l'arme et qu'elle aille se planter à côté, dans le plancher…

Mais non.

La lame entre dans la jambe, un peu en haut du genou. J'entends un craquement épouvantable. Un long jet de sang fuse. Je pousse un cri car je ressens la douleur, je la ressens droit dans mon cœur, droit dans mon âme ! Je me mords la lèvre avec violence pour arrêter de crier. Sauf que ça hurle encore. C'est Verrue ! Un long et puissant hurlement. Il hurle, gratte le plancher, mais il a toujours la force et l'énergie d'émettre des mots :

— Ahhhhhh ! C'est ça ! On coupe, on coupe ! Un autre coup, docteur, envoye, qu'on en finisse ! Ahhhh, ostie que ça fait mal ! Mais je m'en fous, je m'en fous ! Je crache sur la souffrance, je chie sur la douleur !

Le docteur tire sur la hache. La jambe lève aussi, la lame est coincée. Le médecin secoue le manche, la jambe tressaute, ça gicle partout, Seigneur ! c'est un cauchemar ! Le docteur, en poussant un grognement agacé, met son pied sur le bas de la jambe et tire de toutes ses forces. Quelque chose grince, Verrue redouble de hurlements, moi, je deviens molle, molle, ça commence à tourner… La lame finit par sortir.

Je vais m'évanouir, c'est sûr… Il me semble entendre les hurlements de Verrue… et Michel Louvain, aussi…

> À *cause d'un regard,*
> *Maintenant plus rien ne nous sépare*

Micha et Hugo me lâchent. Je m'écroule par terre.

— Tu serais mieux de pas rester ici…

— Ouais, d'aller voir ailleurs…

— Changer de pièce…

— Prendre l'air…

— Sortir…

— Partir…

La pièce devient tourbillon. Je distingue malgré tout le médecin, le visage grave et concentré, qui soulève à nouveau sa hache dégoulinante.

… sortir, oui… vite…

Je marche à quatre pattes, sors de la chambre. À la cuisine, je m'agrippe à une chaise… me relève péniblement… debout… la tête penchée toujours… retenant une envie de vomir…

J'entends le second coup de hache. Bruit gluant et sec à la fois. Nouveau hurlement de Verrue, animal, atroce. Micha qui se met à crier :

— Franchement, docteur, frappez au moins dans la même entaille !

— Même entaille, même entaille ! C'est facile à dire ! Je voudrais vous y voir, vous !

Verrue gargouille des mots incompréhensibles… Je crois entendre *coupe* et *méprise*… J'ai même l'impression qu'il rit un peu, entre ses râles de souffrance…

… bruit d'ampoule brisée… cris de Verrue… Michel Louvain, imperturbable…

Je vomis toujours pas.

Je titube dans le corridor. La porte tangue devant moi. Je réussis à atteindre la poignée. Je perçois un autre coup de hache, un autre hurlement.

— On y est presque ! Encore un ou deux coups, et ça devrait être terminé ! Courage, mon cher ! Courage : force morale, dispositions du…

Sortir, sortir…

J'ouvre la porte. Me lance sur la mienne, en face. Entre chez moi. Fais du zigzag. Me laisse tomber dans mon lit.

À travers les murs, les hurlements sourds de Verrue me poursuivent. Je me bouche les deux oreilles, ferme les yeux, pousse un cri aigu.

Fou, c'est fou, ils sont fous, tout le monde est fou, ici, c'est fou, fou, fou !

Dans le bourdonnement de ma tête, dans l'explosion de flashs mauves qui m'aveuglent, une petite voix moqueuse :

Voyons, Aliss, tu es ailleurs, ne l'oublie pas…
Ailleurs…

Je me lève. Tremblante, je prends le CD du groupe *Nine Inch Nails*. Le mets dans le lecteur. Monte le son au max. Au boutte, calvaire, au boutte ! La voix de Trent Reznor envahit l'appartement.

> *I'm okay, I'm on track*
> *On my way — and I can't turn back*

Je m'allume un joint. J'en prends trois, quatre grosses *pof*. Je me mets à tourner comme une toupie, en vociférant les paroles de la chanson, la tête levée au ciel ; je crie les paroles avec assez de force pour ne plus penser, pour ne plus raisonner, pour juste éclater, m'éclater, continuer, continuer jusqu'au bout… Je chante, je chante, je chante à en perdre la voix :

— *I stayed… on this track… Gone too far… and I can't come back… can't come back… CAN'T COME BACK !…*

Chante et tourne… chante et tourne…

◆

Mauvaise nuit.

Le lendemain après-midi, j'ose retourner chez Verrue.

Dans sa chambre, il y a du sang séché partout : sur les murs, sur le sol, sur la radio et les disques, sur la chaudière à pisse. Quant à Verrue, il est assis à la même place. Outre le fait qu'il y a plusieurs taches de sang durci sur son pyjama usé, il manque trois choses au spectacle habituel. Premièrement, sa jambe droite, à partir du genou. Le moignon disparaît dans un pansement blanc, légèrement rougi. Deuxièmement, la musique. Pas de quétainerie qui sort de la radio. Silence bienfaiteur. Et troisièmement, le joint. Verrue ne fume rien. Une première. N'empêche : jamais il m'a paru dans les vapes à ce point. Ses yeux sont à peu près fermés, sa bouche entrouverte, son visage plus ridé que jamais. Il est parfaitement, mais alors là parfaitement immobile. Je sens mon cœur se serrer.

— Verrue ? Tu m'entends ? Ça va ?

Ses yeux bougent. Il me voit. Ses lèvres s'étirent. Je vais prendre ça pour un sourire.

— Aliss… Comment ça va ?

Il parle, c'est toujours ça. Sa voix est si rocailleuse qu'on la dirait plus produite par ses os que par ses cordes vocales.

— Moi, ça va. Mais toi… Qu'est-ce qui se passe, ta… ta blessure est en train de t'achever ?

— Non, ça va bien… Mon moignon est désinfecté, la gangrène est arrêtée.

Bon. Toujours ça. Pourtant, il en mène pas large. Tellement pas large qu'il passerait dans un trou de souris. Il m'explique :

— C'est le cocon, Aliss… Il est prêt à éclore, maintenant.

Une véritable extase éclabousse alors ses prunelles, faisant pour la première fois disparaître complètement ses reflets d'orgueil et de suffisance.

Je me mords la lèvre. J'ai envie de lui dire, une fois pour toutes, que son histoire de cocon et de papillon, c'est des chimères, du délire. Qu'il est pas en train de se transformer, mais de crever! Que c'est pas le cocon qui paralyse ainsi son organisme, mais la quantité de sang qu'il a perdu! Mais j'ose pas. Lui dire ça, ça serait lui enlever son dernier rêve. On enlève pas un rêve à un mourant.

De toute façon, il me croirait pas, alors…

— Écoute, Verrue, je voulais te dire: j'ai été engagée comme danseuse chez Andromaque. Je commence à soir.

Son sourire s'élargit. Amusé.

— C'est bien. Félicitations.

— Pourtant, l'audition a été un… C'était un désastre, vraiment. J'étais humiliée, gênée, je me trouvais pourrie, pis… Hier soir, en m'endormant, je me suis dit que je le ferais pas, que je danserais pas, que j'abandonnais… mais…

Je sais pas pourquoi je lui raconte tout ça. Pourquoi je lui raconte toujours tout? En plus, dans l'état où il se trouve, c'est plutôt déplacé. Pourtant, je continue:

— …mais je sais que je peux le faire. Avec de la Macro, je le peux… Ça me libère, tu comprends…

— Ça te libère de quoi?

Il parle lentement, difficilement.

— Ça me libère… de moi… de mon ancien moi, de mon ancienne enveloppe…

— De ton vieux cocon?

Je l'observe un long moment.

— Oui… de mon vieux cocon…

— Moi aussi, je vais me libérer de mon cocon. Et je vais voler… Voler au-dessus de vous, au-dessus de tout…

Il sourit, le regard perdu dans ses rêves aériens. Je hoche la tête doucement. Je crois que je souris aussi.

Il met lentement, très lentement, sa main dans sa poche, comme si ce geste venait du plus profond des âges. Il sort deux flacons, Macros et Micros.

— C'est ce que tu étais venue chercher, non ?

— Oui, sauf que… j'ai presque plus d'argent, je…

Il laisse tomber les flacons par terre. Il pousse un long soupir fatigué.

— Aucune importance. Je n'ai plus besoin d'argent, maintenant…

Je sais pas trop quoi faire. Je finis par prendre les deux flacons. Mes mains tremblent légèrement. Je les mets dans ma sacoche.

— Je vais te rembourser, Verrue. Aussitôt que j'ai ma première paye, je te rembourse.

Le vieillard ne dit rien. Il ouvre la bouche pour parler. S'humecte les lèvres. Sa voix est presque inaudible :

— Peut-être… que tu es en train de te tisser un nouveau cocon, toi aussi… Mais le papillon qui va en sortir risque de… te surprendre…

Il ajoute dans un souffle :

— Il faut que tu te poses la bonne question…

Je hoche la tête, même si je comprends pas trop. Pour lui faire plaisir.

— Tu me mets la musique, s'il te plaît ?

J'appuie sur *play*. Jo Dassin chante. Verrue ferme les yeux, sourit.

Je le regarde longuement.

— Je vais revenir, Verrue.

Il ne dit rien. Écoute la musique.

Je sors, ébranlée.

◆

Trois heures et demie du matin.

On n'est plus que quatre dans la loge : Anaïs et Nin (deux filles dans la vingtaine qui font un show de lesbiennes), North (un jeunot anglophone qui se masturbe sur scène et dont l'éjaculation relève de l'olympisme) et moi.

— *I think I just came on a client!* ricane North en finissant de s'habiller. *I'm afraid he did'nt like it...*

— Et toi, Aliss, ta première soirée, ça s'est bien passé ? me demande Nin.

Devant mon miroir, je finis de me démaquiller.

Au tout début de ma première danse, je me demandais si j'allais pouvoir terminer mon numéro, mais rapidement, l'effet de la Macro s'est fait sentir ; la confiance et le contrôle ont surgi. La masse obscure et indistincte des clients m'a paru si anonyme que je l'ai rapidement oubliée. Bon, j'ai peut-être manqué un peu d'audace, il y a eu une ou deux maladresses dans le *timing*, mais franchement, ça n'avait rien à voir avec l'audition. J'ai même trouvé assez agréable le vin sur mon corps, très sensuel. Sans être vraiment une ovation, les applaudissements étaient encourageants.

J'ai refait le numéro trois autres fois dans la soirée. Un peu mieux à chaque prestation. À ma quatrième danse, j'étais plus gênée du tout. La seconde Macro que j'ai avalée juste avant a sûrement aidé.

Entre nos numéros, on est serveuses aux tables. Ça plaît pas à tout le personnel, mais Andro refuse d'engager des gens en surplus pour une tâche qu'on peut très bien, selon elle, faire nous-mêmes... Quelques clients m'ont demandé, pendant que j'apportais leur bière, si j'étais nouvelle. Quelques-uns m'ont fait danser à leur table. À ma grande surprise, j'ai accepté. Mais je les ai prévenus : pas de contact, juste des danses à cinq piastres.

Bilan : trente-cinq piastres de danse aux tables, trente piastres de pourboire (ça *tipe* pas fort ici non plus, mais y a plus de monde qu'au restau) plus la paye de base. Heille ! Pas trop mal !

— Comment ça s'est passé, Aliss ? répète Nin.

Je me regarde toujours dans le miroir. Je cherche une différence dans mon reflet, quelque changement dans mon visage, mon attitude, mon regard. Je ne trouve rien. Je suis identique. Pourtant, je me reconnais pas. Et ça me terrifie pas du tout.

— Bien, que je réponds enfin en souriant. Très bien.

◆

Je sors de la loge. Comme je suis la dernière à partir, je referme la porte, vérifie qu'elle est bien verrouillée. Il est presque quatre heures, je suis épuisée. Vite, au dodo.

Au bout du couloir, Andromaque est debout et m'observe. Elle a toujours son costume de soirée. Je m'immobilise et soutiens son regard. Elle parle enfin :

— Bon, c'était pas parfait, ça manque de conviction,
    Mais pour un premier soir, t'as fait bonne impression.

Hé, mon Dieu ! Ç'a dû lui prendre tout son petit change pour me dire ça !

— Merci, Andromaque. Vous êtes bien gentille.

— Tu peux me tutoyer, maint'nant que t'es élue.

Wow ! Je prends ça comme une promotion ! Elle s'approche alors de moi et me tend quelque chose :

— Tiens. C'est ta première paye : trois cents piastres,
    comme prévu.

— Tu paies à l'avance ?

Elle sourit. Sourire fier, évidemment, mais tout de même assez doux, assez gentil. Ça fait du bien de la voir comme ça.

— Tu vois ? Y a une morale à tirer de ceci :
    On peut être *boss* d'un bar et être honnête aussi.

C'est bien la première personne qui me parle de morale depuis que je suis arrivée dans ce quartier ! Erreur : il y a Charles, aussi. Non, lui, c'est de logique… Comme si elle réalisait son instant de faiblesse, Andromaque se reprend : son masque monarchique réapparaît.

— Faudrait bien se coucher avant qu'la nuit finisse, Surtout que j'me lève tôt… Allez ! Bonne nuit, Aliss.

— Bonne nuit, Andromaque…

Un bruit, en écho, retentit dans le silence : les pleurs d'Astyanax, le bébé de la patronne. Elle ferme un moment les yeux, serre les lèvres. Ah ! Les joies de la maternité ! Elle tourne les talons, puis s'éloigne rapidement.

Je regarde l'argent entre mes mains. Trois cents dollars. *Cash*. Wow ! Je m'en vais, tout énervée. Je traverse la grande salle, vide et obscure, faiblement éclairée par l'unique lumière rouge du bar.

Un bruit, au fond. Dans l'obscurité, là-bas, une silhouette charbonneuse est assise sur une chaise.

— Paulo ? que j'appelle, convaincu que c'est le barman.

La forme ne répond pas. Mais au milieu de l'ovale noir qui semble être son visage, une large demi-lune blanche s'ouvre, éclatante.

C'est le jeune. Le grand maigre. Comment il s'appelle, déjà ?

— Chess ?

Une voix sort de cette silhouette ténébreuse. Chantante, aiguë, un peu dingue :

— Tu as été très bien, ce soir, Aliss…

C'est drôle, j'ai l'impression que le sourire n'a pas bronché, que les dents ne se sont pas desserrées.

— Merci, que je dis, vaguement mal à l'aise.

La silhouette se lève enfin et marche vers moi. Peu à peu, la face blême et longue de Chess apparaît derrière le sourire, puis tout son corps maigre se révèle graduellement. Ses pas ne font aucun bruit. Il marche ou il flotte?

— J'ai vu des débutantes s'en tirer pas mal moins bien.

Il s'arrête, à environ trois mètres devant moi. Habillé d'un vieux jean, d'un t-shirt minuscule qui flotte tout de même sur ses épaules rachitiques. Les mains dans le dos.

— J'en ai même vu qui, en plein milieu de leur numéro, sont sorties de la scène en pleurant. Pas beaucoup, deux ou trois, mais quand même. Assez amusant, non?

— Pauvres filles…

— C'est un point de vue.

Il se tait. Il y a quelque chose dans son sourire que j'aime vraiment pas. Trop large, trop blanc. Trop.

— Qu'est-ce que tu fais encore ici, Chess? Le bar est fermé.

— Et alors?

— Hé ben… Je sais pas, je… Tu habites ici, en haut? Avec Andromaque?

— J'habite ici. Et parfois là-bas. Et parfois ailleurs. Et parfois nulle part. J'habite chaque endroit où je me trouve.

Je hoche la tête. Je vois. Je vois, je vois.

Il arrête pas de me regarder. Il arrête pas de me sourire. Il arrête pas d'avoir les yeux exorbités. Il est complètement gelé, c'est sûr. Je sais pas à quoi, mais c'est du bon *stock* certain.

Je me racle la gorge.

— Bon. Bonne nuit, Chess…

— Bonne nuit, Aliss…

C'est lui qui se met en marche vers la sortie. Sans un regard vers moi, il ouvre la porte et sort.

Je reste un moment à regarder la porte fermée. Comme si je voulais pas sortir en même temps que

Chess. Trop bizarroïde. Enfin, après une ou deux minutes, je quitte à mon tour.

◆

Devant la porte de Verrue, j'hésite, puis entre. Il dort sûrement, mais je suis trop contente, je veux le rembourser tout de suite.

Et puis, je dois bien l'avouer : je suis un peu inquiète. Je m'attends presque à le trouver mort. Raide et tout ridé. Vieux morceau de papier chiffonné dans un coin. En marchant vers la chambre, j'entends Jo Dassin susurrer ses mots doux. Ça me rassure.

La chambre est éclairée, mais vide.

Entendons-nous : la radio est là, les disques compacts, la chaudière à pisse, mais…

Verrue n'est pas assis par terre.

Verrue n'est pas assis nulle part.

Verrue n'est pas là. N'est plus là.

Je regarde stupidement autour de moi, comme s'il allait sortir d'un coin de la chambre en criant : «Coucou, Aliss ! » Je fais le tour de l'appartement. Crasse, saleté, poussières, meubles en ruine, mais point de Verrue. Voyons, il a pas pu sortir, il refusait de bouger. Et sur une jambe !

Retour à la chambre. La fenêtre est ouverte, comme d'habitude. Sauf que…

Un flash.

Je me précipite à la fenêtre, passe la tête à l'extérieur et regarde en bas, m'attendant à voir le corps écrabouillé de Verrue sur le trottoir. Mais non.

Il y a une explication et je vais la trouver.

Quelqu'un est venu le chercher. Hugo et Micha, sûrement. Ils l'ont amené ailleurs. Il devait être inconscient, sur le point de mourir, et enfin, on l'a amené à l'hôpital… ou, plutôt, chez un médecin, puisqu'il n'y a pas d'hôpital dans le coin… Un sain d'esprit cette fois. Voilà, ça doit être ça. J'imagine que dans quelques jours je vais avoir des nouvelles.

Jo Dassin chante toujours. Je me penche vers la radio. Le lecteur CD est sur *repeat*. Ça fait combien de fois que le disque recommence, depuis cet après-midi ?

> *On s'est aimés comme on se quitte*
> *Tout simplement sans penser à demain*
> *À demain qui vient toujours un peu trop vite*
> *Aux adieux qui quelques fois se passent un peu*
>   *trop bien*

J'appuie sur stop. Jo ferme sa gueule. J'ai l'impression qu'il l'ouvrira pas de sitôt.

Un papier, par terre. À l'endroit où Verrue se tenait toujours assis. Je le ramasse. Une écriture incertaine, à peine déchiffrable.

« N'oublie pas, Aliss : garde toujours ton sang-froid… »

Me sens émue, tout à coup. Je me demande même pas comment il a pu écrire ce message, lui qui refusait de se lever… Je me contente de lire la phrase, deux, trois, quatre fois… comme s'il s'agissait d'un message d'adieu.

Je tourne la tête vers la fenêtre. Mon regard se perd dans l'aube naissante.

◆

Samedi soir, minuit. Ma quatrième soirée. Je viens de terminer une danse pour un client. Il me paie, cinq piastres. Merci, bonhomme, j'espère que tu t'es bien rincé l'œil pis que tu vas te passer un beau poignet chez vous. Je remets ma toge grecque, ma couronne de lauriers et je sers de la bière aux clients, en attendant de refaire mon numéro dans une heure et demie.

— On va-tu dans une cabine? me demande un gros bonhomme de cinquante ans.

Je lui dis poliment non et continue ma ronde. Les cabines sont à côté de la console. C'est là que vont ceux qui acceptent de faire des choses plus sérieuses avec les clients. Ce qui n'est pas mon cas. D'ailleurs, je suis une des rares filles qui ne le fait pas. J'ai déjà ma petite réputation de «danseuse pure». M'en fous. Je me fais en masse d'argent juste en dansant.

Je commence à connaître le monde, ici. À part North, Anaïs et Nin, il y a Loulou, une autre danseuse solo qui, quand elle est en forme, peut aller jusqu'à se masturber avec une bouteille de bière. Dupont et Dupond, le couple gai qui se sodomise joyeusement sur scène. Bertha et Hector, amants sur scène et dans la vie. Et plusieurs autres.

Surréaliste.

Évidemment, ils sont jeunes (entre vingt et trente-cinq ans), plutôt beaux mais ce ne sont pas tous des supers pétards. Honnêtement, je suis une des belles filles de la gang. Peut-être pas aussi belle que Anaïs (qui s'est manifestement fait siliconer les seins), mais plus que Bertha.

Ils sont corrects avec moi. Ils me parlent, mais sans établir de vrai contact. Quoique avant hier, à la fermeture du bar, ils m'ont invité à un party qu'organisait Loulou. J'y suis allée. J'ai rencontré ben du monde mais, encore là, rien de véritablement impliquant. Me suis défoncée à toutes sortes de drogues. Me rappelle plus grand-chose. J'ai finalement couché avec un gars. C'était pas fameux. Je pensais juste à Mario. Où il est, celui-là? Il se cache toujours de la Reine? Me suis couchée à sept heures du matin, ben maganée.

Surréaliste.

Je suis plus gênée du tout de danser. Je me trouve de plus en plus à l'aise. Je me trouve même bonne. Je joue pas la « salope » (je serais pas capable), mais je suis sensuelle, douée. Je suis jeune, belle et *sexy*, pourquoi pas en tirer profit? Forme de pouvoir. De réussite. Chaque danse, chaque numéro, chaque déhanchement, chaque cambrure de mon corps sous le spot bleu, chaque caresse que mes doigts effectuent sur mes seins et mon ventre, c'est un geste de protestation, de refus, de révolte. Contre ce que j'ai été, contre ce qu'on m'a enseigné, contre la pensée et la morale dominantes et uniques. Que cette job me plaise ou non est pas vraiment important pour l'instant. L'important, c'est que je dois le faire. Je dois traverser cette frontière pour vraiment accéder ailleurs et atteindre une autre forme de vision, de pensée.

Mais soyons honnêtes, sans la Macro, je pense pas que j'y parviendrais. Sauf que ça durera pas. Je suis sûre que bientôt, j'aurai plus besoin de cette drogue pour affronter cette nouvelle réalité. C'est une transition, voilà tout.

Durant la soirée, Andromaque fait toujours un numéro de danse en solo. Quel numéro! Aussi impressionnant que celui qu'elle m'a fait lors de mon audition. C'est un des grands moments de la soirée. La salle l'ovationne toujours. Et si, lorsqu'elle salue à la fin de son numéro, un triomphe éclatant illumine son regard, je peux y percevoir aussi, chaque fois, une vague mais réelle tristesse, que j'arrive pas à m'expliquer. Le reste du temps, elle le passe entre son bureau, à l'arrière du bâtiment, et la salle, où elle vient parfois faire son tour, soit pour s'assurer que tout va bien, soit pour observer quelques numéros d'un œil critique. Parfois, elle va dans une cabine avec un client. Il paraît qu'elle charge très cher. Lorsqu'on est dans la loge, on arrive, à l'occasion, à percevoir les pleurs d'Astyanax, qui

proviennent de l'appartement au-dessus. On entend
aussi Andromaque l'engueuler, le traiter de cochon.
« Parce qu'il n'arrête pas de lui dégueuler dessus ! »
m'a expliqué Foxy, une danseuse tellement défoncée
qu'elle vient travailler un soir sur deux.

Et il y a Chess. Je l'ai vu trois ou quatre fois. Ou
plutôt entrevu. Assis, quelque part dans la salle, à
regarder, à sourire. Ses longues jambes repliées sous
lui, ses bras tentaculaires autour de ses genoux. Jamais
un employé va lui porter une commande. On le laisse
tranquille. Je l'ai jamais vu boire d'alcool, ni en train
de s'envoyer une drogue quelconque, même s'il est
clairement gelé à longueur de journée. Il doit faire ça
discrètement. De temps en temps, je le vois sortir du
bar, pour aller on ne sait où. Dans une piquerie, peut-
être.

Surréaliste.

Pour la dope, j'ai trouvé un *dealer* : Paulo, le barman,
qui me vend de la Micro et de la Macro à vingt-cinq
dollars l'unité.

— Verrue me les vendait cinquante l'unité !

— Verrue ! avait ricané Paulo. Le plus grand fourreur
de la planète !

Déception et pincement au cœur : Verrue m'exploi-
tait. Égal à lui-même, au fond. Il avait jamais prétendu
le contraire.

Verrue… Toujours sans nouvelles de lui…

Drôle de *beat*, drôle de vie. Mais fascinant aussi.
Ça va me mener quelque part. Je sais pas où, mais je
veux voir. Je me sens comme quand on est sur le bord
d'un précipice et qu'on a envie de se lancer en bas,
même si on sait que c'est dangereux. Moi, je me suis
lancée. Je tombe encore. La chute donne le vertige,
mais elle n'est pas désagréable. Elle a quelque chose
d'enivrant.

On verra où je tomberai.

En attendant, on est samedi, il est minuit deux. Grosse soirée. La musique est tonitruante, la salle est ben pleine. Toutes sortes de clients, comme d'habitude, mais beaucoup plus nombreux. Derrière sa console, Blue dirige les éclairages avec sérieux. Sur la scène, Anaïs mange avec appétit le sexe de sa collègue, qui tire le maximum de plaisir de son travail. Parfait, ça, ma Nin : siffler en travaillant.

Je m'approche d'une table pour prendre les commandes des clients. Je reconnais Hugo et Micha.

— Tiens, t'es rendue ici, toi ? fait Hugo.

— T'es dans l'industrie du sexe, maintenant ? renchérit Micha.

— C'est vrai que t'es pas laide.

— Pas Claudia Shiffer, mais quand même.

— Ni Pamela Anderson.

— Ni Cindy Crawford.

Ça fait toujours du bien, des gens aussi agréables. Je profite de leur présence pour demander des nouvelles de Verrue.

— On sait pas où il est, marmonne Micha en soupirant.

— On l'a pas vu depuis une semaine, soupire Hugo en marmonnant.

— Je pensais que c'était vous qui l'aviez sorti.

Ils me dévisagent.

— Elle est pas bien, celle-là !

— Elle est idiote ou quoi ?

— Un peu conne.

— Pas vite-vite.

— Légèrement stupide.

— Carrément tarte.

— Tendance imbécilo-toquée.

— Ascendante niaiseuse.

— Il est où, d'abord ? que je m'énerve. Il a pas pu sortir avec une jambe en moins, vous le savez bien !

Micha, très sérieusement, me répond :

— Son cocon était terminé, non ?

Hugo, non moins posé, renchérit :

— Il a peut-être finalement éclos…

Je les dévisage longuement, puis je sens la colère me chatouiller le ventre. J'en ai vraiment plein le cul qu'ils se foutent de moi, ces deux clowns ! Je leur crache avec mépris :

— Mangez donc d'la marde, vous deux ! Pis si vous voulez boire, allez commander au bar !

Je m'éloigne, folle de rage.

Je fais une danse à une table, devant une jeune femme de trente ans qui a l'air de me trouver ben *cute*. Elle me demande si je vais dans les cabines. Je lui dis non. Elle me dit que c'est dommage. Je lui dis que c'est la vie. Elle dit ah bon. Je dis hé oui.

Et la soirée se poursuit… Sur la scène, Bertha chevauche Hector, mais avec moins d'enthousiasme que d'habitude, eux qui normalement copulent avec un entrain carnavalesque (ils m'ont avoué, tout à l'heure, qu'ils n'avaient pas dormi de la nuit et qu'ils se sentaient crevés). Je fais mon numéro dans trente minutes. Je me demande si la dernière Macro que j'ai prise fait encore assez d'effet. Je devrais en prendre une autre. Tandis que je me pose ces grandes questions existentielles, deux nouveaux clients entrent dans le club.

L'un est reconnaissable tout de suite. C'est Bone. Chapeau haut-de-forme, redingote, canne… Est-ce toujours le même costume ou en a-t-il plusieurs dans sa garde-robe ? Il est accompagné de son copain-sangsue, habillé en veston-cravate, cheveux rasés, chaussures de sport incongrues. Il est plus petit que Bone, mais plus costaud.

Ils s'immobilisent tous deux à l'entrée, sous un spot particulièrement puissant. Je jurerais qu'ils se sont mis là pour qu'on les voie. D'ailleurs, ça fonctionne parfaitement car tout le monde les regarde. Ce n'est pas un dévisagement massif, ni des regards effrontés et directs, mais une série de coups d'œil obliques, de têtes qui se tournent un bref moment dans leur direction… Les discussions baissent d'un ton, deviennent discrètes. Même si la musique joue toujours, même si les gens restent assis, même si le show continue, il est clair que Bone et son acolyte sont devenus le centre d'attention. Eux-mêmes en sont conscients et s'en amusent beaucoup.

Bertha et Hector, tout en forniquant, tournent furtivement leurs regards vers les deux hommes. Je gagerais tout mon flacon de Macros qu'ils ont soudainement redoublé d'ardeur.

Je retourne au bar sans quitter des yeux les deux nouveaux venus. Ils se mettent enfin en marche, lentement, déambulent entre les tables, lancent des sourires aux clients. Certains répondent à la salutation, d'autres tournent la tête avec dédain. Il y en a même qui ont carrément l'air effrayé. Derrière la console, Blue parle dans son interphone. Il doit appeler Andromaque.

Il va se passer quelque chose…

Ils s'assoient enfin à l'une des rares tables libres et se mettent à observer le spectacle.

— C'est quoi, la commande, Aliss?

Derrière le bar, Paulo s'impatiente. Je lui passe la commande. Il m'apporte les bières, mais lui aussi jette des coups d'œil vers le nouveau point névralgique de la soirée. Je lui demande:

— C'est qui, le gars avec Bone?

— Il se nomme Chair.

— Cher? Comme Sonny and Cher?

Marc fait signe que non:

— Chair comme la chair du corps, la peau. Chair.

Chair? Chair et Bone. Beau duo. On dirait presque une émission pour enfants. Quoique je les voie très mal dans une garderie.

Je retourne à la table de mes clients.

Andromaque arrive alors dans la salle. Elle repère rapidement Chair et Bone et son beau visage noble devient un beau visage colérique. D'un pas qui aurait inspiré les troupes d'Attila, elle s'avance vers la table. Chair et Bone lui sourient, manifestement heureux de sa présence. À voir l'air d'Andromaque, c'est vraiment pas réciproque. Elle se penche pour leur dire quelque chose. Les deux hommes haussent les épaules, se lèvent. Tous trois marchent vers la porte du fond, puis *exit*.

L'ambiance redevient soudain légère dans le bar. Sur la scène, les ardeurs d'Hector et de Bertha baissent de quelques crans.

Il est en train de se passer quelque chose, mais pas ici, pas dans la salle. Faut que j'aille voir. De toute façon, je fais mon numéro dans quinze minutes : prétexte idéal pour aller derrière. Je franchis la porte du fond à mon tour. Au bout du couloir, la porte de la salle d'audition est entrouverte et la voix enragée d'Andromaque en sort. Espionner serait trop risqué. J'entre donc carrément dans la petite salle en jouant la désinvolte.

Chair est appuyé sur la table, Bone est debout, à quelques pas de lui. Tous deux considèrent Andromaque qui piaffe de colère, splendide de rage dans sa longue robe blanche pigmentée de rubis (faux, bien sûr).

— Ho ! Je m'excuse ! que j'hypocrise avec un talent limité. Je danse dans quinze minutes, je voulais venir me réchauffer.

Ils me regardent tous trois. Bone frotte le pommeau de sa canne sous son menton avec une moue intéressée.

— Tiens, une nouvelle. Vous ne nous aviez pas dit, Andro.

Toujours cette voix suave, polie, à la limite de la caricature… mais avec cette tonalité bizarre, inquiétante, déréglée…

Chair me toise à son tour et ajoute :

— En effet, et au premier coup d'œil, elle me semble très bien. Bon choix, ma chère.

Sa voix et sa diction sont presque une copie conforme de celles de Bone, à un point tel que je me demande pendant une seconde si ce dernier n'est pas ventriloque. Seule différence : Bone a un minime accent anglais, pas Chair. Sinon, on pourrait parler de clonage vocal.

Andromaque s'écrie alors :

— C'est ça ! Et je suppose que vous allez m'la prendre ?

Je vois clair dans votre jeu, c'est pas dur à comprendre !

— Allons, allons, Andro, calmez-vous, voyons, fait doucement Bone en s'approchant d'elle. Vous êtes paranoïaque, ma parole.

Sa canne sous le bras, il lui met gentiment les mains sur les épaules, mais Andromaque se dégage d'un furieux mouvement.

— Ôte tes sales pattes de là, Bone, pis plus vite que ça !

Vous avez du culot, vous deux, j'en reviens pas !

Recruter dans ma zone ! C'est humiliant en chien !

Vous êtes chez moi, ici, ce bar-là m'appartient !

— Vous nous la faites chaque fois, Andro, c'est lassant. C'est peut-être votre bar, mais il est dans un quartier qui ne vous appartient pas, vous le savez bien…

Andromaque, aux mots de Bone, hésite entre la colère et le désespoir. Soudain, elle prend une pose absurde, caricaturale : elle tourne la tête vers le haut, se met une main sur le front, étend l'autre bras sur le côté et allonge une jambe ! Sarah Bernhardt en personne ! Sa voix devient pathétique, tragique. Malgré tout, malgré le cabotinage éhonté, on la sent sincère. Elle joue, mais elle croit à son jeu.

— Ah, Bone, c'est trop injuste, ça ne peut pas être
vrai !

Je fus trahie par tous, par mes fidèles sujets !

Il n'y a pas longtemps, c'était moi, votre Reine !

Ah ! Ça me fait trop mal ! Je pleure comme une
lorraine !

— Une madeleine, corrige doucement Chair en exa-
minant ses ongles. Vous pleurez comme une madeleine.

Andromaque bouge pas, garde la pose. Bone soupire.

— Andromaque, vous fabulez…

— Je *lui* ai tout montré, je lui ai tout appris !

Sans moi, *elle* serait rien, à peine une pauvre
souris !

Bon Dieu ! Vous direz pas que je délire, cette
fois !

Si vous êtes pas d'accord, c'est de la mauvaise
foi !

Chair hausse les épaules :

— Écoutez, vous vous êtes fait surclasser, acceptez-
le une fois pour toutes ! Vous savez que c'est une jungle,
alors…

— De toute façon, renchérit Bone, il faut bien admettre qu'elle est allée beaucoup plus loin que vous.
Elle est devenue une vraie Reine, ce que vous n'avez
jamais été…

Andromaque fait quelques pas de recul, cambrée
par en avant, comme une tigresse qui va bondir. Encore là, c'est exagéré, mais ça vaut le spectacle…

— Criss de salauds ! Vendus ! J'vous méprise tous
les deux !

Oui, je dois me soumettre, mais je trouve ça
odieux !

Pour l'heure, je baisse la tête, soumise à l'ennemie !

Je ronge mon frein, docile… Je ravale mon
vomi…

Mais bientôt, je r'viendrai et je r'prendrai mon
     trône !

Et toutes les rues autour brilleront de mes icônes !

Elle s'arrête, redresse la tête, ferme les yeux, fière.
Elle attend les applaudissements. Qui ne viennent pas,
bien sûr. Quand elle rouvre les paupières, elle semble
un peu déboussolée devant ce silence. Bone, impassible,
demande :

— Vous avez terminé ?

Andromaque cligne des yeux, perplexe. Chair se
redresse :

— Parfait, nous allons retourner dans la salle, profiter de vos excellents spectacles…

— Et cessez de voir la Reine Rouge comme votre
ennemie, Andro.

Avec dédain, la voix légèrement différente, Andromaque relève le menton, se concentre un bref instant,
puis clame, avec une emphase ridicule :

— « Captive, toujours triste, importune à moi-même,
     Pouvez-vous souhaiter qu'Andromaque vous
          aime ? »

Celle-là, je jurerais que ce n'est pas d'elle. Bone
réagit pas d'un iota à cette citation et poursuit, en
fouillant dans sa poche :

— D'ailleurs, elle vous envoie cette invitation, pour
son anniversaire, dans une semaine…

Sur quoi il tend une carte vers ma patronne. Un petit
frisson me parcourt les bras. Sûrement la même invitation qu'a reçue Charles… Toute mon attirance pour
le Palais reflue en moi. Mais Andromaque crache sur
le carton, pfouch ! Un beau crachat royal ! Stoïque,
Bone va mettre la carte sur la table et dit :

— Ne faites pas la fière, Andro. Vous savez très
bien que vous allez venir. Vous en brûlez d'envie.
Dans 'vie, il faut s'écouter quand on brûle d'envie…

Il a un petit sourire et une étincelle malicieuse passe
dans son regard.

— Vous saisissez ? Dans ’vie, dans la vie… brûler *d’envie*… Vous voyez ?

J’avais oublié : Bone possède un doctorat en calembours. Évidemment, Andromaque demeure de glace. Chair, par contre, trouve l’humour de son compère fort distrayant, car il éclate de rire :

— Ho ! Ho, oui, très bien, ça, très bon ! J’ajouterais même que lorsqu’on brûle d’envie, il est intéressant d’envisager un moyen pour y rémédier ! D’envie, *d’envi*sager…

Merde, lui aussi ! Et Bone qui rigole, ho-ho-ho ! Brillant tandem ! Ding et Dong ressemblent à des comptables, comparés à ces virtuoses du rire. Toujours en se marrant, Bone relance son ami :

— En passant, je vous ai parlé de mon beau-frère qui a une dent vissée ? *Dent vi*ssée, d’envie…

Rires. Chair réplique :

— Oui, je le connais… Il a eu un accident de voiture, l’autre jour. Un accident vis-à-vis du supermarché… acci*dent vis*-à-vis…

Re-rires.

— Oui, je sais que ce supermarché ainsi que plusieurs autres immeubles sont à vendre… J’ai hâte *d’en vi*siter un ou deux !

— Ils sont, hélas ! pleins de saleté ! Il serait temps *d’en vi*der quelques-uns !

— Voilà un projet *d’envi*rgure !

Ils s’esclaffent tous les deux. Je les dévisage, consternée. Ils se souviennent alors d’Andromaque. Elle est toujours silencieuse, mais la lave monte de plus en plus. Chair reprend son sérieux et dit gravement :

— Bon. Je crois que nous ferions mieux de nous taire.

— En effet. Inutile *d’envi*nimer les choses…

Et c’est reparti pour une franche rigolade. C’est pas possible, c’est pire que du théâtre d’été ! Andromaque serre les poings, à deux doigts de faire une Vésuve d'elle-même. Chair et Bone, entre deux éclats de rire, se contemplent soudain l'un l'autre et, ma foi ! je jurerais déceler une véritable admiration dans leur regard.

— Mon cher Chair !

— Mon bon Bone !

Dans leurs yeux à tous deux, au-delà de l'admiration réciproque, clignote toujours cette étincelle inquiétante qui donne froid dans le dos…

Un bruit. *Zoom-in* vers le fond de la salle. Sur une chaise droite, quelqu'un est assis et ricane. Je reconnais Chess. J'avais pas du tout remarqué sa présence en entrant.

— Ah, il était là, lui ? fait Bone.

— Il semble que oui, ajoute Chair. Bonsoir, Chess, ça va ?

Les deux hommes rient plus du tout. Et dans la salutation de Chair, il y a aucune trace de sympathie. C'est une salutation neutre, formelle. Presque embêtée. Du fond de la salle, la voix aérienne de Chess parvient jusqu'à nous :

— Salut, Chair. Salut, Bone… Alors, toujours dans votre quête de l'âme ?

Andromaque se raidit et jette un coup d'œil inquiet vers Chess, puis vers ses deux visiteurs. Chess ajoute :

— Ou, plutôt, je devrais dire : toujours dans votre quête de *l'absence* de l'âme ?

Chair et Bone répondent rien. Pour la première fois, ils semblent pas sûrs d'eux. Mais alors là, pas du tout. Sèchement, Chair répond enfin :

— Toujours, oui…

Évidemment, moi, j'y comprends rien. Comme toujours.

Puis, tout à coup, la parenthèse se referme et les deux visiteurs reprennent leur air affable. Bone réajuste son haut-de-forme et sourit à Andromaque :

— Bon. Nous retournons dans la salle. Il ne faudrait pas tout manquer, n'est-ce pas ? Au revoir, duchesse…

Au mot « duchesse », Andromaque serre les dents avec tant de force que le grincement ainsi provoqué me donne la chair de poule. En passant devant moi, Bone soulève son chapeau, Chair incline la tête :

— Mademoiselle…

Ils m'examinent rapidement de haut en bas, intéressés. Je balbutie une salutation. Ils sortent, et leurs ricanements parviennent jusqu'à nous.

Je reviens à Andromaque. Elle se tient appuyée contre la table. Anéantie, vidée.

— Ça va pas ?

Aucune réponse. J'insiste :

— Tu as dit qu'ils viennent recruter… Ils viennent recruter des danseuses et des danseurs, c'est ça ?

Aucune réponse.

— Pour le Palais ? Ils travaillent pour la Reine Rouge, n'est-ce pas ?

Andromaque se redresse alors. Toute sa dignité est revenue. Elle me jette un regard terrible, fait claquer sa robe, puis passe devant moi, majestueuse, pour sortir de la pièce.

Je suis seule.

Non, il y a Chess, j'oubliais.

Toujours assis là-bas. Pour faire changement, il sourit.

— Pis toi, tu peux me répondre ?

— C'est quoi, la question ?

— Ces deux gars-là, ils travaillent pour la Reine Rouge ?

— Absolument.

— Ils recrutent du monde pour travailler au Palais ?

— Absolument.

— C'est quoi, le Palais ? Un autre club de danseuses ?

— C'est plus compliqué que ça.

— C'est un bordel?

— C'est plus compliqué que ça.

— Un repaire de mafiosi dont la Reine est la patronne?

J'entends Chess émettre un son bizarre. Je comprends que c'est un rire. Je dois faire fausse route. Changeons d'orientation.

— Pourquoi ce recrutement agace tant Andromaque?

— Parce que la plupart des employés ici rêvent de travailler au Palais.

— Vraiment?

— Absolument.

Je fais un pas vers lui, prise d'un pressentiment. Il bouge pas, les genoux repliés sous ses bras.

— Toi, tu pourrais me le dire, qui est cette Reine Rouge?

— Absolument.

J'en tomberais sur le cul! Tout le monde évite de m'en parler depuis le début, et voilà ce grand fil de fer tout prêt à piquer une jasette sur le sujet! Comme si je lui avais demandé où se trouvait le dépanneur le plus proche!

— Je t'écoute! que je dis dans un souffle.

— Mais tu as une danse dans quelques minutes, toi, non?

Merde! Mon numéro! Je cours vers la porte, mais me retourne et lance à Chess:

— On reprendra cette discussion, tu veux bien?

— Quand tu veux, Aliss…

Je sors en courant, cours à la loge. Je regarde l'heure: je commence dans cinq minutes. Je sors mon flacon de Macros et en avale une, gloup. Dans la loge, je salue à peine les autres et commence à me maquiller.

Ça va vite, dans ma tête.

Parce que la plupart des employés ici rêvent de travailler au Palais.

Et travailler au Palais, c'est me rapprocher de la Reine Rouge. De la surfemme. Car plus que jamais, je suis convaincue qu'elle *est* la surfemme.

Je veux la voir.

Pour ça, il faut que j'impressionne Chair et Bone, qui sont dans la salle, qui font du recrutement.

Je sais même pas ce qui se passe au Palais… et je veux travailler là?

Je veux *la* rencontrer! Point final!

Il faut que tu te poses la bonne question, Aliss…

C'est la voix de Verrue, ça… Pourquoi je repense à ça, tout à coup?

Allez, je prends une autre capsule, gloup! Deux en ligne! Faut que je leur en mette plein la vue! Je sens déjà l'effet qui commence à se manifester en moi. Mon reflet grandit dans le miroir. Parfait!

Je me lève et retourne dans la salle.

◆

Je viens de terminer mon numéro. J'ai pris une douche. Je suis assise dans la loge et, avant de retourner dans la salle, je fume un joint pour me relaxer. Faut que je décompresse, les deux Macros m'ont remplie d'adrénaline jusqu'au bout des cheveux. Mais ça valait la peine. J'ai fait un vrai bon numéro. Mon meilleur jusqu'à maintenant. Je me suis caressée les seins à pleines mains, j'ai lancé des regards pas mal vicieux vers la salle, je me suis même frotté la noune trois ou quatre fois! C'est la première fois que je jouais la cochonne. Pas trop, mais quand même. Pis c'était pas désagréable, saperlipopette! En tout cas, si je me fie aux applaudissements enthousiastes, ça valait la peine. Les gars et les filles, en passant dans la loge, me félicitent. Merci, merci, vous êtes ben fins. Non, pas d'autographe, je suis pressée. Hollywood m'attend. *Thank you, thank you.*

Je m'attends à l'arrivée de Bone et Chair d'une minute à l'autre. Je suis sûre qu'ils n'ont pas détesté ma prestation. Les minutes passent… Pas de visite-surprise. Je finis par demander à Josée :

— Bone et Chair, les éclaireurs de la Reine… Est-ce qu'ils ont approché quelqu'un de la gang, à soir ?

— Ça marche pas comme ça, Aliss ! Ils regardent toute la soirée, ils prennent des noms, pis ils partent. Ça peut prendre des semaines avant que tu saches si t'as été remarquée ou pas… La dernière fois qu'ils sont venus, c'est il y a six mois… Les deux seuls qui ont été contactés après, c'est Carl et Jute. Pis ç'a pris un mois.

Ça me déçoit un peu.

— Toi, Josée, tu travaillerais chez la Reine Rouge ?

— Certain ! Ça paie plus qu'ici ! J'en connais une couple qui travaillent là. Ils sont pas pauvres !

— On fait quoi, quand on travaille là ? Danseuse ?

— On devient Filles et Fils de la Reine.

— Ça consiste en quoi ?

— Qu'est-ce que tu penses ? À tricoter des mitaines pour les enfants pauvres ?

Elle rigole, fière de son gag. Je ricane aussi, hi-hi-hi. Filles de la Reine… Il y en a une qui était allée danser chez Verrue, l'autre jour… Mais sont-elles uniquement danseuses ? Ça peut peut-être aller jusqu'à la prostitution. Je sens mes ardeurs refroidir…

— Évidemment, fait Josée, la Reine engage aussi des Sadomaso.

— Des quoi ?

— Des Sadomaso. Mais je pense pas que t'as le profil…

Elle rit de nouveau. Sadomaso. Ça sonne pas très judéo-chrétien, ça.

— La Reine Rouge, elle est comment ?

Josée réfléchit, plus sérieuse. Puis, en haussant les épaules, comme si cela l'embêtait de parler de ça :

— Elle est unique.

— T'es précise, c'est effrayant.

— T'as juste à aller au Palais, tu vas la voir en personne.

— J'ai voulu, l'autre jour, mais on m'a pas laissée entrer !

— C'est parce que t'es nouvelle dans le quartier. On laisse jamais entrer les nouveaux venus au Palais. Faut être patient.

— Au Palais, ils savent que je viens d'arriver ?

Elle rit une nouvelle fois, amusée de ma surprise. Ostie que je suis tannée d'avoir toujours l'impression qu'on rit de moi ! Vexée, je me lève. Il est temps que je retourne servir les clients dans la salle.

Dans le couloir, Bowling s'approche de moi.

— Andromaque veut te voir dans son bureau.

Ah ! Les félicitations de la patronne ! Je suis sûre que mon numéro l'a impressionnée !

La pièce est pleine de bustes grecs, de colonnes, de vignes ; c'est chargé et un peu ridicule. Le bureau est, évidemment, de faux marbre et Andromaque, debout, se tient derrière, les bras croisés. Elle m'attend.

— Salut, patronne… Pis ? J'ai mis le paquet, non ?

Pas de joie sur son visage, mais de la rage. Et, curieusement, du dépit.

— Tu me prends pour une dinde ? Tu penses que j'vois pas clair ?

Je m'arrête. Si je m'attendais à ça !

— Qu'est-ce que tu veux dire ?

— Arrête de me niaiser, fille, je suis pas née d'hier !
Mad'moiselle joue les pures, pis là, tout d'un coup, hop !
Métamorphose complète : elle devient une salope !
Tu t'es sûrement juste dit : *Ho là ! Ce soir, y a foule !*

C'est l'occasion rêvée pour me pogner les boules!
Pis Andromaque, ben sûr, elle va être ben con-
    tente!

Sûr! Je suis tell'ment conne! Pis tell'ment inno-
    cente!

Qu'est-ce que je peux répliquer? Elle a tout compris,
évidemment. Je joue avec les plis de ma toge, gênée,
coupable, p'tite fille qui s'est fait prendre à voler de
l'argent dans la tirelire.

— Andro, je…

Elle fait alors la dernière chose que je l'aurais crue
capable de faire: elle pleure! Oui, monsieur, oui, madame! La grande Andromaque pleure! Plus encore: elle
fait le tour de son bureau, se colle contre moi et appuie
son visage sur mon épaule, laissant couler ses larmes
sur ma belle toge blanche. Une superbe photo mélo
digne de la couverture d'*Écho-Vedettes*! Je vois le titre
d'ici: LA GRANDE TRAGÉDIENNE CRAQUE
DANS LES BRAS D'UNE SIMPLE FIGURANTE!

— Aliss, Aliss, pas toi! Lâche-moi pas toi aussi!
    Dis que tu vas rester! Dis que t'es mon amie!

Son amie? Elle y va fort un peu… Mais franchement, sa crise de larmes m'impressionne.

— Oui, oui, Andro, je… je suis ton amie, voyons,
c'est sûr!

Elle pleure toujours contre moi, continue à brailler:
— Je sais: je devrais pas me lamenter ainsi!
    Mais… mais c'est ben normal quand on se sent
        trahie!
    « Lorsque de tant de biens qui pouvaient nous
        flatter,
    C'est le seul qui nous reste, et qu'on veut nous
        l'ôter! »

Elle m'agace, avec ses citations… Mais je suis
ébranlée: je pensais pas que je comptais tant pour elle!
Je la caresse maladroitement dans les cheveux, frouch-
frouch. Qu'est-ce que je peux faire, batince! La cascade

se tarit graduellement, mais sa voix demeure chevrotante. Elle me regarde alors de face et malgré les reniflements, la détermination est revenue dans ses yeux verts :

— Tu le regrett'ras pas… Je suis pas ingrate, moi !
À mon retour au trône, tu seras mon bras droit !

Ça y est, elle retourne dans son délire monarchique. Je bredouille un « merci, c'est gentil », en souriant stupidement, hi-hi.

— J'ai su, en te voyant, que tu étais spéciale…
J'suis sûre que t'es comme moi, que t'as du sang royal.

Elle caresse alors doucement mon menton. Oups ! Qu'est-ce qui se passe, là ? Son regard devient langoureux, suggestif. Sa voix aussi :

— Tu pourrais même régner avec moi, si tu veux…
Il y a tant de choses qu'on peut faire, toutes les deux…

Et elle descend sa main vers ma poitrine.

Ça marche pas, ça ! Je fais quoi, là ? Soyons diplomate.

— Andromaque, je…

Je la repousse très, très, très gentiment. J'ai un gros sourire Pepsodent.

— J'apprécie beaucoup la confiance et… l'amitié que tu… démontres envers moi… mais…

Andromaque me regarde avec suspicion. Mollo, Aliss, mollo…

— … mais faut que je retourne travailler, servir les clients… Tu sais comment le bar est plein…

Je me fends les lèvres à force de sourire. Andromaque sourit pas pantoute.

— Bon. J'y vais.

Je marche vers la porte. Soudain, Andro m'appelle. Je m'arrête. Me retourne. Ma patronne a repris son aspect majestueux, assuré. Et menaçant. Cabotin, mais menaçant quand même.

— De telles propositions, j'en fais pas trop souvent.

T'es même privilégiée, j'te dis ça en passant.

Tes collègues de travail hésit'raient pas, tu sais.

Ils comprendraient bien vite où est leur intérêt.

Je hoche la tête comme une gourde. Bien sûr, Andro, bien sûr…

Des cris, en écho. Les pleurs d'Astyanax.

Andromaque ferme les yeux et soupire, exaspérée. Elle passe devant moi en coup de vent, se retrouve dans le couloir et va à la porte qui monte à son appartement.

Hé ben ! Elle y croit, à son retour sur le trône ! D'ailleurs, c'est pas clair, toute cette histoire, il faudrait que je m'informe. Auprès de Chess, par exemple. Il semble prêt à répondre à toutes mes questions, lui…

Je sors du bureau vide et retourne dans la salle.

Comme cela arrive souvent, je suis la dernière à quitter la loge. Je traverse le couloir et me retrouve dans la salle vide. Non, pas tout à fait. Sous les néons allumés, Chair et Bone, sur le point de partir, discutent avec Paulo et Bowling. En me voyant, ils me sourient tous deux, polis :

— Tiens, tiens, la nouvelle… Comment vous appelez-vous, jeune fille ?

— Aliss…

— Très bon numéro, ce soir, Aliss. N'est-ce pas, Chair ?

— Absolument. Un numéro qui élevait l'âme. Donc, qui donnait la chair de poule.

— Pardon, collègue, mais s'il élevait l'âme, il devait plutôt raidir les os.

— Non, il donnait la chair de poule.

— Non, il raidissait les os.

Bowling soupire, mais n'ose rien dire.

— De toute façon, fait Chair d'un ton conciliant, pourquoi s'obstiner sur les effets de quelque chose qui n'existe pas ?

— Très sage réflexion, approuve Bone.

Ils parleraient hébreu que ce serait plus clair. Je jette un regard interrogatif vers Paulo et Bowling. Ils ne disent rien, vaguement mal à l'aise.

Bone ajuste alors son chapeau avec le pommeau de sa canne, puis sort une montre-gousset de sa poche. Aussitôt, l'image du chat égorgé dans la ruelle me revient à l'esprit et un courant d'air froid me traverse le corps.

— Mais le temps passe, et comme il est intraitable, mieux vaut ne pas abuser. Bonsoir à tous.

Les deux hommes sortent. Bon. Ils ont aimé mon numéro. C'est toujours ça. Paulo les regarde sortir en secouant la tête :

— Ces deux-là… Plus ils sont loin, mieux je me sens… Bon. Je t'offre un dernier verre, Aliss ?

Nous prenons tous deux une tequila, tandis que Bowling disparaît en arrière. Parti retrouvé Andromaque chez elle ?

J'essaie de tirer des renseignements à Paulo à propos de la Reine, mais ses réponses sont si vagues que je pourrais *surfer* dessus. Pourtant, mes questions sont assez directes :

— C'est, en quelque sorte, la patronne de tout le quartier, non ?

— En quelque sorte, oui.

— C'est quoi, une sorte de mafia ?

— Non, c'est la Reine Rouge, c'est tout.

— Mais enfin, comment elle s'y prend ? Qui est-elle, exactement ?

— Tu m'emmerdes, Aliss, avec tes questions…

Ça va, ça va… De toute façon, il est plus de quatre heures. Allez, au lit.

Dehors, c'est plutôt frisquet. La rue Lutwidge est à peu près déserte. Des cris, au loin, d'un immeuble quelconque. Cris de joie ou de rage ? Dur à dire…

Je repense à Andromaque. À son petit jeu de séduction, à…

Que c'est ça ? Deux bras qui m'agrippent ! M'entraînent dans la ruelle ! Me plaquent contre le mur de briques ! Je veux me débattre mais quelque chose de pointu sur ma gorge me… se… Un couteau, ostie ! c'est un couteau !

— Un cri, un geste, pis je te saigne !

J'ai compris, j'ai compris ! Je bouge pas, je halète… Il fait tellement noir, j'ai peine à voir mon agresseur… Je distingue des traits convulsés, des yeux fous, des dents serrées… Visage inconnu… Un malade qui a choisi sa victime au hasard… Ça devait arriver, mon Dieu, à force de me promener la nuit, dans ce quartier de capotés, comment j'ai pu croire que… pourquoi je… C'est trop tard, il va me tuer, me violer !…

— Retourne-toi contre le mur !

Sa voix est chevrotante, affolante… La mienne est suppliante :

— Par pitié, me faites pas…

— Contre le mur, p'tite criss de plotte !

Ahhh ! La lame pique ma chair ! Je pleure, je me retourne contre le mur pis je pleure… Il va me violer, j'en suis sûre ! Avec son couteau, il va me… me faire des choses, des… des…

Papa, maman, venez m'aider ! Sortez-moi de là !…

— Baisse tes culottes, la salope, que j'te défonce le cul d'aplomb…

Tout à coup, mon agresseur pousse un cri. Bruits de bagarres. Son cri s'éloigne un peu. Murmures, sons étouffés, puis un glissement… Les bruits s'éloignent toujours.

J'ose me retourner. Un miracle? Un sauveteur? Dieu en personne?

Je vois rien, mais je devine qu'on a traîné l'homme plus loin, à plusieurs mètres devant moi, dans l'œsophage ténébreux de la ruelle. J'entends alors le gars crier:

— Lâchez-moi! Lâchez-moi, osties de…

— Du calme, mon ami, du calme, rétorque une voix posée.

— Mais oui, voyons, s'énerver ne sert à rien, fait une autre voix.

Les bruits ont cessé de s'éloigner. Une chute. Frottement. Mais que font-ils? Je reste plantée là, incapable de bouger. Je veux savoir qui m'a sauvée ainsi, mais je vois rien, il faudrait que j'avance un peu… Je fais deux pas, puis stoppe aussitôt; mon agresseur pousse une exclamation affolée:

— Mais… mais qu'est-ce que vous faites? Qu'est-ce que vous… Ho, mon Dieu! Ho, non, non, sacrament, non, ne…

Suivi d'un cri. Mais un cri!

Commence alors l'horreur. Pas visuelle, puisque je vois rien, mais sonore. Les hurlements se multiplient, atroces, animaux, accompagnés de sons épouvantables, tour à tour gluants et secs, mous et durs, visqueux et rocailleux… Au milieu de cet opéra infernal, les deux voix calmes se font entendre:

— Ma foi, difficile de travailler dans cette noirceur, n'est-ce pas?

— Absolument! Et sans thé, en plus…

Ces voix… je connais ces voix…

Les hurlements continuent, les sons empirent… pis je vois rien, rien, rien!

Enfin, je peux bouger. Enfin, je décide de partir. Ma terreur est telle que je ne sens plus mes pieds toucher le sol. Honnêtement, je crois avoir volé jusqu'à la sortie de la ruelle ! Au moment de m'engager dans la rue éclairée, entre deux plaintes torturées, une des deux voix (et je reconnais parfaitement cet imperceptible accent anglais !) persifle, agacée :

— Il va mourir ! Diantre, il va mourir ! C'est le temps qui se venge encore !

Poursuivie par ces paroles insensées, je cours jusque chez moi. Une seule phrase me martèle la tête :

«Demain, je m'en vais… Demain, je m'en vais…»
Et je sais très bien que je le ferai pas…

CHESS

ou

L'insoutenable légèreté du junkie hilare

Aliss a sa quête, a le goût de l'aventure, mais est-ce bien suffisant? Dis-moi, ami lecteur, qu'est-ce qui est indispensable à tout héros dans ses aventures en terres étrangères? Bien deviné: un conseiller, un guide, un adjuvant! Pour cela, notre héroïne sait à qui s'adresser… Mais dans une telle aventure et dans une telle contrée, un adjuvant saura-t-il respecter les règles du schéma actantiel conventionnel?

Une heure de l'après-midi.

Je sors de chez moi. Surprise: la porte de Verrue est ouverte! Pleine d'espoir, j'entre dans l'appartement… pour trouver la proprio, en train de faire le ménage. Je suis déçue. La proprio, elle, est au comble de l'exaspération. Bigoudis en bataille, dents serrées, elle passe l'aspirateur partout, avec la rage d'un exorciste chassant le démon.

— Jamais vu une porcherie pareille! Ça devait faire des années qu'un balai était pas entré ici!

— Et Verrue? Pas de nouvelles?

— Non! Pis c'est aussi ben comme ça!

Je descends les marches mollement. Depuis que Verrue est parti, c'est vraiment tranquille, ici…

Je m'arrête au deuxième étage et observe avec curiosité les portes trois et quatre. C'est vrai, ça : à part Verrue et la proprio, j'ai jamais vu les autres locataires de cet immeuble. Ni même entendu. Vraiment discrets. Je hausse les épaules. Des vieillards, peut-être…

Deux jours de congé. Un peu de repos, ça me fera pas de tort.

En me rendant à mon petit restau préféré, je passe devant la ruelle d'hier soir. Celle dans laquelle mon agresseur s'est lui-même fait attaquer par Chair et Bone. Car c'était eux, aucun doute là-dessus. Pourquoi m'ont-ils sauvé la vie ? Par simple gentillesse ? Pourtant, l'altruisme est pas à la mode, dans ce quartier…

Je regarde vers la ruelle et, évidemment, finis par m'y engager.

Au fond de la ruelle, le cadavre de mon agresseur (car c'est ce que je m'attendais à trouver) n'est point là. Le cadavre, non, mais des signes de sa présence récente, oui. Traces de sang, entre autres, sur le sol, sur les murs de briques. Des lambeaux de vêtements arrachés. Des morceaux plus répugnants, aussi, des petits morceaux gluants ou durs… Je sais pas c'est quoi et je veux vraiment pas le savoir. Je sens déjà mon cœur commencer à se soulever lorsque je vois quelque chose briller sur le sol. Je m'approche et reconnais une montre gousset, recouverte d'hémoglobine séchée.

Il va mourir ! Diantre, il va mourir ! C'est encore le temps qui se venge !

Je tourne les talons et sors de la ruelle en vitesse.

Ces deux types sont fous à lier. Je sais pas pourquoi ils m'ont sauvé la vie, mais je sais qu'ils sont déments et dangereux ! Quant à savoir ce qu'ils ont fait du corps, je… j'aime mieux pas y penser.

Et ces deux détraqués travaillent pour celle que je crois être la surfemme…

Tellement de choses encore qui m'échappent… Raison de plus pour continuer.

Je mange à la terrasse du *Mange-mange* tout en prenant une Micro. Il fait si beau.

Ailleurs, il fait toujours beau, non ?

En mangeant ma poutine, j'observe avec attention autour de moi et remarque des détails, des petites choses qui me semblent tout à coup évidentes.

Il n'y a pas d'autobus ni de taxi.

Pas de police, non plus.

Ni enfants, on dirait. J'en ai vu aucun, sauf le bébé d'Andromaque. C'est pour ça qu'il m'intriguait tant : il détonnait. J'ai bien vu deux-trois ados de quatorze-quinze ans, mais personne de plus jeune.

— C'est vraiment… extraordinaire, que je marmonne, le menton au creux de la main, les yeux dans le vague, bercée par les doux clapotis psychiques de la Micro.

Un papillon, là, qui virevolte devant moi, flap-flap. Il se pose sur le dossier de la chaise située à ma droite. Banal : petit et gris, sans couleurs. Exactement le genre de papillon que serait Verrue… Je rigole à cette pensée, puis deviens triste. Comment puis-je m'ennuyer de cette vieille ratatouille ?

Je me penche vers le papillon et murmure en souriant :

— Verrue ?

Le papillon bouge pas. Je m'attendais à quoi ? À ce qu'il me réponde : «Bonjour, Aliss, comment vas-tu ?»

— Je suis niaiseuse ! que je grommelle en reculant sur ma chaise.

Je devrais pas prendre de Micro en me levant.

Le papillon finit par s'envoler. Bon débarras.

Je vais à la salle de bain du restau pour me maquiller. Je suis blanche comme un drap, je dois faire peur. Sur le point de pousser la porte des toilettes, je vois une silhouette familière assise à une table isolée. Jambes repliées sur la banquette, entourées de ses bras.

Même t-shirt fatigué, même jean délavé et troué. Elle me reluque, yeux et sourire fêlés.

Tiens, justement la personne à qui je voulais parler… Je m'approche.

— Salut, Chess.

— Salut, Aliss. Alors, on avait envie d'aller pisser ?

En voilà une observation ! Si quelqu'un s'achète des kleenex, est-ce que Chess lui demande s'il a le nez plein ?

— J'allais me maquiller.

— Je trouvais que tu avais l'air maganée, aussi…

— Tu sais parler aux femmes, toi ! Je plains ta blonde !

— J'en ai pas.

— Ça m'étonne pas…

Moi qui venais le saluer poliment ! Je regarde sur sa table. Pas de bouffe, pas de café, rien. Il a peut-être pas mangé, mais il est complètement gelé, comme d'habitude.

— Je suis pas un homme à femme, précise-t-il, tout souriant.

— T'es quoi, alors ?

— Je suis tout ce que je veux, je ne suis rien de ce que je subis. Je deviens celui que je suis.

— Ça me rappelle quelque chose, ça…

— Nietzsche, peut-être ?

Je m'étonne :

— Tu connais Nietzsche ? Tu l'as lu ?

— Absolument.

— Tu as lu *Ainsi parlait Zarathoustra* ?

— Absolument.

J'ai peine à croire que cette épave soit capable de lire. Il continue :

— J'ai lu Platon, aussi. Et Sartre. Et Freud. Et Kant. Et Marx.

Il me charrie, j'en suis sûre !

— Et Hugo ! Et Homère ! Et Pascal ! Et Danielle Steel ! Et Hergé ! Et Montignac !

Bon, voilà, il se fout de ma gueule, je le savais. Je réplique, soulignant grassement mon ton ironique :

— Hé, ben ! Tu en sais, des choses !

— Je sais tout.

— Justement…

Je m'assois devant lui.

— Hier soir, tu m'as dit que tu serais prêt à répondre à toutes mes questions concernant ce… quartier. C'est toujours vrai ?

— Absolument.

— Je peux t'en poser, là, maintenant ?

— Absolument.

Il sourit. Je sors de ma sacoche un joint et me l'allume. Je prends une *pof* et le tends vers Chess :

— Non, merci.

— C'est du bon, tu sais.

— J'en doute pas, mais je prends pas de hasch.

— Tu me niaises ?

— J'ai ma propre drogue, merci.

Je veux lui demander laquelle, mais au fond, c'est pas ça qui m'intéresse. J'ai d'autres questions plus urgentes. En fait, j'en ai tellement que j'arrive pas à trouver celle qui ouvrira le bal.

— Hé bien… Andromaque, par exemple… Quel est son vrai nom ?

— Andromaque.

— Tu as dit que tu répondrais pour vrai, Chess !

— C'est ce que je fais. C'est le seul nom qu'on lui connaît. Même quand elle dirigeait Troie, elle se faisait appeler ainsi…

— Troie ?

— Son ancien bordel.

Oui, évidemment. On est mythologique jusqu'au bout ou on l'est pas.

— Elle dit qu'elle était la Reine du quartier avant l'arrivée de la Reine Rouge. C'est vrai?

— Non

— Pourquoi qu'elle dit ça, d'abord?

— Pourquoi elle dit quoi?

— Mais… qu'elle était la Reine du quartier?

— Ah, oui…

Il sourit toujours. Il est pas vite-vite, le Chess…

— Dans sa tête, elle a toujours été la Reine. Avant, elle était propriétaire du bordel le plus chic de la place. Tout ce que tu vois dans son club, les références grecques, les costumes d'époque, la musique grandiose, les numéraux théâtraux, ça vient de Troie, son ancien bordel. Même que Troie, c'était plus spectaculaire. Très rigolo. J'y repense et je m'en amuse encore, regarde, ho-ho-ho, tu vois? Andro était la patronne et disait qu'elle était la «reine» de son petit monde. On l'aimait bien. On l'appelait «ma reine», parfois, pour lui faire plaisir, mais c'était pas sérieux. Un geste d'affection.

— Sauf qu'elle s'est fait prendre à son propre jeu, c'est ça?

— Elle jouait à quelque chose?

Je cligne des yeux, déconcertée.

— Non, je veux dire que… elle a fini par croire qu'on la considérait comme une vraie reine…

— Ah, bon…

Il sourit, toujours et sans cesse. Je sais pas c'est quoi sa drogue, mais manifestement, ça lui remplit les méninges de goudron…

— On dirait que oui. Elle s'est donné plus d'importance qu'elle en avait. C'était inoffensif et plutôt comique.

— Et qu'est-ce qui s'est passé?

— Quand ça? Hier soir? La semaine dernière? L'an passé? Il y a deux secondes?

Je soupire en me frottant le front. Hé, merde.

— Pourquoi elle a tout perdu ?

— Ho, Andromaque ? Hé bien, parce que la Reine, la vraie, est arrivée…

J'avance la tête légèrement. Enfin, on y vient !

— Raconte-moi…

— Il y a presque trois ans de ça, une jeune fille de vingt-deux ans est arrivée à Troie. Elle a rencontré Andro et lui a dit qu'elle voulait devenir danseuse et pute. Ou pute et danseuse, comme tu veux. C'était pas une beauté fatale, mais elle dégageait une sensualité et un magnétisme certains. Elle est tout de suite tombée dans l'œil d'Andro, tu vois, boum, droit au fond de la pupille ! Ho ! ho ! oui ! Andro l'a engagée sur-le-champ.

— Cette jeune fille… c'était la Reine Rouge ?

— Absolument.

— Comment elle se faisait appeler, à ce moment-là ?

— Dès son arrivée, elle a voulu se faire appeler la Reine Rouge, au grand étonnement d'Andromaque. Qu'est-ce que c'était que cette histoire de Reine Rouge ? Pourquoi ce nom ? Mystère, mystère, bizarre, bizarre… Mais Andromaque a refusé, tu imagines bien. Gentiment, elle a expliqué à l'autre qu'il n'y avait qu'une Reine, à Troie, et que c'était elle, Andromaque. Fallait pas jouer dans les plates-bandes d'Andromaque ! Ho, que non, que non. Mais elle a accepté que la fille se fasse appeler Princesse. C'était déjà une preuve qu'Andromaque avait fait de cette petite nouvelle sa favorite. Tout allait bien, le bonheur parfait, l'arc-en-ciel, les pluies de fleurs, trala-la-lalère…

— La Princesse a fini par prendre la place d'Andromaque, c'est ça ?

— Absolument.

Je me frotte les mains, très très énervée. Batince ! Toutes ces informations, en même temps, c'est vraiment incroyable ! Si Chess se taisait maintenant, je pense que je lui frapperais la tête contre le mur ! Le pire, c'est qu'il trouverait ça drôle, je suis sûre !

— Allez, je t'écoute.

— Merci, c'est gentil.

Il sourit.

— Non, je veux dire : continue !

— Continuer quoi ?

Sourit. Je vais le tuer avant la fin, c'est sûr !

— Comment la Princesse s'y est prise pour prendre la place d'Andromaque, merde !

— C'est dur à dire. Pas à prononcer, mais à expliquer. Pas mal, celle-là, non ? Chair et Bone l'aimeraient bien, je crois… En tout cas, très rapidement, la Princesse est devenue une des prostituées les plus populaires de Troie. Certains clients devaient se mettre sur une liste d'attente longue de deux semaines avant de la voir.

— C'était une… enfin, j'imagine qu'elle était très… cochonne ?

— À table ?

Ah, misère…

— Non, Chess, au lit…

— Je crois pas qu'elle mangeait au lit.

Une grande respiration. Comme ça… fiouuuuuu… Soyons zen.

— Je veux dire : elle devait être très performante sexuellement.

— Ça, je sais pas trop. J'imagine que oui. Mais surtout, elle avait une spécialité, qui l'a rendue bien vite célèbre.

— C'est-à-dire ?

Le sourire de Chess, si la chose est possible, s'élargit.

— Va au Palais. Si tu es prête à payer le prix, elle va te faire une démonstration.

— On me laisse pas entrer, au Palais ! Parce que je suis « nouvelle » dans le quartier, il paraît !

— Ah, c'est vrai. La Reine n'accepte que ceux qui sont établis depuis un certain temps.

— Ça peut être long ?

— Ça dépend des personnes. Un ou deux mois. Certains sont repartis sans jamais avoir pu entrer au Palais.

Je soupire. Il continue :

— La Princesse devient donc la vedette de Troie, à la grande fierté d'Andromaque. Certains disaient qu'elles étaient amantes. Les rumeurs, ça court vite-vite-vite. Zoum ! Était-ce vrai ? Ah ! Que de questions existentielles ! Puis, le fameux jour est arrivé. En tout cas, Andromaque a rien vu venir. Personne, d'ailleurs, avait prévu ça. Été 98, coup d'État : la Princesse prend le contrôle du bordel. Et ce, moins d'un an après son arrivée au Palais !

— Mais comment ?

— Magouille. Pendant des mois, elle a manœuvré par en dessous. Elle s'est fait des contacts avec les *dealers* de drogue, avec les caïds du quartier. Elle leur a promis des affaires, des trucs, des choses. Elle a réussi à convaincre la plupart des filles et des gars du bordel d'être de son bord. Elle s'est même tissé des contacts avec *là-bas*...

— Là-bas ?

— Oui, là-bas.

Comprends pas. Chess poursuit :

— Bref, une sorte d'armée souterraine, qu'elle manœuvrait comme un vrai général ! Elle a pris le contrôle, sans effusion de sang ni violence, et est devenue la Reine Rouge. Tadadam ! Sonnez trompettes et hauts les cœurs !

Je fais une moue admirative. À vingt-trois ans à peine ? C'est pas croyable...

— Quand la Reine Rouge a pris le gouvernail du bordel, elle a dit à Andromaque qu'elle pouvait continuer à travailler pour elle, si elle voulait. Ah ! La mansuétude des grands monarques ! Touchant, n'est-ce pas ? Mais Andro est trop fière. Elle a dédaigneusement refusé et est partie. Bye-bye et *exit*. Quelques filles et quelques gars l'ont suivie. Elle a donc ouvert son club, *Chez Andromaque.*

— Pourquoi l'as-tu appelée « duchesse », l'autre jour ?

— Ho, ça ? Quand Andro a décidé de faire bande à part, la Reine Rouge s'est mise à l'appeler «duchesse», par moquerie... Disons qu'Andro la trouve pas drôle.

Il ricane. Je reviens à son histoire :

— Andromaque ouvre donc son propre club...

— Oui, et il marche bien, mais c'est rien comparé à l'ancienne popularité de Troie. Elle voulait absolument faire concurrence au Palais, aussi dérisoire que ça puisse paraître. La Reine aurait pu l'empêcher d'ouvrir ce club, mais... ça l'amuse. Et puis, Andro fait pas vraiment concurrence au Palais. Aller chez Andromaque, c'est une sortie modeste. Au Palais, c'est... la grosse sortie, disons. Faut être en moyens.

— Tu es déjà allé chez la Reine ?

— Souvent.

— Tu es un habitué ? Toi ?

— Je suis un habitué de partout.

— Mais tu viens de dire qu'il faut de l'argent, et... Enfin, disons que tu sembles pas vraiment...

Je ne termine pas. Chess est pas du tout froissé par mon commentaire. Je me remémore les gens que je vois entrer chez la Reine : propres, habillés chics... Chess, parmi eux ? Ça marche pas pantoute.

Une serveuse au crâne rasé avec au moins quatre anneaux dans le nez s'approche et me demande :

— Qu'est-ce que je te sers ?

— Ça va, merci. Je viens juste de manger, sur la terrasse.

Elle hoche la tête et fait mine de partir. Elle jette alors un regard vers Chess, vient pour lui dire quelque chose mais renonce. Drôle d'expression sur son visage. Écœurement et malaise mêlés. Elle s'en va.

Je prends un bon élan et relance notre discussion.

— Bon. Une fois Andro partie, la Princesse s'est fait appeler la Reine Rouge.

— Absolument.

— Troie est devenu le Palais ?

— Absolument.

— Cet immeuble minable !

— Faut pas se fier aux apparences. D'ailleurs, le Palais fait trois immeubles de large. La Reine a fait quelques rénovations.

— Le Palais est devenu le bordel le plus « in » dans le quartier ?

— Le Palais n'est pas qu'un bordel, je te l'ai déjà dit.

— C'est quoi ?

— C'est le Palais.

C'est d'une précision à couper le souffle.

— Mais la Reine Rouge est plus qu'une… qu'une propriétaire de club, elle… elle a la main mise sur le quartier, non ?

— Si on veut.

— Comment elle s'y est prise ?

— Elle a monté une équipe. Elle a pris le contrôle. Elle a imposé ses règles. C'est comme ça depuis deux ans.

Je demeure rêveuse.

— Elle est aimée ?

— Ça dépend. Certains l'aiment, certains la détestent. Certains la respectent, d'autres la craignent…

— De toute façon, vous avez pas tellement le choix, si je comprends bien.

— On a toujours le choix, Aliss…

Son sourire me lance un clin d'œil, tout à coup. Chess a pas bougé d'un poil depuis qu'il a commencé à parler. J'ai l'impression que s'il effectuait le plus infime mouvement, il se fendillerait de partout et tomberait en morceaux.

— Toi qui l'as vue souvent, Chess…

— Qui ça?

— Mais la Reine, batince!

— Ah, oui.

— Dis-moi… Comment elle est?

— La question est pas claire.

Il m'énerve quand il parle comme ça! On dirait HAL, l'ordinateur de *2001*!

— Qu'est-ce qu'elle a de différent des autres?

— Elle a pas de frontières.

Je pense à Verrue.

— Elle est purement méchante?

— C'est pas ce que j'ai dit. J'ai dit qu'elle a aucune frontière. C'est différent.

Une phrase de Nietzsche me revient: «se surmonter soi-même à l'infini»… Je hoche la tête avec un petit sourire entendu. En m'en rendant à peine compte, je marmonne:

— C'est parce qu'elle est la surfemme…

— La surfemme? Amusante trouvaille pour féminiser le surhomme de Nietzsche… Car c'est bien de ça que tu parles, n'est-ce pas?

— Bien sûr! C'est elle, c'est évident!

C'est quoi, cette lueur dans son regard? De l'ironie?

— Tu devrais peut-être relire Nietzsche, Aliss. Je suis pas sûr que tu l'aies bien saisi…

Bon! Un autre qui pense que je comprends rien! Un apôtre de Laurent Lévy!

— Explique-moi-le donc, toi, Nietzsche, si t'es si bon!

— Ho! Cela serait une discussion très longue et très compliquée…

C'est ça, défile-toi… Revenons donc à notre sujet. Je prends une longue touche de mon joint.

— Parle-moi encore de la Reine…

— Le mieux serait que tu la voies.

— Mais comment? On me refuse encore l'entrée du Palais!

— Tu trouveras bien le moyen. On finit toujours par arriver quelque part, quand on marche longtemps.

Son regard est vraiment craqué.

— De toute façon, la Reine n'est pas si loin de toi, tu sais…

— Le Palais est juste en face de chez moi, mais…

— Ce n'est pas ce que je veux dire. En dehors même du Palais. Tu es entourée de la présence de la Reine et tu t'en rends pas compte.

— Arrête de parler par énigmes, Chess, je comprends rien !

— Tu connais bien les locataires de ton immeuble ?

Ce changement de sujet me désarçonne quelque peu.

— J'en connaissais un, mais il est parti.

— Tu as jamais vu les autres ?

Bizarre, qu'il parle de ça, alors que ce matin même je m'étonnais de la discrétion de mes voisins…

— Non, jamais.

— Étonnant, non ? Un immeuble à six logements, et tu croises jamais de locataires…

Où il veut en venir ? Et comment connaît-il mon immeuble ?

— La surfemme doit pas seulement foncer tête baissée, Aliss. Elle doit prendre le temps d'observer autour d'elle.

Son sourire me donne le vertige. Il y a quelque chose d'étourdissant à rester trop longtemps en contact avec ce gars. Je jette donc mon joint dans le cendrier. Me lève. Peux pas m'empêcher de lui poser une autre question, même si je sais déjà qu'elle est vaine.

— Dis-moi, Chess, où c'est qu'on… Où on est, ici ?

— Mais dans un restaurant.

Batince, il est vraiment épais ! Ou il fait l'épais ! Ou les deux !

— Arrête, Chess : où on est ici, dans ce quartier ?

— Ce n'est pas la bonne question.

J'étais sûre, j'étais convaincue, j'aurais mis ma main au feu, j'aurais gagé ma chemise qu'il allait me répondre ça.

— Vous me faites chier, toute la gang, avec ça ! C'est quoi, la bonne question, alors ?

— Allons, Aliss, c'est à toi de la trouver…

Je soupire. OK, il commence à me lasser. Pourtant, quelque chose en moi me dit qu'il a raison…

— À la prochaine, Chess…

— Au revoir, Aliss… On va sûrement se revoir à la grande fête du Palais, samedi prochain…

— Non, je suis pas invitée.

— Ho, tu seras sûrement là quand même. Tu y tiens tellement.

Je le toise un long moment et finis par lui demander :

— Qui tu es, au juste ?

— Moi ?

Son sourire devient cosmique.

— Je suis tout, moi.

Je ricane. Mais, en même temps, je frissonne. Un sourire frissonnant. Hé, oui.

Je marche vers la salle de bain pour aller me maquiller. Dans mon dos, Chess me lance :

— J'espère que t'as pas l'intention d'utiliser la toilette, elle est occupée par quelqu'un qui risque d'y passer un bon moment…

De quoi il parle ? Il se contente de sourire encore et toujours. J'entre.

Je dépose ma sacoche sur le comptoir sale, puis jette un coup d'œil vers la toilette. La cabine est fermée. Sous la porte, je vois des pieds. Il y a bien quelqu'un sur le siège.

Qu'a voulu dire Chess ?

Je me maquille, me regarde dans le miroir. Parfait. Nouveau coup d'œil vers la cabine. Les pieds ont pas bougé. Aucun bruit.

— Ça va ? que je demande.

Rien. J'ose enfin pousser la porte.

La femme a environ trente ans, elle est habillée d'une jupe et d'un t-shirt. Assise sur la cuvette, elle fixe le ciel, le visage hébété. Elle est morte, c'est clair. L'aiguille de la seringue est toujours plantée dans son bras gauche.

Fuck! Qu'est-ce que je fais? C'est quoi les instructions à suivre quand on tombe sur une fille morte d'une *overdose*?

Chess! Il savait…

Je sors de la salle de bain rapidement.

La banquette est déserte, il n'est plus là.

◆

Je suis au milieu de la rue. À ma droite, le Palais. À ma gauche, mon appartement. Une diagonale d'une centaine de mètres les relie. J'en suis le centre. Une distance ridiculement courte, mais que j'arrive pas à parcourir. En fait, non. Je la parcours, mais en prenant de tels détours que c'est à se demander si je vais pas me perdre en chemin. Même si Chess a répondu à beaucoup de mes questions, ses réponses suscitent encore plus d'interrogations dans mon esprit.

Je retourne à mon immeuble. Il y a une pancarte *À louer* plantée dans le gazon. Au dernier étage, je vois la fenêtre de mon appart et celle de Verrue. Les deux fenêtres de l'étage au-dessous sont fermées par des rideaux… Les appartements trois et quatre…

Je vais frapper à la porte de ma proprio. Aujourd'hui, ses bigoudis sont verts.

— Bonjour, vous allez bien?

Elle répond pas, intriguée. Elle doit se demander ce que je veux exactement. J'entrevois le mari, en arrière-plan, qui se livre à une occupation démentielle: il est en train de peindre le frigo et le four de la cuisine en rouge. Le frigo. Le four. En rouge. Le même rouge que celui du salon.

Surtout, ne pas s'étonner.

— Vous avez des nouvelles de Verrue?

— J'en ai pas plus que j'en avais ce matin!

Je hoche la tête, encore hésitante.

— C'est tout? s'étonne-t-elle.

— Heu, oui, oui...

Elle commence à refermer la porte, quand j'ose enfin aborder le sujet:

— Vous dites que les autres locataires sont ici depuis des années?

— Mais oui.

— Ils sont tranquilles, non?

Silence. Elle me lance un regard qu'on pourrait qualifier d'assez hostile.

— Oui, très.

— C'est drôle, je les ai jamais vus.

— Qu'est-ce qu'il y a, tu te cherches des amis?

Si elle pense m'impressionner! Elle a pas compris que je ne suis plus la petite timide qu'elle a rencontrée la première fois, il y a trois semaines.

— Quel genre de gens ils sont, vos autres locataires? Jeunes? Vieux? Célibataires? Couples?

Elle me dévisage avec deux pupilles transformées en scies rondes. Moi, je poursuis mon énumération à choix multiples:

— Chômeurs? Travailleurs? Pauvres? Riches? Gais? Lesbiennes? Masochistes? Pédophiles? Psychopathes? Junkies? Détraqués? Surhommes?

Je glousse, amusée par mon propre excès, mon propre délire. La proprio marmonne un « petite niaiseuse » haineux avant de me fermer la porte au nez.

Je monte l'escalier, toujours en ricanant. Faut bien rigoler, voyons!

J'arrête devant les appartements numéro trois et quatre.

Je repense à ce que m'a dit Chess.

Je m'approche. Colle mon oreille contre la porte trois. Rien. Je prends la poignée. La tourne lentement. Verrouillée. J'examine la porte. Ho, et merde, pourquoi pas ? Je frappe, tiens, carrément. J'attends. Frappe de nouveau. Attends. Frappe de nouveau.

Je vais à la porte quatre. Répète le même manège. Long soupir. Bon, assez perdu de temps. Que Chess aille se faire foutre.

Je monte chez moi.

◆

Tout à l'heure, j'ai de nouveau essayé d'entrer au Palais, mais le gros gorille m'a encore virée de bord. Avec une certaine agressivité, je lui ai demandé combien de temps ça prenait avant d'être accepté dans ce club sélect. Il a même pas répondu. Gros *twit*.

Je prends donc une Micro, m'installe dans mon petit salon plutôt désordonné, et lis Nietzsche. De nouveau, beaucoup de phrases que je comprends pas, mais certains passages sur le surhomme me brûlent la cervelle. Le surhomme de Nietzsche est manifestement un *créateur*, qui unit le négatif et le positif, et surtout le bien et le mal…

« L'homme a besoin de ce qu'il a de pire en lui s'il veut parvenir à ce qu'il a de meilleur… »

Ce mal qui revient encore… Pour Nietzsche, il semble essentiel. Il a raison, au fond. Comment aller jusqu'au bout sans sortir des règles ? Comment dépasser la morale sans *flirter* avec le mal ?

C'est sa définition du mal que je trouve pas très claire…

Soudain, on sonne à ma porte. Ça alors ! C'est la première fois qu'on vient me rendre visite. Non, c'est faux. Mario est venu, une fois.

Ho… ! Mario !

Cette idée me fait lever d'un bond et voler vers la porte. Je l'ouvre, les bras ouverts pour accueillir Mario sur mon sein et, tant qu'à y être, entre mes deux.

C'est pas tout à fait Mario. Ce sont deux mafiosi de la Reine Rouge. Enfin, je les appelle comme ça, à défaut d'autre chose. Le *look* a pas changé : tout de noir vêtus, complet-cravate, avec cheveux rouges, lunettes teintées rouges et souliers rouges. Comme les deux qui sont venus rendre visite à Verrue. Pourtant, je jurerais que ce sont pas les mêmes. D'ailleurs, un des deux est un Noir. Un Noir avec des cheveux rouges, ça manque pas d'audace.

En les voyant, j'ai instantanément mal au genou.

Le Noir finit par parler :

— C'est toi, Aliss ?

Je m'y attendais : voix complètement dénuée d'émotion. Ils doivent tous sortir de la même usine.

— Oui.

Ma voix, à moi, est un souffle. C'est que je suis terrorisée.

— Nous allons entrer, fait le Noir.

— Ah, bon ? Très bien.

Je fais ma gentille. Je m'écarte. Ils entrent. Font quelques pas dans le salon. S'immobilisent. Regardent même pas autour d'eux. J'ai soudain envie de pleurer, mais je réussis à dire :

— Assoyez-vous donc.

— Non, ce sera court.

C'est vrai que tirer une balle, c'est une affaire de trente secondes, max... Mais qu'est-ce que j'ai à penser à ça, j'ai rien fait !

Le Noir se tourne dans ma direction et récite, la voix égale :

— Nous sommes les Valets de la Reine Rouge. Je suis Quinze, voici Trois. Tout d'abord, laisse-nous te souhaiter la bienvenue dans ce beau quartier.

Là-dessus, l'autre gorille, le dénommé Trois, sort sa main de sa poche et la lance en l'air, faisant ainsi voleter des milliers de petits confettis. Ceux-ci retombent sur les deux Valets de la Reine, qui démontrent autant d'allégresse qu'un fer à repasser. Ils attendent ma réaction, je crois. J'arrive pas à dire quoi que ce soit. Trop ahurie. Je me secoue enfin, me racle la gorge, souris.

— Je… merci, c'est gentil.

J'ai envie de hurler de rire. Au moins, la peur est partie.

— Bon. Trêve de festivités, fait le Noir. Tous les habitants ici doivent payer une dîme à la Reine.

Ah, c'est ça. La fameuse dîme. J'y échapperai pas, on dirait.

— Pourquoi?

— C'est comme ça.

Devant un tel argument, on ne peut que s'incliner. De toute façon, j'ai pas envie de protester. Vraiment pas.

— C'est combien?

— Cinquante dollars par mois.

C'est pour une somme si dérisoire que Verrue a perdu une jambe?

Je me lève. Fais ma décontractée.

— C'est parfait, je paierai ma dîme, comme tout le monde. C'est drôle que vous appeliez ça une dîme, ça fait plus église que…

— Le premier paiement doit se faire immédiatement, me coupe le dénommé Quinze.

— Ah, bon?

J'hésite un moment, puis vais chercher ma sacoche. Avant de donner le fric, je propose, candide:

— J'aimerais le donner à la Reine moi-même en personne, si c'est possible. Ça me permettrait de la rencontrer et de la…

— Non.

Sans froideur, sans méchanceté, sans rien. Juste «non». Trois lettres qui s'impliquent pas, qui se lavent les mains du résultat de leur union.

— Non? Ah, je… Dommage…

Je commence à avoir hâte qu'ils partent. Je donne donc l'argent qui disparaît dans le veston du dénommé Trois.

— Merci, dit le Noir. Ce sera la même somme chaque mois. Nous te dirons comment procéder pour les paiements en temps et lieu. Voilà.

Ils partent, sans une salutation. Déjà? Dommage, on avait du *fun*…

Hé ben, voilà. Me voici officiellement résidente du quartier, on dirait.

J'ai soudain un flash: ce sont eux qui sont venus chercher Verrue! Il a pas payé sa dîme, et ils sont venus le chercher pour en faire Dieu sait quoi! Je me rue sur la porte et colle un œil au judas. Je vois les deux gorilles, en face, qui frappent à la porte de Verrue. Je me suis trompée: ils le cherchent eux aussi. Trois finit par sortir une feuille de sa poche et, à l'aide d'une punaise, la fixe contre la porte. Puis, ils descendent.

Je sors de mon appartement et vais lire la feuille. C'est un mot écrit à la main:

Verrue,

Tu n'as toujours pas payé ta dîme. Ma patience a des limites. Si, d'ici trois jours, je n'ai pas reçue l'argent, ce n'est pas mes Valets qui iront te rendre visite, mais Chair et Bone. Tu sais ce que cela signifit.

La Reine Rouge.

Une écriture raide, rapide, sans élégance. Une ou deux fautes d'orthographe, mais claire et précise. J'ai enfin sous les yeux la première manifestation personnelle de la Reine Rouge. C'est excitant et frustrant à la fois.

J'arrache le message inutile, le chiffonne en boule et retourne chez moi.

◆

Le lendemain soir, lundi, autre visite mais beaucoup plus plaisante : mon Mario en personne ! Pas seul, par contre. Accompagné d'un autre gars, un peu plus vieux que lui, l'air très nerveux. Un dénommé Pouf.

En le reconnaissant derrière ma porte, je me suis retenue pour pas le prendre dans mes bras. Lui, *relax*, est entré en me lançant : « Pis, Aliss, ça va pas pire ? », et il m'a embrassée brièvement. Ça m'a fait un effet bœuf.

Il est là, assis sur le divan. Je suis tout excitée, toute heureuse. J'ai jamais ressenti tant de désir et d'attirance pour un gars. À ses pieds, un gros sac de nylon, plein de je sais pas quoi. Son ami Pouf, assis à ses côtés, n'arrête pas de reluquer vers la fenêtre, hyper-nerveux. Mario m'observe d'un air coquin, cigarette au bec.

— T'as maigri, toi.

— Ça se peut.

— T'es cernée, aussi…

Je dis rien, un peu blessée. Il ajoute en souriant :

— Mais t'es toujours aussi bandante…

Qu'il dise ça devant son ami devrait m'offusquer, mais je peux pas m'empêcher d'être contente, même si ça fait nunuche. D'ailleurs, si son Pouf était pas là, ça fait longtemps que je serais en train de lui bouffer la queue, à mon Mario.

— Es-tu toujours recherché par la Reine ?

— Ouais… Justement, c'est pour ça que je suis venu… Pouf pis moi, on… on se demandait si on pourrait pas se cacher ici, un peu…

Spontanément, j'ai envie de dire oui… Mais il y a Pouf. Et surtout, la peur de me faire prendre. Je pense à Chair et Bone.

— Je sais que tu penses que c'est risqué, ajoute Mario. Mais t'es pas très connue. T'es nouvelle. On viendra jamais nous chercher ici, Pouf pis moi…

Pouf s'intéresse pas à moi. Il est obsédé par la fenêtre. Maigre, la barbe sale, les cheveux courts, le nez aplati, les vêtements défraîchis, le pied mariton... Pas mal moins *sexy* que Mario, le Pouf.

Je finis par accepter. Honnêtement, ça me fait même assez plaisir. Ça va me donner la chance d'en savoir plus.

— Merci, me dit Mario, vraiment heureux. Merci ben, Aliss.

Puis, vers son ami :

— Je te l'avais dit, hein, que c'était pas une fille comme les autres !

Je rougis de fierté. Pouf, qui se bouffe les lèvres depuis son arrivée, finit par se lever et marche vers la fenêtre.

— Cibole, Mario ! Tu m'avais pas dit que c'était en face du Palais ! En face, tabarnac ! Notre odeur doit se rendre jusqu'à elle !

— Relaxe ton sexe, Pouf.

— Relaxe, relaxe ! Facile à dire ! Je me sens comme un chat qui se cache dans une librairie !

J'essaie de saisir l'image. J'y arrive pas. La peur doit l'égarer quelque peu dans ses métaphores.

— Justement ! Elle pensera jamais qu'on se cache juste sous son nez !

— Pourquoi vous restez ici, dans le quartier ? que je demande. Allez-vous-en !

— Nous en aller ? s'étonne Mario.

— Oui, en... en prenant le métro.

Les deux gars me dévisagent longuement. Puis ils se regardent. Pouf finit par marmonner :

— Ce... ce serait une solution, c'est vrai...

— Mais ça voudrait dire ne plus revenir, ajoute Mario.

C'est donc vrai ! Quand on part d'ici, on peut plus revenir, aussi capoté que ça puisse paraître. Pourtant, je m'étonne pas vraiment. On s'habitue à tout, même à l'impossible.

— Pas nécessairement! objecte Pouf. On peut revenir, pis tu le sais! Regarde Charles, par exemple!

Charles. Ils le connaissent donc? C'est incroyable comme tout le monde a l'air de se connaître, ici!

— Pis il est pas le seul! poursuit Pouf. C'est risqué, je le sais, mais c'est possible! Il s'agit juste de…

— Tais-toi, tu me fais chier, coupe Mario.

— Écoute-moi donc! se fâche Pouf. De toute façon, on s'en fout, qu'on puisse revenir ou non! Si on s'en va, c'est pour plus revenir! Revenir pour quoi? On est brûlés, ici, tu le sais ben! Brûlés comme des vieux souliers!

Mario le regarde, très grave. C'est rare qu'il a cet air. Il dit:

— Tu pourrais partir, toi? Retourner vivre *là-bas* à nouveau?

La manière dont il dit *là-bas*… Ça donne presque le frisson… Je lui demande:

— T'es pas né ici, alors?

Il me dévisage comme si je venais de proférer la pire des âneries.

— Voyons, Aliss, personne est né ici!

Je fronce les sourcils. Qu'est-ce que ça veut dire, ça? Quelle autre réalité impossible tout cela implique-t-il?

Pouf réfléchit, vraiment perturbé.

— Je sais pas, Mario… Je sais vraiment pas… Mais on aura pas le choix, je pense… Rester ici, c'est un suicide…

Mario s'assombrit et regarde le sac, à ses pieds.

— Qu'est-ce qu'il y a là-d'dans? je demande.

— Moins t'en sauras, moins ce sera dangereux pour toi.

— Quelque chose que t'as volé à la Reine? C'est pour ça qu'elle te cherche?

Il répond pas. Il se lève en s'étirant :

— Je suis crevé, moi. Je pense que je vais aller me coucher...

Et, avec un clin d'œil dans ma direction :

— Pis toi ?

Ça me prend pas trop de temps à comprendre.

— Oui, moi aussi, je pense.

Je vais rejoindre Mario, tandis que Pouf lance en grognant :

— C'est ça, laissez-moi tout seul...

Mario regarde son ami, puis se tourne vers moi, les yeux en forme d'interrogation. Mon regard lui répond en forme de négation. Il se tourne donc vers son ami et lui lance en forme de consolation :

— Désolé, mon Pouf... Pas de place pour toi. Mais tu peux toujours aller sur MusicPlus pis te crosser devant un vidéo de Jennifer Lopez.

Je suis contente que Mario ait compris. Qu'on se soit compris sans se parler, surtout. Peut-être que lui aussi commence à développer des atomes crochus avec moi...

En allant ouvrir le frigo, Pouf fait un signe las :

— Je suis habitué... Je suis comme les coureurs automobiles : endurcis à la solitude.

J'en suis à me demander en quoi les coureurs automobiles sont plus solitaires que les autres lorsque Mario me prend par la main et m'entraîne vers la chambre.

◆

Nous avons fait l'amour toute la nuit, je sais plus trop combien de fois. J'ai eu un ou deux orgasmes qui frôlaient le délire. Je me demande même si Pouf, dans le salon, a pu dormir. Je me suis fondue dans Mario. Littéralement. Malgré son attitude bestiale et *hard,* il s'est souvent lui-même attendri, adouci... Il y a eu des moments de pure magie, pour parler comme dans un téléroman de Lise Payette.

Plusieurs fois, tandis qu'il m'embrassait, je me suis dit que je l'aimais.

Aimer un gars semblable ? Moi ?

C'est le petit matin. Collés l'un contre l'autre, sur le point de nous endormir. Et je lui dis, comme ça, que je tiens à lui.

— Dis pas de niaiseries, qu'il marmonne.

— Je le pense vraiment. Je sais que ç'a l'air cucul, mais c'est vrai, je te jure…

Je le sens respirer contre mon épaule. Je me demande ce qu'il va répondre. Quand il parle enfin, sa voix est douce mais perplexe :

— Qu'est-ce que tu fais ici, Aliss ?

— Hmmmmm ?

— Qu'est-ce que t'es venue faire ici, dans ce quartier ?

Je suis trop épuisée. Pas la force de répondre.

M'endors.

◆

Je me réveille à quatre heures de l'après-midi. Mario est pas dans le lit. Ni au salon, ni ailleurs dans l'appartement. Pouf non plus. Le gros sac de nylon : disparu.

Un message, sur la table, très bref :

Merci pour toute, Aliss. Tu est vraimant une fille exstrordinaire. Ont va ce revoire sartain.

Mario

De la part d'un gars comme Mario, c'est digne d'un poème de Nelligan ! Je comprends ce que cela signifie : ils ont décidé de *vraiment* partir. De prendre le métro. De retourner *là-bas*.

Me sens toute triste. Comme en peine d'amour.

Je me fais des toasts et un café. Je mange lentement. C'est peut-être mieux comme ça. Peut-être, oui. De toute façon, je suis pas venue ici pour tomber en amour, n'est-ce pas ?

Je décide d'aller faire une longue marche avant d'aller travailler. Je commence vraiment à connaître le quartier. La rue Lutwidge est le boulevard principal et central. Tout autour, une vingtaine de rues, que je connais de plus en plus : Croft, Macmillan, Lewis... Rues peu intéressantes, principalement occupées par des immeubles à logements. Un quartier de la dimension d'un tout petit village, je dirais. Environ quatre kilomètres sur trois. Quand on prend une rue, peu importe laquelle, et qu'on marche jusqu'au bout, on arrive immanquablement au même endroit. Comme je fais en ce moment : marche dans Lutwidge, tourne dans Griffon, marche un peu, tourne dans Hargreaves, marche pendant un moment, jusqu'au bout... jusqu'à la disparition des maisons... jusqu'au cul-de-sac... jusqu'aux terrains vagues, aux grues abandonnées... et le pont Jacques-Cartier, là-bas, au loin... Je demeure de longues minutes immobile à le contempler, inaccessible et pourtant pas si lointain...

Bon. On tourne de bord. C'est l'heure d'aller travailler.

◆

Je sors de la douche de la loge et, tandis que je me sèche, Nin s'approche de moi en souriant :

— Je viens de voir ton numéro. Tu t'en viens pas mal bonne.

— Merci.

— Tu sais, si tu voulais qu'on monte un numéro ensemble, je dirais pas non. Anaïs serait d'accord, je suis sûre. Même qu'on pourrait faire quelque chose à trois.

Je souris.

— Merci, mais je pense pas.

— Comme tu veux.

Elle s'éloigne, pas vexée du tout.

Je vais bientôt être à court de Micros et décide d'en acheter. Je fouille dans ma sacoche et… Merde ! plus un sou ! Il y avait pourtant deux cents dollars, je suis sûre ! Je me rappelle très bien les avoir mis à l'intérieur de mon porte-monnaie, hier matin ! Je réfléchis à toute vitesse… et finis par comprendre. Je me tourne vers les autres, dans la loge.

— Qui a pris mon argent ?

Je suis enragée noir. Ils me regardent, surpris. Il y a Nin, North, Loulou et les Dupont et Dupond.

— Allez, qui a pris mon argent ? que je répète stupidement.

Ils finissent par hausser les épaules. Manifestement, ils sont désolés pour moi mais, bon, ils vont pas arrêter de respirer pour ça. North s'approche et me dit, dans un français approximatif :

— Tu pas une bonne idée laisser ton sac ici, quand toi sur plancher…

— C'est toi, c'est ça ?

— Je pas ça dis ! rétorque-t-il froidement. Je juste dis que ici, pas Disneyworld !

Il a raison, c'est ça qui est le pire ! Je peux pas faire confiance à personne, ici, vraiment personne ! Comment puis-je encore être si naïve ? Je remets ma toge en grommelant, grmlll grmmlll, et de dépit avale une Macro. Je laisse ma sacoche sur le comptoir, comme par défi, et retourne dans la salle en laissant une traînée de boucane derrière moi.

La salle, les gens, le spectacle sur scène, la fumée, les lumières… Pour la première fois, je me demande combien de temps je vais faire ça. C'est payant, ça ne me gêne plus, mais… disons que tout ça, au fond, n'est qu'un autre détour pour me mener vers la prochaine étape… vers la surfemme. J'espère juste que j'ai pris le bon chemin.

Je m'approche d'un client qui vient de s'asseoir à une table. Mais… mais oui, c'est Charles !

Ahuri, il me dévisage avec ahurissement, complètement ahuri. Il porte un veston défraîchi, une cravate rayée brune, une chemise blanche de plus en plus jaune, et il est ahuri.

— Aliss ! Mais… mais, bonté divine ! que diable fais-tu ici ? Ne t'avais-je point conseillé de partir ? Et… et tu gagnes ton pain ici ? Dans un tel antre de perdition ?

Il me prend pas au bon moment, lui ! Je lui réponds avec arrogance :

— Pourquoi pas ? C'est payant. Pis libérateur, aussi.

Ce n'est plus de l'ahurissement que je vois sur son visage, mais de l'horreur. Comme pour le narguer, j'ajoute, en faisant exprès de le tutoyer :

— Pis toi, Charles, qui cherche la beauté et le rêve… c'est ici que tu penses les trouver ?

Charles baisse la tête. Malgré la force de la musique, je l'entends marmonner :

— La beauté peut se trouver partout, Aliss. Énorme est le labeur du chercheur qui doit la trouver, la dénicher au creux du cauchemar et l'exposer au grand jour. Il faut croire au rêve…

— C'est ça, oui… Tes petites sculptures avec tes morceaux humains, ce sont des rêves aussi, je suppose ?

Celle-là, il l'a pas vue venir. L'horreur fait place à la honte. Charles, l'homme aux mille émotions.

— Comment sais… qui t'as… tu as farfouillé chez moi, lors de ton récent séjour, n'est-il pas vrai ?

— Qu'est-ce que je te sers ?

— Tu as fouillé chez moi, ne prétends pas le contraire, malheureuse !

—Donne-moi ta commande ou je m'en vais. J'ai pas que ça à faire.

Il finit pas bredouiller une commande. Je retourne au bar, fière de mon petit effet.

La soirée passe. Je fais mon numéro, puis je retourne servir de la bière. Du coin de l'œil, je vois bien que Charles s'enfonce de plus en plus. Non seulement il boit énormément, mais il est resté dix minutes aux toilettes, tout à l'heure, et en sortant il avait les yeux fous, exorbités. Une de ses paupières arrêtait pas de clignoter, tic, tic, tic… Il s'est injecté Dieu sait quoi dans les veines, c'est clair comme de l'eau en bouteille…

Il me fait signe. Je vais le voir. Il a la tête penchée sur le côté, il me regarde avec un sourire complètement abruti. Sa paupière clignote toujours, tic, tic, tic à la puissance mille.

—Numéro fort éloquent, tout à l'heure, Aliss… Une véritable manifestation artistique. Je m'incline bien bas.

Il devrait pas, il est assez bas de même… Sa voix est molle et aérienne.

—Merci, Charles. Je t'apporte autre chose ?

—J'ai compris les raisons de ta présence ici, Aliss… L'aura lumineuse de la compréhension m'a ébloui jusqu'au fond de mes rétines cérébrales.

Il me fait signe de me pencher. Je m'exécute, curieuse. Il me souffle dans l'oreille :

—C'est toi, la Beauté… Mon rêve existe, il est revenu, et tu en es l'incontestable et splendide preuve… Me trompé-je ? Non, n'est-ce pas ? Tu es la fleur d'or et d'émeraude dont la tige émerge du fumier ! Ma sculpture évocatrice et illusoire est désormais inutile, car maintenant tu es là !

Il met alors sa main sur ma joue et pleure doucement. Je le laisse faire, intriguée et touchée à la fois.

— Je suis désolé… Tellement désolé… Mon âme n'est qu'une immense dune d'amertume, sous un soleil de remords qui me brûle jour et nuit ! Je ne voulais pas, je voulais juste… juste toucher le rêve, tu comprends ?… L'effleurer de mes doigts blessés et tremblants… L'idée de faire le mal n'a jamais même jeté son ombre sur mon cœur égaré… Jamais ! Tu me crois, n'est-ce pas ?

Ce n'est pas à moi qu'il parle, je le vois bien. Il s'adresse à quelqu'un d'autre à travers moi.

Soudain, il recule sur sa chaise, me considère longuement, puis il prend cinquante dollars et les allonge sur la table.

— Accompagne-moi dans une de ces infâmes cabines, là, au fond, dans ces ténèbres complices ! Je veux toucher le rêve à nouveau !

Dans son regard, il y a quelque chose de céleste et de pervers en même temps. Méchante vision !

— Je fais juste des danses à cinq, moi. Rien d'autre.

Il cligne des yeux, pris au dépourvu, puis divise son billet par dix.

— Qu'à cela ne tienne ! *Sursum corda* et que la fête commence ! Danse pour moi !

Je regarde le billet, puis Charles. Charles que j'ai rencontré dans le métro il y a quelques semaines. Charles que je croyais si gentleman… et lui qui me croyait si petite fille.

Que s'est-il donc passé, entre ce moment et aujourd'hui ?

— Danse pour moi, Ô rêve ! Montre-moi ta pureté !

Ma pureté, hein ? C'est toujours ça, n'est-ce pas, Charles ? En vitesse, je vais chercher un petit tabouret et l'installe près de lui.

— Très bien, Charles. Très bien.

Je m'installe sur le tabouret et commence mon petit numéro. Comme chaque fois qu'on danse à une table, des clients autour en profitent pour se rincer l'œil gratis ; je les ignore complètement. Toute mon attention est sur Charles et tout en ondulant, je lui lance :

— Tu veux voir ma pureté, c'est ça ?

— Oui, souffle-t-il, hypnotisé. Oui, montre-la-moi.

— Très bien !

Sans les transitions d'usage, j'enlève d'un seul mouvement ma tunique blanche, hop !

— La voilà, ma pureté ! C'est-tu assez pur pour toi, ça, Charles ?

Son visage se convulse en différentes émotions contradictoires. Ses yeux s'allument de désir, mais l'incertitude joue des coudes pour se faire une place.

— Je… je ne sais pas… Je ne sais pas si…

Je me penche vers lui, me prends les seins à pleines mains :

— Ça, c'est pur, Charles ?

Je projette mon pubis sous son nez avec provocation, écarte mes cuisses, promène mes doigts sur mon sexe.

— Pis ça, Charles, tu vas me dire que c'est pur aussi ?

Je m'amuse pas du tout, je suis presque en colère, comme si je me vengeais de quelque chose. On dirait que je veux écraser Charles de mon aura érotique, l'écrabouiller. Lui, les yeux fixés sur mon sexe, se met à respirer à toute vitesse. Il tend une main tremblante vers mes cuisses, en bredouillant :

— Non, je… je ne peux pas… il faut…

Je lui claque la main, comme à un gamin.

— Pas touche, bonhomme !

Il se tord les mains, halète, sue comme une éponge tordue. Il est excité au max et, en même temps, il combat ce désir. Je me retourne, ondule mon cul avec exagération, tout en le narguant, la tête tournée :

— Tu vas me faire croire que t'as envie de pureté, en ce moment ? Que c'est la pureté qui te fait bander ? C'est ça ?

Soudain, sans réfléchir, je me retourne vers lui, me penche, et saisis son sexe à travers son pantalon de ma main droite. Rien de doux dans mon geste, rien d'érotique. Juste une poigne ferme, agressive. Guerrière.

— Je suis pas pure! que je lui crache au visage en sentant sa queue en érection entre mes doigts. Je suis la surfemme, t'entends? Je vais jusqu'au bout! Pas par pureté, mais par défi! Par défi! PAR DÉFI!

Charles pousse un hoquet terrible, cassant, comme une porte qui se ferme sur la gorge d'une poule. Je le lâche, me relève, et continue à danser en lui souriant méchamment, gné-hé-hé. Il en arrache vraiment, le mathématicien! Il tend un doigt vers moi, blanc comme une aspirine, et gargouille:

— Tu… tu… tu…

Et paf! Sa tête va percuter la table avec force, puis tout son corps s'effondre sur le sol. Je m'arrête de danser net, interdite. Batince! Qu'est-ce qui se passe? Deux secondes après, North et Luke s'approchent vivement et se penchent vers Charles. Je me rhabille rapidement, éperdue. Mais qu'est-ce qui lui arrive, koudon! Il suffoque, a les yeux révulsés, la main recroquevillée contre son cœur. Merde! J'ai pas pu lui faire de l'effet à ce point!

— On l'amène en arrière! propose Luke.

L'un le prend par les pieds, l'autre par les épaules, et hop! vers la porte du fond. Moi, je trottine derrière eux. On attire bien l'attention de quelques clients, mais dans l'ensemble, tout se déroule sans problème.

On le transporte dans la salle d'audition. On l'étend sur la table et on allume la petite lampe sur pied, ce qui laisse le reste de la salle plongée dans l'obscurité. On se croirait dans une salle de dissection, tout à coup. Trois médecins penchés sur le cobaye du jour. Chaude ambiance.

Charles est en sueur, blême, et cherche toujours son souffle.

— *What the fuck is going on ? A heart attack ?*

— Qu'est-ce qui s'est passé, Aliss ? me demande Luke.

Faut que je me justifie, pis vite, sinon ça va tomber sur mon dos ! C'est alors qu'Andromaque entre dans la salle, tenant son bébé miraculeusement calme dans ses bras. Elle s'approche et, en voyant Charles, devient sévère.

— C'est son cœur, comme toujours ! Fouillez donc
dans sa poche !

Vous trouv'rez ses pilules. Vite, avant qu'il dé-
croche !

North fouille, trouve un flacon de pilules, en fourre une dans la bouche de Charles. Les secondes passent, Charles se calme. Respire mieux. Ferme les yeux. Andromaque hoche la tête, satisfaite et agacée en même temps :

— Bon. C'est ben beau comme ça, ça va lui faire
du bien.

Si on veut qu'il aille mieux, c'est le meilleur
moyen.

Dans une couple de minutes, il va être mort de
honte,

Se confondre en excuses... C'est toujours le
même conte.

Elle me jette un coup d'œil :

— Hmmm... Laisse-moi deviner : tu as dansé pour
lui,

Tu l'as ben excité, pis là, couic : court-circuit...

J'approuve piteusement. Andro s'approche de moi avec un petit sourire. Mi-amusée, mi-sérieuse.

— Charles est fragile du cœur, des problèmes assez
graves.

Et quand il pique une crise, je te jure qu'il en
bave !

> Danse plus pour lui, Aliss, ça vaudrait beau-
> coup mieux.
>
> Dans son cas, les p'tites filles, c'est ben trop
> dangereux.

— Qu'est-ce que tu veux dire ?

Une explosion de cris et de pleurs me répond : le bébé a retrouvé son état naturel. Andromaque pousse un gémissement.

— Mais qu'ai-je fait au bon Dieu pour mériter
cette plaie !

Aussitôt, le bébé lui vomit sur les mains. Pour faire changement. Et pour faire aussi changement, à ma grande lassitude, Andromaque le secoue en tous sens en lui hurlant :

— *That's it*, maudit cochon ! Là, c'est fini pour vrai !

Elle fait alors quelque chose… quelque chose d'ini-maginable. Quelque chose d'insensé. Quelque chose qu'on voit seulement dans un dessin animé, genre Bugs Bunny, quelque chose d'impossible dans la réalité.

Elle lance son bébé !

Littéralement ! Elle prend son élan, allonge le bras, et le lance ! Oui, oui, oui, elle le propulse, l'expédie au loin ! Comme on lance un ballon, une balle de base-ball ! Sauf que c'est un bébé ! Vivant et hurlant ! Un bébé, criss !

Je pousse un hurlement, tandis que l'enfant effectue son long vol plané. C'est pas possible, on lance pas les bébés comme ça, c'est trop affreux, il va… il… il…

… il tombe dans les bras de Bowling, qui vient d'entrer dans la pièce.

Un silence de mort. Même le bébé n'émet aucun décibel. Dans les bras de Bowling, il s'est endormi instantanément. Tous fixent Andromaque. Elle a sou-dain l'air terrifié, comme si elle réalisait ce qu'elle venait de faire. Bowling berce doucement le bébé puis, sur un ton de doux reproche :

— T'as vraiment pas le tour avec les enfants, Andro...

Sur quoi, il sort de la pièce en chantant une berceuse.

Andromaque essuie son front légèrement moite. Elle vient pour dire quelque chose mais une voix faible se fait entendre :

— Je... je... je suis vraiment dé... dé... désolé...

C'est Charles, qui se redresse sur la table. Seule personne vraiment éclairée par l'unique lumière de la pièce, on dirait un ressuscité émergeant de son tombeau. Il semble malheureux comme une planète.

— Je... je me con... con... confonds en ex... x... x... excuses...

— Laisse faire les excuses, Charles, c'est rendu
            redondant.
   Pour dire aux autres quoi faire, t'es toujours de
            l'avant,
   Mais pour prendre soin de toi, j'te jure que t'es
            pas fort.
   Pis si tu fais pas gaffe, on va te r'trouver mort.
   M'en fous, moi : bois, drogue-toi, bande sur tes
            collégiennes,
   Mais si t'es pour crever, va chez ta *chum* la
            Reine...

Tout le mépris contenu dans ce dernier vers éclabousse le malheureux Charles qui n'a même pas le courage de s'essuyer. Andro fait alors signe à North et à Luke qui, aussitôt, aident Charles à descendre de la table.

— Viens, Charles. On va te reconduire à la porte.

— T... t... tant de genti... ti... tillesse décu... cu... cuple mon embbbb... bbb... mon embarras ! Je ne mér... mér... mérite pas tant de... de...

— C'est ça, Charles ; et demain, tu vas encore nous
            dire

Qu'il faut changer tout ça, qu'il faut se convertir,
Retrouver la beauté, le rêve, et bla-bla-bla…
Tes *trips* baudelairiens, on en a jusque-là !

Encore chancelant, soutenu par les deux autres, Charles tourne la tête vers moi. Son regard réussit à la fois à me dire « Je te demande pardon » et « Je te veux », ce qui donne un résultat assez déroutant.

Deux secondes après, il est sorti. Andromaque se tourne vers moi.

— T'es peut-être pas ici depuis longtemps, Aliss,
Mais c'est clair que déjà, on te remarque en
criss…

Je sais pas trop si elle me dit ça de façon positive ou négative, mais en tout cas, moi, je prends ça comme un compliment. Me faire remarquer ? Parfait ! Pourvu qu'on me remarque en haut lieu !

Andro fait sa sortie théâtrale habituelle (grands mouvements des épaules, claquement de sa robe), et je me retrouve seule dans la pièce sombre.

Léger ricanement.

Je me retourne. La seule lumière de la table est insuffisante pour éclairer le fond de la salle ; dans les recoins sombres, quelque chose apparaît. Deux grandes rangées de dents blanches, bien collées, bien étincelantes.

Qu'est-ce qu'il fout ici, lui ? Je l'ai pas vu entrer…

— T'es ici depuis longtemps, Chess ?

— Depuis le début.

Il fait quelques pas. Autour du sourire fantomatique, une silhouette se fait à peine entrevoir.

— Depuis toujours…

Quand je peux enfin voir son visage, il s'arrête. Les mains derrière le dos, il reste debout, là-bas, à me contempler. L'obscurité mange encore la moitié de ses traits. Sauf son sourire. Intact et lumineux.

— Qu'est-ce que tu faisais ici ?

— J'étais là, juste au cas où Charles mourrait…

J'aimerais mieux le voir… Quand il se trouve ainsi dans le noir, j'aime pas ça. Son corps est trop flou, son sourire trop clair.

— J'imagine que tu pourrais aussi me dire beaucoup de choses sur Charles…

— Absolument.

Je hoche la tête. Chess qui sait tout.

— Parle-moi de lui.

— La demande manque de précision.

— C'est quoi son problème ?

— Il a un problème ?

— Avec les filles, oui. Les jeunes, on dirait.

— C'est un problème parce qu'il a décidé de pas assumer ses pulsions. Les problèmes sont souvent des envies non assumées, n'est-ce pas ?

— Laisse faire la philo pis parle-moi de Charles.

Chess recule d'un ou deux pas. Ses traits se fondent davantage dans l'obscurité, mais je distingue encore ses yeux. Et son sourire, bien sûr. Lorsqu'il parle, sa voix résonne de partout.

— Hé bien, il est allé enseigner à Londres, il y a quelques années. Il enseignait à l'université et était très reconnu, très compétent. Le recteur l'aimait tellement qu'il l'a engagé pour qu'il enseigne en privé à sa fille. Elle avait dix ou douze ans. Elle s'appelait Alice.

— Tu ris de moi ?

— Pas du tout.

Je réfléchis un court moment, puis lance, choquée :

— Es-tu en train de me dire qu'il s'est passé quelque chose de pas catholique avec cette fillette ?

— Évidemment ; les Anglais sont protestants, non ?

Je soupire. J'oubliais que je parlais à Chess…

— Chess, est-ce que Charles a… couché avec cette fille ?

La voix de Chess est douce, presque joyeuse, détachée. Il parle de tout cela avec une sérénité déconcertante.

— En tout cas, il y a eu un scandale sexuel, ça, c'est certain. Le recteur a renvoyé Charles sur-le-champ. Ouste, ouste, mauvais garçon! Ultimatum en prime: si Charles revenait à Londres, la police serait mêlée à l'affaire. Pauvre Charles! Il a quitté l'Angleterre, la mine bien basse. Entre autres.

Je me souviens alors de la lettre, chez Charles, la lettre d'un certain M. Riddel.

Chess ne dit rien. Il sourit toujours dans l'obscurité, attend.

— Après? je demande. Qu'est-ce qui s'est passé?

— Après? Hé bien, il y a eu la mort de la princesse Lady Di, puis la guerre en Tchetchénie, et dernièrement, cette affaire du petit Elian Gonzales...

— Batince! Chess, qu'est-ce qui est arrivé à Charles!

— Hé bien, il est revenu au Québec et vit ici depuis un an et demi, voilà.

— Pourquoi ici?

— Parce qu'il n'y avait plus de place pour quelqu'un comme lui *là-bas*.

Il me lance un regard entendu. Il y a quelque chose dans cette réponse qui me donne la chair de poule. Ma salive devient épaisse, c'est dégueu. Je change de sujet:

— Pis son cœur?

— Il est à gauche, je crois.

— Tu me fais chier! Ses problèmes de cœur! C'est dû à quoi?

— Problèmes cardiaques, c'est tout. Tout à fait banal. Une trop grande émotion lui fait piquer des mini crises d'angine. Il doit prendre des pilules.

— Il se les procure où, ces pilules?

— À un hôpital du centre-ville, *là-bas*...

— Il sort et entre de ce quartier souvent, n'est-ce pas?

— Absolument.

J'hésite, puis demande:

— Il est le seul qui peut faire ça?

— Sûrement pas. Il est par contre à peu près le seul qui le fait. Certains marchands le font, pour aller chercher leurs marchandises, mais c'est une minorité.

— On peut donc quitter ce quartier et y revenir sans problème?

— C'est plus compliqué que ça.

— Ce qui veut dire?

— Tout est une question de choix et de désir réel.

Je réfléchis à ça. Pas clair, clair. Comme d'habitude.

— Comment tu sais tant de choses, toi?

— Je te l'ai déjà dit, je sais tout.

Je me frotte le visage en soupirant.

— Charles, un pédophile… C'est horrible…

— Vraiment? Que sais-tu de l'horreur, Aliss?

— J'ai vu une ou deux choses assez horribles, depuis que je suis ici!

— Tu crois ça?

Son sourire est soudain plus large, son regard plus fou, les ténèbres qui l'entourent plus sombres.

— Tu ne connais pas encore tout de cet endroit. Ton seul système de références lorsque tu parles de choses incroyables, c'est ta vie d'avant. Et ta vie d'avant a aucun sens, ici, aucune logique.

— Je me détache de plus en plus de mon ancienne vie, que je dis avec colère. Je m'y réfère de moins en moins.

— C'est faux. La preuve est que tu utilises encore des termes comme *extraordinaires* ou *horribles* face à certaines choses que tu vois ici. Tu seras complètement adaptée lorsque ces mots n'auront plus aucune signification pour toi.

— Ça commence à être le cas, que je rétorque avec plus ou moins de conviction. Je m'habitue de plus en plus à ce que je vois, à ce que je vis.

— Ho, mais t'as encore rien vu.

En disant cela, il recule de nouveau de deux pas. Son visage devient encore plus sombre, ses yeux pâlissent, le contour de son corps s'efface. On dirait que son sourire, brillant de mille feux, sort du cadre du visage et flotte devant lui. Sa voix aérienne poursuit, planante :

— Tu n'es pas encore au bout de la route, Aliss… D'ailleurs, tu n'y arriveras peut-être jamais…

— Oui, je vais y arriver !

— Vraiment ? Pourtant, tu laisses de simples portes verrouillées t'arrêter…

Je comprends qu'il fait référence aux appartements de mon immeuble. Je lui lance :

— Ces appartements sont occupés par de simples locataires, comme moi ! Tu dis n'importe quoi !

— Si ça te rassure de le croire…

Sa voix est pleine d'écho. Il recule encore, tout son corps disparaît, son visage aussi, tandis que son sourire continue de flotter, liquide et cristallin. Puis, il disparaît à son tour. Silence et ténèbres.

— Chess ?

Aucune réponse. Aucun bruit. Il est là, quelque part au fond de la salle, tapi dans le noir.

Mais y est-il encore ?

J'ai froid. Je me frotte les bras.

Je retourne dans la salle, pressée de sortir de la pièce.

◆

Quatre heures moins quart du matin.

Debout, au milieu de la rue, devant le Palais. Là, juste devant moi. L'ampoule rouge au-dessus de la porte de métal est éteinte.

J'entends un claquement sec, provenant de très loin. Un coup de feu ? Sais pas… Tellement de bruits bizarres, ici…

Je reviens au Palais. Faut que je trouve un moyen pour aller au party samedi prochain. N'importe lequel.

Je n'ai vu que la façade de ce Palais. Il doit y avoir un arrière aussi, non ?

Je marche jusqu'au bout de la rue, puis entre dans la ruelle. Long couloir d'asphalte, peu éclairé, flanqué des immeubles qui me tournent le dos. J'hésite une seconde, encore hantée par le souvenir de mon agression de l'autre soir… puis prends mon courage à deux mains. Je me mets donc en marche, jusqu'à arriver derrière le Palais. Je reconnais les briques rouges. Je reconnais aussi les voitures stationnées dans la large ruelle : quatre Cadillac rouges et une Limousine de la même couleur.

Rapide examen de l'arrière du Palais. Rien à dire. Les fenêtres sont condamnées, comme celles de l'avant. Une porte de service. C'est tout.

La porte en question commence à s'entrouvir. Sans réfléchir, je me jette derrière une Cadillac. Qu'est-ce qui me prend de me cacher ? C'est pas une ruelle privée, à ce que je sache !

Deux gars sortent. Ils sont habillés de manière quelconque et soutiennent entre eux un homme remarquable. Remarquable en ce sens qu'on peut pas le manquer. Même si sa corpulence considérable et son costume, qui se limite à un short en cuir, sont des atouts suffisants pour susciter la curiosité, c'est un tout autre détail qui capte toute mon attention : le sang qui recouvre son visage, qui éclabousse son ventre velu, qui coule sur ses jambes. Du sang frais qui dégouline jusque sur l'asphalte de la ruelle. Manifestement, les deux gars viennent de lui sacrer la volée du siècle. Derrière la voiture, je me félicite de m'être cachée. Sûrement qu'on aurait pas apprécié ma présence.

— Hé, ben, il est pas joli à voir ! fait un des deux gars.

— Ouais, je pense qu'il y est allé un peu fort, ce soir, ajoute l'autre avec un fort accent anglais.

L'ensanglanté, à moitié assommé, se contente de grommeler des sons incompréhensibles. Je me suis trompé, on dirait. Les deux gars ne sont pas les cogneurs, mais les sauveteurs…

Quelqu'un d'autre apparaît dans la porte et s'appuie au chambranle. Une femme. Remarquable aussi à sa manière. Un pantalon de cuir, un soutien-gorge qui laisse jaillir, par deux trous stratégiques, ses seins énormes et flasques. Les cheveux attachés. Il y avait un bal costumé au Palais ou quoi ? Le visage de la femme est en mauvais état, tuméfié, marqué de coups ; pourtant, elle semble pas souffrir. Elle fume calmement une cigarette en soupirant :

— Je lui ai dit qu'il jouait avec le feu, ces temps-ci… Mais y a des clients qui veulent rien comprendre, faut croire…

— Il a choisi qui, ce soir ? demande un des deux gars.

— Hulk…

— *God !* il a choisi le pire ! Avec Hulk, il aurait dû savoir que c'est toujours risqué !

— C'est ça que je lui avais dit…

C'est à ce moment que je remarque le sang sur les seins de la fille. D'où provient-il donc ? Je plisse les yeux. Là, au bout… C'est quoi, ça ? On dirait des… mais oui, ce sont des clous ! Des vrais clous, énormes, qui lui transpercent les mamelons de part en part ! Ouah ! J'en ressens presque la souffrance moi-même en personne ! Mais la fille, elle, continue de fumer, calme, presque amusée. Elle est appuyée contre la porte, elle a la face enflée de coups, elle a des clous dans les boules… et elle fume une cigarette, par cette chaude et tranquille nuit de juin.

Qu'est-ce que c'est que ce cirque horrible ?

Les paroles de Josée me reviennent en mémoire ; chez la Reine, il y a les Fils et les Filles de la Reine… mais aussi les Sadomaso… Voilà, je saisis, maintenant… Et les Sadomaso ont leurs clients, évidemment… Comme ce type ensanglanté, par exemple…

— Il est pas mort, au moins ? demande Nichons-cloués.

— Non, non, il respire encore, mais il saigne beaucoup… Surtout là, en arrière… Ça coule par son short…

— Ouais, je crois qu'il lui reste quelques lames de rasoir dans le cul…

Oh ! Merde, c'est pas vrai !

— *What we gonna do with him ?*

— Vous connaissez les règlements de la Reine : les clients amochés, on les laisse dans la ruelle. Il se réveillera demain matin et ira s'acheter quatre tubes de vaseline.

— Pis s'il se réveille pas ?

La femme hausse les épaules. Elle prend une touche. Quelques gouttes écarlates tremblotent au bout de ses mamelons, puis tombent.

— Les Valets le ramasseront demain matin…

Là-dessus, les deux gars lâchent le malheureux qui tombe mollement sur le sol. La fille jette sa cigarette :

— Bon. Je me lave et je me tire…

— T'as besoin d'aide, *darling ?* fait malicieusement l'anglo.

— Ouais, on pourrait te savonner le dos avec une râpe à fromage…

Ils rigolent, ah-ah-ah, ils entrent tous les trois dans le Palais, la porte se referme, vlan, et le gars, par terre, râle longuement, aaarrrhhhh…

Et moi ?

Hé bien, moi, je me redresse, encore secouée par ce beau spectacle. Je m'approche lentement du moribond, incertaine et dégoûtée. Je peux quand même pas le laisser là !

Il est à mes pieds, sur le dos. Malgré le sang qui recouvre son visage, je distingue ses yeux fermés. Son ventre est recouvert de plusieurs coupures. Vraiment dégueu ! J'ose même pas le toucher !

— Mon… monsieur ?

Petite, ma voix. Allons, Aliss, prends sur toi !

— Monsieur, vous m'entendez ?

Sa main se lève brusquement. Tchac ! Ses doigts se referment autour de ma cheville ! Calvaire ! La peur de ma vie ! J'ai crié, je pense ! Les yeux du gars sont ouverts ! Fixés sur moi ! Pis cette grimace, c'est une tentative de sourire ? Un sourire hideux, sans dents, car elles sont toutes cassées ! Absolument toutes !

Le gars me dit quelque chose ! Miracle : je saisis les mots, malgré le gargouillement gluant provoqué par le sang qui gicle de ses lèvres :

— Encore… j'en veux encore…

Ben moi, j'en ai eu assez, merci beaucoup ! Je secoue ma jambe avec dégoût, les doigts ensanglantés lâchent enfin ma cheville et, bye-bye tout le monde, je m'en vais me coucher, pis vite !

Je parcours la ruelle d'un pas rapide, sans me retourner. En arrivant dans la rue, je me sens mieux. Rassurée.

Des Sadomaso… Des osties de malades, oui ! Pis les clients ont pas l'air mieux !

C'est dans ce Palais que je veux entrer ? C'est cette Reine que je veux rencontrer ?

Oui, et plus que jamais ! Parce que tout ça, c'est le spectaculaire, c'est la surface. Il y a plus, je le sais. La Reine est plus que ça. La surfemme est plus que la patronne d'un club de détraqués !

En montant les marches de mon immeuble, j'avale une Micro. Ça va me calmer les nerfs.

Je passe devant les portes trois et quatre. Les paroles de Chess…

Je vais à la porte trois, frappe dessus de toutes mes forces. Silence de mort de l'autre côté. Je tourne la poignée avec rage. Inutilement. Je crache sur la porte, tiens! Pouah! Demain! On règle ça demain! Si je peux pas entrer au Palais, je vais quand même entrer quelque part, batince!

Fière de ma résolution, je poursuis mon ascension.

◆

— Bnjour, Aliss… Tu es en frme?

La serrurière me sourit gentiment.

— Bonjour, madame Letndre. Très bien, merci, et vous?

— Ça va, mrci. Des ptits trvaux, cmme d'habtude.

Elle travaille sur une montre-gousset.

— C'est à un de vos clients, cette montre?

— Oui.

— Vous êtes aussi horlogère?

— À l'occsion, oui.

— Elle est à Bone, est-ce possible?

— Tu connis Bne?

— Vaguement, oui.

— Oui, c'est sa mntre-gousst. Enfn, une de ses nmbreuses mntres.

Elle la prend et l'examine en souriant:

— Imagne-toi donc qu'il vut que je rallnge son tmps.

— Rallonger le temps de sa montre?

— Exctment.

Elle tourne la montre entre ses doigts.

— Il voudrit que sa mntre dure pls longtmps que doze heurs. Vos-tu, ce Bone a un prblème avc le tmps.

— Vous lui avez dit que c'est impossible, évidemment…

— Évdmment, mais c'st un beau dfi, tu truves ps?

Je regarde la montre. Je repense à celle que j'ai trouvée dans le cadavre du chat. À l'autre dans la ruelle, pleine de sang…

Il va mourir! Diantre, il va mourir! C'est le temps qui se venge encore!

— Qu'st-ce que je peux fare por toi, Aliss ? Est-ce qu'l te mnque qulque chse ?

— Il y a des portes que j'aimerais ouvrir…

— Je cmprnds…

Elle fouille derrière elle, sur le mur recouvert de clés, et m'en tend une :

— Volà…

— Un passe-partout ?

— Je te l'ai dt, l'atre jour : ça n'exste pas, des psse-prtout unversls…

— Mais vous savez pas de quelles portes je parle…

— Ça va fnctonner, fas-moi confince.

— Ho, mais je vous fais confiance !

Nous nous sourions toutes les deux. Et de nouveau, son sourire m'est vaguement famillier. Ce visage ne m'est pas parfaitement inconnu…

— On s'est pas déjà vues, madame Letndre ?

Elle fait une moue amusée, puis hausse les épaules.

◆

Je frappe à la porte trois avec force, bang-bang-bang ! Dernier ultimatum, là-d'dans, sinon j'entre ! J'appuie mon oreille sur le bois.

Il n'y a vraiment aucun bruit. Je regarde la porte. J'avale nonchalamment une Macro, gloup. OK. Prêts, pas prêts, j'y vais !

J'introduis la clé dans la serrure. Sans difficulté, celle-ci s'actionne, se déverrouille.

L'appartement est exactement sur le même modèle que le mien et celui de Verrue. Le salon s'ouvre à ma gauche. Divan, chaise, télé, petits cadres sur les murs. Décoré sobrement, en ordre. Il y a, par contre, beaucoup de poussière. Désert, pas un chat. Je soupire. Je continue à marcher dans le couloir d'un pas rapide, convaincue de rien trouver.

Dans la cuisine, je m'arrête net, stupéfaite. Il y a quatre personnes assises autour de la table.

— Ho, je… Excusez-moi, je ne… je pensais que…

Mes bredouillements sont de courte durée. Les quatre personnes me regardent même pas. En fait, elles bougent pas du tout. Un homme et une femme dans la cinquantaine. Un gars d'environ dix-huit ans, une fille d'environ vingt. Une petite famille, quoi. Rassemblée pour le repas : il y a des fruits sur la table, des assiettes vides, des ustensiles propres, une pinte de lait…

Ils continuent à ne pas bouger.

— Je… je vais m'en aller, que je dis bêtement.

Je fais mine de partir. Ils persistent dans leur inertie.

J'ose enfin les examiner franchement. Ils sont morts ou quoi ? Leurs yeux sont grands ouverts et fixes, mais ils ont pas l'air de cadavres. Légèrement penchés vers l'avant, les bras sur la table… La mère tient même une fourchette dans la main.

Des mannequins ? Ça doit être ça. De vrais chefs-d'œuvre de réalisme !

Je m'approche et ose mettre ma main sur l'épaule de l'homme. Je secoue légèrement le mannequin, comme si je voulais me convaincre que c'en est bien un. Sa tête se met à dodeliner, d'avant-arrière, et quelque chose tombe alors sur la table, roule sur quelques centimètres, s'immobilise contre l'assiette.

C'est une bille. Ou plutôt un œil. Un faux œil.

Abasourdie, je regarde la face de l'homme. À la place de son œil droit, il n'y a plus qu'un trou. Ça a beau être un mannequin, ce visage avec un œil en moins, c'est quand même morbide !

La peau, surtout, a tellement l'air vrai ! Fascinée, je touche le visage, en me demandant si c'est du plastique, ou du latex, ou du… *Fuck* ! C'est de la peau, de la vraie peau ! Froide, mais de la peau quand même, j'en suis sûre !

Mais voyons, son œil de plastique, alors ?

Je me penche et regarde dans l'orbite vide. Sauf qu'il est pas vide, justement. Quelque chose coule lentement de l'orifice. Pas du sang, non, une sorte de… de poudre, ou de sable, qui s'écoule tel un sablier sur les joues de l'homme inexpressif. Que c'est ça, cette poudre-là ? On dirait du son ! Du son qu'on met dans les…

… dans les…

Criss !… Ostie de criss !…

Je viens de comprendre, calvaire ! Je viens de comprendre !

Vite-vite, tourne les talons et vite-vite, me sauve en courant. Vite-vite, monte les marches quatre à quatre et vite-vite, entre chez moi ! Les cent pas dans mon salon. Deux, trois, quatre minutes… Enfin, je commence à mettre en ordre, en cohérence, ce que je viens de découvrir.

Certitude soudaine : je découvrirais la même chose dans l'appartement numéro quatre. Dans le numéro deux aussi, en bas. Je regarde mes mains. Elles tremblent. Pourtant, j'arrive pas à être complètement horrifiée. Il y a autre chose en moi, une autre émotion, qui monte tranquillement.

Je peux plus rester dans cet immeuble, moi ! C'est impossible ! Je peux pas vivre avec des voisins empaillés, c'est pas très sain…

Cette idée me fait rire. Voilà, ce qui montait sort enfin : un rire nerveux, effrayé, pas rassurant pantoute.

Je recommence à marcher de long en large. Qu'est-ce que je fais, criss, qu'est-ce que je fais ?

Appeler la police.

Mais oui, la police ! Où avais-je la tête ! Je ris encore, un rire différent. Sans cesser de me bidonner, je prends le téléphone, compose le 0.

— Opératrice.

— Oui, je voudrais le numéro de téléphone de la police de mon quartier ! que je dis avec une bonhomie qui devrait m'inquiéter.

— Quel est votre quartier, mademoiselle ?

— Daresbury.

Court silence, puis :

— À Montréal ?

— Mais oui, absolument.

Bruits de clavier d'ordinateur. J'attends, toute souriante, m'amusant à l'avance de ce qui s'en vient. Car je trouve ça drôle, vraiment drôle.

— Désolée, mais il n'y a pas de quartier de ce nom à Montréal.

— Vous êtes sûre ? C'est un quartier intéressant, pourtant… C'est la Reine Rouge qui y gouverne, vous saviez pas ? Elle a des valets pis deux psychopathes qui recrutent des danseuses et des danseurs pour elle.

Silence à l'autre bout du fil. Je m'amuse tellement ! Le téléphone, contre mon oreille, est pris d'une crise d'épilepsie, mais je m'en fous : j'ai du *fun* ! Ben, ben, ben du fun !

— Je voulais juste signaler des voisins empaillés, vous comprenez ? Mais, bon, au fond, j'ai pas à me plaindre ! Ils sont plutôt tranquilles ! D'ailleurs, je sais pas pourquoi je vous appelle, parce que tout va bien, ici. Tout va très, très bien ! Pis il paraît que j'ai pas tout vu, vous imaginez ? C'est Chess qui m'a dit ça, une espèce de junkie maigre comme un cure-dent qui se *shoote* à je sais pas quoi pis qui arrête pas de sourire ! Il sait tout, lui, absolument tout ! Alors, je reste ! Je reste parce que je veux tout voir ! Parce que je veux voir la Reine ! JE VEUX DEVENIR LA SURFEMME, VOUS COMPRENEZ, P'TITE OPÉRATRICE MINABLE ! ?

Elle raccroche. Qu'elle aille se faire foutre ! Elle comprend pas ! Il faut être ici pour comprendre, il faut traverser, sinon, c'est pas possible ! Sinon…

On cogne à ma porte. J'arrête de rigoler net. C'est la proprio ! Elle vient me chercher pour m'empailler aussi !

— Aliss ! fait une voix étouffée. Aliss, c'est Pouf !

Pouf ! L'ami de Mario ? !

J'ouvre en vitesse. Pouf bondit et va au salon. Je tiens la porte ouverte, m'attendant à voir entrer Mario. Pas de Mario. Je referme, déçue et inquiète.

— Je... je pense qu'ils sont sur mes talons, fait Pouf.

— Pis Mario ?

— On a voulu prendre le métro ce matin, mais... Le gars du métro nous a reconnus, il sait qu'on est recherchés, il... il a sorti un *gun* pour nous tirer dessus ! On s'est sauvés, pis... il a fallu qu'on... qu'on se sépare...

Il me voit enfin.

— T'as un drôle d'air, toi...

— Il y a une famille complète empaillée dans l'appartement d'en dessous.

Il se contente de hausser un sourcil, et encore pas bien haut. Ai-je vraiment cru, pendant un bref moment, qu'il allait s'étonner ? Puis-je encore croire qu'il y a des gens qui s'étonnent de quoi que ce soit ici ?

— Ah, bon ? qu'il dit. La Reine a donc une salle d'exposition ici aussi...

— C'est... c'est la Reine, la responsable de ça ?

Pour toute réponse, des coups à la porte. Coups discrets, polis. Qui c'est ça, encore ? Le corps de Pouf se remplit de dix mille watts, ses yeux de dix mille étincelles de peur et sa culotte de dix millilitres d'urine.

— C'est... c'est eux autres ! Ils m'ont retrouvé ! Je suis cuit ! Cuit comme un bateau de croisière !

— Du calme, attends ! C'est peut-être Mario.

Il reste immobile au milieu du salon, un peu plus confiant. Je m'approche de la porte et demande :

— Oui ?

— Pardon du dérangement, mademoiselle. C'est Bone, ici, accompagné de son ami et collègue Chair. Nous aimerions entrer un très bref moment.

Je pouvais pas avoir pire visite! Des halètements derrière moi: Pouf doit être sur le bord de la crise cardiaque. J'avoue que j'en mène pas large non plus. Qu'est-ce que je fais? Je peux quand même pas leur livrer Pouf! Mais si je le cache pis que je me fais prendre… J'ose même pas imaginer ce qui m'arriverait! Je me tourne vers le fugitif. Il piétine sur place, cherche une cachette, m'implore des yeux.

Je panique ben raide!

— Pouf, je… je sais pas quoi faire, ils… j'ai…

J'aurai pas de décision à prendre, car la porte s'ouvre. Évidemment, elle était pas barrée! Bone, suivi de son partenaire, apparaît et salue en touchant le bord de son chapeau haut-de-forme.

— Désolé de cette intrusion, mais comme vous tardiez à nous répondre…

Il me reconnaît alors et a une moue de surprise:

— Ah, tiens? C'est donc vous qui vivez ici, mademoiselle… comment, déjà?

— Aliss, que je marmonne d'une voix blême.

— Aliss, voilà. Vous vous rappelez mademoiselle, n'est-ce pas, Chair?

— Mais bien sûr! La nouvelle chez Andromaque. Elle nous avait fait un numéro fort intéressant, ce soir-là…

— C'est pour ça que vous m'avez sauvé la vie?

Je lance ça par bravoure, pour me donner contenance, pour changer de sujet, ou je sais pas trop, je le dis, c'est tout! Pourtant, je continue à trembler de peur.

Les deux acolytes semblent bien surpris.

— Vous sauver la vie? Mais de quoi parlez-vous donc, jeune fille?

— Le gars qui voulait me violer… que vous avez tué, dans la ruelle…

Les deux hommes ont alors un air coquin, comme des garnements qui se font prendre la main dans le sac mais qui ne peuvent s'empêcher de s'amuser. Chair regarde Bone et dit en haussant les épaules :

— Nous manquons de discrétion, on dirait, mon ami…

— Il semblerait que oui…

Je jette un bref coup d'œil derrière moi : Pouf n'est plus là. Il est allé se cacher. Maudite marde ! Qu'est-ce que je fais ? Je leur dis qu'il est ici ou non ?

— Trêve de badinage, fait Bone en essuyant une tache invisible sur le pommeau de sa canne. Nous sommes venus ici pour mettre la main sur un fuyard, un dénommé Pouf.

— Oui, et inutile de nier qu'il est ici, ma chère, nous le suivons depuis une heure et nous l'avons vu entrer dans cet immeuble.

— Qui vous dit qu'il est dans mon appartement ?

Je perds la tête ou quoi ? Je protège donc Pouf ! Je suis donc complice ! Maudite marde de maudite marde !

Bone lance un regard admiratif à son ami.

— Voilà une observation remarquable de bon sens.

— Absolument. Cela mérite explication.

Puis, à moi :

— Voici donc le raisonnement. Il n'y a que six appartements dans cet immeuble. L'un est à la proprio. Il est impensable qu'il soit chez elle, nous connaissons cette femme et… jamais elle ne ferait ça, voilà. Ensuite, il y a l'appartement de Verrue, mais celui-ci a disparu, on ne sait trop où, d'ailleurs. Quand aux trois autres appartements…

Il a un petit sourire mystérieux.

— Ils ne sont pas habités, conclut-il.

— Ça dépend par qui.

Mais d'où me vient cette audace ? Je suis folle ! Comment puis-je avoir si peur et être si téméraire en même temps ? De nouveau, Bone et Chair s'étonnent.

— Elle est peut-être nouvelle, mais elle en sait pas mal.

— Oui. Pour une *nouvelle*, elle connaît les *nouvelles*. Ils rient.

— Je dirais même que pour une *novice*, elle connaît quelques-uns de *nos vices*.

Ils rerient. Moi, je me sens aussi déconcertée qu'effrayée. Je me demande si je devrais pas tenter une fuite.

Bone toussote et dit, presque tristement :

— Mais nous ne sommes pas ici pour nous amuser, n'est-ce pas, mon cher Chair ?

— Hélas, non, mon bon Bone.

Chair fait un pas en avant et, m'ignorant complètement, se met à crier :

— Nous savons que vous êtes ici, Pouf, alors inutile de nous faire perdre à tous un temps précieux.

— Le temps est toujours précieux, ajoute Bone comme pour lui-même.

— Alors, montrez-vous tout de suite. Si vous nous obligez à fouiller l'appartement, nous serons de mauvaise humeur et cela ne fera que…

Dzing, gling, et tous autres bruits s'apparentant à une vitre fracassée. Merde ! Il a pas fait ça, le cave ! Bone et Chair soupirent de lassitude.

— Il est vraiment idiot.

— J'ajouterais stupide.

— Un stupidiot, quoi.

— Ou un idiopide.

Sur quoi, Chair sort de l'appartement en lançant :

— Bon. Allons constater les dégâts.

— Allez-y. Moi, je vais appeler la Reine pour lui dire que nous en tenons au moins un.

Et moi, là-d'dans ? J'existe encore ou quoi ? Aba-sourdie, effrayée et malgré tout intriguée, je trottine derrière Chair qui descend les marches en sifflotant.

Sur le trottoir, en face de l'immeuble, Pouf est étendu sur le dos, au milieu de centaines de morceaux de verre brisé, et se tortille en se tenant le bras gauche. Il a la face pleine de petites coupures, ça saigne à dif-férents endroits, mais pas trop. Il gémit beaucoup.

Bref, ça fait mal.

Dans la rue, quelques piétons observent la scène, curieux mais pas vraiment émotionnés. Près de Pouf se trouve la proprio, penchée vers lui. Manquait plus qu'elle. Et elle l'engueule, en plus ! Sans se gêner !

— Si vous croyez qu'on peut se lancer par les fe-nêtres de mon immeuble, hé ben, vous me connaissez mal ! Allez vous suicider ailleurs si le cœur vous en dit, mais pas ici ! Pas dans mon immeuble ! Pis vous êtes mieux de me payer ma fenêtre, sinon je vous casse l'autre bras !

Dans la rue, un ou deux quidams ricanent. J'ob-serve la scène, déboussolée.

Surréaliste. Absurde. Grotesque.

On dirait bien que Chess avait raison : ces mots ont encore un sens, pour moi…

— Bon, bon, bon ! fait gentiment Chair en claquant trois fois dans ses mains. Permettez, ma bonne dame : il s'agit d'une affaire privée.

La proprio voit Chair. Ho, là ! Elle se la ferme aus-sitôt et recule comme si un putois venait de passer devant elle. Dans la rue, les piétons doivent recevoir des émanations car ils décident tous, unanimement, d'aller voir si l'air est pas plus sain un peu plus loin, disons à l'autre bout de la rue. Seule la proprio ose pas partir, hésite, piétine. Moi aussi, je reste un peu à l'écart, ne sachant absolument, mais alors là absolu-ment pas quoi faire. J'ai beau réfléchir à toute vitesse, je trouve rien. Même le concept de ne rien faire me traverse pas l'esprit.

J'attends, les neurones débranchés, à zéro.

Chair se penche vers Pouf, les mains sur les genoux, l'air compatissant. Il le regarde grimacer quelques instants, puis susurre :

— Le bras, c'est ça ? Cassé ? Ne répondez pas, je comprends très bien.

Pouf voit enfin Chair et la peur prend soudain plus de place que la souffrance. Ses lèvres coupées et saignantes se mettent à trembler et il marmonne :

— Écoutez, je… faites-moi pas de mal, ce… c'est pas moi qui ai voulu…

— On se tait, on se tait, le coupe doucement Chair. Vous avez la bouche en sang. Et le bras en mille.

Il ricane :

— Vous saisissez ? La bouche en *sang*, en *cent*… le bras en *mille*… ?

Chose incroyable, inimaginable : Pouf grimace un sourire ! Le gargouillement qu'il émet ressemble même à un ricanement !

Il est mort de peur, oui !

— Allez, hop. À la maison ! fait Chair.

— Non, je… pitié, me…

Chair s'approche. Doucement, il se penche encore davantage, étend gentiment ses deux bras… et soudain, de façon inattendue, il saisit Pouf par les épaules et le soulève littéralement de terre. Il le transporte alors sous son bras, sans effort apparent, comme s'il s'agissait d'une baguette de pain. Sauf que la baguette est possédée, elle hurle comme un damné. Je suis la scène du regard, subjuguée devant une telle démonstration de force. Chair s'approche d'une vieille Cadillac rouge, stationnée devant l'immeuble, dont la porte arrière est ouverte. Là, l'air très serein, il prend son élan et balance littéralement Pouf dans la voiture. J'entends un bruit sourd, un hurlement, puis des gémissements de douleur. Chair referme la porte, satisfait.

— Et voilà.

Je le regarde, paralysée.

— Pis ma fenêtre ? intervient alors la proprio avec audace. C'est la Reine qui va me la payer, je suppose ?

Chair lui lance un regard agacé. La folle poursuit :

— Ah ! Pis je commence à être écœurée qu'on se foute de moi comme ça ! Si la Reine vient pas me rendre une visite personnelle d'ici quelques jours, je démolis ses salles d'exposition !

Car elle sait ! Elle est au courant ! Évidemment ! Comment ne le serait-elle pas ? Salles d'exposition ! Le terme me fait encore plus horreur que les corps eux-mêmes…

Chair se met alors en colère. Enfin, c'est un gros mot, mais disons qu'il est tout à coup moins bonasse et moins serein qu'à l'accoutumée. Disons que ses sourcils se froncent. Disons que son regard s'assombrit.

— Vous, je vous conseille de rentrer chez vous immédiatement.

La proprio s'exécute. Elle continue de jouer les durs et à crier, mais je vois bien qu'elle a peur. Elle disparaît dans l'immeuble.

Pis moi ? Moi, l'épaisse, qu'est-ce que je fous encore là, immobile, la bouche ouverte, effrayée, déconcertée, légume ?

Chair me voit enfin. Prend un air triste.

— Quant à vous, mademoiselle, vous m'en voyez désolé, mais nous allons devoir vous amener avec nous.

— Quoi ?

Le son de ma voix me réveille. Maudite niaiseuse ! J'aurais pas dû rester là ! Chair marche vers moi, l'air de s'excuser.

— Oui, vous êtes complice. Vous l'avez caché, alors…

— Mais… mais je l'ai pas caché ! Pas pantoute ! Il est arrivé chez nous, il a… il m'a dit qu'on le cherchait, pis vous êtes arrivés ! J'ai pas… j'ai pas…

J'ai pas le temps de niaiser, batince ! Laisse tomber tes explications pis sacre ton camp ! Tout de suite ! Je suis même sur le point de le faire, je tends déjà mes muscles pour piquer un sprint si spectaculaire que Bruny Surin se verrait obligé de se recycler dans l'élevage bovin, lorsque derrière moi j'entends cette phrase miraculeuse et salvatrice :

— On ne l'amène pas, Chair.

Mes muscles se détendent, je me retourne. C'est Bone, qui sort de l'immeuble.

— Comment, on ne l'amène pas ?

— La Reine dit que ce n'est pas nécessaire.

— Ah, bon ?

Mes jambes sont molles. Je voudrais dire quelque chose, mais je sais pas quoi.

— Par contre, ajoute Bone à mon intention, avec un drôle de sourire, vous êtes invitée à venir prendre le thé chez Chair et moi, à seize heures. C'est-à-dire dans une heure.

J'ai mal compris certain.

— Prendre le thé chez vous ?

Chair lui-même manifeste de l'étonnement.

— Mais… nous prenons toujours le thé seuls, Bone !

Son copain lui lance alors un regard que Chair semble comprendre.

J'aime pas ça. Je bredouille :

— Je… je pense pas que je vais être là, je…

— Vous voulez venir à la grande fête du Palais, dans trois jours, n'est-ce pas, Aliss ? me coupe Bone.

Comment il sait ça, lui ? Est-ce que tout le quartier est au courant, koudon ? Je trouve rien à dire, prise au dépourvu. Il tend une carte vers moi en disant, suave :

— Alors, venez prendre le thé à la maison. Vous ne le regretterez pas…

Je prends la carte et lis :

CHAIR et BONE
médecins
5150 rue Esohcysp

Médecins ? Ces deux détraqués sont médecins ?

— Mais… mais pourquoi… pourquoi dois-je aller… est-ce que la Reine… ?

Je m'embrouille, il s'est passé trop de choses en quelques minutes, je comprends plus rien, j'suis ben fuckée, finalement. Bone lève la main, souriant :

— Soyez chez nous… seize heures, tout simplement.

— Si vous voulez venir à l'anniversaire de la Reine, bien sûr, ajoute Chair qui, soudainement, est sur la même longueur d'onde que son comparse.

Je trouve rien à dire. Au même moment, derrière eux, la porte de la Cadillac s'ouvre lentement et la main tremblante de Pouf apparaît. Sans même regarder derrière lui, Chair donne un coup de pied sur la porte qui se referme violemment sur l'index de Pouf. Hurlements et craquement. Je me mords les lèvres.

— Tout doux, là-dedans ! fait Chair en refermant la porte complètement, une fois la main rentrée à l'intérieur.

— On peut dire qu'il était à un *doigt* de s'évader, fait Bone d'un air malicieux.

Chair ricane.

— Pas mal, celle-là ! J'ajouterais qu'il a failli nous glisser entre les *doigts*.

— En effet ! Après quoi, il aurait été difficile de mettre le *doigt* dessus !

— Je *doigt* dire que c'est absolument vrai.

Ils se marrent, tellement fiers, tellement amusés… Finalement, ils reprennent leur sérieux, se tournent vers moi et me saluent, en parfaits gentlemen.

— Mademoiselle Aliss…

Puis, ils montent dans la voiture, et celle-ci s'éloigne à toute allure. J'ai juste le temps d'entrevoir le visage crispé de terreur et de souffrance de Pouf, collé contre la vitre arrière.

Je suis seule sur le trottoir. Je relis la carte que je tiens entre mes doigts.

Aller prendre le thé chez ces deux déments… Si je veux aller à l'anniversaire de la Reine, dans trois jours…

Une condition imposée par la Reine ? Elle me connaît donc ? Elle veut donc me voir ? Un test… c'est peut-être un test… Un test pour voir si je mérite d'aller au Palais…

Je me sens soudain excitée. Excitée et très effrayée en même temps. Aller chez Chair et Bone, c'est une autre frontière. Une autre limite. Mais celle-ci me fait peur. Vraiment.

Peut-être que la Reine sera chez Chair et Bone. C'est pas impossible.

Quelques curieux sont revenus. Me regardent avec intérêt. Je remonte chez moi en vitesse. Je vois la fenêtre cassée dans mon salon. Je réfléchis, incertaine.

Faut que je prenne l'air.

Je prends ma sacoche et redescends. Il n'y a plus personne dans la rue. Sauf quelqu'un, de l'autre côté, appuyé contre un mur. Chess.

C'est la première fois que je le vois dehors. On dirait que le soleil le transperce, que son corps maigre est diaphane jusqu'à la transparence, que la lumière n'a pas prise sur lui.

Sauf sur son sourire, étincelant.

— Alors, Aliss, tu vas y aller ?

Je réponds rien. Je le regarde longuement. Je pense même pas à traverser la rue. Je suis certaine que si je m'approchais, je verrais à travers lui, à travers son corps…

— Je veux rencontrer la Reine, que je réponds. Je veux lui parler.

— Et pour ça, tu es vraiment prête à tout ? À tout faire ? À tout voir ?

— J'ai vu les corps empaillés, dans les appartements ! Pis je suis pas devenue gaga !

— C'est un hors-d'œuvre, ça. Tu sais, comme les grands repas. Il y a l'entrée, puis le premier plat, le second et, enfin, le dessert. Moi, j'aime surtout le gâteau opéra. Ou les beignes au miel. Et toi ?

— Tu es fou !

— Absolument. Nous le sommes tous, ici… Tu l'as pas remarqué ?

Malgré la distance, ses yeux exorbités et son sourire me transpercent le crâne. J'ai mal à la tête.

Je me détourne et me mets en marche. Jusqu'au coin de la rue, je garde les yeux devant moi, le pas raide. Arrivée à Lutwidge, je regarde vers le boulevard. Aucune idée de ce que j'ai l'intention de faire.

Une Cadillac rouge passe lentement. Soudain, un piéton hurle :

— À mort la Reine Rouge !

Sur quoi, il lance une bouteille de bière sur la voiture. Celle-ci s'arrête net et deux Valets de la Reine en sortent, rapides mais imperturbables. Le trouble-fête se sauve à toutes jambes, poursuivi par les deux mafiosi. Ils disparaissent entre deux immeubles. Il me semble entendre un coup de feu. Un cri. Un bref moment, les gens ont observé la scène, puis ont continué leur train-train, amusés.

Je me retourne vers Dodgson, cherche Chess du regard.

Il n'est plus là.

CHAIR ET BONE

ou

La torture, en tant que quête métaphysique,
commence toujours par un thé

À mi-chemin de toute aventure survient une épreuve
particulièrement difficile, à un point tel que le héros en
sort bouleversé et va même jusqu'à se remettre en ques-
tion. Ce moment est venu pour Aliss. Plusieurs éléments
l'annonçaient depuis un certain temps… Notre héroïne
osera-t-elle répondre à l'appel? Tu connais déjà la réponse,
ami lecteur…

Lutwidge vers le bar d'Andromaque, puis la rue
Hargreaves à gauche, cinq autres rues, puis c'est
Esohcysp. Une bonne demi-heure de marche.

C'est une rue particulièrement laide. Les immeubles
donnent vraiment l'impression d'être abandonnés.
Certains tombent littéralement en ruine. À un moment,
je vois un homme traverser la rue avec des béquilles.
Il n'a qu'une jambe. Aussitôt qu'il me voit, il s'éloigne
rapidement et disparaît dans une ruelle. À part lui,
aucun signe de vie.

J'arrive devant la maison de Chair et Bone. Très
grande bâtisse ancienne à deux étages. Peut-être même
centenaire mais, bon, je connais rien en architecture.
Toute en bois, avec galerie qui fait le tour, énormes lu-
carnes, colonnes travaillées… Elle détonne vraiment
parmi tous ces duplex miteux. On voit qu'elle a déjà

eu de la gueule, mais maintenant elle aurait plutôt une gueule de lendemain de brosse. Les fenêtres sont sales, la peinture écaillée, le gazon long et jaune, les arbustes sauvages... Maman dirait que c'est du gaspillage.

Je regarde ma montre : quatre heures moins quelques minutes. Il est pas trop tard pour changer d'idée. Il est pas trop tard pour tourner les talons et retourner chez moi.

Chez moi... C'est où, ça, chez moi ?

Une voix familière me répond, dans ma tête :

Ce n'est pas la bonne question...

De nouveau, je me dis que je dois mettre le doigt sur cette bonne question, mais comment ? Est-ce pour cela que je vais chez Chair et Bone ? La bonne question s'y trouve peut-être...

Et c'est aussi une frontière de plus...

Je m'approche et sonne.

Une femme me répond. Si on peut encore appeler ça une femme.

Elle porte un petit tablier jaune et un bonnet de bonne de la même couleur. Voilà, c'est tout. Rien d'autre. La femme est à poil. Si on peut encore appeler ça une femme.

Elle doit peser trois cents livres, sans exagération, peut-être plus. Ce n'est pas de la peau, mais des cascades de graisse. Si je mettais ma main dans n'importe lequel de ses plis, je resterais coincée, je serais aspirée. Elle me fait peur. Y a de quoi : si elle me tombe dessus, faudra me décoller du sol avec une spatule. D'ailleurs, le simple fait de l'imaginer en train de marcher relève de la science-fiction. Pourtant, elle doit en être capable puisqu'elle est venue m'ouvrir la porte. Dans sa figure, des yeux minuscules me regardent, sans expression. Je réussis à différencier la bouche des huit mentons. Pantoise, je regarde cette femme. Si on peut encore appeler ça une femme.

— Oui ? dit-elle.

La voix est délicate. On appelle ça un contraste.

— J'ai rendez-vous avec messieurs Chair et Bone.

La mienne réussit à demeurer presque normale. Presque.

— Mademoiselle Aliss, c'est ça ?

— Oui, c'est… c'est moi.

— Suis-moi.

Au risque de créer une perturbation dans l'orbite terrestre, elle tourne les talons. Et l'impossible se produit : elle se meut. Si des physiciens voyaient ça, je suis sûre qu'ils remettraient toutes leurs théories en question.

J'entre et la suis dans un couloir. Elle avance très, très lentement. À chaque pas, ses immenses fesses sont prises d'un véritable séisme. Franchement, c'est dégoûtant. Pourtant, elle ne montre pas le moindre semblant de gêne ou de honte de se pavaner ainsi, nue, grotesque.

Couloir sombre et poussiéreux. Tableaux accrochés au mur, mais impossible à distinguer car vraiment poussiérieux.

La rondelette soubrette et moi traversons une salle à manger tout aussi sombre, mais beaucoup plus propre. Il y a bien une fenêtre, mais les rideaux sont tirés. Comme meubles, une longue table antique en bois, avec multiples chaises autour. Un buffet dans un coin, qui, pour ce que j'en sais, est aussi une antiquité. Encore des cadres sur les murs. Cette fois, on les voit mieux. On dirait de vieilles représentations médicales du corps humain, des schémas sur papier brun de différentes parties de l'anatomie : foie, cœur, estomac, ossature, cerveau… Les mots inscrits sont du latin. Ces gravures médicales d'un autre âge sont entourées de merveilleux cadres en bois sculptés. Un Monet aurait pas été encadré avec plus de dignité et de respect.

Puis, nous traversons un salon. Tout aussi richement meublé, divans et chaises antiques, lustres à bougies, armoire massive. Rien d'électrique. De nouveau, les rideaux aux fenêtres sont fermés. De nouveau, des dessins médicaux encadrés ornent les murs défraîchis.

Ces pièces sont propres et raffinées, mais il y règne un climat pesant et morbide. Peut-être à cause des rideaux tirés. Ou des papiers peints aux teintes malades. Ou de ces drôles de tableaux…

Miss Bulldozer s'arrête devant une porte fermée. Sur le mur, elle actionne un interphone (incongru dans ce décor du siècle dernier) et annonce, la voix blasée :

— Mademoiselle Aliss est arrivée, messieurs.

Une voix grésillante répond. Aucun accent. C'est donc Chair.

— Parfait ! Qu'elle descende nous rejoindre. Et apportez-nous donc le thé, Pamela.

S'appeler Pamela avec un tel physique, c'est carrément iconoclaste.

Pamela ferme l'interphone et ouvre la porte. Immobile, indifférente, immense.

— En bas, vous tournez à gauche. C'est au fond.

Je vais descendre dans une cave rejoindre deux dingues ? Vraiment ?

C'est un test, Aliss. Un test que te fait subir la Reine. Sois à la hauteur ou arrête tout.

La vertu dans l'action.

Je descends donc. Dans le couloir d'en bas, j'ai le choix : gauche ou droite. Il me semble entendre des sons provenant de la droite. Je regarde dans cette direction. Au bout de deux mètres, il y a un coude. Les sons sont faibles, bizarres. Mais comme la *sexy* Pamela a dit à gauche…

Je me mets en marche. Enfin, un éclairage électrique. Faible, mais quand même. Les murs sont en pierre, le sol aussi. On se croirait dans des catacombes. Très gai.

Allez, Aliss, avance.

Au bout, une porte est ouverte et j'entre timidement en lançant :

— Allô ? Youhou ? Vous êtes là ?

C'est une vaste pièce, creusée à même la pierre, au centre de laquelle trône un bureau magnifique, en acajou ou quelque chose du genre. Dans un coin, un pèse-personne. Dans un autre, un squelette en plastique accroché au plafond. Là, un classeur.

Un bureau de médecin, voilà. Un bureau de médecin faiblement éclairé, sans fenêtres, dans une cave moyenâgeuse. Bureau qui a pas servi depuis les Croisades, on dirait. Le long du mur, il y a des bocaux. Je m'approche et examine.

Le premier bocal est plein d'un liquide jaunâtre. Formol, je suppose. Embrouillé et difforme, un cerveau flotte dans une parfaite immobilité. Un bout de la moelle épinière y est encore accroché. Je grimace. Sur une étiquette, je peux lire :

« Cerveau lent »

Chair et Bone et leurs splendides jeux de mots. Évidemment. Je vais au bocal à côté. Il est beaucoup plus grand. À l'intérieur, un bras, coupé au coude, avec une main maigre et crochue à son extrémité. L'étiquette dit :

« À bras cada bras »

Franchement ! Je trouve pas ça drôle du tout. C'est même de mauvais goût. Mais en bonne voyeuse que je suis, je vais aux autres bocaux.

Un morceau d'intestin dans le troisième : « égo tripe ».

Un foie dans un quatrième : « avoir la foie ».

Un estomac et un pied, ensemble, dans le cinquième : « avoir l'estomac dans les talons ».

Ça suffit. Il y a d'autres bocaux, mais j'en ai assez vu. C'est trop débile ! Test ou pas test, faut que je parte… Au même moment, une porte au fond du bureau s'ouvre et Chair apparaît, souriant.

— Ah ! Aliss, vous voilà ! Mais venez donc, je vous prie…

— Non, je… je pense que je vais partir.

— Voyons, Aliss, vous n'avez rien à craindre. Vous avez ma parole d'honneur qu'il ne vous sera fait aucun mal.

— Ho, mais je vous crois, c'est pas ça, c'est… c'est… c'est juste que…

Je marche déjà vers la première porte, tout en cherchant stupidement une excuse, je dois avoir l'air tarte pas à peu près. Chair prend alors un air faussement triste et ajoute :

— Quel dommage ! Vous ne voulez donc vraiment pas venir à la fête de la Reine samedi prochain ?

On appelle ça du chantage. À moins que ce soit un piège pour m'attirer, me couper le cou et mettre ma tête dans un bocal sur lequel serait inscrit : « tête de linotte »… Mais s'ils voulaient me tuer, pourquoi ces détours ? Pourquoi pas me sauter dessus, carrément ? Je me raisonne : s'ils voulaient ma peau, je serais déjà morte. C'est donc vraiment un test. On veut me montrer quelque chose. La Reine veut voir si j'ai du *guts*.

J'imagine le sourire moqueur de Chess et marche vers Chair, le pas raide.

— À la bonne heure ! s'exclame-t-il joyeusement.

Plus j'approche de la porte, plus je me prépare psychologiquement à ce qui m'attend de l'autre côté. Chair s'écarte poliment. J'entre.

C'est une salle médicale. Avec machines, table d'opération, lampes supendues, comptoir, armoires, robinet ; tout cela est propre et moderne. Une salle d'opération qui serait assez banale si ce n'était de ces murs de pierre, de ce plancher de pierre, de ce plafond de pierre… Toujours cet éclairage blafard…

Il y a un patient couché sur la table d'opération. Nu, sur le dos, immobilisé par des sangles. C'est Pouf. Je suis pas vraiment surprise, mais pas rassurée non plus. Il est sûrement pas dans cette position pour prendre le thé avec nous. Bone est debout près de lui et le toise avec patience, comme s'il attendait quelque chose. Il porte toujours son haut-de-forme. Pouf, lui, respire très vite et même sans voir son visage, je devine qu'il a déjà connu de meilleures journées. Posé sur un trépied, à l'écart, un plateau recouvert d'instruments chirurgicaux me fait frissonner.

Ho, que j'aime pas ça.

Chair referme la porte derrière moi. À ce bruit, Bone et Pouf tournent la tête vers moi.

— Aliss ! s'écrient les deux hommes, mais sur des tons complètement opposés.

Il y a un peu d'écho dans cette grande salle. Au fond, une autre porte. Sur combien d'hectares s'étend donc cette cave ?

Une sorte de labyrinthe… gardé par deux fous…

J'aurais pas dû venir…

— Extrêmement ponctuelle ! fait Bone en avançant vers moi. Voilà une qualité qui vous honore !

Mes yeux restent figés sur Pouf. Lui aussi me dévisage, avec une parfaite incrédulité.

— Aliss ! Dis-moi pas que… que t'es avec eux !

De quoi parle-t-il, au juste ? Bone rétorque avec agacement :

— Elle est venue prendre le thé, tout simplement.

Les yeux de Pouf clignotent. Attaché. La tête tournée vers nous. Ahuri.

— Prendre le thé ?

— Oui… ben, en fait, non ! que je bredouille. Je suis ici pour… pour…

Je regarde mes deux hôtes avec terreur. Ça y est, je viens de comprendre ce que je suis venue faire ici ! Ho, non ! pas question !

— Écoutez, il faut… (J'avale ma salive, me reprends.) Peu importe ce que vous avez l'intention de lui faire, faites-le pas, d'accord ?

Je ne pense plus au test ni à la Reine, en ce moment, je pense seulement à ce pauvre Pouf sur le point de passer un mauvais quart d'heure… À moins que je réussisse à les convaincre de le libérer… Je sais pas si une telle attitude va me donner ou m'enlever des points, mais je m'en fous, je veux juste pas que ça arrive ! Surtout… surtout pas devant moi ! Même si c'est pour ça que je suis ici ! Pour *regarder* !

Chair me considère avec curiosité.

— Ce n'est pas très clair ce que vous dites là, ma chère…

La porte s'ouvre. Ce n'est ni la police ni une aide quelconque : c'est Pamelourde qui apparaît avec un plateau entre les mains. Elle doit se mettre sur le côté pour entrer, puis elle avance vers nous, le plateau bien appuyé sur ses immenses seins flasques.

— Ah ! Le thé ! s'écrient de concert les deux compères.

Sur le plateau se trouvent une théière, un pot de lait et trois tasses. Pamela va le déposer sur un comptoir puis, sans un regard vers personne, indifférente, elle traîne sa graisse jusqu'à la porte et sort. Bone se dirige vers la théière, tout heureux.

— Un peu de lait, ma chère ?

— Je bois pas de thé, que je rétorque, déconcertée.

La face de mes deux hôtes s'allonge de deux pieds. C'est pas le moment de les décevoir. Je me rattrape :

— Peut-être une petite tasse…

Me voici en train de goûter un thé pour la première fois de ma vie. C'est pas trop mauvais. Les deux autres se délectent, sirotent, hument, sourient, avalent, se gargarisent ; le bonheur, quoi.

— Ahhhh ! La vie a un sens, après tout ! fait Chair.

— Tout à fait ! Rien de mieux qu'un bon thé avant une opération !

Au mot «opération», Pouf set met à gigoter et nous lance des regards éperdus. J'interviens :

— Écoutez. Faites-lui rien de…

— Détachez-moi ! se met à crier Pouf. Je me sens pas bien, sur le dos, tout attaché ! J'ai l'impression d'être un facteur malade ! Détachez-moi tout de suite !

— Il faut répondre à nos questions, mon cher Pouf.

— Mais oui, par exemple, où se trouve Mario, votre complice ? C'est lui qui détient ce que la Reine veut récupérer…

Tous deux se tiennent maintenant de chaque côté de la table d'opération, calmes, tasse de thé en main. Entre eux, ligoté et gesticulant, Pouf se met à feindre l'innocence, mais avec une absence totale de conviction.

— Je sais pas de quoi vous parlez…

— Pourquoi nous faire perdre notre temps, Pouf ? marmonne Chair en brassant délicatement son thé avec une minuscule cuiller.

Alors que je commençais à songer sérieusement à fuir, je dresse l'oreille en entendant le nom de mon beau Mario. Bone poursuit :

— C'est incroyable que vous ayez réussi à nous échapper pendant tout ce temps. Honnêtement, cela force l'admiration. Bravo.

— Oui, bravo. Si je ne tenais pas ma tasse de thé, j'applaudirais.

— Mais voilà, la chance s'arrête ici. Vous voilà ligoté sur notre table d'opération. Alors, maintenant que vous êtes sur la table, il est temps de vous mettre à table.

Bone prononce cette dernière phrase en lançant un clin d'œil à son comparse. Chair fait une moue admirative et amusée :

— Pas mal, celle-là… Mais je crois qu'il aura de la difficulté à se mettre à table, puisqu'il n'est pas dans son assiette !

— Ah, ah ! Amusant aussi ! L'important, en se mettant à table, c'est de ne pas se mettre les pieds dans les plats !

— Ho, ho ! Fort habile ! De toute façon, quand on se met à table, on…

— Mais arrêtez ça ! que je m'écrie, agacée et déboussolée.

Je dépose ma tasse de thé avec force sur le comptoir. Cela fait un « clang » désagréable. Chair et Bone me regardent, étonnés, puis avisent ma tasse pour aussitôt s'élancer vers moi :

— Est-ce que, par hasard, vous n'auriez plus de thé ?

— Vous en prendrez bien une autre tasse ?

— Quoi ? N… non, non, j'ai seulement…

— Allons, allons, ne soyez pas timide ! fait Bone, tout souriant.

Pas moyen de l'arrêter ! Il prend la théière, commence à verser dans ma tasse, mais évidemment ça déborde presque aussitôt ! Il arrête son mouvement, interloqué.

— Déjà pleine ?

— Curieux phénomène, fait remarquer Chair en se grattant le menton.

— Mais évidemment ! que je m'exaspère. Je l'avais pas finie ! Pis… Pis… Pis que c'est qu'on fait là, à parler de thé pendant que… que… (je désigne d'un geste impuissant Pouf). *Fuck !* C'est vraiment pas le temps !

Bone pointe alors un doigt menaçant vers moi et son visage devient rouge-communiste. Je l'ai jamais vu comme ça. Il ressemble enfin à ce qu'il est vraiment : dangereux, fou et terrifiant.

— Ne dites pas que ce n'est pas le temps ! Stupide expression dictatrice ! Comme si c'était le temps qui décidait le moment de faire les choses ! Le temps n'a pas à décider si c'est le temps ou non ! Le temps n'a pas à décider quoi que ce soit ! C'est toujours le temps pour tout, vous entendez ? Le temps n'a qu'à se soumettre, voilà tout !

Il prend rageusement une gorgée de son thé, puis grommelle comme pour lui-même :

— Ce n'est pas parce qu'il est précieux qu'il doit nous imposer ses quatre volontés…

Je demeure immobile, silencieuse. Qu'est-ce que je peux dire ? Qu'est-ce que je peux répliquer à *ça* !

Chair, l'air ennuyé, propose :

— Bone, mon ami, si nous revenions à notre cas ?

— Pardon ! Je me suis égaré un tantinet.

Puis, se tournant vers moi, tout souriant :

— Encore un peu de thé ?

— Hein ? Mais… mais non !

Tous deux retournent à Pouf, toujours attaché, toujours très inquiet.

— Bon ! Alors, mon cher Pouf, vous cessez de nier, n'est-ce pas ?

— Où est Mario ? Allons, un peu de collaboration, que diable !

Pouf a manifestement compris que sa comédie est inutile. Désespéré et vaincu, il lâche dans un souffle :

— Je le sais pas…

— Vous dites ?

— Je le sais pas !

— Pouf, allons…

— Mais je le sais pas, sacrament ! On s'est séparés à la sortie du métro ! Je le sais pas où il s'est sauvé !

— Vous vouliez donc vraiment prendre le métro ? s'étonne Bone.

— Incroyable ! ajoute Chair en prenant une gorgée de son thé.

— On pouvait plus rester ici, nous deux ! On est brûlés ! On est cuits ! Cuits comme des pommiers ! On avait pas le choix ! Mais le gars du métro nous a empêchés de partir !

— Évidemment, nous l'avions prévenu. Il avait vos photos.

Ça va vite, dans ma tête. Ça veut dire que Mario est toujours ici. Qu'il se cache quelque part. Qu'il peut se faire prendre. Une pointe d'inquiétude me turlupine l'estomac.

— Où se cache-t-il, Pouf ? demande Bone en se penchant légèrement.

— Comment vous voulez que je le sache ?

— Voyons, vous avez réussi tous les deux à nous échapper pendant un mois. Vous deviez avoir une bonne planque. Mario y est sûrement retourné. Où est-elle ?

— Il… on… on en avait pas une de précise.

— Je ne vous crois pas, Pouf.

— Moi non plus, hélas.

À l'écart, je suis le dialogue, toute ouïe, toute tendue. Est-ce que Pouf ment ? Veut-il vraiment protéger Mario ? Est-il loyal à ce point ? De toutes mes forces, je souhaite qu'il ne dise rien.

— Pouf, pour la dernière fois…

— Y en a pas, de cachette, qu'est-ce que vous voulez que je vous dise !

Dans son visage, je vois bien qu'il ment, cette fois. Bone et Chair se regardent et soupirent. Mais cette déception n'est que de la frime. Dans leur regard, une étincelle de joie brille, malsaine.

Tous deux finissent leur tasse de thé d'un geste sec.

— Il est temps de travailler.

— Bien dit.

Ils viennent déposer leur tasse sur le plateau puis me regardent.

— Une autre tasse de thé ?

— Qu'est-ce que vous allez faire ? que je demande timidement.

— Nous allons prouver par l'absence.

— Vous allez quoi ?

Sans me répondre, ils vont à une armoire, l'ouvrent, puis endossent des sarraus blancs de médecin et se couvrent la tête d'un bonnet blanc. C'est la première fois que je vois Bone sans haut-de-forme. Les voici transformés en chirurgiens, mais sans les masques ni les gants.

— Ces sarraus sont de moins en moins frais, re-marque Chair en attachant le sien autour de sa taille. Les nombreux lavages qu'ils subissent vont finir par les achever.

— Ils ont fait du chemin, ne l'oubliez pas.

Puis, à mon intention, Bone explique avec nos-talgie :

— Imaginez-vous, chère Aliss, que ce sont là les sarraus que nous mettions pendant nos études univer-sitaires en médecine…

— Vous… vous avez réellement étudié en méde-cine ?

— Absolument ! À McGill, il y a presque vingt-cinq ans déjà ! C'est là que nous nous sommes rencontrés, n'est-ce pas, Bone ?

— Mais oui ! Le plus curieux, Chair, c'est qu'au départ vous rêviez d'une carrière de coureur olympique.

— C'est pourtant vrai ! J'avais presque oublié ! C'est fou, non ?

Ils ont un rire mélancolique, tout en s'habillant. Comment ces deux anciens étudiants en médecine, de McGill, ont pu aboutir ici ? J'ose même pas leur poser la question, je sens que la réponse dépasserait l'enten-dement.

— C'est déjà si loin ! poursuit Chair. Le temps passe !

— Justement, c'est ça, le problème ! s'énerve alors Bone. Le temps passe, et nous, nous ne disons rien ! Nous le regardons passer, les bras croisés !

— Bon, procédons, coupe l'autre avec agacement.

Ils marchent tous deux vers le plateau à roulettes sur lequel se trouvent les instruments de chirurgie, puis le font rouler jusqu'à la table d'opération.

Ça y est ! S'il me restait des doutes, ils viennent de disparaître pour de bon ! Je viens pour protester, mais Pouf, les yeux agrandis d'horreur, le fait à ma place :

— Non ! Non, par pitié, faites pas ça !

— Ça dépend de ce que vous entendez par « ça », dit Chair.

Il prend un scalpel, en observe la lame avec minutie. Je m'attends presque à ce qu'il prenne un cheveu et qu'il le fende en deux, comme dans les dessins animés. De son côté, Bone compte les instruments sur le plateau, comme pour s'assurer qu'ils sont tous là. Moi, je sens une longue coulée de sueur qui commence à m'imbiber le dos. Je serre ma sacoche de toutes mes forces, comme si je voulais la ratatiner.

— Faites-lui… pas mal !

Seigneur, ma voix est vide ! Pourtant, j'aurais voulu la hurler, cette supplique ! Je me racle la gorge, avec l'intention de répéter, mais Pouf gueule alors :

— J'ai pas d'âme ! Pas besoin de preuve, je suis sûr que j'en ai pas !

Qu'est-ce qu'il raconte là ? La peur le fait divaguer ou quoi ? Mais Chair et Bone prennent très au sérieux les mots de Pouf :

— C'est sûrement vrai, mais nous devons en être certains, vous comprenez ?

— Et il n'y a qu'un moyen de s'en assurer…

Tous deux se rappellent alors ma présence et se tournent vers moi :

— Ah, oui… Il faudrait peut-être expliquer à mademoiselle…

— Oui, elle ne doit rien comprendre, la pauvre…

Parce qu'il y a quelque chose à comprendre ? Je bouge toujours pas, partagée entre l'envie de leur sauter dessus pour leur griffer le visage et celle de m'enfuir le plus loin possible. Mais je reste. Parce que tant qu'ils me parleront, ils ne commenceront pas leur… la…

Chair explique, d'un ton très professionnel, l'attitude solennelle :

— Évidemment, le premier but de cette opération est de faire parler Pouf. Mais en tant que médecins, nous profitons de ces formalités obligatoires pour approfondir nos recherches scientifiques. En effet, s'il y a une chose en médecine qui sème la controverse, c'est bien l'âme humaine. La plupart des scientifiques n'y croient pas, car elle ne se voit pas, ne se touche pas, ne se prouve pas. Nous sommes nous-mêmes, Bone et moi, assez convaincus de l'inexistence de l'âme.

— Mais pour dire que quelque chose n'existe pas, il faut ne l'avoir jamais trouvé, poursuit Bone sur le même ton. Comme le monstre du Loch Ness. Jusqu'à preuve du contraire, il n'existe pas puisqu'on ne l'a jamais déniché, vous voyez ? Il doit en être de même pour l'âme. Pour être certain qu'elle n'existe pas, il faut ne pas la trouver.

— Et pour ne pas la trouver, il faut la chercher.

— En la cherchant et en ne la trouvant pas, nous savons qu'elle n'existe pas.

— Tant que nous la chercherons et que nous ne la trouverons pas, nous saurons qu'elle n'existe pas.

— Comme le monstre du Loch Ness.

Je les dévisage, sidérée.

— Vous cherchez l'âme pour ne pas la trouver, c'est ça ?

— Exactement ! sourit Bone, ravi de ma vitesse d'assimilation.

— Vous voyez, c'est clair et logique ! ajoute Chair.

— Et… et comment vous la cherchez ?

Pourquoi je pose cette question ? Pourquoi questionner ce pur, ce total, ce monumental délire ?

— Hé bien, ceux qui croient à l'âme croient qu'elle existe quelque part dans le corps, à un endroit précis, explique Bone. Pour prouver qu'elle n'existe pas, nous devons aussi choisir un endroit précis du corps afin de ne pas la trouver à cet endroit. Personnellement, je la cherche dans les os, car je ne crois pas qu'elle existe en cet endroit.

— Moi, je la cherche dans la peau, dans la viande, car contrairement à mon collègue, je crois que c'est en cet endroit qu'elle n'existe pas.

— C'est une saine compétition de scientifiques, conclut Bone d'un air complice et bon enfant.

C'est débile, c'est fou, c'est absurde, c'est pas possible, je peux pas être en train d'entendre ça ! Même le non-sens doit avoir ses limites !

Satisfaits, Bone et Chair se tournent vers Pouf. Tout en dressant son scalpel, Chair annonce calmement :

— Bon. Commençons par la jambe. C'est sûrement le dernier endroit où se logerait une âme…

Pis là…

Je vois la lame… entrer… dans la chair de la jambe pis… Ho, mon Dieu ! Je crie en même temps que Pouf, lui de douleur, moi d'horreur ! Une grande incision saignante de la cheville au genou !

Je m'élance ! Je resterai pas là à regarder ça sans rien faire certain ! Je me saisis du bras de Chair, sans réfléchir, sans me dire que je risque de manger un coup de scalpel entre les deux yeux. Je peux pas regarder un être humain se faire charcuter, je peux pas, je peux pas, je peux pas !

— Mais arrêtez ! Vous êtes fou, arrêtez ça !

Je tire sur le bras comme une forcenée, je sais pas trop dans quelle intention, mais je tire, je tire ! Chair me regarde, ahuri, et résiste.

— Qu'est-ce qui vous prend, vous ?

— Aliss, je vous en prie, un peu de tenue !

C'est eux qui me disent ça ! ? Ils s'apprêtent à découper un gars vivant et ils me demandent d'avoir *un peu de tenue* !

— Je veux pas ! Je veux pas, vous pouvez pas, vous… vous… vous…

Je bloque là-dessus, vous, vous, vous, je trouve rien d'autre à dire ! Pis je tire toujours sur le bras de Chair. Pis Pouf hurle toujours. Pis… Bone me prend alors à bras-le-corps et me repousse violemment. Je lâche le bras, manque de m'écrouler par terre, reprends mon équilibre.

— Allons, Aliss, ne m'obligez pas à manquer de galanterie.

Je halète, éperdue ; sais plus trop ; quoi faire, criss, quoi faire ?

… le scalpel qui redescend vers la jambe saignante…

Je replonge, droit sur Chair. Cette fois, je le prends par le cou, je tire encore, une vraie hystérique, Chair en écarquille les yeux d'étonnement, et, enfin, son scalpel tombe par terre. *Yes sir ! All right !* Je tire toujours, comme si je voulais lui débouchonner le coco !

— Malade ! Malade ! Ostie de malade ! Osties de fous, tous les deux !

Une petite parcelle de bon sens, en moi, me dit que je devrais pas faire ça, que je joue avec le feu, que je risque d'avoir très mal…

Bingo : Bone me prend par l'épaule, me fait faire demi-tour… quelque chose s'en vient à deux cents mille à l'heure vers mon visage. C'est un poing, non ?

Ho ! Sacr…………………

Le big bang est bel et bien réel : il implose à l'instant même dans ma tête… étincelles et étoiles volent de tous côtés, ravagent toutes mes cellules… le vide m'aspire… plancher sur la tête, plafond dans le dos… Dans quel sens vont les choses ?… Et la gravité ?… seulement

le chaos, et je sombre dedans, maintenant, à l'instant…
là… ici…

Malgré l'univers en furie, j'entends des cris terribles… Qu'est-ce qui crie ainsi?… L'absurde qui
accouche?… La raison qui agonise?

Non, c'est…

… Pouf?…

C'est Pouf!

Pouf!

La réalité m'agrippe par une patte et me ramène
enfin à elle. J'ouvre les yeux. Je suis allongée sur le
sol et tout le milieu de mon visage n'est qu'engourdissement, chaleur et douleur, le nez en étant l'épicentre.
Un liquide descend le long de ma joue, jusqu'à ma
bouche. Du sang.

Et ce défilé de marteaux-piqueurs dans ma tête!

Les cris de Pouf… Ils sont atroces…

Je sais pas où je trouve la force, mais je me redresse légèrement, les coudes appuyés au sol. C'est
d'abord embrouillé, mais je finis par distinguer la
scène… Criss! Criss de criss! La jambe de Pouf est
tout ouverte, il y a dans l'ouverture des… des petits
trucs de métal, là, des élargisseurs, je sais pas comment
appeler ça, *fuck!* mais ça maintient la chair largement
écartée! Ostie! pis le sang qui coule! Chair est penché
sur l'ouverture et, malgré les cris de Pouf, je l'entends
dire:

— Et voilà! Vous voyez bien, collègue, qu'il n'y a
pas d'âme dans cette chair…

Pouf, visage défait, yeux exorbités de douleur et
de terreur… Il articule, là… Quelque chose…

— Je… je v… vais… je vais par… parler!…

— Vous avez raison, collègue, fait Bone qui ignore
totalement l'intervention de Pouf. Mais ne criez pas
victoire trop vite! Je suis convaincu qu'elle n'est pas
non plus dans ses os… Examinons ce tibia…

— Je… je vais parler! hoquette de nouveau Pouf.

Bone continue de fouiller parmi les instruments chirurgicaux. Merde ! il a pas compris ? Je crie :

— Eh ! Il veut par…

Pas capable ! je m'arrête avant de terminer, j'ai pas de force, ma bouche est tout engourdie !… Je retombe sur le dos, à bout ! Calice, faut que je me lève ! Que je me ressaisisse !

Un bruit électrique…

Je réussis à me redresser encore. Bone tient quelque chose, une petite machine qui tourne vite… Une scie, c'est une petite scie miniature ! Une scie chirurgicale !

— Le tibia me semble bien dégagé…

— Tout à fait.

Leurs voix ! Si calmes, si posées ! Si… si professionnelles !

— Allons-y, alors…

La scie disparaît dans la plaie. Ah ! L'horrible son ! Et les cris de Pouf qui recommencent, recouvrent tout ! C'est trop, trop affreux ! À un point tel que cela me redonne des forces. Je hurle :

— Arrêtez ! Il veut parler ! Pour l'amour du Ciel, laissez-le parler !

Dérisoire ! Avec les cris de Pouf et le bruit de la scie, j'aurais besoin d'un mégaphone ! Ma tête retombe sur le sol. Ça recommence à tourner. Faut que je me lève…

Le bruit de la scie s'arrête. Les cris de Pouf aussi. Il pleure, maintenant. Mon Dieu, il pleure, c'est insoutenable ! Je vais éclater en sanglots moi aussi, je le sens ! Pis Bone, l'ostie, le criss de fou de Bone qui dit avec fierté et dignité :

— Alors, collègue, voyez-vous quelque chose qui ressemble à une âme dans cet os ?

Pis Chair, l'ostie, le criss de fou de Chair qui approuve :

— Vous avez raison, collègue… Pas d'âme dans l'os non plus…

— Un os vide, quoi.

— Absolument. Je dirais même qu'il n'y a pas là
âme qui vive !

Ils rient doucement. Je peux plus les entendre ! Je
peux plus ! Je dois retrouver mes forces, me lever !
M'en aller !… Je me sens encore si étourdie !…

Parmi les sanglots, des mots se font entendre :

— Je vais parler ! Pitié, je vais parler !

— Tiens, c'est une bonne idée, ça ! approuve Bone
qui l'a enfin entendu.

— Nous vous écoutons, Pouf.

Seigneur, ça va finir, enfin ! Enfin !

Mais je comprends soudain ce que ça signifie :
Pouf va vendre Mario ! Mon étourdissement disparaît
presque d'un coup, quelques forces me reviennent. Je
redresse la tête et observe Pouf, le pauvre, le malheureux Pouf, attaché, la jambe en bouillie, le visage
délirant de souffrance et de peur. Chair et Bone, les
mains rougies, attendent patiemment. Pouf sanglote
toujours, mais il réussit à se faire comprendre :

— Il… il est peut-être à notre… ancienne cachette…

J'ai soudain envie de lui crier : « tais-toi, dis-le
pas ! », mais je me retiens, abasourdie d'une telle idée.
Je suis folle ou quoi ? S'il parle pas, il est mort ! Je
ferais la même chose que lui ! Je peux pas lui en
vouloir ! Je peux pas l'empêcher ! Je peux qu'écouter,
soulagée et désespérée en même temps…

— Une maison abandonnée… rue Humpty… un
grenier…

— Vous étiez cachés là tout ce temps ? demande
Bone.

— Presque, oui… Mais…

Il grimace, pleure un peu, a l'air d'avoir tellement,
tellement mal !

— … mais la cachette n'était plus sûre… Des…
des valets de la Reine rôdaient, on… on a décidé de
partir de là… Peut-être… peut-être que Mario y est
retourné…

Voilà, c'est fait! Je ferme les yeux et soupire. Va-t'en, Mario! Si tu es dans cette cachette, sauve-toi, pis vite!

Je me relève lentement, lasse, encore tremblante d'émotions. Ça cogne dans ma tête, j'ai le vertige. Je m'appuie sur la petite table. Essuie le sang sur ma figure. Je me sens tellement tout croche! Je pensais pas qu'un coup de poing pouvait autant maganer!

— Une maison abandonnée rue Humpty, répète Chair en hochant la tête, satisfait. Parfait, parfait. On va vérifier plus tard… Merci, Pouf…

— Oui, merci… Bon. Et maintenant, collègue, nous poursuivons notre expérience?

— À l'instant, collègue!

Qu'est-ce qu'ils racontent? J'ai mal entendu certain! Mais non, j'ai bien compris, car Pouf, mort de peur, balbutie:

— Quoi? Mais je vous ai tout dit! Je vous ai dit ce que vous vouliez savoir!

— C'est vrai! que je lance d'une voix encore chevrotante. Il a vendu Mario, alors arrêtez la torture!

Les deux déments me regardent, surpris de me voir debout. Puis Bone explique:

— Il a parlé, bien sûr, cette étape est close, mais nous, nous n'avons pas terminé notre expérience.

— C'est vrai. Nous avons démontré que l'âme n'est ni dans la chair, ni dans l'os de la jambe. Mais le corps humain est vaste, vous comprenez?

Si je comprends? Si je comprends????

Pouf s'est remis à pleurer. Il implore, il supplie! Seigneur! il faut être une roche pour être insensible à de telles plaintes! Pourtant, Bone, poliment, indique le corps attaché et dit:

— À vous, collègue. Choisissez votre terrain d'investigation…

— Hmmm… Le ventre me semble fort approprié…

Pouf redouble de pleurs, de supplications. Mario aura donc été vendu pour rien! Non, c'est inacceptable! Je m'élance, *fuck* l'étourdissement! Je titube, je tangue, je m'approche quand même en criant, la voix plus forte que tout à l'heure:

— Non, non! Ça suffit!

— Vous, ça suffit! me lance Chair en tendant vers moi un scalpel menaçant. Diantre! En voilà une façon de se comporter! Vous n'avez donc aucune notion de savoir-vivre, mademoiselle? Vous êtes notre invitée et nous vous demanderions d'agir comme telle! Sinon…

Pendant une seconde, je me vois attachée sur la table d'opération… Cette seule idée ramollit mes jambes. Bone approuve gravement. Chair reprend son sang-froid, se penche vers son «patient» et, le scalpel relevé, marmonne:

— Le ventre donc…

Et il coupe! Il incise! Il tranche! Le sang, la coupure, la plaie, les cris de Pouf, le scalpel qui s'enfonce, qui remonte tellement, tellement haut, pis le sang encore, pis Pouf qui hurle comme un damné, toujours, encore, encore!

Je pars! Tout de suite! Tant pis, j'ai essayé, mais je peux pas, je peux plus! Je me ferai pas tuer pour rien, quand même! Désolée, Pouf, mais je pars! Je pars!

J'arrive à la porte, agrippe la poignée… C'est verrouillé! Ça s'ouvre pas!

— Laissez-moi sortir!

Je me tourne vers eux. Obligée de regarder. Je hurle:

— Laissez-moi sortir d'ici!

Mais Pouf hurle plus fort que moi. Pour Bone et Chair, je n'existe plus. Je ne vois plus les mains de Chair, elles sont… elles disparaissent dans le ventre de Pouf…

Je me détourne. Veux pas voir ça. Je veux sortir, je veux sortir!

L'autre porte, à l'autre bout de la salle… M'y rendre. M'y rendre sans regarder, sans voir ce qu'ils font…

Je prends une grande respiration, puis me mets à courir. Sur le sol, je vois ma sacoche. Je l'attrape au passage, poursuis ma course, mes yeux rivés à la porte. Du coin de l'œil, je devine, j'entrevois. Et surtout, j'entends tout. Des bouts de phrase de Chair et de Bone, entrecoupés par les cris de Pouf.

— … pas d'âme comme (hurlement)… approfondir au (hurlement)… dégager les intestins (hurlement)…

J'atteins la porte… mon souffle est sifflant… je tourne la poignée…

Elle tourne ! Elle s'ouvre !

Il fait ben noir, là-d'dans ! Tant pis, j'entre !

Je fais quelques pas. Il fait froid ! Il y a un courant d'air qui… La porte se referme derrière moi ! Noirceur totale ! Je ressors pas certain ! J'avance prudemment. Au moins, je n'entends plus rien, c'est toujours ça. Sauf ma respiration haletante. Du calme. Je vais arriver quelque part.

Ma main rencontre quelque chose qui pend du plafond. Je saisis la chose, la serre. C'est dur et froid. Légèrement humide, aussi.

Que c'est ça ?

Qu'est-ce qu'il y a dans cette maudite pièce ? Je donnerais n'importe quoi pour avoir de la lumière !

Mon briquet ! Voilà : je le dresse devant moi et l'allume.

Qu'est-ce que… Une femme ! Je hurle, en échappe presque mon briquet. Mais oui, c'est une femme, suspendue par les pieds au plafond ! Ou plutôt un cadavre de femme ! Car elle est morte, c'est sûr ! Elle est en sang, son visage en bouillie, sa peau lacérée, et ses bras pendants ont la peau arrachée, l'os à nu…

L'os ! C'est cet os que je tenais, tout à l'heure !

J'ai de la misère à respirer, tout à coup ! Je pivote en dressant le briquet. L'aura de lumière est limitée, mais je crois distinguer un ou deux autres corps, tout près… suspendus… ensanglantés… éventrés… mutilés… tous accrochés par les pieds… Mais je les distingue mal, très mal…

Je recule lentement, horrifiée par le peu de détails que je vois. Au fond, là-bas, c'en est d'autres ? Combien il y en a, au juste ? Est-ce que la salle est pleine ? Est-ce que je suis dans une espèce de…

En reculant, ma tête accroche une main qui pend. Je hurle de nouveau, échappe le briquet. Noir total. Criss d'épaisse ! Me ramasse à quatre pattes. Fébrile, je tâte le sol de mes mains, partout autour de moi. Rien, pas de briquet ! Je veux pas rester dans le noir, entourée de ces cadavres accrochés ! Je cherche, je cherche… Ostie, il a pas pu tomber ben loin !

Ma main touche encore quelque chose. Mou, gluant ! Ça s'écrase, ça gicle sur ma main, c'est poisseux ! Pour l'amour de Dieu ! c'est quoi, ça ? !

Je le sais pas, je vois rien, rien, rien !

Je me lève, me mets à courir. Faut que je trouve une porte, tout de suite ! Je fais plus attention, la panique est seule maîtresse… La porte, la porte, pis vite ! Ma tête accroche des membres, des mains, des corps, des choses molles et pendantes, qui puent, qui laissent des traces gluantes sur moi, pis je vois rien ! Je vais devenir complètement folle si je trouve pas une porte, un trou, un mur, n'importe quoi ! Chaque fois que j'accroche quelque chose, je crie ! Je crie parce que je m'attends à ce que tous ces cadavres me tombent dessus, m'étouffent, m'écrasent !

Au secours ! Au secours !

Il n'y a plus de temps, plus d'espace, seulement ces membres humains et sanglants qui me frôlent, me frappent, sans que je les voie, pis je tourne, tourne, tourne, pour mieux sombrer, car je vais sombrer, d'un instant à l'autre, je vais sombrer pis me retrouver accrochée à mon tour au plafond, entourée d'atroces voisins que je verrai jamais, pis je vais hurler jusqu'à la fin des temps, pis…

Je me pète le nez contre quelque chose de dur. Déjà qu'il était en mauvais état, la douleur est abominable. Le sang gicle, m'envahit la bouche. Mais au moins, ce sang, c'est le mien ! Ça me rassure.

Je comprends que je viens de percuter un mur !

Je le tâtonne à toute allure, le suis des mains et arrive à une porte ! Oui ! Oui, enfin ! Je mets ma main sur la poignée, mais mon geste est stoppé net par la chose la plus atroce que j'aurais pu imaginer dans un tel endroit.

Une voix !

—Hé ! Hé, il y… y a quelqu'un ! Hé ! Ré… Répondez-moi !

Je me retourne, tétanisée, et contemple les ténèbres insondables. C'est pas la voix proprement dite qui m'horrifie, non ; ce qui est inimaginable, c'est qu'au cœur de cette nuit impénétrable, au milieu de ces cadavres accrochés et invisibles, il y a quelqu'un qui m'appelle ! La voix, faible, suppliante, agonisante, liquide, continue :

—Il faut… il faut me sortir d'ici, par pitié ! Je… c'est une erreur, je… je suis pas mort ! Je suis pas mort ! J'ai… j'ai mal, j'ai tellement m… mal ! Mais je suis pas mort ! Par pitié, dé… délivrez-moi ! *Décrochez-moi !*

Je souffle comme une locomotive, je scrute l'obscurité, mais je vois rien, calice ! Je l'entends, lui, et un faible bruit métallique, qui accompagne ses paroles…

—*Pour l'amour de Dieu, décrochez-moi !*

Je pousse un cri, un son, je sais pas lequel, un son de négation, de refus, de révolte, un son impossible qui renferme tout ça, j'ouvre la porte, je sors… pis je hurle encore – NON ! – parce que je suis de retour dans la salle d'opération – NON ! – pis que je vois Bone et Chair toujours penchés sur le corps de Pouf –

NON ! – Pouf qui agonise, mutilé, brisé, râlant – NON !
– tandis que plein de choses laides sortent de son
corps, pendent jusqu'à terre – NON ! – le sol jonché de
débris immondes – NON ! – Bone et Chair couverts
de sang – NON ! – pis Bone qui dit :

— C'est réglé pour la chair du ventre... Allons
examiner maintenant les os de la cage thoracique...

... voix un peu plus bizarre, un peu plus excitée
que tout à l'heure...

Pis le bruit de la mini-scie électrique qui repart !
non non non non non !!!!!!!

Je me mets à courir, je sais pas où, je vais courir
jusqu'à ce que je sorte, tout simplement ! Je traver-
serai les murs, s'il le faut, mais je n'arrête plus ! Y a
un cri qui me poursuit, je pense que c'est le mien. Mon
cri primal, mon cri primitif, mon cri préhistorique...

sortir sortir sortir d'ici sortir sortir vite d'ici sortir

Mon pied s'accroche dans quelque chose... trébuche... tombe de tout mon long... me retourne sur
le dos et regarde vers mon pied... Quelque chose est
accrochée à ma cheville, une corde ou... C'est un
boyau ! Criss ! Un boyau, une tripe, un bout d'intestin
de Pouf !

Je donne des coups de pied ! Lâche-moi, lâche-moi,
ostie de cochonnerie ! Lâche-moi !

Le bout de tripe se décolle ! Bruit mou ! Affreux !

Mon corps, mes mains. Touche mon visage. Je suis
couverte de sang ! Toutes sortes de sang ! Pas juste le
mien, celui de plein d'autres personnes, des personnes
que j'ai touchées, percutées, sans les voir, du sang de
gens que je verrai jamais, du sang pourri et noir !
Partout, sur moi, partout, partout !

J'arrête pas de hurler ! Je vais hurler jusqu'à ce
que je me réveille. Ou jusqu'à ce que je meure, tiens !
Ahhhhhhhh ! Ahhhhhhhhhhhhhhhhhh !

— C'est fini, oui ?

Chair et Bone qui me regardent. Ils ont le regard fou. Ils sont fébriles, tremblants d'excitation, du sang sur le visage et les mains, l'expression démente. Ils sont comme en transe. Transe animale, transe de plaisir, transe orgasmique, presque ! Ils sont monstrueux. Monstrueux !

Ils retournent à leur travail. Scalpel et scie, instruments divers, tout y passe, ça gicle, c'est une boucherie, je vois même plus le visage de Pouf, recouvert de ses propres morceaux, je pense qu'il râle encore… pis sa main gauche, pendante, qui arrête pas de tressauter !

Je me relève pas. Inutile. Je laisse retomber la tête, ferme les yeux et pleure. Je pleure parce que je viens de comprendre où je suis. Je suis en Enfer. En Enfer, bien sûr. Chair et Bone sont des démons. Des démons qui démembrent les corps des pauvres pécheurs. Des démons qui jouissent à la vue du sang, des ventres béants et des os cassés. Je suis en Enfer. Alors je pleure, je pleure pour attendrir Dieu, pour lui faire comprendre que j'ai pas mené une si mauvaise vie que ça, pour lui demander pardon de tout, tout, même de ce que j'ai pas fait…

J'entends alors Démon-Bone lancer, furieux :

— On va le perdre ! On va le perdre avant d'avoir fini, tonnerre ! Le temps, encore le temps qui se moque de nous !

— Et alors ? Nous avons prouvé notre point, non ? Qu'en pensez-vous, Aliss ?

Aliss… Aliss… C'est moi, ça, non ? J'étais Alice, avant, maintenant je suis en enfer… et les démons m'appellent… ne pas les contrarier… je tourne la tête vers eux, sans cesser de pleurer…

Chair et Bone sont des cauchemars vivants. Recouverts de sang, de chair arrachée, de morceaux divers… Et cette excitation en eux, qui gonfle, gonfle… Ils me parlent. Des voix haletantes, excitées :

— Vous voyez ? Nous avons prouvé que l'âme n'existe pas ! Elle n'existe pas dans la chair…

— … et elle n'existe pas dans les os !

Je crois qu'ils ne se sont même pas rendu compte que je suis partie pendant un moment dans l'autre pièce !

— Autre match nul, donc, collègue ?

— Autre match nul.

Mon regard est fixé sur Pouf, sur sa main qui tremble sans cesse, cette main qui semble appeler quelque chose, quelqu'un, vouloir s'accrocher…

Tout à coup, elle s'arrête. Elle ne bouge plus. Bone sort une montre à gousset, la regarde et hurle :

— Huit minutes trente-deux secondes ! C'est tellement court !

Sur quoi, il enfonce avec rage la montre dans ce qui reste du corps de Pouf !

Et moi, même si je pleure, même si je suis couchée sur le dos, même si je suis folle de terreur et d'horreur, je les regarde, parce que je suis convaincue qu'ils vont marcher vers moi, me prendre, m'attacher, et faire de moi leur nouvelle damnée, leur nouvelle proie, autre jouet pour les démons ! Mais ils ne s'intéressent plus à moi ; le souffle court, les yeux exorbités, ils se parlent à une vitesse folle :

— Et voilà ! Nous avons encore fait avancer la science !

— Absolument ! Je dirais même que cette expérience était pleine de bon *sang*…, vous saisissez ?

… rires…

— Absolument ! Pour parler vulgairement, je dirais même que c'était un bon *tripe*… Vous voyez ?

… rires…

— Tout à fait ! Une opération qui ne manquait pas de *nerfs*, finalement.

… rires !…

— Faut avouer qu'on a eu de la *veine* !

— Oui, on a eu du *peau*.

… rires, rires, rires! Rires délicats, polis, sobres… mais tordus, aussi… rires qui me font mal, me transpercent le cœur, me crèvent les oreilles… rires qui me font encore plus pleurer et gémir…

Soudain, les deux démons sanglants se taisent et se regardent droit dans les yeux. Très clairement, au-delà de la folie et de leur excitation grandissante, je vois le désir. Le désir pur.

— Mon cher Chair…

— Mon bon Bone…

Sans transition, ils s'embrassent… embrassade d'amoureux, un *french* passionné… Ils chancellent… Sans se lâcher, sans détacher leurs bouches l'une de l'autre… titubent… amants recouverts d'hémoglobine… ils trébuchent dans des morceaux de viande, glissent dans le sang, s'étendent de tout leur long dans cette boue humaine, sans cesser de s'embrasser…

Je détourne les yeux… Une bouée… Une bouée de sauvetage, sinon je vais me noyer, me noyer pour de bon… sans aucun espoir de m'en réchapper.

Ma sacoche…

Je la tiens, je l'ai jamais lâchée… Mes mains sanglantes fouillent dedans… De la drogue, vite. M'évader. Fuir l'Enfer. Fuir. Plus de Macros, juste des Micros. Parfait, parfait! Que je rentre en moi-même pis que je disparaisse, complètement, totalement.

Il reste trois Micros. Les avale, les trois. Me recouche sur le dos.

Des bruits, à côté. Vêtements arrachés, souffles courts, gémissements…

Je descends… oui, je me

sens

… vraiment…

descendre… c'est parfait… l'Enfer sera loin, loin de moi… je veux redevenir minuscule, car quand on est minuscule… personne ne fait attention à nous, personne ne nous voit… quantité négligeable… les démons ne s'occupent pas des quantités négligeables…

… j'ouvre les yeux malgré moi… tourne la tête vers le côté et… et… mon dieu… chair et bone sont là… ils sont immenses… tellement immenses… ils sont nus et baisent avec violence… bone couvert de sang sodomise chair qui se vautre dans les tripes et les viscères… ils sont complètement rouges, peinturés d'hémoglobine… et des cornes leur poussent sur la tête… leurs dents allongent… ils sont tellement grands, chaque coup de bassin de bone fait trembler la terre… ils hurlent tous deux de jouissance… ils hurlent et font trembler l'enfer en entier, l'enfer, la terre et dieu lui-même… ils secouent la tête de volupté et des gouttelettes de sang gigantesques fusent tout autour…

… les démons copulent et l'univers tremble…

— ho, mon dieu…

… ma voix est minuscule… bone tourne la tête vers moi… sans cesser de baiser chair, il me regarde et ses yeux sont deux fournaises… il ouvre la bouche pour me répondre… bouche qui révèle l'abîme… et sa voix est plus forte que celle du jugement dernier :

—DIEU N'EXISTE PAS ! IL N'A PAS LE TEMPS !

… tout devient noir, sauf les deux démons rouges, aux sexes fourchus et aux jouissances sanglantes… derrière, je vois le corps déchiqueté de pouf… et il tourne son visage méconnaissable vers moi… il n'est pas mort ?… impossible… il sourit… un sourire qui n'est pas celui de pouf… un sourire que je connais… un sourire trop grand, trop blanc, trop dingue… un sourire qui flotte et vole et vole et flotte…

… je me recroqueville… me mets en position fœtale… ferme les yeux… les hurlements des deux démons envahissent mon cerveau… mais je plonge toujours… je descends… je reviens dans le ventre de ma maman… ho maman dis-moi que l'enfer n'est pas dans ton ventre… je ne veux plus être la surfemme… je veux juste être une petite fille un petit bébé un petit fœtus un petit ovule fécondé un désir une intention une pensée un futur possible… je ne veux plus être ici ou là ou ailleurs… je ne veux plus être… jamais… jamais… jamais… jamais… jamais… jamais… jamais… jamais… jamais… jam… ja… ja… j… j… j j j j j

Je suis assise sur une branche, tout en haut d'un arbre. C'est l'arbre interdit, celui qui se trouvait dans la cour de mon école primaire. Devant moi, la route s'étend. Cette fois, j'en vois la fin, je distingue l'horizon, pas si lointain. Au bout, l'ombre majestueuse d'une reine tend les bras vers moi, auréolée de lumière et de gloire.

Mais sur la route, il y a des milliers de corps. Des corps qui forniquent, ou qui s'entretuent, ou qui sont morts ; putes et assassins ; junkies et voleurs ; partouzeurs et psychopathes ; milliers de corps enchevêtrés, grouillants, en sang ou en sueur ; des corps que je devrai enjamber si je veux me rendre au bout, des corps auxquels je devrai me mêler si je veux atteindre la reine...

Un klaxon, derrière moi. Je me retourne, toujours assise sur ma branche.

C'est Laurent Lévy dans sa voiture. Il me sourit par la vitre de la portière.

— Alors, tu viens ? Je t'aide à descendre, si tu veux...

Je regarde la route de nouveau. La Reine tout au bout...

En bas de l'arbre se trouve une femme. Je vois mal son visage, mais je sais qu'il s'agit de la concierge de ma petite école, cette concierge sur qui couraient tant de rumeurs...

— *Tu vas encore sauter, Alice ? me demande-t-elle. À l'époque, tu avais eu le courage de le faire. D'en assumer les conséquences... Et aujourd'hui ?*

La route devant moi. La voiture de Lévy derrière. La Reine au bout.

Je saute. J'atteins le sol avec force. Me casse le bras, comme quand j'étais petite. Ça fait mal. Mais est-ce si grave ?

Je me relève, mon bras cassé pend mollement. Je suis nue. La concierge a disparu. Mais pas la route. Ni les corps. Ni la Reine tout au bout.

Je fais un pas. Mon pied se dépose entre deux cadavres.

Quelque chose me coule le long des cuisses. C'est du sperme et du sang, mélange poisseux qui coule de mon sexe béant.

Je m'arrête. Les corps grouillent devant moi. Mon bras me fait de plus en plus mal. Mais le bout de la route est si près... Toujours le klaxon de la voiture, derrière moi...

Beeepppp... beeeppp... beeeppppp...

MIROIR (2)

Regarde, ami lecteur! Regarde Aliss, brisée après cette
terrible mésaventure! Heureusement, ces dures épreuves
sont toujours suivies d'une récompense... Et cette récom-
pense-ci, notre héroïne l'attend depuis un bon moment...

... beeeppp... beeeppp...

J'ouvre les yeux.

Je suis assise dans mon fauteuil. Dans mon salon
désordonné. Comment je suis revenue? Ai-je rêvé?

... beeeppp... beeeppp...

Je suis couverte de sang, mon nez est un amas de
souffrance... Ho, non! j'ai pas rêvé!

Beeep... beeeppp! C'est quoi, merde?

La sonnette de ma porte.

Je titube jusque-là, regarde par le judas. C'est la
proprio. Pas question que je lui réponde. Surtout dans
mon état.

Elle finit par se lasser et s'éloigne.

Les souvenirs reviennent me happer. Pouf... Le
sang... les corps accrochés... Chair et Bone en démons...

... envie de vomir...

Vite aux toilettes... Un, deux, trois gros jets de
bile...

Douche. Longuement. Mes larmes qui se mêlent à l'eau.

Enfile des vêtements propres.

Debout dans mon appartement. Grand, grand vide en moi.

Mes yeux tombent sur le téléphone.

D'accord. Ça suffit. C'est assez.

Je compose le numéro. Mon numéro. Celui de ma maison, à Brossard. Je vais leur dire que je m'en viens. Que je retourne à la maison. Cette idée me rend tellement triste que je n'arrive plus à pleurer.

Ça sonne. Je vois ma sacoche à mes pieds. C'est quoi, cette petite carte qui dépasse de l'ouverture ? Me penche, prends la carte.

LA REINE ROUGE VOUS CONVIE
À LA CÉLÉBRATION
DU DEUXIÈME ANNIVERSAIRE
DE SON RÈGNE
LE 18 JUIN 2000 AU PALAIS
Sur invitation seulement

L'invitation officielle. Celle que je voulais tant. Je l'ai. Là. Entre les mains.

Le sourire de Chess flotte dans ma tête. Le 18 juin. Dans trois jours… C'est si près…

Mais je ne peux plus ! Je ne peux plus ! Qu'est-ce qui me pousse tant à encore vouloir y aller ?

Soudain, entre deux sonneries, je perçois la voix de Verrue.

Ce n'est pas la bonne question.

Non… Non, évidemment… Il est là, le problème…

— Allô ?

Une image s'impose à mon esprit. Je suis dans un grand lac. Je veux le traverser. Je nage depuis plusieurs heures. J'y suis presque, je vois le rivage, à cent mètres devant moi… mais soudain, je suis trop fatiguée… et je rebrousse chemin. Je refais le même trajet en sens inverse, à la nage…

— Allô ? Il y a quelqu'un ?

Peux pas lâcher la carte des yeux.

— Alice, c'est toi ?

C'est papa. Sa voix est tellement transformée. Plus de colère, ni d'autorité. Juste de la tristesse, du regret… une note d'espoir.

— Alice, je sais que c'est toi ! Pour l'Amour du Ciel, réponds-moi !

— Papa…

Pour la première fois de ma vie, j'entends mon père émettre un sanglot. Il se reprend aussitôt, racle sa gorge.

— Reviens, Alice ! On va se parler entre adultes, cette dispute était tellement idiote, il… il faut que tu reviennes, ma chérie ! Ta mère n'est pas ici, elle est chez sa sœur pour quelques jours, pour se reposer… Elle est anéantie, elle imagine le pire… Je t'avoue que moi-même, je… j'en mène pas large, je ne suis pas allé au bureau depuis presque une semaine… Et… et il y a Julien ! Et Mélanie ! Tes amies !… Alice, je regrette tout ce que je t'ai dit ! Je veux que tu reviennes !

Je ferme les yeux. Le sourire de Chess qui flotte, flotte…

— Alice, réponds ! Tu vas revenir, n'est-ce pas ?

J'ouvre les yeux :

— Pas maintenant.

Ma voix me fait sursauter.

— Comment, pas maintenant ? Pourquoi ? Tu crois qu'on t'en veut, c'est ça ? On t'en veut pas, mon poussin, on a nos torts, ta mère et moi, et on est prêts à les reconnaître ! Surtout moi ! Mais il faut que tu reviennes !

— Il faut… il faut que je me pose la bonne question.

— Quelle question ?

Flottement.

— Je sais pas.

— Mais de quoi tu parles ? Est-ce que… Tu as des problèmes ? Et où tu es, au juste ? L'afficheur ne donne pas ton numéro, je sais pas pourquoi ! D'où tu appelles ?

— Je suis… ailleurs.

— Mais où ça, bon Dieu ? Alice, ça suffit ! Parle-moi ! Dis-moi ce qui t'arrive, où tu es ! Donne-moi ton adresse, que j'aille au moins te rencontrer !… Alice !…

— Je vous aime tous les deux. Je vous rappelle bientôt.

— Mais quand ? Quand !

— Quand je serai de l'autre côté du lac…

— Quoi ? Quel lac ? De quoi…

— Je vous aime. Vraiment.

Je raccroche.

Debout, au milieu de mon salon. La carte d'invitation entre les doigts.

Plus de Micros ni de Macros dans ma sacoche. Mollement, je fouille dans mes tiroirs. Trouve deux flacons. Trois Macros dans un, deux Micros dans l'autre.

J'ai jamais pris les deux en même temps. Je me demande quel effet ça donne. Allez. Une Micro, gloup, et une Macro, gloup.

M'assois dans le divan. Bouge pas. Calme en moi. Certitude. Décrochage. Attente.

Regarde l'heure. Faut que je me prépare à aller travailler.

Quand je rencontrerai la surfemme, je découvrirai quelle est la bonne question, celle qui donnera un sens à tout ça. Elle, elle saura.

Elle saura.

Elle me fera atteindre le rivage.

◆

Il me reste en tout deux cents dollars.

Il faut que je m'achète une robe pour samedi. Une belle. Une maudite belle.

Je fais plusieurs magasins et finis par en dénicher une superbe. Longue, avec un décolleté assez audacieux. *Sexy* et élégante à la fois. En plus, elle est rouge. Ouais, un peu baveux, mais pourquoi pas? Faut surtout pas que je passe inaperçue. Faut que je m'impose.

Elle est en spécial à cent soixante-dix. Pas grave. Si elle me fait, je la prends. Je serai cassée mais ça, ça s'arrange.

Dans la cabine d'essayage, je me vois dans le miroir en sous-vêtements. Merde! Je me fais peur! Vraiment. Pas juste à cause de mon nez légèrement tuméfié… J'ai maigri d'une dizaine de livres, je suis plus pâle qu'avant, un peu plus cernée, mais c'est pas ça non plus, je suis encore assez *cute*… C'est juste qu'en regardant mon reflet je ressens un début de panique.

Rapidement, j'enfile la robe et m'examine à nouveau dans le miroir. Pis là… je me trouve belle… La panique s'éloigne, aussi vite qu'elle est venue.

Je prendrais bien une Macro…

◆

— C'est la première fois que je te demande une avance, Andro! Sois donc *cool*!

Dans son bureau, elle marche de long en large pour faire taire son bébé qui s'est mis en tête de nous rendre sourdes toutes les deux. Elle a son costume de soirée, toge blanche, coiffure et tout, mais son *kid* risque de gâcher tout ça. Qu'est-ce qu'elle fout avec un bébé? C'est incompréhensible! Malgré les pleurs du p'tit criss, elle réussit à me rétorquer:

— Une avance, une avance! C'est déjà ça que j'fais! Je vous paie tout le temps en avance, tu le sais!

Mardi, je t'ai payée pour les sept prochains jours !
On est rendu jeudi et t'es déjà à court ?

— J'en ai besoin, c'est tout ! que je dis, agacée.

Elle me lance un regard aigu.

— C'est pour de la dope, hein ? Tu es en manque,
n'est-ce pas ?

Et, floushhh ! le bébé régurgite sur sa robe. Andromaque devient folle de rage, le traite de cochon, le gifle. Je soupire. Au début, ce genre de scène me choquait, mais là, je suis juste tannée… On se lasse de tout, faut croire… Andro sort en vitesse avec son bébé hurlant.

— Bowling ! Arrive ici ! Tiens ! Occupe-toi de *ça* !

Les pleurs du bébé cessent. J'imagine que « ça » vient d'être transféré dans les bras de l'autre. Andromaque revient ; elle essuie sa toge en grognant.

— Chaque fois que j'ai le p'tit, faut que j'me change
après !

Misère ! cet enfant-là, des fois, je le jett'rais !

Puis, un peu plus sombre, un peu plus triste, elle ajoute :

— D'ailleurs, sans sa présence, tout irait tell'ment
mieux…

Elle secoue la tête.

— Je m'égare un peu, moi… On disait quoi, nous
deux ?

— Que tu pourrais m'avancer de l'argent…

— Ah, oui ! Donc, une avance de ta prochaine
avance !

Ça commence à en faire, des avances, qu'est-ce
t'en penses ?

Pour de la dope en plus ! Ah ! tu peux me le dire !

Qu'est-ce que tu penses, fille ? Que je vais te
punir ?

— Sans Macro, je peux pas travailler, Andro, pis
j'ai plus une cenne !

— En tout cas, j'espère bien que tu méditeras
    La morale à tirer de cette triste histoire-là :
    Si on veut être certain d'éviter les soucis,
    Il n'y a qu'un seul moyen : faire des économies.
Elle m'emmerde, quand elle nous fait la morale, comme ça !

— T'es ma patronne, Andro, pas ma mère !

Elle hausse les épaules, relève le menton, semble se concentrer un moment, puis lance, cabotine :

— « Pardonnez à l'éclat d'une illustre fortune
    Ce reste de fierté qui craint d'être importune. »

Je grimace, agacée. Elle remarque ma réaction et revient sur terre :

— Justement ! Une patronne, ça paye son personnel,
    Ça ne rend pas service aux pauvres mademoi-
       selles !

Elle baisse alors la tête vers ses papiers et m'ignore complètement. J'enrage ! Je me sens volcanique, sismique ! Ostie de salope ! Faut que je me venge, que je trouve quelque chose, n'importe quoi…

— Je te préviens, je travaillerai pas dans deux jours. Je peux pas.

Elle lève la tête, le regard interrogateur. Jouissant à l'avance de mon petit effet, je lui balance en pleines gencives :

— Je suis invitée à une fête, samedi…

Cette fois, elle a compris. Elle se lève lentement, sans me quitter des yeux. Sa voix n'est qu'un souffle incrédule :

— Serais-tu invitée au party du Palais ?

Je me contente de sourire. Ça t'en bouche un coin, hein, grande snob ?

— Mais… mais comment ? Pourquoi ? Est-ce que
    ce serait les…

Elle s'arrête alors. Je sais pas à quoi elle vient de penser, mais ça la met pas de bonne humeur. Elle pointe un doigt olympien vers moi et grogne :

— Maint'nant, écoute-moi bien, sale petite nietzs-
  chéenne :
  Si tu vas à cette fête, si tu vas chez la Reine,
  Je te fous à la porte, est-ce que c'est assez clair ?
  Pis j'te préviens, Aliss : c'pas des paroles en l'air !
En temps normal, elle m'aurait ébranlée, mais pas
ce soir. Ce soir, c'est elle qui a peur. J'ai le goût d'être
baveuse, tout à coup :

— Voyons, Andro, tu me mettras pas à la porte, pis
tu le sais… Tu tiens ben trop à moi… Qu'est-ce que
tu ferais sans ta jeune et innocente Aliss ?

Son visage se contorsionne. Elle contourne son
bureau, vient rapidement se planter devant moi. Je
pense alors qu'elle va me frapper, mais non : elle me
prend par les épaules, et je peux très bien lire cette
fois, sans masque, sans paravent, le désarroi dans ses
yeux verts.

— Aliss, Aliss ! Pas toi ! Toutes les autres, mais
        pas toi !
  Souviens-toi ! Rappelle-toi ce qu'on s'est dit,
        l'autre fois !
  Les magnifiques projets à venir pour nous deux !
  Régner main dans la main, brûler du même feu !
  La Reine donne l'impression qu'elle est une
        superstar
  Mais une fois entre ses griffes, il est déjà trop
        tard !
  Elle n'a aucune parole, elle n'a aucune morale !
  Résultat à court terme : déception intégrale !
  Mais avec moi, sois sûre de n'être jamais déçue !
  J'ai besoin d'un bras droit : c'est toi que j'ai élue !

Devant un discours si convaincu, j'hésite à lui faire
de la peine. Je cherche quoi lui dire lorsque sa main
gauche quitte mon épaule et caresse ma joue.

— Ne comprends-tu donc pas que j'ai besoin de toi ?

Son visage est tout près. Elle prend ma main droite
et la met sur sa poitrine. Son expression devient lan-
goureuse et sa voix est un souffle sur ma bouche :

— Ne sens-tu pas mon corps qui vibre sous tes
doigts ?

Je devine le corps racé d'Andromaque sous la toge,
je sens ses seins me frôler. Je veux la repousser,
dégoûtée et, malgré tout, vaguement excitée… Tout à
coup, je songe de nouveau à l'argent, à l'avance qu'elle
me refuse, et là, sans réfléchir, je réplique d'une voix
égale :

— Cent dollars, pis je résiste pas.

Merde ! Qu'est-ce qui m'a pris de dire ça ! Andromaque me repousse alors avec une sauvagerie étonnante et bang ! mon dos percute le mur, ça fait mal en
chien ! Devant moi, la grande Noire est devenue une
bête haineuse. Dur à croire que cette furie suintait de
sensualité il y a quelques secondes à peine.

— Mais tu me prends pour qui, p'tite calice de mer-
deuse ?

Moi ? Payer pour baiser une minable danseuse ?
Sais-tu combien de filles se couperaient une main
Juste pour avoir l'honneur de m'caresser un sein ?
Sais-tu combien de gars périraient illico
Juste pour frôler leur queue sur mon royal clito ?

En fait, les quelques clients réguliers d'Andromaque
paient cent cinquante dollars pour avoir droit à ce pri-
vilège, ce qui me semble assez éloigné du sacrifice de
leur propre vie… Je connais aussi une ou deux filles
dans le club, dont Anaïs, qui ont déjà couché avec elle
et, à ce que je sache, elles possèdent encore leurs deux
mains. Le moment, par contre, me semble mal choisi
pour le lui rappeler. Car, il faut l'avouer, elle est plutôt
terrifiante en ce moment, et je suis pas loin de me
sentir aussi minable qu'elle le prétend.

— Si j'me retenais pas, j'appellerais Bowling
Pour qu'il te crisse dehors, tête première, juste
d'une *swing* !
Disparais, pauvre connasse, avant que j'change
d'avis !

Pis va pas chez la Reine ! C'est clair ? T'as ben
            compris ?

Elle retourne derrière son bureau, reprend sa dignité,
son air noble et son crayon. Ainsi, elle fait de nouveau
comédienne, ce qui me redonne du courage :

— Tu peux ben faire ta fière ! Tu as été invitée, toi
aussi, à la fête de la Reine !

Elle a un petit ricanement de mépris, du genre
« pfah-ah ! »

— Tu crois que j'vais aller chez cette usurpatrice ?
            Mais pour quoi faire, grands dieux ! Pour jouer
            les spectatrices ?

— C'est en plein ça ! Tu pourras pas t'empêcher
d'aller voir !

Furieuse, elle ouvre la bouche pour répliquer, mais
moi, zoum ! je sors.

Avec ça, j'ai toujours pas d'argent ! Comment est-
ce que j'ai pu dépenser si vite ? Je consomme trop,
faudrait que je ralentisse, que je dépense moins de…
Fuck ! C'est pas le temps de penser à ça, téteuse ! Faut
que je me trouve de la Macro ! Absolument !

Je fais le tour du *staff*. Quelques-uns en ont chez
eux, mais personne en a apporté. Dupont, tout en se
peignant les cheveux devant le miroir, explique :

— Ça fait longtemps que j'ai pas pris ça pour travailler… Tu devrais essayer de faire ton numéro sans.

— Ça serait ben difficile…

Il me regarde, tout surpris.

— T'es pas encore prête, ma belle ? Le club ouvre
dans dix minutes… Tu sais comment Andro aime pas
quand on est en retard…

Je me prépare : coiffure, toge blanche… Maquillage
plus souligné pour camoufler mon nez encore un peu
enflé… Batince ! que ça va mal !

Dans le bar, je commence à servir les clients, nerveusement. Un homme dans la quarantaine, petites
lunettes et l'air intello, me demande :

— Combien, pour un petit tour dans une cabine ?

— Je fais pas ça, moi, je danse, c'est tout !

Un peu trop raide. Andro serait pas contente. Faut que je me calme.

Dix minutes après, l'oasis apparaît : Jicoutu, un *dealer* qui fait des bons prix, va s'asseoir à une table, dans mon secteur. En lui apportant sa bière, je lui glisse :

— Ji, ça me prend des Macros…

— Pas de problème. Combien ?

— Mettons trois pour commencer. C'est juste que j'ai pas d'argent en ce moment, je te le remettrais plus tard.

Il me regarde de travers.

— J'ai-tu l'air d'un ami, moi-là ?

J'implore, je pleure presque. Deux, juste deux Macros ! Je lui propose de danser pour lui gratuitement pendant une semaine… Nenni. Veut rien savoir, le calice de sale. Je m'éloigne, tremblante de rage et de panique.

Je danse dans une heure. Je pourrai jamais.

En fait, c'est pas vraiment vrai… Je pourrais toujours danser sans Macro, même si je trouvais ça dur… Ce qui me fait paniquer, c'est de pas avoir de Macro, point ! De pas en avoir là, maintenant ! J'en veux tout de suite, parce que les veines commencent à me faire mal, parce que je trouve le plancher trop dur, parce que j'ai l'impression que les cheveux me rentrent par en d'dans et me transpercent ce qui me reste de cervelle, parce que ma peau est inconfortable pis que j'ai envie de l'arracher avec mes ongles, parce que…

Je suis en manque. Voilà, je l'admets. En manque, en vrai manque.

De l'argent. Juste cinquante piastres, pour deux Macros ! Une seule, ce serait pas suffisant, je le sais ! Cinquante douilles, c'est pas dur, ça, criss ! C'est sûr qu'en pourboire et en danses, je peux me faire ça d'ici une couple d'heures… mais c'est trop loin !

Nouvelle tournée auprès des collègues : Anaïs, Nin, Loulou… Personne a cinquante piastres à me prêter ! Bande d'égoïstes ! Même Foxy, qui est toujours gelée, me dit qu'il lui reste plus rien. Maudite menteuse ! Tous une gang de pourris ! Moi qui croyais qu'ils étaient des copains !

Copain… Qu'est-ce qu'un tel mot peut signifier *ici* ?

Verrue me traverse l'esprit, rapidement.

Je m'appuie sur une colonne pour faire une pause, m'allume une cigarette. Sur la scène, North se masturbe avec frénésie, le sexe gonflé à bloc. Allez tous chier ! Pas un seul ou une seule pour m'aider, personne !

Je tremble. Pas beaucoup, mais quand même, une légère tremblote. Je regarde mes doigts, stupéfaite. C'est pas à moi, cette main-là ! C'est donc ça, être en manque ? On voit pas juste ça dans les films ? On tremble vraiment ?

— Tu as l'air nerveuse, Aliss ?

À un mètre de moi, Chess est assis à une table, seul, et il me sourit. Je ricane avec mépris.

— Toi, t'as sûrement pas cinquante piastres à me prêter…

— Absolument pas. Je les aurais que je te les prêterais pas.

— Au moins, c'est franc !

— Tu trouveras personne pour te prêter de l'argent, ici, Aliss…

Je rejette nerveusement la fumée de ma bouche. Fumée blanche qui devient bleu électrique sous les *spots* du plafond.

— Je sais, oui…

Silence. Musique techo-opéra assourdissante. North qui éjacule trois litres de *desh*. Applaudissements. Fébrilité. Inquiétude. Début de mal de tête. *Fuck !*

— Comment s'est déroulé le thé, hier, chez Chair et Bone ?

Son sourire, en plus d'être aussi *space* que d'habitude, m'apparaît un rien moqueur.

— Tu as eu droit à leur petite quête de l'âme, pas vrai ?

Ce souvenir me fait littéralement trembler d'horreur, mais je veux pas que Chess s'en rende compte. C'est exactement ce qu'il espère, alors pas question !

— Évidemment, ils l'ont pas trouvée, continue-t-il. Ce qui, bien sûr, a fait leur affaire. Avec les méthodes qu'ils emploient, c'est normal qu'ils la trouvent pas… Il faut que le chercheur soit dans un état très particulier…

Je me tourne vers lui, vaguement intriguée malgré mes nerfs à fleur de peau. Le numéro se termine, la salle est plongée dans le noir quelques instants. Le visage de Chess disparaît. Mais pas son sourire. Je jette ma cigarette par terre, agacée. Ah ! Pis qu'est-ce que j'ai à perdre mon temps avec cette tête fêlée !

Je continue mon travail. Je renverse deux bières, trop nerveuse.

— Aliss, crime ! Reviens sur terre ! grogne Paulo au bar.

Je sue comme une truie. Les lumières commencent à être trop fortes. Je dévisage les clients qui parlent. Ils complotent : ils se passent le mot pour pas me prêter de l'argent… Ils veulent me voir me rouler par terre, capoter, perdre les pédales…

Je vois le client de tout à l'heure, celui qui voulait baiser avec moi.

Ostie, non.

Je me sauve dans les toilettes. Me passe de l'eau dans la face. Me regarde dans le miroir. Même ma vision tremble, calice !

Pas le choix. Pas le choix. Pas le choix.

Je sors. Dans la salle, je vais droit au client. Je l'attrape par le bras. Presque agressive.

— J'ai changé d'idée, si ça t'intéresse toujours.

Ma voix, contrairement à tout le reste de mon corps, tient le coup.

Le gars, dans la quarantaine, est quand même pas laid. Pas beau, mais son air intello lui donne un certain charme. Il a l'air content, se lève.

— Combien tu charges ?

— Cinquante.

Il fait une moue satisfaite. J'ai parlé trop vite, sans réfléchir ! Le prix que les autres filles demandent me revient à l'esprit :

— Soixante-quinze, je veux dire.

— Heille, tu viens de dire cinquante…

— OK, cinquante, cinquante !

On marche vers une petite cabine. J'ouvre la porte, il entre. Je regarde autour de moi. Anaïs, en servant un client, me jette un regard étonné, puis un clin d'œil d'encouragement. Ça y est, dans deux minutes, la nouvelle va faire le tour du bar : la petite Aliss entre enfin dans la cour des grands…

Une autre frontière… Faut voir ça comme ça…

Le client baisse ses culottes. Déjà ben dur. Il s'assoit sur le petit banc et m'attend. Musique légèrement assourdie, éclairage très discret…

Je pourrai pas faire ça. Sans Macro. Sans condom. Je pourrai pas.

Pense à l'argent. À la dope. À la Reine. À la surfemme.

J'enlève ma toge (serai pas capable), m'approche du gars (pourrai pas), lui tourne le dos (jamais capable de), et descends ma croupe vers lui.

Son sexe entre en moi, assez violemment… ça fait un peu mal. Il pousse un grognement, me prend les fesses, commence son mouvement de piston. Je ferme les yeux, serre les dents. Ça chauffe pas trop… ça devrait pas prendre trop de temps… J'ouvre les yeux… et réalise que la porte de la cabine est entrouverte… mais tellement peu que personne doit nous voir…

Tout à coup, des phrases me reviennent en mémoire. *Surmontez, vous hommes supérieurs, surmontez les petites vertus…*

Des phrases de Nietzsche, des phrases de Zarathoustra. Qui me soufflent dans l'oreille, sans effort de mémoire…

Surmontez le bonheur du plus grand nombre…

Comme un ami penché sur mon épaule, qui m'encouragerait…

A du cœur celui qui voit l'abîme, mais avec fierté…

Le client va de plus en plus vite, grogne de plus en plus fort. Je serre les dents à m'en faire mal.

Le mal est nécessaire pour le meilleur de l'homme.

Tout à coup, mon regard devient télescopique ; il passe par la porte entrouverte, erre dans la foule du club, va le plus loin possible…

Je me réjouis du grand péché comme de ma plus grande consolation.

Coups sur mes fesses. Halètements. Dents serrées.

Mon regard plane toujours dans la salle… Je vois les clients, qui eux me voient pas… Mon regard les dépasse, s'étire sans fin, jusqu'au fond du bar, jusqu'à une table où…

Ces hommes d'aujourd'hui, je veux les aveugler…

… où je vois Chess, assis, qui a les yeux tournés vers la cabine, vers moi…

… *Éclair de ma sagesse, crève-leur les yeux…*

… qui me sourit… regarde mon regard et sourit…

… *CRÈVE-LEUR LES YEUX !*

— Je peux le faire !

Ma voix ! C'est moi qui viens de crier ça ! Ma voix qui résonne ! Je crie, la noune en feu, je crie avec force, les yeux pleins de larmes, la bouche tordue en un sourire douloureux…

— Je peux le faire ! JE PEUX TOUT FAIRE ! TOUT !

L'homme crie à son tour. Pendant une seconde, un éclair de souffrance déchire mon ventre. Je grimace et ricane en même temps. Fais-moi mal, minable ! Tu m'atteindras pas ! *Tu m'atteindras pas !*

Immobilité.

Je me relève enfin. Remets ma toge. Lui, remonte son pantalon. Me donne cinquante piastres.

— T'es pas très interactive mais, bon… C'était pas pire…

Il finit par sortir, laisse la porte grande ouverte. Je regarde les billets entre mes mains.

Je sors de la cabine, m'attendant presque à ce que tout le monde me dévisage. On m'ignore complètement. Tout est comme d'habitude. Rien n'a changé.

Rien n'a changé.

Comment puis-je me sentir si indifférente ?

Peut-être parce que j'en ai de moins en moins à perdre.

De toute façon, rien n'est précieux, rien n'est intouchable. Rien.

Je cherche Chess des yeux, vers le fond de la salle. Évidemment, il n'est plus là.

Retourne voir Jicoutu. M'achète deux Macros. Les avale sur place.

L'Éden.

L'Éden m'envahit. Mon angoisse et ma panique se pulvérisent en miettes et se réincarnent en confiance, en assurance. Regard circulaire, grand sourire. Musique assourdissante. Lumières fluo. Lulu sur scène, les jambes écartées.

Mon monde.

Je ne me pose plus de questions. Je ne regrette plus rien. Je n'essaie plus de me justifier. Je me contente d'être bien, pis c'est parfait. Où est l'humiliation, après tout ? Il y a une force, là-dedans, une force certaine ! D'ailleurs, tout ce que j'ai fait, depuis que je suis ici, je l'ai faIT PAR FORCE ! C'EST POUR ÇA QUE LA REINE M'A INVITÉE À SA FÊTE ! PARCE QU'ELLE LE SAIT ! PARCE QU'ELLE M'OB-SERVE DEPUIS LE DÉBUT ET VOIT EN MOI

LE POTENTIEL ! LE POTENTIEL DE LA SUR-FEMME !

DU CALME, DU CALME Aliss… Tout va bien ! Super bien !… Je ricane en servant les clients, hé, hé… Dire qu'il y a quinze minutes je paniquais comme une petite fille de Brossard ! Ah ! Ah ! Les petites filles de Brossard peuvent pas tout ! Moi, oui !

Tout ! Tout, tout ! Tout-toutout-tout-tout, tourlou-toutou ! You-hou !

Je pète le feu, je cours presque en allant servir mes clients ! La soirée va être *hot* !

Hé ! voilà Andromaque ! Appuyée au bar, les bras croisés… Elle me regarde, on dirait… On a dû lui dire que j'ai visité une cabine ! Elle va être contente !

Pourtant, on dirait que non. Elle m'observe avec réprobation.

Et, j'en mettrais ma main au feu, inquiétude…

◆

Je regarde par ma fenêtre cassée. Vers le palais.

Le gros *doorman* tient la porte de métal grande ouverte. Quatre personnes, toutes habillées chics, sortent. Le *doorman* referme la porte. Dix secondes plus tard, l'ampoule rouge s'éteint. Nuit totale.

Dans deux jours, c'est moi qui vais franchir cette porte. Pis ce coup-là, le gros gorille va s'incliner bien bas. Ah !

J'examine ma chambre. Bordel total. Vêtements par terre, livres qui traînent, poussière, saleté, lit défait… Seule ma belle robe rouge est accrochée, bien droite, sur la porte.

Je ne suis plus *high* du tout.

Sur mon bureau, deux flacons. Un rempli de cinq Macros, l'autre du même nombre de Micros. Que j'ai payées en partie avec mes pourboires, mes danses régulières… et trois visites supplémentaires dans les cabines. À soixante-quinze piastres la passe, cette fois.

J'aimerais me sentir aussi forte que tout à l'heure. Mais je sens pas grand-chose. À part un engourdissement dans mon sexe...

J'avale une Micro. Non, deux...

Je pense à Mario. Où est-il ? Encore en liberté ? Mort ? Déchiqueté et attaché sur la table d'opération de Chair et Bone ? Viens me voir, Mario, viens... J'irais dans toutes les cabines du monde avec toi, promis-juré...

Tout gonfle autour de moi. Ça va mieux. Le plancher approche, le plafond s'éloigne, les murs fuient... Je me laisse tomber par-derrière, passe à travers le plancher... m'endors dans le vide...

◆

Fait beau, évidemment. Fait toujours beau. Loulou, Paulo et moi mangeons à une terrasse. Je lève la face vers le soleil, ferme les yeux en souriant, éclaboussée de chaleur.

Les piétons, toujours les mêmes... Quelques-uns me sourient... Des clients de *Chez Andromaque* qui me reconnaissent... Un camion rouge est stationné de l'autre côté. Trois hommes en vêtements de travail. L'un est grimpé dans le poteau de téléphone, les deux autres font monter des guirlandes rouges jusqu'à lui. Depuis hier, on installe ce genre de décorations dans les rues du quartier. Demain, c'est la fête. Devant le camion, deux Valets de la Reine montent la garde, impassibles. Au cas où, j'imagine.

Je viens pour prendre une bouchée de mon hamburger... Ah, non, j'ai plus faim. Je le fixe un moment. Pauvre petit hamburger tout penaud qui se sent rejeté.

Je souris. Me sens très bien.

Loulou et Paulo, eux, mangent avec appétit devant moi. Je les envie un peu. Mais contrairement à moi, ils ont aucune drogue dans le corps en ce moment, ça aide. Loulou m'a déjà dit quelque chose, là-dessus :

— Moi, je consomme une fois par jour, maximum. J'ai le contrôle. C'est facile, *ici*, d'avoir le contrôle, en tout cas pour moi. Mais si je prenais le métro pis que je retournais *là-bas*, je serais junkie certain...

Là-bas... Ça m'a fait tout drôle.

Paulo, la bouche pleine, explique avec enthousiasme :

— Alors, voilà, ça va être vraiment un gros party ! La dope sera pas chère. Demain soir, chez Wigwam. Moi, je travaille pas demain, j'y vais.

— Je travaille pas non plus ! fait Loulou. Je vais y aller certain ! Toi, Aliss, tu pourrais venir nous rejoindre à trois heures ! Je suis sûre que chez Wigwam, ça finira pas avant sept heures du matin !

C'est le temps de faire mon petit effet, de faire mon show, d'impressionner la galerie. Je parle. Ma bouche est un peu molle. Batince qu'il fait beau !

— J'ai pris congé, demain. Je vais au party de la Reine.

Dans un dessin animé de Bugs Bunny, leur menton serait tombé droit dans leur assiette. Ici, il se contente de descendre de quelques centimètres, mais c'est très distrayant quand même.

— À son party ? Mais c'est juste sur invitation !

— J'en ai une.

— Pas vrai !

— Merde ! Comment t'as eu ça ?

— Je sais que ses éclaireurs, l'autre soir, ont aimé mon show mais... Je pense que c'est plus que ça. La Reine m'a sûrement remarquée, je sais pas trop comment... Elle veut peut-être même me rencontrer...

Ils ont un petit rire moqueur. Ils doivent me trouver bien prétentieuse ! Peuh ! Il fait trop beau pour que ça m'atteigne !

— Croyez-moi ou pas, mais j'ai eu une invitation. C'est Chair et Bone qui me l'ont donnée.

— Chair et Bone ! Tu fréquentes ces deux moineaux ?

— Je suis même allée chez eux, l'autre jour…

Je voulais encore les impressionner, mais je regrette mes paroles. Je veux oublier cette épouvantable visite, je veux oublier le sang, les cris, Pouf, et tout le reste… D'ailleurs, je les ai pas revus depuis et c'est tant mieux !

— Chez eux ?

— Hé ben ! T'as dû en voir des belles !

— Disons que…

Je sais pas trop quoi dire, j'ose pas. Je me sens mal à l'aise, qu'est-ce qui m'a pris de parler de ça ? Maudite conne ! Quand je suis sur la Micro, je me sens trop *relax*, faut que je fasse attention !

— Disons que j'ai appris qu'ils étaient homosexuels, que je dis bêtement.

Ils éclatent alors de rire.

— Homosexuels ! se marre Loulou. Ça fait longtemps que j'ai pas entendu ce mot-là !

— Moi aussi ! Voyons, Aliss, que c'est que tu veux dire, au juste ?

J'ouvre la bouche pour répondre, puis la referme. Je comprends. Homosexuel, lesbienne, hétéro… Encore des mots qui veulent sûrement pas dire grand-chose… Dans un monde comme ici, à quoi serviraient des mots qui expriment des limites ?

Je prends une bouchée de mon hamburger. Vraiment dégueu. Il fait trop beau, je vais me promener.

Je déambule dans Lutwidge. Je regarde tout le monde. Il y a des guirlandes rouges qui traversent la rue. Dans quelques façades de magasins, il y a même des inscriptions du genre : « Vive notre Reine ! » ou « Joyeux anniversaire à sa Majesté », etc. C'est *cute*. *Cute, cute*.

Un gars est grimpé dans un poteau de téléphone et tente d'arracher une guirlande rouge. En bas, quelques piétons se sont arrêtés et l'observent. Je les imite.

— *Fuck* la Reine ! Je l'encule, la Reine ! Pis j'encule tous ses sujets !

Il réussit enfin à arracher la guirlande. Parmi les curieux, quelques-uns tiennent des paris :

— Dix dollars que ça va prendre moins de deux minutes.

— Tenu.

Moins de soixante secondes après, une Cadillac rouge tourne la rue en faisant hurler ses pneus. Elle s'arrête devant le poteau et deux Valets de la Reine en sortent. Calmes, ils demandent à l'homme de descendre.

— Mangez de la marde, esclaves lobotomisés !

Je fais une petite moue. Il aurait pas dû dire ça, le pseudo-Che. À voir la réaction des autres curieux, je devine que tous pensent comme moi.

Drôle d'impression, soudainement : je devrais pas être *devant* ce poteau, à regarder ; je devrais pas être spectatrice. Je devrais, moi aussi, être grimpée dans ce poteau. N'est-ce pas pour cette raison que j'ai quitté ma petite vie tranquille ?

Pas envie de penser à ça. Trop engourdie…

Froidement, l'un des valets sort un revolver et, avec nonchalance, tire vers le trouble-fête. Il pousse un cri, atteint je sais pas trop où. Il tombe. Sur le sol, il gesticule, gémissant, saignant d'un membre quelconque. Nous, les curieux, on observe la scène en silence, légèrement à l'écart, indifférents. Même moi.

Les deux Valets saisissent le gars, hop ! le lancent dans la voiture, vlan ! puis repartent, vroum ! Incident clos.

Les curieux se dispersent, je continue ma petite balade. Soleil, soleil.

Ce soir, je vais sûrement me farcir encore trois ou quatre clients dans les cabines. Pourquoi pas ? C'est payant.

Je marche encore quelque temps… puis ma bonne humeur descend d'un cran ou deux. Merde, ça allait si bien. Une Macro me ferait pas de tort. Mais elles sont chez moi.

En entrant dans mon immeuble, je tombe sur le mari de la proprio en train de peindre le vestibule. Il est grimpé dans un escabeau et badigeonne généreusement les murs d'une couche rouge écarlate. Je l'observe un bref moment. Il me lance un regard halluciné, hagard, puis poursuit son travail. Je monte. En passant devant les portes trois et quatre, je ralentis un tantinet.

Dans mon appartement, je regarde à travers ma belle fenêtre flambant neuve. Quatre hommes sont en train d'installer des décorations devant le Palais : lumières, ballons, affiches…

Ma bonne humeur descend encore de quelques degrés. Je prends un flacon de Macros et l'ouvre, toujours les yeux fixés sur le Palais.

Demain soir. Demain soir.

Je pense à mes parents. Un très bref moment.

D'un petit geste précis, je lance une Macro dans ma bouche.

La Reine rouge

OU

Partouze monarchique pour sujets fidèles

Le grand moment est arrivé pour Aliss ! Tu dois te sentir aussi fébrile qu'elle, ami lecteur, depuis le temps que tu attendais toi-même ce moment ! Est-ce que la quête de notre héroïne tirerait à sa fin ? Pourtant, il reste encore pas mal de pages, ami lecteur, n'as-tu pas remarqué ?

Ça fait dix fois que je me regarde dans le miroir. Franchement, je suis pas pire pantoute. Maquillage savant qui camoufle mes cernes, cheveux qui tombent avec une sauvagerie calculée, décolleté juste assez révélateur, jambes exposées par la grande échancrure de la robe… Peu de bijoux, donc peu d'artifices. Souliers à talons hauts noirs. Et enfin, mon nez a repris son volume normal. C'est pas mêlant : je suis plus flamboyante qu'à mon bal des finissants. Sauf qu'à mon bal j'étais moins maigre… *Anyway,* si j'étais arrivée comme ça à mon bal, j'en aurais fait capoter une couple. Dont mes parents.

Mes parents…

Neuf heures et demie. Il me semble que c'est une bonne heure pour arriver, ça…

Batince que je suis nerveuse !

Je retourne devant la fenêtre. L'éclairage de l'ampoule rouge est plus fort que d'habitude et me permet de constater le *lifting* de la façade du Palais : ballons, guirlandes, écriteaux qui proclament : « Joyeux anniversaire, notre Reine à tous ! »… Il y a même un tapis rouge déroulé sur le trottoir.

Je regarde ma vieille sacoche. Pas question que je traîne ça. Je mets donc mon argent dans mon décolleté. Comme dans les films, c'est drôle. J'avale une Macro, gloup. Je prends de grandes respirations.

Tout va bien. OK, j'y vais, j'y vais.

Dehors. Soirée chaude. Je marche vers le Palais. À l'entrée, une femme s'engueule avec le portier. C'est ma propriétaire, on dirait ! Dure à reconnaître sans ses bigoudis. Elle a une robe qui se veut mondaine.

Elle est furibonde. Il est très calme.

— C'est inutile, madame, vous n'avez pas d'invitation.

— J'en ai pas besoin ! J'en ai vraiment assez qu'elle me traite comme un chien ! Moi qui accepte depuis des années que mon immeuble lui serve de petit musée privé ! Il est temps qu'elle me montre un peu de reconnaissance, vous m'entendez ?

Elle fait mine d'entrer. Là, Godzilla commence à en avoir assez. Il la repousse assez durement en lançant d'une voix un rien agressive :

— Bon, ça suffit ! Vous avez le choix : ou vous retournez chez vous en marchant, ou vous vous retrouvez dans votre salon, par la fenêtre, sans avoir touché le sol ! Vous avez trois secondes pour choisir.

Personnellement, j'hésiterais pas. La proprio non plus. Elle commence à reculer, mais en brandissant un poing dérisoire :

— Gros macaque arriéré ! Tu diras à ta maîtresse que c'est fini, qu'elle a dépassé les bornes ! Qu'elle ne compte plus sur moi !

— C'est ça, je transmettrai.

— Son musée personnel, elle peut se le mettre où je pense !

— Vous voulez que je demeure allusif ou que je précise ?

Écumante, elle passe devant moi sans même me voir. Je m'approche du portier. Ricanement nerveux, du genre hé-hérgll-gllhé-hégl.

— J'imagine qu'elle n'est pas la première à s'essayer, ce soir…

— Il y en a quelques-uns, en effet…

Il me jette un regard pesant. M'a reconnue, j'imagine.

— Et quelques-unes, aussi…

De mon décolleté, je sors la carte d'invitation. Il l'examine attentivement, revient à moi. Attitude complètement changée. Il sourit, poli, obséquieux. Il ouvre la porte, et, Ô miracle ! s'incline :

— De la part de la Reine Rouge et de tout le personnel du Palais, je vous souhaite, mademoiselle, une bonne soirée.

◆

Dans le vestibule d'entrée, mon cœur bat de plus en plus vite. Si on était dans un film d'horreur de série Z, on l'entendrait résonner, avec beaucoup d'écho, boum-boum, oum, oum, oum… boum-boum, oum, oum, oum…

Au bout du couloir, je débouche dans un immense salon ou plutôt une immense salle. Je me demande même comment un petit immeuble peut contenir une si vaste pièce, mais après un bref examen, je comprends : les murs ont été défoncés et l'intérieur du Palais s'étend sur trois immeubles. Les parois sont recouvertes de longues et épaisses tentures de feutre rouge. L'éclairage est plutôt brut, à peine tamisé, presque froid. Quelques grands miroirs, aucun cadre ni tableau, mais quantité de guirlandes et de ballons. Au fond, une autre entrée, voilée d'un rideau et encadrée par des Valets de la Reine ; sur la gauche, une ouverture communique avec une autre salle dont je ne peux voir l'intérieur.

Une partie du plafond a été enlevée pour permettre la construction d'une mezzanine, à laquelle on parvient par un escalier situé aussi à la gauche de la salle. De la mezzanine, on accède sûrement à ce qui reste du second étage, mais impossible de bien voir d'ici. Sur la droite, le bar, recouvert de grandes plaques lumineuses. Une soixantaine d'invités sont arrivés. Tous en tenue de gala. Une musique rock-alternative envahit la salle, mais le volume raisonnablement ajusté permet les discussions sans qu'on ait besoin de hurler.

Bon, je vais pas rester plantée là.

D'un pas assuré, je me faufile entre les gens. La faune est représentative du quartier lui-même. Même s'ils sont tous chics, on voit que les gens sont de genres différents. Un punk avec un smoking, c'est encore un punk. Une intello avec une robe moulante, ça ressemble toujours à une intello. Presque tous les regards masculins (et quelques féminins) s'allument sur mon passage. J'en reconnais quelques-uns, des clients de *Chez Andromaque*, qui me saluent au passage. Ça me donne confiance. Ça et la Macro.

Des serveurs et des serveuses, habillés très « classique », déambulent avec des plateaux. Je prends une coupe de champagne au passage, puis poursuis mon chemin. Ma nervosité baisse graduellement. Je suis enfin dans le Palais et, jusqu'à maintenant, il y a pas de quoi piquer une crise d'hystérie. Si c'était pas de la musique techno, on se croirait presque dans une soirée mondaine à Westmount. Bon, je charrie un peu. C'est vrai que certains invités, malgré leur habillement chic, font un peu peur. C'est vrai que ce qu'on fume est pas tout à fait du tabac. C'est vrai que ça parle fort et que les sujets de discussion tournent pas tout à fait autour de la Bourse ou de la vie de famille… Mais… je sais pas. Peut-être que je m'attendais à quelque chose de plus… inhabituel. De plus tordu.

Et la Reine, elle est où ?

Je vois rien qui ressemble à une monarque. Au fond, contre le mur, à droite de la seconde entrée, une tribune de deux mètres de haut est érigée ; sur celle-ci, une énorme chaise de bois, baroque, excessive dans ses frises sculptées, tient lieu de trône.

Pas de Reine assise sur ce pseudo-trône. Plus tard, j'imagine…

En attendant, je fais quoi ? Je fraternise ?

La petite salle qui s'ouvre à gauche m'intrigue. Une plaque indique : SALON ROUGE. Je décide d'y aller. Plusieurs personnes y entrent et en sortent. Un homme âgé essaie d'y entraîner un ami qui rechigne :

— Non, ça me tente pas… Tu le sais que c'est pas mon genre, ces affaires-là…

La pièce est beaucoup plus petite que la salle principale. L'éclairage est plus tamisé et il y joue une musique différente, plus sombre, plus gothique… Il y a une quinzaine de tables et quatre d'entre elles sont occupées par des consommateurs qui, tout en prenant un verre, observent un spectacle sur une petite scène à l'avant, éclairée crûment.

Un homme et une femme font un numéro sur la scène. Et tout un numéro ! L'homme est attaché contre le mur, nu, dos au public. Dos, d'ailleurs, recouvert de longues zébrures sanglantes. Zébrures provoquées par un fouet. Fouet tenu par la femme. Femme habillée en nazie. Charmant. La femme fouette en criant de plaisir. L'homme hurle de souffrance et d'extase.

Les Sadomaso de la Reine. En plein travail.

Je reste dans l'entrée, indécise, partagée entre la curiosité et le dégoût. Mais en voyant la nazie s'approcher de sa victime avec une paire de ciseaux, je décide de sortir.

Faut avouer que ce Salon rouge ne fait pas très Westmount.

Dans la grande salle, il y a aucune danse, aucun numéro… Pourtant, on engage pas que des Sadomaso au Palais, j'ai entendu parler de Filles et de Fils de la Reine. Où sont-ils ? Que font-ils ?

Un serveur me tend un plateau, plein de petites capsules rouges.

— C'est quoi ?

Véritable archétype du noble domestique, le serveur me regarde d'un drôle d'œil.

— Mademoiselle n'est pas une habituée…

— Non, mademoiselle n'est pas.

— C'est de la Royale, explique avec grâce le serveur, comme s'il décrivait une sorte de caviar particulièrement prisé. Normalement, elle coûte très cher, mais ce soir, la Reine la distribue à volonté. Gage d'amour pour son peuple adoré.

— Hé, bien… merci…

Je prends une gélule de «Royale», amusée par tout ce cérémonial, puis l'avale, curieuse. Je continue à déambuler. L'effet de la Royale se fait sentir vite : c'est agréable, enveloppant, mais j'arrive pas encore à déterminer exactement ce que c'est, comme sensation…

Bribes de conversation, que je saisis au passage…

— Tu te rappelles, l'année dernière ? Ç'a avait été tout un party…

— Au prix qu'est rendue la Royale, c'est une aubaine !

— Ça fait une semaine que je suis à *off*, je sens que ça va exploser à soir…

— La Reine va sûrement refaire son numéro spécial…

Ah, oui, la spécialité de la Reine dont m'avait vaguement parlé Chess… Mais où elle est, celle-là ? Je prends un autre verre de champagne, le cale presque d'un trait…

— Aliss !

Je me retourne. Un homme marche vers moi, en smoking. Un client de *Chez Andromaque*. Hier, je suis allée dans une cabine avec lui. Ce soir, il s'est forcé :

ses longs cheveux grisonnants sont attachés en queue
de cheval et sa barbe bien taillée. Il est presque beau.
Il est accompagné d'une Asiatique dans la quarantaine,
grassouillette, pas très jolie mais habillée d'une superbe robe noire. Presque aussi belle que la mienne.
J'ai dit presque.

— Hé, ben ! Ça fait drôle de te voir ici !

— Pourquoi ? Je suis pas assez bien cotée pour venir
au Palais ?

Je me sens arrogante, en confiance. Je suis enfin
chez la Reine et j'ai pas envie d'avoir l'air nunuche.
Le gars me trouve drôle, il rigole.

— En tout cas, t'as le même caractère, ici ou chez
Andro !

— Excuse-moi, mais je me souviens pas de ton
nom…

— C'est vrai qu'hier, t'étais plus intéressée à autre
chose qu'à mon nom…

Hé, qu'il est drôle.

— Jack, qu'il se présente enfin. Et voici mon amie,
Véro.

— Salut, me sourit la dénommée Véro. T'as une
belle robe.

On se donne la main. Vraiment mondain, tout ça.
On s'appelle et on déjeune, tant qu'à y être ? Le serveur,
avec son plateau de Royales, revient. Véro et Jack en
prennent chacun une.

— La Reine, elle est où ? je demande.

— Elle va arriver bientôt, j'imagine. Elle va ouvrir
la soirée…

— La soirée est pas encore commencée ?

Jack rit. Véro aussi. Tant mieux pour eux.

— Tu trouves qu'il se passe quelque chose, toi, en
ce moment ? dit-il enfin.

Il me regarde alors d'un air connaisseur, puis demande à son amie :

— Elle te plairait ? Elle est pas pire, tu sais, j'en
sais quelque chose…

— Je dirais pas non, fait l'Asiatique avec une moue entendue.

C'est de moi qu'ils parlent ? Jack me dit :

— Plus tard, si tu veux te joindre à nous, faut pas te gêner…

— Me joindre à vous ?

— Oui, tout à l'heure… pendant la fête…

— On va choisir une des Filles de la Reine, c'est sûr, mais plus on est, mieux c'est, ajoute Véro.

Pas besoin d'un dessin. Il y a du sexe dans l'air. Ça m'étonne pas vraiment. Je souris poliment :

— Merci, mais… Je suis pas sûre que je vais me mêler aux festivités…

Ils ont l'air très étonnés. Véro demande :

— Tu es venue pour quoi, alors ?

— Pour rencontrer la Reine…

Ils ont pas l'air de comprendre. Pis moi, je me comprends-tu ?

C'est alors que je vois Chess, au fond là-bas. Par son accoutrement délabré, il détonne complètement, comme une mouche au milieu d'un gâteau à la vanille.

Personne ne le regarde, personne ne lui parle. Il a l'air isolé, appuyé contre le mur, les mains croisées sur son ventre.

Il regarde vers moi.

Il sourit. *Of course.*

Je salue le couple Jack-Véro et marche vers Chess, en zigzaguant entre les invités de plus en plus nombreux, lorsqu'une main tombe soudain sur mon épaule. C'est Andromaque. Elle me foudroie du regard, l'air de dire : « Ah-ah ! Je te prends la main dans le sac, pas vrai ? » Mais ça m'impressionne pas. Pas pantoute.

— Tiens, Andro… T'as pas pu t'empêcher de venir, évidemment.

Mon audace a l'effet d'une giclée d'essence sur les braises de ses prunelles. Je dois dire qu'elle est magnifique, ce soir, peut-être la plus belle de toutes.

Elle a une robe blanche moulante, les épaules dénudées. Sa splendide crinière noire est remontée en un chignon très sophistiqué, avec quelques frisous qui lui retombent de chaque côté du visage. Très maquillée, peut-être un peu trop, mais avec art. Elle se fait regarder beaucoup et je comprends pourquoi. Si la plupart des regards tournés vers elle reflètent le désir, certains dégagent plutôt de la surprise. La rivale de la Reine, ici ? Ça fait jaser…

— Tu es venue foutre le bordel, Andro, c'est ça ?

— J'ai pas à justifier quoi qu'ce soit, ma jolie !
C'est à toi de me dire ce que tu fais ici !
Je t'avais pourtant dit de pas v'nir au Palais !
Tu veux désobéir, et m'affronter… pas vrai ?

— Écoute, Andro, au club, t'es ma patronne, c'est vrai. Mais en dehors des heures de travail, je fais ce que je veux…

— Et si je te disais que tu bosses plus pour moi ?
Que tu n'as plus de job ? Que je veux plus de toi ?
Je commence à être fatiguée de son petit numéro ! Ça s'en vient répétitif !

— Ben sacre-moi dehors, Andro, si c'est ça que tu veux ! Penses-tu que je veux passer ma vie chez vous ? À soir, j'ai décidé de rencontrer la Reine, pis c'est pas toi qui vas m'en empêcher !

La face lui tombe par terre. Elle est si éberluée qu'elle pense même pas à la ramasser. Je me sens fière de mon petit effet, tellement que je continue :

— Pis toi, qu'est-ce que t'es venue faire ici, Andro ? Te rappeler le bon vieux temps ? Ces murs qui t'ont déjà appartenu te rendent nostalgique ?

La carapace d'Andro craquelle et la tristesse apparaît. C'est la deuxième ou troisième fois que je la vois ainsi. Jamais elle n'a l'air plus vrai.

— Tu es tell'ment méchante, si dure à mon égard !
Moi qui, continuell'ment, te couve de mon regard !

Tout ça pour récolter ton mépris intégral !

Ce n'est pas bien, Aliss, ce n'est pas très moral…

Évidemment, l'actrice revient rapidement : elle lève soudain le menton, se concentre et lance d'une voix fausse :

— « Dieux ! ne pourrais-je au moins toucher votre
       pitié ?

Sans espoir de pardon m'avez-vous con-
       damnée ? »

Je soupire, redeviens plus douce, rentre mes griffes.

— Mais non, Andro, je te méprise pas. Au contraire, je t'aime bien, mais…

Sa tristesse s'envole aussitôt. Son regard devient brillant de triomphe et d'espoir. Bon ! J'aurais pas dû dire ça, elle va mal l'interpréter ! Elle fait mine de s'approcher tout près de moi, l'œil lubrique, mais un serveur avec un plateau s'interpose :

— Champagne ?

— Très bonne idée, merci ! que je dis en saisissant une coupe.

— Une coupe pour vous aussi, duchesse ? propose le serveur.

La gaffe ! Andromaque entre en ébullition.

— Appelle-moi pas « duchesse », minable ! *Loser !*
       Valet !

Répète ça juste une fois, pis je te coupe le…
       les…

J'en profite pour effectuer un repli stratégique.

Je cherche Chess des yeux. Rien à faire, je l'ai perdu.

Je me sens un peu ronde, mais pas trop. Juste assez pour être à l'aise. Pour avoir envie de jaser, de me faire connaître. Montrer que je fais partie du club sélect, maintenant. Oui, oui, pourquoi pas ? Me faire de nouveaux amis, tiens ! Je cherche des yeux qui je pourrais bien aller voir. La musique est bonne, il y a de plus en plus de monde, on doit être pas loin de deux cents, maintenant, sans compter les tordus dans le Salon rouge.

Ça va *swinger* tantôt.

Le serveur-*pusher* passe avec son plateau. Zoup, je lui pique une Royale. Encore une fois, l'effet est presque instantané. Toujours ce petit *feeling* qui gonfle, cette sensation que je connais sans arriver à la nommer, une pulsion qui m'amène à regarder les gens d'une autre façon, qui provoque des souffles chauds en moi…

Tiens, ce petit couple hilare, là-bas… Je vais m'approcher…

J'ai pas fait deux pas que la musique s'arrête. Graduellement, les discussions diminuent et tous se tournent vers la porte du fond, comme s'ils savaient parfaitement ce qui allait arriver.

Ça y est. Elle s'en vient. Ça cogne dans ma poitrine.

Le rideau de l'entrée s'écarte pour laisser entrer Chair et Bone. Merde, pas eux autres ! Ils sont en smoking, ce qui les rend presque méconnaissables, même si Bone a conservé son chapeau haut-de-forme. Je suis sûre qu'il dort avec. Plus que jamais, ils ressemblent à deux aristocrates.

Deux aristocrates qui torturent, tuent et baisent dans le sang.

Ils font quelques pas, sourient à la ronde, puis vont se planter de chaque côté de la tribune. D'une voix forte et enjouée, Bone clame :

— Citoyens, citoyennes ! Sa Majesté la Reine Rouge !

Mon regard est soudé au rideau. Je veux même pas cligner des yeux. Je m'attends à un mélange de Claudia Shiffer et de Messaline ; un croisement entre Vénus et la Méduse ; une créature enfantée par la décadence romaine et les richesses de la Renaissance.

Une jeune fille apparaît. Dans la mi-vingtaine. Elle est à peu près de ma grandeur et ses cheveux longs sont d'un blond presque jaune, criard. Son visage est loin de celui de Claudia Shiffer. Ses traits sont gros, son nez plutôt long et sa bouche dure. Comme seul

maquillage, une grossière ligne noire sous les yeux.
Mince, assez bien faite, mais rien pour passer dans
Playboy demain matin. Le plus décevant est son habillement. Un short rouge ultra-court, un *top* moulant
écarlate et de hautes bottes de la même couleur, tout ça
en vinyle luisant. Une pute de la rue Sainte-Catherine
serait pas plus vulgaire. Cerise sur le *sundae* : son
corsage est garni de deux longs cônes en plastique au
niveau des seins ! On dirait carrément qu'elle a acheté
son costume à une vente de garage de Madonna !

C'est ça, la Reine Rouge ?

C'est tellement décevant que je pense sérieusement
à m'en aller, tout de suite ! Andromaque, malgré son
cabotinage, est dix fois plus belle et a dix fois plus de
prestance, de classe ! Pourtant, tout le monde applaudit
et siffle de joie. Les regards sont admiratifs, les visages
impressionnés. Ben voyons, c'est eux autres qui sont
fous ou moi qui comprends rien ?

OK, je vais faire un effort. Je vais l'examiner un
peu plus. On sait jamais. Elle est un peu loin, quand
elle va approcher, ça va peut-être s'améliorer… Je dois
oublier l'image préconçue que je m'étais construite et
l'observer pour ce qu'elle est.

Elle se met en marche vers le trône. Je la distingue
mieux. Bon. C'est pas une beauté, ça, c'est sûr…
mais son sourire, son attitude, ses yeux… Tout ça a un
certain charme… ça attire l'œil… Sa façon de bouger
est féline, sans être artificielle, ça lui donne une certaine
prestance…

Elle monte les quelques marches de l'estrade, puis,
debout devant son trône, observe la foule qui l'acclame.
Elle sourit. Son visage est fier, sûr, solide. Elle lève la
main et adresse à son peuple une salutation ni hautaine,
ni timide, juste un signe de remerciement, débonnaire et
puissant en même temps. Elle se penche vers Chair, à sa
droite, et, un doigt sur le menton, lui murmure quelque
chose. Il rit. Elle se redresse en souriant, s'humecte

les lèvres, salue de nouveau, se passe la main dans
les cheveux… Ces petits gestes anodins, sa façon de
se tenir debout, une main sur la hanche, tout ça n'est
pas banal, je m'en rends enfin compte. Malgré son
minable costume, elle dégage une sensualité… Non,
plus que ça : un trouble sexuel, indéniable et tangible.

Elle lève de nouveau la main, cette fois pour faire
silence. On se tait instantanément.

— Merci. Merci ben, tout le monde ! Ça fait chaud
au cœur en criss ! Comme je viens juste de le dire à
Chair : c'est pas mêlant, je vous *frencherais* toute la
gang !

Éclat de rire général. Le langage est loin de celui de
la cour de Louis XIV ! La voix est tout de même étonnante, grave sans être masculine, forte sans être forcée.
Et riche. Pleine de sensualité encore une fois, mais aussi
d'assurance, de certitude, de puissance. Pas méprisante,
pas pédante, pas orgueilleuse. Juste pleine. Une voix
qui doit être excitante dans un lit et terrible dans un
débat.

Les invités rient toujours et la Reine elle-même rigole
doucement, en jouant négligemment avec l'anneau qui
perfore son nombril. Graduellement, comme la marée
qui monte, je commence à comprendre le magnétisme
qu'elle exerce sur ces gens, car ce magnétisme est en
train de m'atteindre aussi… Cette sexualité forte, cette
puissance indéniable, cette attitude de titan qu'elle dégage malgré sa beauté assez ordinaire et son costume
ridicule, tout cela prend foyer en un endroit précis.

Ses yeux.

Ils sont noirs, profonds, ne doutent de rien et surtout
pas d'elle-même. Des yeux qui affirment avoir tout
vu sans jamais être impressionnés. Des yeux qui ré-
duiraient en miettes les exploits d'Hercule. Des yeux
qui feraient baisser ceux de Dieu.

J'oublie alors l'habit *cheap* de la Reine. J'oublie
son visage imparfait. J'oublie la déception ressentie

quelques minutes auparavant. La marée me submerge complètement. Je me dis que si une Reine, par définition, doit dégager quelque chose d'unique, de troublant et de supérieur, alors cette jeune femme est la Reine de toutes les altesses de ce monde.

— Déjà deux ans de règne ! Calvaire que ça passe vite ! Je suis contente que vous soyez venus fêter ça avec moi ! Pis si je me fie au nombre que vous êtes, on dirait bien que tous ceux qui ont reçu une invitation sont venus…

Son regard semble alors s'arrêter sur quelqu'un en particulier et, moqueuse, elle ajoute :

— Même ceux qui s'étaient juré de pas venir…

Il y a quelques ricanements dans la salle. Je suis le regard de la Reine et tombe sur Andromaque. Les muscles de son visage se tendent jusqu'à éclater, mais elle reste digne et ne réplique rien. La Reine lève alors les bras, grands ouverts, et dans ce geste se dégage autant d'amour que de puissance troublante. Elle clame :

— Vous êtes le meilleur peuple qu'une Reine puisse rêver d'avoir !

C'est l'euphorie dans la salle. On crie, on applaudit et on se met à chanter : « Joyeux anniversaire ! » J'observe les gens autour de moi, désorientée, puis reviens à la Reine. De chaque côté d'elle, Chair et Bone, sans se départir de leur allure réservée, chantent joyeusement. Eux aussi regardent la Reine avec admiration. Elle, elle écoute avec joie, avec triomphe. Dire qu'elle est émue serait exagéré, parce que… parce qu'elle a l'air trop puissante pour s'émouvoir de quoi que ce soit. Mais elle est contente, c'est certain.

Et elle dégage ! C'est fou ce qu'elle dégage !

Je comprends alors quelque chose qui, tout à coup, m'apparaît évident. En surface, en apparence, Andromaque semble plus belle, plus forte, plus digne et plus imposante que la Reine Rouge ; c'est un leurre, car elle joue tout cela, même si elle le joue avec un certain talent. La Reine, elle, est vraie. Sur une grille d'évaluation technique, Andromaque dépasse peut-être sa rivale dans tous les critères, mais dans la réalité, dans le contact direct, elle lui arrive pas à la cheville.

Andromaque a la beauté, le bon goût, la dignité. La Reine a la conviction de ce qu'elle est. C'est mille fois supérieur.

De nouveau, elle lève la main et tous se taisent. Une lueur coquine brille dans son œil, ce qui rehausse cette aura de sexualité et de puissance qui l'entoure, l'embrase, colle à sa peau.

— Assez de discours. Je suis quand même pas folle, pis je sais ce que vous attendez avec tant d'impatience… Même d'ici, je peux voir que vous commencez à bander pis à mouiller pas à peu près, ma gang de cochons…

Le monde rit, ah-ah-ah.

— Alors, sans plus tarder, voici les Fils et les Filles de la Reine pour à soir !

Le rideau s'écarte pour laisser passer une dizaine de femmes et le même nombre d'hommes, tous entre vingt et quarante ans. Les hommes portent seulement un cache-sexe, les femmes ont un accoutrement semblable à celui de la Reine. Ils ont tous un point commun : la beauté. Leurs visages et leurs corps sont vraiment splendides. Pas tous des Brad Pitt ou des Shania Twain, non, non, des beautés variées, allant de la bête sexuelle jusqu'au raffinement plus classique. Ils viennent se planter devant l'estrade et sourient à la foule, tandis que la Reine nomme chacun par son nom. Après quoi, elle dit :

— Mais trêve de présentations ! Vous les connaissez, vous connaissez aussi leurs particularités à chacun, fait que…

Les gens approuvent en applaudissant, tandis que l'étalage de pétards continuent de sourire, pas gênés du tout, l'air fier, saluant même quelques personnes dans la foule. Je devine bien ce qui s'en vient et ça me rend un peu nerveuse. Au passage, j'arrête un serveur et pique une autre Royale. Gloup.

— Pis pour ceux qui aiment ça plus *rock'n roll*, maîtres et esclaves vous attendent à l'endroit habituel !

Sur quoi, elle désigne le haut du grand escalier. Sur la mezzanine, cinq hommes et cinq femmes se tiennent debout, immobiles. Ici, la beauté n'est plus un atout. Il y en a un ou deux qui sont *cutes*, mais il y a aussi des obèses, des rachitiques, des musclés à l'extrême… Leur accoutrement est essentiellement constitué de cuir, de chaînes, de cagoules noires, de colliers de métal… Ils sourient pas, eux. Oh que non. Ils ont l'air méchant-méchant. Grrr, grrr. La Reine les présente à leur tour et tous ont des noms éminemment sympathiques, du genre Pineuse, Machette, Black'n'Decker, Agonie, et autres charmants patronymes qui n'apparaissent sûrement pas sur leur certificat de naissance. Je reconnais la femme de l'autre soir, celle qui avait des clous dans les seins… Elle se nomme Nail, ce qui, ma foi, lui va plutôt bien. Le plus affreux de tous s'appelle Hulk et, à l'exception de la couleur, il est le sosie parfait de l'original. Il ne porte qu'un caleçon de cuir, il tient quelque chose qui ressemble à une chaîne de vélo et son visage pourrait servir de moule universel pour masques d'Halloween.

— Pour ceux qui sont intéressés par nos Sadomaso, vous connaissez le chemin, ajoute la Reine.

Aussitôt, un homme et une femme sortent de la foule et commencent à monter l'escalier. En riant, la Reine les désigne et dit :

— On reconnaît là la hâte habituelle de Mickey et Minnie !

Tout le monde éclate de rire, tandis que l'homme, en montant les marches, salue poliment la Reine d'un discret mouvement de tête. Je les distingue mal. Lui semble dans la cinquantaine, elle peut-être un peu plus jeune. Mickey et Minnie… Ils étaient chez Verrue, eux, lors de son party, non ? On les avait jetés dehors, il me semble…

Aussitôt sur la mezzanine, le couple se dirige sans hésiter vers une femme dont le cou est entouré d'un collier à chien, et tous trois disparaissent dans un couloir. À m'imaginer ce qu'ils sont partis faire, un frisson me parcourt l'échine. Au même moment, ma nouvelle dose de Royale fait effet et, de nouveau, ce petit *feeling* agréable se répand en moi, avec plus de force, plus d'insistance.

— Oubliez pas ! fait la Reine en revenant à la foule. À soir, comme au *party* de l'année passée, ça coûte pas une criss de cenne ! Gratis pour tout le monde !

— Vive la Reine Rouge ! crie une voix.

Une trentaine de personnes, en désordre, reprennent le même cri. Soudain, une voix aiguë, bizarre, s'élève au-dessus des autres :

— Vive Michelle !

Deux cents paires d'yeux convergent tous vers le même point : c'est Chess, debout dans un coin. Le silence dans la salle est si glacial que je vois presque de la buée sortir des bouches des invités. Quant à la Reine Rouge, elle aussi dévisage Chess. Pour la première fois de la soirée, elle a l'air mal à l'aise, incertaine. Une attitude qui lui va pas du tout, comme si elle portait des vêtements beaucoup trop grands… Ce malaise, tout le monde l'éprouve dans la salle, c'est palpable.

Chess, lui, appuyé au mur, légèrement recroquevillé, sourit sans aucune gêne, ses millions de dents blanches aussi arrogantes que la pire des insultes.

Enfin, quelqu'un se remet à crier :

— Vive la Reine !

On répète l'exclamation, soulagés, avec de plus en plus de force et, au bout de cinq secondes, la salle n'est plus qu'une explosion de hourras, de bravo, d'applaudissements. Rapidement, la puissance et la fierté reviennent sur le visage de la Reine.

Tout à coup, onde de choc : ses yeux tombent sur moi ! Nous nous regardons, toutes les deux ! Elle me fixe avec une telle ardeur que j'en reste pétrifiée, sans savoir si ce que je ressens est de la joie ou de la peur. Ce regard percutant, immense, reste sur moi à peine deux secondes, mais je me sens brûlée comme si j'avais dormi trois heures au soleil. Elle revient à son peuple et crie au milieu des hurlements euphoriques :

— *Party time !*

Une chanson de *White Zombie* sort alors des haut-parleurs, en même temps que les Fils et les Filles de la Reine se mettent en marche et se mêlent à la foule. Rapidement, chacun d'entre eux est entouré de trois ou quatre invités et les mains commencent à se balader avec éloquence…

Quoi, ici ? Ils vont faire ça ici, dans la salle ?

Quelques personnes montent rejoindre les Sado-maso, mais la grande majorité reste en bas. Tout le monde bouge autour de moi, se cherche, se joint. Moi, au milieu de ce vaste mouvement, je déambule mala-droitement, sans quitter la Reine des yeux. Elle discute avec Bone et Chair qui, satisfaits, finissent par se joindre à la foule. Deux Valets, lunettes rouges, visages impassibles, viennent remplacer les deux frères siamois et se tiennent immobiles de chaque côté du trône, les mains dans le dos. La Reine Rouge s'assoit et se con-tente d'observer le spectacle, souriante, curieuse.

Elle va rester là, assise, à regarder ?

— Hé, la petite…

Je me tourne, confuse. Une des Filles de la Reine, le bustier remonté, est en train de se faire caresser les seins par deux jeunes gars dont les smokings com-mencent à ressembler de plus en plus à des guenilles.

— Tu te joins à nous ? demande l'un d'eux.

L'autre gars me lance un regard vicieux, la Fille de la Reine elle-même me décoche une œillade qui mériterait un prix d'hospitalité.

— Merci, je… je vais passer mon tour, que je dis en souriant, un peu mal à l'aise.

— Comme tu veux…

Sans cesser de caresser l'opulente poitrine, il embrasse goulûment son compagnon sur la bouche, qui se laisse faire avec un plaisir certain, tout ça sous l'œil amusé de la Fille de la Reine. J'observe la scène un court moment. L'espèce de sensation chaude et planante que me procurent les Royales augmente de quelques degrés, me fait hérisser les poils sur les bras mais de manière plutôt agréable. Je réussis enfin à identifier ce que je ressens : c'est une excitation sexuelle latente. La Royale est une drogue aphrodisiaque. Et tout le monde ici en prend à pleines poignées depuis le début de la soirée. Hé ben ! Ça va être humide tout à l'heure !

Je m'éloigne et marche au hasard, dans la salle. La plupart des gens sont encore debout, mais ça s'embrasse et ça se caresse de plus en plus. Je marche entre tous ces petits groupes fusionnés. J'ai vraiment pas rapport ! Deux ou trois personnes tentent de m'attirer à eux ; je refuse comme une gourde ! Je dois être une des seules qui est pas encore *matchée* avec quelqu'un. Les serveurs continuent à se promener, imperturbables, avec leurs plateaux pleins de drogues. De temps en temps, une main lâche un sein, un entrejambe ou une hanche pour saisir une Royale au passage. Un serveur s'approche de moi. Non, non, merci ! Si je prends trop de ces bonbons, ça risque de mal finir !

Mal finir… Pourquoi je dis ça ?

Je vois de moins en moins de vêtements et de plus en plus de peau. Je dois sortir de cette cohue en rut, sinon je vais me faire ramasser malgré moi. Je vais m'appuyer contre un mur, juste à côté de l'entrée du Salon rouge. Je jette un œil à l'intérieur. Là aussi, autour des tables, les préliminaires vont bon train. Sur la scène, deux filles baisent, mais ça saigne pas mal, alors j'aime mieux pas trop regarder… Mon regard revient dans la grande salle. J'observe la mer humaine qui ondoie devant moi. Ça se couche, ça se déshabille ; ça parle de moins en moins, le son ressemble de plus en plus à une cacophonie de bruits mouillés, d'embrassades et de légers soupirs. J'essaie de reconnaître du monde… Andromaque, où elle est ? Et Chess ? Je distingue Chair et Bone, à moitié nus, qui sont très affairés sur une femme très consentante.

Mais qu'est-ce que je fous ici, moi ? Je vais rester appuyée contre ce mur et assister à la grande partouze, c'est ça ? Il me manque juste un sac de popcorn pis une chaise !

Il faut que je parle à la Reine ! C'est pour ça que je suis venue !

Elle est toujours là-bas, assise sur son trône, les mains bien à plat sur les appuis-bras, flanquée de ses deux Valets qui sont aussi excités qu'un moine tibétain. Elle observe la scène avec beaucoup d'attention, le regard mi-amusé, mi-sérieux. Elle ressemble à un majestueux chef d'orchestre qui étudie avec satisfaction et application sa composition libidinale. Va-t-elle rester là ? Va-t-elle rester assise à regarder, sans participer ?

Pis moi ?

Soudain, une exclamation, plus forte que la musique, plus forte que les bruits d'embrassades et les soupirs. Une exclamation incongrue, désespérée :

— Arr… arr… arrêtez ! Arrêt… t… t… tez, ça suff… sufff… suffit ! Arrêt… tez !

Là-bas, au milieu de l'escalier : c'est Charles, les bras dressés comme un naufragé sur une île déserte. Je l'avais pas encore vu, celui-là ! Il porte un smoking lui aussi, mais tellement vieux et usé qu'on voit presque à travers.

— Arr… arrêtez ça ! crie-t-il. Cess… cessez cette dé… dé… débauche !

Tous les invités, dépeignés, le visage recouvert de rouge à lèvres et de salive, regardent Charles, intrigués et vaguement agacés. La Reine, elle, ne manifeste aucune surprise. Elle rétrécit les yeux, hoche doucement la tête, puis fait un petit signe vers le bar. Aussitôt, la musique s'arrête. Sans se lever, la Reine crie à son tour :

— Charles, évidemment ! Il fallait ben que tu mettes ton grain de sel dans le party ! Comme l'année passée !

Tous les préliminaires se sont interrompus. Le visage du mathématicien est grimaçant, colérique, comme celui d'un prêtre qui se prépare à damner ses paroissiens impies.

— Je sais, je ss… sais ! Et vous allez sû… sûuuu… ûrement me j… j… jeter cavalièrement de… de… de… dehors, comme l'ann… l'ann… l'année dernière ! Mais tt… telle la truite qui re… re… remonte le courrr… rrr… courant, je me b… b… bats contre les élém… mmm… ments et fff… ff… fonce, tête bai… bai… baissée !

La Reine fait signe à une des deux statues qui se penche vers elle. Elle marmonne quelque chose et la statue approuve. Descend l'estrade. S'éloigne. Non pas vers l'escalier, comme je l'aurais cru, mais vers le fond. Disparaît derrière le rideau. Ça me plaît pas. Il est allé chercher quoi, là ? Une matraque ? Un *gun* ? Un bazooka ? Charles devrait fermer sa gueule. Ce qu'il fait évidemment pas. Il parcourt la foule des yeux, suppliant, presque désespéré.

— Vous ne v… v… voyez donc pas que vous êtes le… le… le cauchemar ? C'est de votre f… f… faute si… si la beau… beau… beauté n'… n'… n'est plus ! Refu… ffu… refusez ! Revv… vvenez à la vraie pu… pure… pureté ! Et le rê… rêve deviendra rééé… ré… éalité ! Et la beauté re… re… reviend… d… dra !

Un concert de huées et de rires méprisants lui répond. Certaines personnes lui lancent même des verres, des souliers, des morceaux de vêtements. Lui, reste immobile, bouge pas, le visage infiniment triste, pathétique dans son vieux smoking. La Reine a l'air de s'amuser, elle. Je me demande même si elle avait pas espéré cette scène. Pauvre Charles, il fait pitié, tout à coup… Dans la foule, une voix plus forte crie :

— Tu nous fais chier, avec ton bien et ton mal !

Cette phrase a l'effet d'un coup de fouet sur Charles. Il se penche par-dessus la rampe, le visage cramoisi d'indignation, et hurle vers tout le monde :

— Mais, tonnerre de D… D… Dieu, je ne vous parle pas du b… b… b… du bien et du m… m… mal ! Je vous parle de lo… de lo… de logique ! Vous comprenez, bande de dégé… gééé… générés inconscients ? De l… l… l… logique ! La beau… la beau… la beauté est logique ! Le r… r… rêve est logique ! La pu… pu… pu… pureté est l… l… logique ! Mais elle !

Il pointe alors un doigt apocalyptique vers la Reine, qui bronche pas.

— Elle est l'an… l'an… l'anti-logique ! Celle qui mè… è… qui mène au cha… cha… chaos ! Au chaos ! Et le rê… rêve ne peut exister dans le c… c… chaos !

La foule remet ça : bouhh, bouhhh ! Ta gueule, casseux de *party* ! Bouhhh ! Charles, à bout de souffle, s'humecte les lèvres sans cesse. On dirait qu'il veut dire autre chose, mais il n'y arrive pas. Ne trouve rien. Déconfit.

La Reine se lève enfin. Le silence se fait en moins de trois secondes. Elle se tourne vers Charles, le visage maintenant agacé.

— C'est-tu correct, là ? T'as fini ton petit discours ? Tu vas nous crisser la paix, astheure ? Si au moins tu te renouvelais de temps en temps, ça ferait changement, mais non. Toujours les mêmes mots, toujours la même calice d'affaire !

Elle a beau prendre un air lassé, je suis sûre qu'elle s'amuse, ce qui, curieusement, amplifie son autorité.

Le plaisir que ressent cette fille nourrit sa puissance et son charisme. Plus elle s'amuse, plus elle impose le respect, aussi paradoxal que ça puisse paraître.

Charles se penche vers elle et serre les dents. Franchement, il fait presque peur. Mais sa voix haut perchée et son bégaiement viennent lui enlever tout sérieux.

— Au... au... aucun règne n'est éter... ter... ternel, Ma... Ma... Majesté ! La lo... lo... logique reprendra ses dr... dr... droits, c'est inévi... inévi... v... vitable !

— Pauvre Charles ! Tu me donnes plus d'importance que j'en ai ! Même avant que j'arrive, cet endroit était déjà très... anti-logique, comme tu dis.

Elle ricane, et tous rient dans la salle. Charles semble pris au dépourvu, mais crache tout de même :

— Alors, rais... rais... raison de plus pour... pour tout chan... chan... changer ! Pour tout raser et tout re... re... re... reconst... tt... truire !

Houuu ! Bouhhh ! Ça se remet à huer dans la salle. La Reine hoche la tête doucement.

— C'est ça. En attendant, j'ai un petit cadeau pour toi...

Le Valet qui était sorti réapparaît ; il n'est plus seul. Une jeune fille l'accompagne et plus elle approche, plus je réalise à quel point elle est jeune. Onze ans, douze maximum. C'est la personne la plus jeune que j'ai vue dans ce quartier, à l'exception d'Astyanax, le bébé d'Andromaque. Elle est habillée aussi de façon vulgaire : minijupe qui moule ses minuscules fesses rondes, longues bottes qui montent sur ses maigres jambes, petit bustier qui recouvre ses seins à peine formés... Une image troublante, indécente, choquante. Lorsqu'elle gravit les quelques marches de l'estrade pour aller se planter à côté de la Reine, je remarque son visage hagard, stupide et absent. Elle est *stone* raide... *Fuck !* ça me lève le cœur...

Les huées cessent, les rires aussi. Le silence est presque total, à l'exception de murmures et de ricanements étouffés. La Reine met son bras autour des épaules de la jeune zombie et, souriante, lance vers Charles :

— Je pense que c'est le genre de petite plotte que t'haïs pas, ça, non ?

Charles, toujours les mains agrippées à la rampe, est bouche bée. Il cligne plusieurs fois des yeux, clic, clic, clic, comme s'il y avait un court-circuit dans ses paupières. S'humecte les lèvres. Se les mord aussi. Tous, dans la salle, le regardent, attentifs, curieux. Il parle enfin, la voix plus faible :

— Ce… ce cos… cos… costume, c'est tellement vu… vu… vulgaire !

— Ben, enlève-le-lui, fait la Reine tout simplement.

Quelques ricanements dans l'assemblée. La jeune fille réagit toujours pas. Elle regarde le vide, devant et à l'intérieur d'elle. Dans son état normal, elle doit être jolie. En ce moment, elle ressemble à une photo illégale sur Internet. L'enfance qui traverse un boulevard les yeux fermés. L'innocence en croisière sur le *Titanic*.

Charles halète, Charles sue, Charles en arrache, Charles combat. La voix rauque, pleine de résignation et de haine, il croasse vers la Reine :

— M… m… monstre !

— C'est ça, Charles, je suis un monstre. Pis toi, un pauvre homme tourmenté entre le bien et le mal, la logique et l'anti-logique, le rêve et le cauchemar. Une pauvre innocente victime de ses pulsions… C'est ça, c'est ça… Tu vas me faire brailler…

Charles hésite toujours. Dans l'escalier, agrippé à la rampe, il ressemble à un crucifié sans croix, et la foule à ses pieds assiste avec intérêt à sa longue agonie. Moi aussi je regarde, fascinée malgré ma révolte. Je distingue Chess, dans un coin, au loin, assis sur une chaise qu'il a trouvée Dieu sait où. Il observe Charles avec son grand sourire détraqué. La voix de la Reine tonne, impatiente :

— Décide-toi, Charles.

Mentalement, de toutes mes forces, je crie vers lui : Non ! Non, résiste ! Dis non pis sors, tout de suite ! Alors, dans le regard du désespéré, tout s'écroule silencieusement. Il descend les marches, lentement, et marche la tête basse vers la tribune. Je suis dégoûtée. Dégoûtée de la situation et de mon propre silence. Pendant ce temps, la Reine pousse légèrement l'adolescente qui se met à descendre de l'estrade tel un automate mal réglé. Charles arrive à sa hauteur, l'observe quelques instants, admiratif et horrifié à la fois. La jeune fille soutient son regard, indifférente, en attente. Soudain, Charles se tourne vers nous et crache :

— V... v... v... vous êtes tous des m... m... des monstres !

Sur quoi, il prend la jeune fille par la main et marche rapidement vers le rideau du fond. Le Valet les suit docilement et avant même qu'ils aient disparu, la foule explose en applaudissements moqueurs. Victorieuse, la Reine se rassoit en criant :

— Allez, que le *party* continue !

Et il reprend de plus belle ! Ça se recouche, ça continue de se déshabiller, de se caresser, les bruits mouillés reprennent... Encore sous le choc de la scène avec Charles, je regarde autour de moi bêtement...

Puis, ça y est : au bout de quelques instants, je vois les premiers pénis disparaître dans les bouches, les premières langues lécher les clitoris, les premières pénétrations, et bientôt un concert de halètements et de gémissements se fait entendre. Il y a au moins une quarantaine de petits groupes éparpillés sur le plancher, de deux, de trois, certains de cinq ou six. Hommes avec femmes, femmes avec femmes, hommes avec hommes, hommes avec femmes et hommes, femmes avec hommes et femmes, hommes avec hommes et femmes et hommes-hommes, femmes avec femmes-

hommes et femmes-femmes, femmes et hommefemmes
et femmehommes, femmehomomfemmemmhomom-
fefem… Vision incroyable, étourdissante… Je suis
encore la seule personne debout, dans son coin, timide.
Une odeur forte, sucrée et musquée envahit la pièce…
Odeurs de sueur, de sécrétions, de rut…

Batince ! je fais quoi, moi ? Il faut que je fasse
quelque chose ! Je peux pas rester là à regarder ça
toute la soirée !

Surréalistes, quelques serveurs et serveuses, impeccables, continuent à déambuler avec leur plateau de
drogues, mais on les ignore de plus en plus. L'un d'eux
passe près de moi. Hop ! Une Royale ! Je devrais pas
prendre ça, moi, mais tant pis : faut que je prenne
quelque chose !

Je continue à regarder, intimidée et fascinée, ces
petits îlots disparates de chair humaine qui ondulent,
qui coulent, qui s'entrelacent, qui soupirent et qui tres-
sautent, incapable d'arrêter mes yeux sur un groupe
en particulier, passant de l'un à l'autre sans cesser de
me demander quoi faire, quoi faire, quoi faire…

… et en moi l'excitation grandit sensiblement, une
chaleur certaine m'envahit et je commence à me
demander si je devrais pas me mêler à la partie…
pourquoi pas ? c'est la fête, non ?… et baiser à plusieurs, c'est attirant…

Au fond, surplombant cet océan humain, la Reine
est toujours assise sur son trône, flanquée de ses deux
Valets impassibles. Elle regarde le spectacle en caressant nonchalamment son ventre du bout des doigts.
Elle prend manifestement plaisir au show mais, en
même temps, elle cherche quelque chose. Tout à coup,
son regard tombe sur moi. Pas pendant deux petites
secondes, cette fois. Ses prunelles me quittent pas,
me défient, un défi amical, amusé et sérieux à la fois.

OK. Parfait.

Une bonne respiration, et je me mets en marche.
Zigzague entre les baiseurs en pleine action qui

m'ignorent complètement. Sauf un gars qui, tandis qu'il sodomise une femme qui elle-même est en train de sucer un mec qui lui-même bouffe la queue d'un autre qui... ce gars, donc, tend la main vers moi, souhaitant manifestement que j'ajoute un maillon à cette joyeuse chaîne. Pendant une courte seconde, je me vois parmi eux, et pendant une courte seconde, je m'imagine entourée de ces verges et de ces chattes, et pendant une courte seconde, l'idée me plaît au point de me faire ralentir et les observer... et aussitôt me remets en marche, les yeux fixés sur la Reine qui me regarde approcher. Les deux Valets bougent toujours pas. Difficile de dire s'ils regardent la partouze, derrière leurs lunettes rouges. En tout cas, s'ils observent le spectacle, ils doivent être eunuques car manifestement, il se passe pas grand-chose dans leur pantalon.

Je m'arrête devant la tribune et me demande si je dois monter ou non. La Reine m'invite pas à le faire. Je reste donc en bas, obligée de lever la tête pour la regarder. Elle, de haut, m'examine avec intérêt. Derrière moi, ça bouge, ça copule et ça gémit dans toutes les octaves. Ignorer ça. Faire abstraction de.

— Je m'appelle Aliss.

— Tu penses que je le sais pas ?

Hé ben, voilà ! La Reine Rouge est devant moi et je lui parle, enfin.

— Pourquoi est-ce que je devais aller chez Bone et Chair pour pouvoir venir à votre anniversaire ?

Elle me répond pas. Intriguée. Moqueuse ou pas ? Difficile à dire.

— C'était une sorte de test que je passais, c'est ça ?

— Un test ? Drôle d'idée...

Sans cesser de caresser doucement son ventre, le regard brillant, elle ajoute :

— Si t'as l'impression de passer des tests, Aliss, tu les passes uniquement pour toi-même...

Ça m'ébranle un peu. Je la regarde, forte, puissante, consciente de l'effet qu'elle vient de me faire, et je me dis qu'elle est vraiment une Reine. Sans l'ombre d'un doute.

Elle prend alors un plateau, qui se trouve sur l'accoudoir de son trône, et le tend vers le bas, vers moi. Il est rempli de Royales. Je dis :

— Non, merci…

La Reine a un petit rictus méprisant.

— « Non, merci ? » Ostie ! Tu te crois où, Aliss ? À l'école ? Chez ton oncle ? Dans une pub antidrogue du ministère de la Santé ?

Je la trouve pas drôle, celle-là. Avec arrogance, j'allonge la main vers le plateau. Deux Royales, gloup, gloup. Mais ça impressionne pas la Reine. Au contraire, son air ironique semble s'accentuer. Je comprends pas.

Faut que je dise quelque chose !

— Est-ce que… ?

Un cri, derrière. Je me retourne. Il y a une fille debout, nue, avec de longues bottes rouges. Une Fille de la Reine, donc. Un gars lui tire les cheveux et la gifle, les yeux fous, manifestement très excité. La fille a beau protester en criant, les autres baiseurs réagissent pas, trop occupés à leurs petites affaires. J'entends la Reine marmonner :

— L'ostie de troul d'cul !

Je reviens à elle. Une rage terrible déforme ses traits. Elle fait alors un signe sec à quelqu'un, dans la salle. Je suis son regard et devine qu'elle s'adresse à Chair et Bone qui, nus (mais qui ne l'est pas !), s'affairent sur une femme, pas la même que tout à l'heure, une autre. Bone la pénètre par-derrière, Chair se fait sucer, et malgré cette prenante occupation, ils voient aussitôt le signe de la Reine. Celle-ci, en silence, leur désigne le gars qui continue à balancer des claques à la fille, tout en voulant la pénétrer de force. Chair et Bone comprennent aussitôt. Plop-plop ! Les deux verges sortent de leur nid respectif et, sous l'air ahuri de la femme qui se retrouve toute seule à quatre pattes, ils se mettent en marche, le visage serein, encore en pleine érection, vers le trouble-fête. Celui-ci les a pas vus venir et se retrouve soudain solidement agrippé. Il se défend, se débat, mais Chair et Bone le maîtrisent et, fermes, menaçants et polis à la fois, l'amènent vers le fond de la salle, où ils disparaissent derrière le rideau. La Reine, satisfaite, m'explique :

— Pas de violence avec les Filles et les Fils de la Reine... Y a les Sadomaso, pour ça...

— Il y a donc des règles, ici ?

Ma bouche est pâteuse, ma voix aussi. Je me sens légère.

— Ben sûr qu'il y a des règles. Les miennes...

Je ressens un mélange d'espoir et de déception :

— Vous avez donc des...

J'ai de la difficulté à trouver mes mots. Ça fait combien de Royales que je prends, depuis le début ? Cinq ? Six ?

— Vous avez donc des limites ?

— J'ai dit des règles. C'est ben différent...

Elle me fixe avec intensité, observant chacune de mes réactions. Mais moi... moi, je commence à avoir ben de la misère à me concentrer... J'ai de plus en plus chaud, on dirait que tout prend une autre texture autour de moi. La Reine a l'air plus... plus... je sais pas, plus vraie, plus tangible... sa peau brille plus, sa bouche aussi... Même les deux Valets, j'ai l'impression qu'ils sont plus vivants... On dirait qu'il y a des muscles dans les fibres de leurs habits... C'est fou, ça...

Pis ça gémit en arrière de moi... Ça gémit fort en batince...

Bone revient et s'approche de l'estrade. Complètement nu, la queue maintenant ramollie, plutôt maigre, ridicule avec son chapeau haut-de-forme. Pourtant, je ris pas. Chaque parcelle de son corps me crie quelque chose, suinte une énergie, une aura troublante, sexuelle...

Je capote, je pense…

Bone passe à mes côtés, me salue poliment de la tête, puis monte sur l'estrade.

— Il s'est calmé, Majesté. Il promet qu'il ne le fera plus, qu'il ira au second étage s'il veut jouer dur… Mais il a sérieusement blessé Horny au visage, Chair l'examine en ce moment…

Chaque mouvement de ses lèvres me semble exagéré, mouillé, pulpeux… Je cligne des yeux, mais ça s'arrange pas. Je me mets à suer, tout d'un coup… Batince qu'il fait chaud !

Bone ajoute :

— Qu'est-ce qu'on fait de lui ?

La Reine réfléchit. Moi, j'en peux plus de rester là, immobile, à attendre… et entendre, derrière… Bone et la Reine, là, tout près, je suis attirée par leur aura, faut que je m'approche, besoin d'être près… Je monte les marches, sans réfléchir. Heille ! j'ai réussi à faire réagir les deux statues à lunettes rouges, ils font mine de s'approcher de moi… La Reine leur fait signe d'arrêter… *Cool*, la Reine… Belle, aussi, avec sa peau suintante… Suintante de quoi, criss ? Personne suinte, c'est mon cerveau qui dégouline ! Ça pis ma libido ! Faut que je me calme, je suis ici pour poser des questions à la Reine, pas le temps de… de… Non, non.

La Reine me considère avec curiosité. Bone aussi me dévisage, un peu surpris de mon audace. Je suis tout près d'eux, maintenant. Merde ! Ma peau vibre, lance des appels de désespoir, est en manque d'être touchée ! Je suis sûre que si Bone ou la Reine m'effleurait, je gémirais de douleur et d'extase.

— Pourquoi…

C'est ma voix, ça ? Elle est rauque, haletante.

— Pourquoi vous m'avez invitée ?

Pas envie de parler. Pourtant, il le faut… Tout brille, surexposé… La Reine me répond par une question :

— Pourquoi t'es venue ?

Souriante, s'amuse. Je m'humecte les lèvres… Mes lèvres, ma langue… Ma salive…

— Je voulais vous rencontrer…

— Pourquoi ?

— Parce que je pense que vous… que vous êtes la surfemme…

— La quoi ?

— La surfemme… L'équivalent féminin de…

Ça crie, derrière moi. Cris de plaisir, de jouissance… Chacun de ces cris m'atteint, me transperce…

— L'équivalent féminin du surhomme de Nietzsche…

Elle fronce les sourcils. Tourne un regard interrogateur vers Bone, qui, amusé, explique :

— Friedrich Nietzsche, un philosophe allemand de la seconde moitié du dix-neuvième siècle. Sa notion du surhomme est expliquée, entre autres, dans *Ainsi parlait Zarathoustra,* sûrement son plus célèbre ouvrage.

— Ah, ouais ? Faudra que je lise ça, pour voir si je me reconnais dans cette surfemme…

Elle recommence à se caresser le ventre. Son ventre. Son nombril. L'anneau dans son nombril. Ses doigts. Peux pas m'en détacher les yeux. J'ai chaud, dans le ventre, entre les jambes…

— Majesté, si je peux me permettre…

C'est Bone.

— Qu'est-ce qu'on fait de notre trouble-fête ?

— Je le sais pas, moi, ciboire ! qu'elle soupire. Qu'on lui coupe la tête, tiens !

Elle rit, fière de sa blague. Son rire, rauque, vulgaire mais excitant, son rire qui se confond avec les gémissements et les cris, tout près, si près qu'ils me lacèrent les fesses comme des coups de fouet…

La Reine arrête de rire, embêtée.

— Calice ! J'ai pas envie de prendre de décision, là !… Tiens, Aliss ! Toi, qu'est-ce que t'en ferais, de cet ostie de morron ?

Moi ? Ce que je ferais d'un gars, en ce moment ?
Tu veux vraiment le savoir ?

Je me secoue. La tête me bourdonne.

— Je… je le laisserais partir…

Elle me regarde d'un air entendu, comme si elle
avait prévu cette réponse. Elle se tourne vers Bone et
lui dit :

— Faites-en donc ce que vous voulez, Chair pis
toi…

Ho ! qu'il a l'air content, le Bone ! Tellement content
que son sexe recommence même à durcir… Il s'incline, descend rapidement les marches et retourne vers
le rideau.

Je capote vraiment, moi-là… Je pourrai pas parler
encore longtemps, j'ai plus de salive, j'ai soif, mais
pas soif d'eau, soif d'autre chose, soif de tout ce qui
flotte dans l'air, dans cette salle épaisse de lubricité et
gluante de désir…

Un dernier effort, Aliss ! T'es venue pour ça !

— Majesté…

Dur, dur…

— Majesté, pourquoi vous m'avez… invitée ?

Je me répète, mais je veux le savoir. La Reine
avance le torse. Elle se joue de moi, je le vois dans
son regard. Elle se joue de tout, de tout le monde,
tout le temps, j'en suis sûre…

— C'est pas la bonne question, Aliss…

Je le sais… je le sais… Mon corps se raidit, mes
muscles sont tendus, je me sens comme une bombe à
retardement…

— Mais vous, est-ce que…

Ma voix… presque un gémissement…

— … est-ce que vous savez c'est quoi, la bonne
question ?…

— Voyons, Aliss, à soir, c'est le temps d'avoir du
fun. Envoye, va rejoindre les autres dans la salle…
On reparlera de ça plus tard…

Ses derniers mots sont pleins d'écho… je la distingue, souriante, flamboyante…

Je me retourne… le spectacle fout le feu dans mes yeux… l'univers fornique devant moi… des millions de fesses, de seins, de queues et de chattes… une symphonie de plaintes et de gémissements, de hurlements de plaisir victorieux…

et moi je

je mouille comme

comme une salope, je descends les marches et mouille ma culotte, ma robe, et je marche entre les corps… Jamais j'ai vu avec autant d'acuité. Je distingue tout et chaque détail me fait pousser une plainte de… de… de quoi, de désir ? de souffrance ? d'envie ? Là, ce pénis qui entre et sort de ce vagin avec une lenteur incroyable, les filets de sécrétion vaginale qui suintent sur la verge, les petites lèvres du vagin, percés de deux anneaux, qui se contractent et s'écartent à chaque mouvement, le clitoris gonflé, rose, presque blanc, la petite cicatrice sur le pubis complètement rasé, les testicules qui remontent à vue d'œil dans le scrotum sous l'effet de l'excitation, les doigts jaunis de nicotine qui pincent les mamelons érigés, tout petits, au milieu de grosses aréoles brunes, la langue qui lèche le cou, quelques centimètres sous le lobe percé mais sans boucle d'oreille, les lèvres minces et légèrement gercées qui sucent un second pénis, les dents jaunâtres qui mordillent la verge, la bouche qui s'amuse à faire pendre de longs filets de salive le long du sexe dur, le gland rouge circoncis et au contour violacé, luisant de salive et de liquide pré-éjaculatoire… Et ça, ce n'est qu'une scène… je perçois toutes les autres avec autant de précision… je vois chacun des poils des fesses de ce jeune de vingt ans qui se fait sodomiser par cet homme de quarante, je vois chaque coup de langue de ces deux filles qui se font un soixante-neuf et je vois chaque secousse des muscles des deux hommes qui les défoncent en même temps, je vois chaque jet de sperme qui sort de cette verge et qui asperge le visage extatique de ces deux femmes d'âge mûr, je vois chaque éclaboussure dorée sur le corps de cet homme étendu qui se masturbe sous une jeune fille qui lui urine dessus en se caressant les seins… Je distingue chaque visage, les mille et une contorsions du plaisir, les yeux révulsés, les bouches tordues ou grandes ouvertes, les langues qui pointent entre les lèvres, les mâchoires serrées ou molles, ces expressions de jubilation totale, de concentration ardue, ou encore ces visages si tordus par le plaisir qu'ils se rapprochent du masque de la souffrance… Je distingue aussi chaque son, chaque gémissement, je distingue le rauque de l'aigu, le saccadé du long, le discret de l'hystérique, le surpris de l'amusé, et je peux faire la différence entre la source de chacun de ces gémissements, celui des hommes ou celui des femmes, celui causé par un orgasme vaginal, clitoridien ou anal, celui causé seulement par la satisfaction de faire jouir le partenaire, celui émis par celui ou celle qui sent le désir monter, celui poussé par les hétéros, les homos, les lesbiennes ou les bisexuels… Et moi, au milieu de ce maelström sexuel, je me projette dans chacun de ces corps, dans chacun de ces sexes, dans chacun de ces râles, je veux être eux tous, je veux être une longue et infinie secousse de jouissance et et et et

Une main sur mon épaule. Me retourne. Un gars nu devant moi. Dans la trentaine. Pas laid. Bien érecté. En sueur. Il me regarde avec satisfaction et désir.

— T'es encore habillée, toi ?

Je réponds rien. Je halète. Je bouge pas. J'attends. Et je brûle. Mon linge me fait mal, mon corps est au vif… Le vide sur mes seins, dans ma bouche et dans ma fente m'emplit de souffrance.

— On va arranger ça, dit le gars.

Il commence alors à me déshabiller… pendant une seconde, juste une seconde, je résiste… puis j'abandonne… me laisse enfin aller…

Caresses… dans le cou, sur mes seins… je gémis… par terre, sur le dos… il me lèche le ventre… descend entre mes cuisses… sa salive tombe sur mon clitoris gonflé et bouillant… Ho, Dieu ! Ho, Dieu, Dieu, oui !… Jamais été aussi excitée de ma vie… Je ferme les yeux, le prends par les cheveux, pousse sa tête contre mon sexe… vois rien, seulement lumières et parties de corps… autre gars à genoux à côté de moi… sa queue dressée tout près de mon visage…

… flash… flash d'hésitation… flash bref durant lequel je me vois de l'extérieur, je me vois en train de faire ce que je suis sur le point de faire…

… mais la Reine, qui regarde peut-être…

… trop envie, trop disponible… saisis la queue avec ma bouche, la suce goulûment… et l'autre gars me pénètre enfin… Criss ! Criss, c'est bon ! Le plaisir est là pis je m'y fonds, je m'y fonds dans ma totalité ! Une queue dans ma noune, une dans ma bouche, j'ai tellement fantasmé là-dessus, pis là c'est vrai, c'est réel, ça m'arrive maintenant pis j'aime ça ! J'aime ça !

Soudain, plus rien entre mes jambes… le gars est sorti… pourquoi ? qu'est-ce qui se passe ?… lève la tête… là, une femme devant moi…

Andromaque !

C'est bien elle, complètement nue, à genoux entre mes jambes écartées. Je reste là, interdite, la queue du gars immobile dans ma main gauche. Qu'est-ce qu'elle fout là ? Qu'est-ce qu'elle…

— Non, non, dis rien, Aliss ; je viens te voir sans haine.

Vois ce dont est capable une véritable reine.

Elle commence à pencher sa tête vers mes cuisses. Seconde de panique ! Je peux pas la laisser faire, je peux pas lui… je suis pas une…

Hoooo, volupté, tendresse, elle sait exactement…
exactement où aller, comment s'y prendre… Ho, que
c'est bon !… Ho, que c'est merveilleux !… Jamais un
mec m'a mangé comme ça, jamais !… Ma tête bascule,
quelque chose entre dans ma bouche, je l'accepte…

… pas de limites…

Tout déboule, tout plane, tout vibre, tout n'est que
plaisir et délire… dans ma tête, c'est le désordre, je
ne réalise plus qu'à moitié ce qui m'arrive… quatre,
on est quatre… Andro pis deux autres gars… bouche
d'Andromaque sur mon sexe et queue dans ma
bouche… puis accroupie sur la verge d'un gars, le
pubis d'Andromaque contre son visage… embrassades, langues, pénétration… puis à quatre pattes,
prise par-derrière… clitoris d'Andromaque contre mes
lèvres… je lèche, je bois sa fente tandis qu'elle gémit,
pis c'est tellement bon, tellement capoté… partout,
partout, personne, tout le monde, anonyme…

… il n'y a plus de temps, plus de précision, plus
d'idées, plus de sens… il n'y a que mon corps qui
prend et mon corps qui donne… il n'y a que tous mes
sens qui se consument d'extase… et tous les autres
copulants, autour, qui me transmettent leur énergie,
leur délire… c'est trop bon, je veux venir, je veux venir
de partout, je veux que chaque pore de ma peau ait
un orgasme…

Andromaque, le visage en sueur, les cheveux défaits,
me regarde alors et dit :

— Tu m'abandonn'ras pas, douce Aliss, n'est-ce
pas ?

Tu m'abandonn'ras pas car tu es morale, toi !

Sa voix est désespérée, en parfait contraste avec
ce que nous faisons, avec ce qui nous arrive.

Elle va se taire, à la fin ! C'est pas le moment de
me faire chier avec sa morale ! Je lui prends le sein
gauche et me le fous dans la bouche. Elle gémit, en
marmonnant encore je sais pas trop quoi…

Je veux venir ! Mais qu'est-ce que j'attends pour avoir un orgasme ? Jusqu'où je dois aller pour y parvenir ?

… corps… seins… queues… gémissements… vulves… langues… tourbillon, sans sens, sans temps, et l'image de Mario, tout à coup, qui flashe… qui me hante, malgré le plaisir et l'abandon… mais je continue, je fourre, je fourre, je fourre, pis je vais fourrer jusqu'à l'anéantissement… Je suis assise sur le visage d'Andromaque et elle me lèche le

Mario

clitoris avec ardeur, tandis qu'un troisième gars, qui vient de se joindre à nous, je sais pas trop quand, qui, quoi, la pénètre… Moi, redressée, je m'occupe de

maman

deux queues, une à ma droite, l'autre à ma gauche… je les suce et les masturbe tandis qu'Andro embrase ma

papa

noune, pis je me dis que tout ça est pas possible, c'est bon, c'est super, c'est le plaisir à l'état pur, mais c'est pas possible, je peux pas être en train de faire ça, c'est pas réaliste…

pas réaliste

Je ris, couverte de sueur ! Réaliste ! Réaliste ! Il y a d'autres réalités, pauvre conne, beaucoup d'autres ! Pis ça, c'en est une ! C'est tout !

La Reine, là-bas… sur son trône… Me voit-elle ? Je veux qu'elle me voie… La voilà qui remonte tranquillement sa minijupe, expose son sexe touffu… doucement, elle commence à se caresser… sans cesser de regarder le spectacle…

… des voix, autour, dans la salle :

— Ça y est ! Elle va le faire !

J'observe la Reine, tandis que je me fais bouffer, tandis que je branle les deux gars, tandis que je gonfle… la Reine qui se masturbe de la main droite… de la gauche, elle relève son bustier… se caresse les boules… son visage s'éclaire, ses yeux commencent à s'appesantir, sa bouche s'entrouvre… ses doigts frottent son clito de plus en plus vite… quelque chose va se passer… quelque chose va arriver à la Reine, pis il faut, en même temps, que je jouisse… parce que si ça nous arrive en même temps, à moi et à elle, ce… ce sera… ce sera la preuve… la preuve de notre ressemblance… la preuve que je suis comme elle… la preuve de notre union…

… le décor commence à chavirer… mais je vois… je vois… je vois des hommes, des femmes, nus, qui rampent, littéralement, vers l'estrade… qui montent les marches, toujours en rampant, qui se couchent aux pieds de la Reine, les yeux rivés sur sa touffe… la Reine les regarde, la bouche tordue, de plus en plus excitée, se frotte avec frénésie… les personnes à ses pieds se masturbent aussi… pis les deux queues dans mes deux mains que je branle à une vitesse folle… pis mon sexe, dans la bouche d'Andromaque, qui elle-même se fait pénétrer à toute vapeur… mon sexe, mon sexe sur le point de se transformer en méga big bang galactique… Ho, je vais venir ! Je vais exploser ! Pire, je vais imploser ! Un orgasme démentiel qui va me tuer, qui va tuer tout ce que je suis…

… ce que je suis…

… ho mon Dieu, ho mon Dieu, ho, mon Dieu, *ho, mon Dieu !…*

Et ça… ça gicle ? ! ? ! Là, de la fente de la Reine, de longs jets d'un liquide incolore qui giclent, qui fusent ! Elle éjacule ! La Reine Rouge éjacule, elle se cambre, pousse un cri que j'entends jusqu'ici, pis arrose, arrose comme une fontaine, éclabousse ses fidèles sujets en extase, à ses pieds, qui viennent à leur tour, en plein délire, aspergés par le royal fluide, pis moi, moi je ho ciboire moi aussi je ho ostie de calice de ciboire! ça y est je jouis! Je jouis dans la bouche d'Andromaque! Je hurle! Pis les deux queues m'éjaculent dessus, sur mes seins, mon visage, mon ventre, pis mon orgasme se multiplie! J'ai vingt clitoris pis ils viennent tous en même temps pis je hooooooo oui oui ouiiiiiiiii assez, j'en peux plus plus capable deeeeeeeeeeeeeeeeee

surhommesurfemmeBrossardécolelimitejouirsperme vaginenfantadolescentepourquoijeestcesibienmalReine mortécroulementtombeNietzscheVerruerecherchesens moisexeprouvezquoipourquoibonnequestionencoreen coreencoremoralMariopapamamanauboutallerjusquau boutplusreculermaisquiquiquiquiquiqui

… hhhhhhhhhhhhhhhhhhhhhhhhhhhhhh.................

Couchée sur le dos. Plus de force. J'ai joui. Comme personne dans l'univers a jamais joui. Ostie. J'en suis sûre. Engourdie, vide.

Ça continue de baiser autour de nous. Les deux gars qui me sont venus dessus sont couchés aussi. En train de récupérer. Contre mes cuisses, quelqu'un se repose. Andromaque. Je l'entends.

— Dis-moi, ma douce Aliss, est-ce que ça valait l'coup?

T'as vu le septième ciel? Tu as joui de partout?

Je réponds mollement oui. Je réussis à lever la tête. Je la regarde. Décoiffée, couverte de sueur et d'autres liquides corporels, elle me sourit, pleine d'orgueil. Même dans une attitude aussi dépravée, elle a pas l'air vulgaire. Je lui demande, la voix molle :

— Pis toi, Andro?… T'es venue?

Elle me considère un court moment en silence. Se recouche sur ma cuisse. Sans répondre.

Je laisse retomber ma tête sur le plancher. Sperme qui sèche sur mes seins, sur mon visage… Je suis

épuisée, mais en même temps je bouillonne encore
d'une énergie intérieure…

La Reine… M'a-t-elle vue ? Pendant qu'elle giclait,
qu'elle jouissait, m'a-t-elle vue jouir, moi aussi ?

Chess apparaît soudain dans mon champ de vision,
debout au-dessus de moi. Tout habillé. Sourire en
plongée.

— Chess… que je marmonne.

— Alors, Aliss, que penses-tu de la Reine ?

Et il disparaît aussi vite qu'il est apparu. Je trouve
la force de me redresser. Houla, ça tourne ! Ça baise
encore en masse, mais plusieurs sont sur leur pause-
café, humides et satisfaits.

Je vois alors la Reine. Évachée dans son trône, le
visage las et encore planant. Elle récupère aussi. Les
fidèles qui se sont fait arroser ont déjà quitté l'estrade.
Quant aux deux mafiosi, ils ont pas bougé d'un poil,
le visage de marbre. Ils mériteraient d'être canonisés,
ceux-là.

La Reine me voit aussi. Lève un doigt. Me fait
signe d'approcher.

Ce seul signe me redonne des forces. Sans trop
réfléchir, malgré les protestations d'Andromaque, je
me mets en marche. Je contourne les corps, mes pieds
clapotent dans des flaques de sperme et d'urine, je
trébuche parfois sur un couple… La Reine me regarde
approcher avec un vague sourire. Mes jambes sont
tellement molles, je sais pas où je trouve la force de
marcher… En fait, oui, je le sais. Je la trouve dans le
doigt de la Reine, ce doigt qui me fait toujours signe.
C'est pas un doigt, c'est un aimant, un phare. Je monte
les marches trempées de la tribune et me plante devant
elle.

La Reine Rouge me contemple, cuisses écartées et
luisantes, sexe dégoulinant, vulgaire à lever le cœur
et pourtant puissante et impressionnante comme jamais.
Son regard est un trou noir qui aspire toute matière.

— Pis, Aliss, est-ce que tu te joins à moi ? À mon équipe ?

Je me demande même pas tout ce que cela implique, je me pose pas de questions à savoir où cela risque de me mener. Je suis encore sur mon *high*, encore trop dans les nuages, encore trop dans ce para-réalisme... pis je réponds « oui », dans un souffle, avec une voix à côté de la mienne. Oui. Je dis oui. Sans vraiment comprendre. Juste en sentant. En ressentant. En espérant, surtout.

La Reine ricane en entendant ma réponse. Pas un ricanement satisfait ou content, mais railleur. Pourquoi cette réaction ? Est-ce moi qui me fais des idées ?

— Non, Aliss, non ! Refuse ! Écoute-moi et refuse !

C'est Andromaque. Elle est à mes côtés, nue, belle et pathétique en même temps, les yeux hagards de colère et de désespoir.

— La Reine se moque de toi, elle te trompe, elle s'amuse !

Mais moi, c'est différent ! C'est moi la pure, la vraie !

Tu vois donc pas encore où est ton intérêt ?

Toutes deux, on vient de vivre quelque chose de précieux !

Une telle extase annonce un avenir glorieux !

Elle parle trop vite, tout va trop vite... Je vois juste son corps que j'ai de nouveau envie de caresser... La Reine intervient, goguenarde :

— Andro, je suis contente que t'aies décidé de venir. T'es tellement... charmante...

Andromaque, furieuse, relève le menton, se concentre... Ah, non, c'est pas le temps !

— « Quels charmes ont pour vous des yeux infortunés

Qu'à des pleurs éternels vous avez condamnés ? »

La Reine émet un ricanement rauque.

— C'est ça, duchesse, vient pleurnicher, t'es tellement bonne là-d'dans...

Andromaque retrouve sa furie épique :

— Toi, je t'ai déjà dit de pas m'app'ler « duchesse » !
Je suis la seule vraie reine, et toi une sale traî-
tresse !

Pire : t'es juste une copie, un misérable clone !

J'devrais être à ta place, assise là, sur ce trône !

La Reine Rouge ne s'amuse plus, tout à coup. Ho,
que non. Elle referme ses cuisses (ce qui produit un
curieux son de succion humide, du genre « slipch »),
se redresse et saisit le bras d'Andromaque avec rudesse.
Son visage devient colérique, menaçant, et j'entrevois
pour la première fois le danger réel que peut repré-
senter cette fille d'à peine vingt-cinq ans.

— J'en ai plein le cul, de tes osties de délires ! Tu
sais que j'aurais juste à claquer des doigts pour qu'une
dizaine de mes Valets te sautent dessus, te violent, te
torturent pis te jettent aux chiens ? Tu le sais, ça ?
Mais je le ferai pas ! Je le ferai pas pour la même raison
que je t'ai invitée ici, à soir. Parce que je veux que tu
finisses par comprendre ! Je veux que tu comprennes
que si t'es pas sur ce trône, c'est parce que tu me l'as
laissé ! Parce que tu régnais sur Troie comme on gère
une coop, calice ! Parce qu'au lieu de me faire comprendre que mon rôle, c'était d'être une subalterne,
t'as préféré être fine, douce pis égale avec moi ! Tu
voulais presque partager ta couronne, pauvre naïve !
Je suis sur ce trône parce que ce qui t'intéressait, dans
le fait d'être Reine, c'était l'aspect poétique au lieu de
l'aspect du pouvoir ! T'as jamais été une vraie Reine,
jamais ! Pis je suis sur le trône parce que quand t'es
tombée enceinte, au lieu de te faire avorter comme
les autres, t'as voulu le garder, ton flo ! Heille ! C'est-
tu assez fort ! ? Tout le monde a compris qu'ici on
élève pas d'enfants, sauf toi ! Toi, t'as écouté ton affection, ton amour, ton instinct maternel… ta *morale* !
C'est ça, ton ostie de problème, Andromaque ! Je suis
pas sur ce trône parce que j'ai quelque chose de plus

que toi, non ! J'y suis parce que j'ai quelque chose de *moins !*

Merde ! Elle le lui a pas envoyé dire ! J'en reste gaga ! La Reine lâche le bras de la Noire et se rassoit.

Et Andromaque ? Andromaque, elle a le visage qui fond. Andromaque, elle se met à trembler. Andromaque, elle recule d'un pas. En bref, Andromaque est méconnaissable, défigurée par la consternation.

Elle se tourne alors vers moi. Me regarde. Me supplie. Me hurle en silence son amour, son espoir, ses promesses. Je l'observe longuement. Même si je me sens encore pleine d'adrénaline et de désirs confus, le moteur roule moins vite. J'ai même un léger mal de cœur. Je finis par dire :

— Désolée, Andro…

Désolée de quoi, au juste ? De pas la suivre ? De préférer la Reine ? De tromper ses attentes, de la décevoir ? Désolée pour elle ? Ou pour moi ?

Ses yeux s'emplissent de larmes et alors que je me dis qu'elle va craquer, là, devant moi, devant la Reine, devant deux cents personnes qui forniquent, elle reprend son masque de tragédienne outrée. Elle esquisse même le mouvement de rejeter sa toge sur le côté, mais réalise juste à temps qu'elle est nue ; puis, elle nous toise avec mépris, descend les marches et traverse la foule, déesse noire qui part dans la dignité. Elle est toujours aussi théâtrale, aussi dramatique, mais il y a plus, cette fois… Quelque chose qui est pas joué, quelque chose de nouveau et qui m'apparaît assez inquiétant. Elle va ramasser sa robe, puis disparaît dans le corridor de la sortie.

— C'est ça, *scram !* ricane la Reine Rouge.

J'ai un *down*, tout à coup. Je l'aime bien, au fond, Andromaque. C'est juste que… Elle est pas ce que je recherche. C'est pas elle, l'aboutissement. C'est pas elle, la réponse.

Mais la réponse à quoi ?

Je lève la tête vers la Reine. Comme si elle lisait dans mes pensées, elle me lance avant que j'aie ouvert la bouche :

— C'est pas le moment de discuter, Aliss… Envoye, retourne t'amuser !

Je me tourne vers la salle. Ça baise encore pas mal. Ouais, pourquoi pas ? Pourquoi pas…

Mais la fatigue a décuplé au cours des dernières minutes. Je fais mine de descendre une marche, mais je m'arrête, soudain prise d'un vertige. On dirait bien que cela amuse la Reine :

— Évidemment, c'est la première fois que tu prenais des Royales ! Pis en grande quantité, en plus ! Mêlé au champagne, ça doit faire un calice de feu d'artifice ! La montée est spectaculaire, mais la descente est raide en criss !

Je me frotte le front. Me sens tellement molle…

— Je sais pas… je sais pas si je vais pouvoir me rendre chez moi…

— Couche ici, c'est pas les chambres qui manquent… Va à l'arrière pis trouve-toi un lit…

Elle me fait un sourire mi-complice, mi-ironique.

— T'es chez vous, ici, maintenant…

Je dis plus rien… Trop finie… Je commence à descendre les marches. En titubant, je me dirige vers l'entrée du fond. Tant pis pour mes vêtements, tant pis pour mon fric, j'ai pas la force de retourner les chercher. Les deux Valets de chaque côté du rideau me regardent même pas. Je me retourne vers la Reine une dernière fois. Là-bas, sur son trône, elle continue d'admirer ses sujets, qui baisent à ses pieds.

Je traverse le rideau. Long couloir. Je passe devant plein de portes fermées. Je dois me coucher, sinon je vais tomber pis dormir sur le plancher. J'essaie d'ouvrir une porte. Verrouillée. Une autre. Verrouillée aussi. Dormir, dormir, pis me coucher…

Une porte s'ouvre enfin.

Fuck! c'est Charles! Une petite chambre écarlate, éclairée par une ampoule rouge, avec un lit, un petit bureau, des cadres que je distingue pas... pis au milieu de la pièce, les culottes aux genoux, Charles est debout. À ses pieds, la Lolita junkie est nue et lui fait une pipe, sans enthousiasme, mécanique... Charles, le visage entre les mains, pleure, pleure en se faisant sucer par cette fillette...

... la fatigue, le mal de cœur...

Charles m'a pas vue, il est trop occupé à pleurer, pis il arrête pas de marmonner en sanglotant:

— *O tempora! O mores!*

La fillette suce, ses yeux fixent le vide... Alors, je referme la porte, écœurée...

Je suis chez moi, a dit la Reine... chez moi...

Le couloir tourne à droite. Je titube, je me tiens aux murs. Des cris, quelque part. Une porte entrouverte, là-bas. Je m'approche. Mais pourquoi je vais l'ouvrir? Sur quelle horreur je vais encore tomber? Pourtant... pourtant j'approche... je pousse la porte...

Multiples informations démentes et atroces qui m'assaillent toutes en même temps.

Le trouble-fête de tout à l'heure, celui qui a frappé la Fille de la Reine... Nu. À quatre pattes. Chair, derrière lui, l'encule, sauf que quelque chose entoure son sexe, une gaine d'argent garnie de petits pics métalliques... Ça rentre, ça déchire l'anus, le sang gicle, le gars hurle mais peut pas bouger... Il peut pas parce que ses mains sont clouées dans le plancher... Vraiment clouées, avec des clous... Il couine comme un égorgé, pis le truc-machin plein de pics lui laboure le cul, pis Bone... Bone, nu aussi, accroupi devant le malheureux... il le regarde, le visage abominable, et lui hurle:

— *Tu n'as pas d'âme! Tu es comme tout le monde, tu n'as pas d'âme!*

J'ai beau trouver ça démentiel, inhumain, insoutenable, y a quelque chose… Calice! quelque chose en moi atténue l'indignation, édulcore l'horreur… JE SAIS que c'est abominable, JE SAIS que c'est de la folie pure, JE SAIS que ce spectacle est le pire cauchemar qu'on puisse imaginer… mais en même temps… en même temps…

… je-n'a-rri-ve-pas-vrai-ment-à-être-ho-rri-fiée…

… et cette insensibilité m'épouvante plus que la scène elle-même.

Je tourne les talons. Me remets en marche.

Des portes. Des portes verrouillées dans le noir. Et un sourire qui flotte, là-bas, au bout du couloir, il me semble, pas sûre… Une porte s'ouvre enfin sous mes doigts. Là, un lit. Un beau grand lit, le plus beau lit du monde, le plus confortable. Me couche. Ferme les yeux. Derrière mes paupières closes, même le noir est anarchique. Les cris qui viennent de l'autre chambre… Les cris de torture, de souffrance… Bone qui vocifère: *Encore le temps qui nous possède! Encore, encore, encore!* M'en fous. Je dormirais dans un charnier, je dormirais au milieu de l'Inquisition, je dormirais en plein camp de la mort sous les hurlements des Juifs carbonisés, je dormirais sur le Golgotha à côté du Christ agonisant…

… et s'il implorait Dieu, je lui dirais de fermer sa gueule…

La route est libre. Derrière moi, j'entrevois l'arbre interdit. À ses côtés, la concierge de l'école m'envoie la main. Devant moi, la silhouette de la Reine est tout près. Je me mets en marche. Plus j'approche, plus la crainte s'installe en moi. Je me retourne.

Plus d'arbre, plus de concierge. Un mur, à deux centimètres de mon dos.

Je continue d'avancer vers la Reine. Je distingue son visage. Ses cheveux blond jaune, ses traits carrés, son air puissant. Elle mange quelque chose. Je m'arrête. Incertaine, encore. Je me retourne.

Le mur est toujours à deux centimètres de moi. Il me suit.

Encore quelques pas vers la Reine. Je suis à moins d'un mètre d'elle. Je vois ce qu'elle mange. C'est le livre de Nietzsche, Zarathoustra.

— Êtes-vous la surfemme, oui ou non ? que je lui demande.

Pour toute réponse, elle vomit le livre, une bile noire et gluante. Je tends la main. Je veux toucher la Reine. Mais le sol disparaît sous mes pieds. Je tombe. Tombe dans le vide. Je baisse les yeux pour voir où je vais atterrir.

Une voiture est en bas. Le toit est ouvert. À l'intérieur, c'est Laurent Lévy. La tête levée, il me regarde, m'attend en souriant.

Je hurle, je veux remonter. Mais je tombe toujours…

MIROIR (3)

*Notre héroïne a atteint son but, sauf que la révélation
espérée ne s'est point produite! Qu'est-ce à dire? Sa quête
serait-elle autre que celle qu'elle poursuit depuis le début?
Il y a de quoi plonger notre héroïne (et peut-être toi-même,
ami lecteur) dans la confusion totale…*

Je prends une deuxième bouchée de mon club-
sandwich. Ça goûte rien. Je me force quand même à
avaler.

Je me sens ben, ben bizarre…

Je me suis réveillée vers cinq heures et demi de
l'après-midi dans la chambre du Palais. Mal à la tête,
estomac barbouillé, goût dégueu dans la bouche…

Dans la salle du Palais, des gens faisaient le ménage.
J'ai récupéré mes vêtements. Personne se préoccupait
de moi.

J'ai contemplé la grande salle pendant un certain
temps… Puis, une sorte de panique, d'angoisse, m'a
saisie tout d'un coup. Je suis rapidement sortie par la
porte arrière. Suis retournée chez nous. Me suis lavée.

Je suis restée assise dans mon salon pendant une
heure, à penser à rien. Puis, je me suis habillée pour
aller au restau.

Je prends une troisième bouchée de mon club.
Vraiment pas faim…

Graduellement, je commence à réfléchir pour vrai.

J'ai vu la Reine Rouge. Et alors ? En quoi en sais-je plus qu'avant ? Je sais pas. Je sais plus. C'est vrai qu'on s'est pas parlé beaucoup, mais…

Est-elle la surfemme, oui ou non ?

Soudain, la voix de Verrue, dans ma tête…

Ce n'est pas la bonne question…

Je soupire. C'est quoi, la criss de bonne question ?

Elle m'a dit qu'on pourrait discuter, toutes les deux, plus tard… Parfait. On est le lendemain, c'est plus tard, ça, non ?

Je prends une Macro, ma dernière, et paie mon repas. J'ai vingt piastres dans mon porte-monnaie. C'est tout l'argent qu'il me reste. Vingt piastres.

Dans les rues, il commence à faire noir. D'un pas rapide, je marche vers Dodgson. Grâce à la Macro, je me sens beaucoup mieux, presque en forme.

Il est sept heures quarante quand j'arrive au Palais. Je passe par la porte de derrière et vais directement à la grande salle. Rangée, propre. Plus d'estrade, seulement une dizaine de fauteuils rouges et classiques, dont certains sont occupés par quelques Filles et Fils de la Reine. Habillés du même genre de costume que la veille, ils boivent un verre et discutent. En me voyant entrer, ils me regardent tous et marmonnent entre eux. Je vais au bar et demande au barman, la voix solide :

— Je voudrais voir la Reine Rouge.

Le barman me regarde, pas étonné du tout. Il me demande d'un ton naturel :

— Aliss, c'est ça ?

Ça me déstabilise un peu.

— Heu… oui…

— La Reine est pas ici ce soir, mais elle m'a demandé de t'expliquer comment ça marche…

— Comment ça marche ?

— Tu es une nouvelle Fille de la Reine, non ?

Qu'est-ce qu'il raconte ? Je viens pour rouspéter, mais des souvenirs de la veille jaillissent… Quand je délirais d'extase… Quand la Reine m'a demandé si je voulais me joindre à son équipe… Quand j'ai dit oui…

M'en aller. M'en aller, tout de suite. Tourner les talons, prendre le métro et partir.

Partir maintenant? Sans réponse? Sans revoir la Reine, sans lui parler?

Mon mal de tête revient, j'ai envie de prendre une autre Macro… non, une Micro, je le sais pas, n'importe quoi, quelque chose! Mais je n'ai plus rien! Et pas moyen de réfléchir parce que le barman se met à expliquer à toute vitesse:

— Ici, c'est le Grand Salon. À côté, le Salon rouge, c'est pour les Sadomaso. C'est là qu'ils donnent leur spectacle. Les Fils et les Filles de la Reine, eux, donnent pas de spectacle. Ils servent pas de bière non plus. Ils demeurent dans le Grand Salon, discutent et attendent les clients. Comme tu es débutante, tu peux pas demander plus que deux cent cinquante par client. Le deuxième étage, tu t'en occupes pas, c'est juste pour les clients des Sadomaso. Sur les deux cent cinquante dollars que tu charges, la moitié est à toi et l'autre à la Reine. Dans une couple de mois, si t'es bonne et que les clients sont contents, tu vas pouvoir charger trois cents…

Il parle vite, j'ai pas le temps de rien dire, je l'écoute la bouche grande ouverte comme une épaisse…

Besoin de dope… Pis de cash pour en acheter…

Deux cent cinquante par client… Cent vingt-cinq pour moi…

— Le Palais ouvre dans dix minutes, fait le barman en regardant sa montre. Il y a un costume pour toi dans la chambre sept. En passant, mon nom est Martini.

Et il sourit, affable.

Je l'observe un long moment. Puis, je marche vers le rideau du fond. Me retrouve dans le long couloir. Ouvre la porte sept. Chambre rouge avec un lit, identique aux autres. Sur le lit, un costume est étendu: bustier, mini-jupe et longues bottes de vinyle.

Sur le costume, une petite capsule rouge familière. Une Royale. Il y a un court message avec la capsule :

> *Petit cadeau de bienvenue.*
> *La Reine Rouge*

Je fixe longuement le papier.

J'enfile le costume. Mon corps tremble.

J'avale la Royale. Ma main tremble.

Je ferme les yeux. Les effets devraient se faire sentir rapidement.

Je retourne au grand salon et m'assois dans un fauteuil. Tous mes gestes sont rapides, secs, automatiques. Autour de moi, les Fils et les Filles de la Reine me dévisagent avec curiosité.

— C'est quoi ton nom ? me demande un des gars.

Je lui jette un regard neutre, incapable de répondre. Trois clients entrent. Deux gars et une fille. Ils nous saluent, puis vont au bar.

— Je me sens en forme, à soir ! fait une des Filles de la Reine assise à ma droite. J'espère qu'il va y avoir de l'action !

Ça se calme en moi. Une douce chaleur envahit mes membres. C'est mieux. Beaucoup mieux…

— Ton nom, c'est quoi ? répète le gars de tout à l'heure.

Il est beau, très beau. D'ailleurs, nous le sommes tous.

— Aliss… Pis toi ?

◆

Je sors du Palais par la porte de derrière. Dans la ruelle, je lève la tête, regarde les étoiles, au-dessus de moi, et me demande si on les voit de la même manière ici que *là-bas*. J'essaie de reconnaître la Grande Ourse. Oui, tiens, la voilà.

J'ai eu trois clients ce soir. Trois gars. On m'a dit que c'était une petite soirée, ça. Trois cent soixante-quinze piastres pour moi, moins ma petite pharmacie personnelle que j'ai dû renouveler. Pharmacie qui me coûte de plus en plus cher... À part la dope habituelle, je me suis acheté des Royales. Soixante piastres la capsule! En plus, il paraît que j'ai droit au prix *staff*... J'en ai pris deux autres au cours de la soirée.

La Reine Rouge, elle, a pas daigné se montrer. Demain soir, j'imagine...

Demain soir? J'ai donc l'intention de continuer?

Malaise... Vite, je me dépêche d'avaler une Macro... Avant de me coucher, c'est pas génial comme idée, mais tant pis...

Je sors de la ruelle et traverse Dodgson. C'est évidemment désert à cette heure... sauf là-bas, deux coins de rue plus loin... la Limousine rouge... la Limousine de la Reine...

Je m'arrête, en plein milieu de la rue.

Mon lit est tout près, il m'appelle à grands claquements de draps frais... mais la Reine, là-bas, tout près... La Reine que j'ai attendue toute la soirée...

Je me dirige vers la Limousine, énergisée par la Macro. Elle est stationnée devant un immeuble à logements très quelconque, semblable à tous les autres. Devant l'entrée de l'immeuble, deux Valets montent la garde. Mains dans le dos. Lunettes teintées rouges, même en pleine nuit. Visages en béton. Quand ils travaillent pas, ils doivent se faire entre eux des concours de grimaces pour se défouler. Je lance, débonnaire:

— Salut!

— Bonsoir.

Voix vides. S'il existe dans notre corps un organe pour les intonations, hé bien, les Valets se le sont fait arracher lorsqu'ils ont été engagés.

— Qu'est-ce que vous faites là?

— La Reine. Elle est à l'intérieur.

— Ah, bon ? Qu'est-ce qu'elle fait ?

— Elle s'ouvre un nouveau petit musée.

Les musées de la Reine… comme ceux dans mon immeuble, j'imagine… Donc, elle serait en train de… ?

— Je peux entrer ? je demande d'un air détaché. J'ai quelque chose d'important à lui demander…

— La Reine ne veut voir personne pendant ses installations.

— Même nous, nous n'avons pas le droit de la déranger.

Insister serait aussi efficace que de vouloir émouvoir un fonctionnaire. Je hausse donc les épaules et m'éloigne d'un air *relax*, tam-tidam-dam, sauf qu'au bout de la rue je m'engage vite dans la ruelle qui longe l'arrière des immeubles et la parcours au pas de course.

Voilà, je crois bien que c'est celui-là. Six appartements. Quatre sont plongés dans le noir. Deux fenêtres, malgré les rideaux fermés, dégagent une forte lumière. Je m'engage dans l'escalier en fer forgé qui monte en colimaçon. Pas très prudent, ça… Tant pis, je monte quand même. Vive la Macro qui enlève toute peur et toute crainte !

Au deuxième étage, je m'approche de la première fenêtre illuminée. Le rideau fermé me cache tout, mais par les nombreuses ombres chinoises qui s'agitent, la musique tonitruante et les voix gaillardes, je comprends que c'est pas le bon appartement. Je continue à monter. L'autre fenêtre a aussi les rideaux tirés. Calme parfait à l'intérieur. Elle est entrouverte. J'entends de faibles bruits.

J'approche mon visage. Prudence, pruuuuuudence. Il y a une légère ouverture entre les deux rideaux. Je peux voir l'intérieur.

Cuisine. Four, frigo et longue table. Grand drap blanc sur la table. Larges couvertures blanches étendues sur le sol, comme si on se préparait à repeindre la pièce. Corps nu allongé sur la table. Un homme, dans la trentaine. Son visage est de profil, mais je vois bien qu'il est mort. Plusieurs cicatrices fraîches sur son visage, sur son corps.

Devant la table, la Reine. Surprise : elle est en jean et en t-shirt, et ses cheveux sont attachés en queue de cheval. Elle a vraiment l'air d'une jeune fille très banale, très quelconque.

Non, c'est faux. Elle aura jamais l'air banal.

Elle prend la tête du cadavre, la soulève un peu et l'examine, avec une attention extrême. Derrière elle, sur le sol, je distingue un tas de vêtements et, peut-être, deux autres corps, partiellement hors champ…

Je recule mon visage. Bon. Je devrais arrêter, non ? J'en ai assez vu, non ? Non ?

Ma figure retourne à la fenêtre.

La Reine examine toujours le visage et grimace d'insatisfaction. Elle s'éloigne, sort de mon champ de vision, puis réapparaît, un cellulaire à l'oreille.

— Bone ?… C'est moi… Je m'en criss que tu dormais, c'est ta Reine qui t'appelle !… Correct, correct… Koudon, le gars de trente ans que vous m'avez apporté, aux cheveux blonds courts… Ouais… Il est magané pas à peu près !… Je dis qu'il est magané !… Quand vous l'avez arrangé, vous étiez soûls, koudon ?… Mais sa tête, calice ! On voit encore la marque de la balle dans le front, ben comme il faut ! Vous avez *butché* votre job !… Non, le reste du corps est correct, les marques sont ben camouflées… Mais… Voyons, tabarnac, c'est la tête, le plus important, la face ! Penses-tu que le monde remarque si la Joconde a des grosses boules ?… Non, Bone, je… Bone, c'est pas le temps de me sortir tes osties de jeux de mots plates !… Non, les autres, je pense que ça va aller, ils ont l'air pas pires… Oui, oui, je le sais, Bone… Je sais que c'est exceptionnel… Écoute, je veux rien savoir de tes raisons : le blond, j'en veux pas ! Vous viendrez le chercher demain !… Je le sais pas, moi, recrissez-le dans votre cave, donnez-le à bouffer aux pigeons, je m'en calice !… Pis je vous enlève chacun cinquante piastres sur votre paye pour cette gaffe… Ben, tant pis, la prochaine fois, vous y repenserez avant de m'envoyer de la marde !

Avec mépris, elle pousse le corps qui bascule mollement sur le sol.

Moi, je me mords la lèvre inférieure jusqu'à me la charcuter. Bon, c'est assez, j'en ai assez vu, au dodo. Mais voilà que la Reine se penche vers un nouveau corps et le soulève en le tenant sous les bras.

C'est Pouf ! Je le reconnais, j'en suis sûre ! Un Pouf nu et à peu près intact, avec plusieurs cicatrices sur son corps et ses jambes, une ou deux au visage, très éloigné du triste état dans lequel il se trouvait l'autre jour ! En maugréant, soufflant et forçant, la Reine réussit à étendre Pouf sur le dos, sur la table. Elle l'observe longuement, satisfaite, puis elle est de nouveau hors champ. Elle revient à l'écran en traînant sur le sol un immense sac de jute plein de poudre, d'avoine, ou de…

De son. Du son, évidemment.

Elle s'éloigne encore, revient avec une petite mallette qu'elle dépose sur la table. L'ouvre. J'en vois pas l'intérieur, mais elle sort quelque chose ressemblant drôlement à un scalpel… Elle contemple son instrument et alors apparaît dans son visage une expression… un sentiment que je lui ai jamais vu, que je croyais pas possible sur ses traits… Une sorte d'attendrissement parfaitement incongru. Je l'entends alors marmonner, la voix étrangement douce :

— Tu serais fier de moi, p'pa… Très fier… Pis j'ai tout appris toute seule, comme toi…

Son père ? Je tends l'oreille, attentive, mais elle ne parlera plus : la concentration revient sur son visage et, lentement, avec précision, elle commence une entaille dans le ventre de Pouf.

OK, stop, rideau ! Je m'écarte et regarde ailleurs, n'importe où, les toits des autres immeubles, tiens… J'ai déjà vu Pouf se faire découper une fois. Pas besoin d'une supplémentaire, merci beaucoup.

Je me lève et redescends les marches. Je tremble un peu.

De retour chez moi, je m'étends dans mon divan. Immobile. À regarder le désordre. Mon appartement est un véritable taudis, maintenant.

Est-ce que la surfemme s'amuserait à empailler du monde, comme ça, pour le plaisir ? Comment Nietzsche pourrait justifier *ça ?*

Je me frotte le visage en gémissant.

Faut que je comprenne, faut qu'elle m'explique… Sinon, je… je vais… je vais craquer, je vais…

Va-t'en ! C'est tout, va-t'en !

Je peux pas, calvaire ! Pas tout de suite ! Pas avant de savoir c'est quoi la bonne question !

Petite voix, dans ma tête : *Et si elle n'existait pas, cette question ?*

Je le sais qu'elle existe, criss, même que je suis certaine qu'au fond de moi je la connais, je suis à deux doigts de mettre le doigt dessus ! La Reine connaît cette question, j'en suis sûre ! Sûre, sûre, sûre ! Si je pars maintenant, je vais devenir folle ! Complètement folle ! Parce que tout ça aura eu aucun but ! Aucun !…

… pis si je pars, où vais-je trouver de la Micro, de la Macro, de la Royale ?

Je ris, couchée sur le dos. Un rire inquiétant, un rire qui ressemble à un sanglot. Un rire de junkie craquée, de loque, de naufrage…

Sans arrêter de rire, j'avale une Micro…

◆

Et le jour, je dors.

◆

Presque sept heures du soir… Marche sans but dans Lutwidge avant d'aller travailler…

Travailler…

Suis réveillée depuis une demi-heure… Y est temps que je prenne quelque chose… Me sens malade, molle, *out of order*… Me sens toujours comme ça à jeun… Peux pas supporter ça… Avale une Macro, tout en marchant… Posologie simple… Pour me remettre en forme : Macro… Pour relaxer : Micro… Pour travailler : Royale… Pour planer : hasch… Régime parfaitement équilibré.

OK, l'effet de la Macro se fait sentir, mes enjambées sont un peu plus assurées… Mais faut quand même l'avouer : les drogues ont de moins en moins d'effet sur moi. Je dois en prendre de plus en plus souvent.

Hé, oui. Hé, oui, oui, oui, oui. C'est la vie. La vie, hé oui.

Je passe devant *Chez Andromaque.* Une pancarte indique : *Fermé ce soir.* Bizarre, ça… Éclair d'inquiétude.

Tiens, c'est Charles, là, qui traverse la rue. Il me voit. Je lui envoie la main. Ça ne me dérange plus qu'il fantasme sur moi, qu'il me confonde avec sa fillette d'Angleterre. Il ne me choque plus. Y a plus grand-chose qui me choque, *anyway*…

Il vient vers moi, me regarde avec une sorte d'étonnement horrifié. C'est vrai que j'ai pas l'air d'une athlète olympique ces temps-ci… Quoique lui non plus a pas l'air d'en mener large : il est pâle, cerné… L'air malade.

— Bonjour, Aliss, dit-il avec un mélange de gêne et de déception. Tu as joint les rangs de la Reine Rouge, m'a-t-on dit. Sont-ce des rumeurs calomnieuses ou la triste vérité ?

— C'est vrai, Charles.

Il hoche la tête, triste et désespéré.

— Si tu étais venu au Palais hier, tu m'aurais vue…

— Fini, le Palais ! Je n'y vais plus ! Cet antre de débauche ne pourra plus se vanter de compter parmi sa cohorte d'âmes perdues ma triste mais résolue personne !

Ouais, ouais. C'est sûrement pas la première fois qu'il prend ce genre de résolution. N'empêche, il y a quelque chose dans son regard qui donne envie de le prendre au sérieux.

— Pourtant, Charles, on m'a dit que c'est la Reine qui te fournissait en drogues...

— *Idem* pour les drogues ! Plus de paradis artificiels ni moult fuites vaines ! J'en fais le serment ! *Potius mori quam foedari* ! Le rêve sera réel ou ne sera pas !

Il se pompe, le Charles, il brandit le poing, gonfle le torse, impressionne malgré son habit de misère. Mais il s'énerve trop, parce qu'il coasse soudain, hoquette, devient aussi rouge que la couleur rouge et se plaque la main sur le cœur. Ça y est, une crise, comme chez Andromaque l'autre soir, merde alors ! Hésitante, je fouille dans sa poche de veston, trouve son flacon de médicaments et lui insère une petite pilule blanche entre les lèvres. Il s'assoit sur le trottoir, ferme les yeux, puis, la tête entre les mains, prend de grandes respirations. Couvert de sueur, haletant, mais plus calme.

Autour, quelques curieux nous lancent des regards amusés. Il y a même une femme (que je reconnais pas, d'ailleurs) qui nous lance, goguenarde : « Allez, Aliss ! Console-le, le pauvre ! »

Je regarde le flacon de pilules. Il n'en reste qu'une, à l'intérieur.

— Tu vas devoir aller t'en procurer d'autres, que je lui dis en lui rendant le flacon.

Il le met dans son veston d'un geste rageur. Il est encore en colère, mais sa crise a modéré ses transports.

— Je renonce à ça aussi ! Tout comme le Palais et la drogue, je voue ces pilules aux gémonies ! Celle qui reste dans ce flacon sera la dernière ! Après celle-là, je n'en prendrai plus, voilà tout !

Il se remet debout, un peu chancelant, mais finit par me lancer un regard dans lequel brille une sorte de fierté.

— Je n'ai plus besoin de rien, tu vois ? Ni de drogue, ni de pilules, ni de cette abominable sculpture que tu as découverte chez moi, il y a de cela un siècle, tu te souviens ? Je ne me cache plus, je ne fuis plus la réalité ! Désormais, j'affronterai tout, sans béquilles ! L'illogisme, le cauchemar, la laideur, la mort même, s'il le faut ! Tel le chevalier solitaire, j'affronterai seul le grand dragon, le grand non-sens, avec comme seules armes mon courage, ma force et ma lucidité, armes en apparence dérisoires mais ô combien efficaces quand elles sont maniées par une main pure ! La victoire, quoique improbable, n'est point impossible, Aliss, tu entends ? Il n'est pas impossible que la logique triomphe ! Même *ici* !

Cette fois, il m'agace pas. Il me fait ni pitié ni horreur. Non, cette fois, il m'inquiète, carrément. Je bredouille :

— Je vais y aller, moi…

Il ne dit rien. Pour la première fois, il me regarde avec assurance, sans aucun trouble.

Je m'éloigne, perplexe. Pourquoi me fait-il cet effet-là, tout à coup ? Alors que je le vois enfin vraiment sûr de lui, jamais il m'a paru aussi vulnérable…

Il est temps que j'aille me préparer pour la soirée… Me sens lasse… Je suis pas pour prendre une autre Macro déjà !…

Mes yeux tombent alors sur une affiche, collée à un poteau de téléphone :

GRAND PROCÈS AU PALAIS
MERCREDI LE 22 JUIN, 22 h
OUVERT À TOUS

Qu'est-ce que c'est, ce procès? Qui va-t-on juger?
Mon Dieu, Mario!

◆

— Martini, c'est quoi cette histoire de procès?
— T'es en retard d'une demi-heure, Aliss…
— C'est quoi, ce procès?
Le barman hausse une épaule.
— La Reine organise un procès de temps en temps.
Elle juge l'un des ennemis du peuple. Ça amuse les
clients.
— C'est Mario, c'est ça?
— Hein?
— La personne qui va être jugée, c'est Mario?
Il rit.
— Écoute, je sais pas c'est qui, mais c'est pas
Mario. Les Valets le cherchent encore, celui-là. À
mon avis, il est parti. Il est retourné *là-bas.*

Soulagement, mais aussi pincement au cœur. Si
Mario était avec moi, il me semble… il me semble
que tout serait plus facile…

Je marche vers les fauteuils, rejoindre mes « collègues ». Les longues bottes de cuir frottent sur mes
cuisses, ça irrite.

Je vois alors deux clients sortir du Salon rouge. Je
les reconnais: c'est Mickey et Minnie. Toujours imperturbables, ils montent l'escalier qui mène au deuxième.
Il paraît qu'ils sont mariés et que Mickey est un ancien
prof de cégep. Il aurait été renvoyé pour scandale
sexuel. Faut croire qu'on aimait pas son approche
pédagogique…

Au milieu des marches, Mickey se tourne vers
moi puis me fixe avec intensité. Enfin, il continue sa
montée.

Qu'est-ce qu'il me veut, celui-là? Je suis pas une
Sadomaso, moi!

M'assois avec les autres, dans un fauteuil. Je les salue vaguement. Un ou deux me répondent. L'une des filles, Nana, une Latino belle à couper le souffle, est en train de parler :

— … des rumeurs qui disent qu'un groupe de rebelles serait sur le point de frapper un grand coup contre la Reine ! Vous imaginez ?

Elle rit, les autres aussi. Moi, je me contente de prendre une Royale. Si un client me choisit, faut que je sois prête… Il y a deux gars et une fille au bar, mais ils ont pas l'air pressé de regarder par ici.

Goule, un des Fils de la Reine, m'observe avec étonnement, puis demande :

— T'en as pris pas mal de ça, hier soir, Aliss, j'ai remarqué… Pourquoi autant ? Ça t'aide à travailler ?

Les autres me regardent. Me sens un peu gênée.

— Heu… ouais, ça m'aide…

— Vraiment ? Pourquoi tu travailles ici, alors ?

Un vertige me prend, une brève seconde. J'ouvre la bouche, mais la referme. J'allais dire : je le sais pas.

Mais je peux pas dire ça. Si je dis ça, je vais hurler. Hurler, oui.

Je cherche la Reine Rouge des yeux. Je vois alors Chess, assis dans un fauteuil, à l'écart. Je l'avais pas remarqué. Pourtant, il passe pas inaperçu, avec ses guenilles. Je me lève, m'approche de lui. Il m'accueille avec son sempiternel sourire.

— Tiens, bonsoir, Aliss… Te voilà Fille de la Reine Rouge.

Je m'assois près de lui.

— La Reine est pas ici ?

— On dirait que non.

— Elle… elle prend pas de clients, elle ?

— Très rarement. De temps en temps. Elle charge cinq cents dollars.

— Cinq cents piastres pour une baise ?

— Même pas une baise. Elle fait seulement son petit numéro spécial devant le client, qui a pas le droit de lui toucher ne serait-ce que le petit doigt. Non, non, défendu, vilain client! Évidemment, il peut se toucher lui-même…

— Il y en a qui paient cinq cents piastres pour se crosser devant la Reine qui gicle?

— Absolument.

Je me tais une seconde, puis regarde de nouveau autour de moi, fébrile.

— Faut que je lui parle…

— Elle t'obsède, notre Reine bien-aimée, n'est-ce pas?

Je m'humecte les lèvres, comme si j'hésitais à dire ce que j'allais dire… Je le sors enfin:

— Je ne sais plus quoi penser d'elle…

— Intéressant. Tu vois, moins tu en sais, plus tu approches de ton but.

— Que c'est que tu racontes-là, batince?

Il approche son visage tout près du mien. Je vois mon reflet dans ses dents immaculées. Je m'attends à une haleine immonde, mais je sens rien.

— Le dénouement est proche, Aliss… Ta quête tire à sa fin…

J'émets un ricanement amer.

— Tu penses ça, toi? Quand je suis arrivée ici, il me semble que je savais ce que je voulais… Mais maintenant, on dirait que… que je ne le sais plus… J'étais sûre que ma rencontre avec la Reine Rouge serait importante, mais… Ça m'a juste plus mêlée… C'est pour ça que je peux pas partir… Je peux pas m'en aller avant de savoir ce que je suis venue faire ici…

— Tous ceux qui viennent ici sont en fuite, Aliss…

— Voyons, je suis pas en fuite, moi! Je me sauve pas de la police!

— On fuit pas que la justice, tu sais…

Silence. Conversations en *background*, rires, verres qui tintent. Sourire de Chess. Qui finit par ajouter:

— Et il y a ceux qui *tentent* de fuir quelque chose…

J'aime pas trop ce que cela insinue. On va changer de trajet.

— Toi, Chess, t'es aussi en fuite ?

— Moi, c'est différent.

Évidemment. Où avais-je la tête ?

— Ça marche pas, ton idée de fuite… Je savais même pas que ce quartier existait !

Chess penche la tête sur le côté, l'air complètement dingue. Il rétorque :

— Ça n'a aucune importance.

Je crois comprendre exactement ce qu'il veut dire. Pourtant, je serais incapable de l'expliquer…

Je soupire, me passe lentement les deux mains sur le visage.

— Veux-tu ben me dire que c'est que je fais ici ?

— Ce n'est pas la bonne question…

— Je le sais, calice, que c'est pas la bonne question ! C'est ça, le problème, je veux connaître la bonne question ! La Reine peut me révéler cette question, je suis sûre !

— Pourquoi crois-tu que la Reine connaît la bonne question ?

— Parce que… parce que…

On dirait que j'ai un morceau de viande pris dans la gorge, que j'essaie de pousser, de le faire sortir, de toutes mes forces.

— … parce qu'elle… m'a engagée… pour ça… Pour que… je la lui… demande !

Je cligne des yeux, étonnée de ma réponse. Chess a un petit hochement de tête.

— Hé bien, hé bien… On approche, on dirait…

Faut que je fume quelque chose. Besoin de planer, tout à coup.

— T'aurais pas un joint sur toi, Chess ?

Son sourire s'étend jusque dans ses yeux.

— Tu sais bien que j'ai ma drogue personnelle…

— Pis je pourrais pas en avoir un peu ?

— Je pense pas, non…

Il s'amuse, le con.

— C'est quoi, ta dope ?

Merde, voilà Bone et Chair qui approchent ! Moins je les vois, eux autres, mieux je me sens ! Bone soulève poliment son haut-de-forme.

— Bonsoir, Aliss… Il y a là-bas, au bar, un homme qui aimerait bien faire votre connaissance…

Je regarde. Ouais, en effet, je vois le gars. Dans la vingtaine avancée, cheveux rasés, boucle dans le nez. Il porte un veston-cravate, mais on voit bien qu'il est pas trop à l'aise dans ce genre d'accoutrement. Le regard qu'il me lance est aussi subtil qu'un rot de bière.

— Ça fait dix minutes qu'il vous fait des signes, mais comme vous étiez en pleine discussion…

Chair me dit cela avec un très léger ton de reproche. Ni lui ni Bone ne regardent Chess. C'est ce dernier qui finit par les saluer :

— Bonsoir, Chair. Bonsoir, Bone.

Comme il a parlé, ils ont pas le choix de le regarder.

— Bonsoir, Chess…

Légèrement mal à l'aise. L'effet Chess, encore et toujours… Le junkie, pas décontenancé, continue :

— Et votre recherche de l'absence de l'âme, ça va bien ?

Fuck ! Ils vont pas parler de ça !

— Très bien, merci, se contente de répondre froidement Bone.

— Pourtant, rétorque Chess, l'âme existe, messieurs…

Les deux siamois démontrent un certain agacement, mais osent pas le manifester ouvertement. Chair, méprisant mais réservé, réplique enfin :

— Oui, c'est ce que vous persistez à prétendre, Chess… Malheureusement, vous n'avez jamais pu prouver vos dires. Contrairement à nous.

Chess ne réplique rien. Il sourit en fixant les deux hommes. Ça finit par incommoder Chair, car il se tourne vers moi :

— N'oubliez pas le client au bar, Aliss… Il attend depuis un certain temps…

— Oui, fait Bone en consultant sa montre-gousset. Depuis trente-deux heures soixante-neuf minutes exactement…

Il écarquille les yeux, éberlué, puis serre avec force sa montre et les dents.

— Montre déréglée et menteuse ! Encore le temps qui se moque de nous !

Sur quoi, il l'arrache de son plastron et la jette par terre, rageur. Et voilà, une autre montre gaspillée. Combien peut-il bien en passer par mois ?

Ils s'éloignent enfin. Je respire. C'est pas compliqué, l'air s'épaissit lorsque je les sens dans les parages…

— Tu crois à l'âme, Chess ? que je lui demande en ricanant.

— Absolument.

— Pis comment on peut la voir ?

Pourquoi je demande ça ? Je m'en fous tellement ! Chess me répond calmement :

— Seuls ceux qui sont près de la mort ou ceux qui sont immortels peuvent voir l'âme…

Bon. Ça m'apprendra à lui poser des questions idiotes. Mais je peux pas me foutre de sa gueule. Au début je le pouvais, mais plus maintenant. Parce que l'effet Chess joue de plus en plus sur moi aussi… Être en présence de ce *weirdo*, c'est être devant quelque chose qui me dépasse, qui nous dépasse tous…

Il faut que j'aille rejoindre le client au bar… mais je me lève toujours pas et pose une autre question à Chess :

— J'ai remarqué qu'il y a une pancarte qui dit « Fermé ce soir » devant le club d'Andromaque. Tu sais pourquoi ?

— Parce que le club est fermé.

Long soupir. J'oubliais à qui je parlais.

— Je le sais, ça ! Mais pourquoi c'est fermé ?

— Tu n'es pas au courant ? La nouvelle a fait le tour du quartier…

— De quoi tu parles ?

Il entoure de ses maigres bras ses jambes repliées, sans cesser de sourire.

— Par hasard, Bowling a trouvé le cadavre d'Astyanax dans une poubelle, derrière le club.

— Quoi ?

Pendant plusieurs secondes, je ne me rappelle plus comment respirer.

— Il était tout bleu. Sûrement mort par étouffement. Un oreiller sur son visage et pouf ! fini, le petit poupon. Bowling était fou furieux, il voulait tuer Andromaque. Heureusement, des membres du personnel l'ont protégée. Andromaque a dû congédier Bowling.

— Pourquoi il voulait tuer Andro, est-ce que… C'est quand même pas elle qui…

— Elle a pas dit que c'était elle, mais elle nie pas non plus. En tout cas, elle a passé une bonne partie de la journée dans un état tout à fait normal…

Il y a de la glace qui coule subitement dans mes veines, dans mes membres…

Chess, avec son sourire surréaliste, continue :

— Vers la fin de l'après-midi, son humeur a changé. Elle avait l'air malade. Tellement qu'elle a décidé de fermer le club pour ce soir. Ah ! Il y a des habitués qui devaient être déçus-déçus ! Peut-être qu'elle…

Me lève, cours aux toilettes. Penchée sur la cuvette. Mais je vomis pas. Ça sort pas, ciboire !

Fouille dans ma sacoche. Une Macro, pis vite.

Me passe de l'eau sur le visage. Me regarde dans le miroir.

C'est moi, ça ? C'est vraiment moi ?

Quelque chose bouillonne dans mon ventre. Je sors et vais directement au bar. Assis à quelques mètres, le

client qui s'intéresse à moi me fait un petit signe.
Minute, monsieur Testostérone, ça sera pas long !

— Martini !

Le barman s'approche.

— Aliss, y a un client, là, qui veut te…

— Martini, je veux parler à la Reine !

— Elle viendra pas à soir non plus.

Ostie, le plancher s'ouvre sous mes pieds ! Je me
tiens au bar, sinon je vais tomber !

— Comment ça !

— Elle est occupée, voyons ! Tu penses qu'elle est
devenue Reine en jouant au parchési ?

— Mais faut que je lui parle ! Absolument !

Je pense que j'ai crié, mais je m'en fous ! Je peux
pas croire que je verrai pas encore la Reine aujour-
d'hui !

— Elle va être ici demain soir, Aliss ! s'empresse
de dire Martini, déconcerté par mon attitude. C'est
certain, elle me l'a dit ! Calme-toi un peu !

Il s'éloigne. Calice, ça se peut pas ! Faut que je
m'assoie…

Demain soir… Encore une journée à attendre ! Une
journée à continuer sans savoir pourquoi ! Une journée
à surnager pour pas couler !

Va-t'en, criss ! Va-t'en, c'est tout !

— Aliss, c'est ça ?

Tourne la tête. C'est le client. Il me sourit dans sa
barbe de trois jours. Il y a une femme avec lui.

— Je te fais des signes depuis tantôt…

Je le regarde, hagarde. Réponds rien. Il continue :

— On serait intéressés, tous les deux…

Là-dessus, il prend la femme par la taille. Trente-
cinq ans, grande, très maigre, grandes dents mais pas
trop laide, l'air vicieuse.

J'ai jamais pris deux clients en même temps.
Pourtant je réponds sans hésiter, sur un ton robotisé :

— Pour un couple, c'est trois cent cinquante.

Le gars approuve :

— Parfait…

On se met en marche vers le rideau du fond de la salle. Ni dégoût, ni joie, ni ennui, ni plaisir.

Rien.

Rien.

Rien.

◆

Et le jour, je dors…

◆

J'entre au Palais par la porte de derrière. D'un pas fébrile, je marche vers le fond du couloir obscur et m'arrête devant une porte sur laquelle est gravée une couronne : les appartements privés de la Reine Rouge. Je frappe.

Pourquoi attendre à tout à l'heure pour lui parler ? Il est déjà presque six heures, elle doit être là.

Je frappe encore. Pas de réponse. Tabarnac ! Juste l'idée d'attendre quelques heures avant de lui parler, ça me donne envie de hurler ! Je tourne la poignée de la porte. Verrouillée, ben sûr !

Je vais au Grand Salon. Pas de Reine, juste ceux qui font le ménage. Je reviens devant la porte de la patronne. La fixe longuement. Une idée de fou me traverse l'esprit, tout d'un coup…

Voyons, je peux pas faire ça…

Rapidement, je sors du Palais. Deux minutes après, je suis chez Mme Letndre, la serrurière.

— Bnjour, Alss ! Tu arrves à tmps, j'étas sur le pint de frmer…

Elle me regarde plus attentivement.

— Mon Deu, t'as vriment ps l'ar en frme… Es-tu malde ?

Je veux sourire, mais je suis pas capable. Me sens pas bien. J'ai rien pris depuis que je me suis levée, il y a une demi-heure, pis ça commence à paraître…

— Je… je voudrais entrer dans un… dans un appartement dont la porte est verrouillée.

Ma voix est *weird,* on dirait que je fausse. Suis tellement faible que je vais fondre sur le plancher…

Mme Letndre s'appuie des deux mains sur son comptoir, me fait un clin d'œil.

— Est-ce que tutes ces prtes que tu ovres te font apprcher du but, au mns ?

— Oui. Non. Je sais pas.

Pas envie de parler… Juste envie de m'envoyer quelque chose, pis vite.

Elle dresse une clé devant moi, entre ses doigts, comme si elle la tenait depuis le début. Son visage devient grave.

— Tu sis que ctte prte est la pls rsquée, n'et-ce pas ?

— Je sais oui.

Elle hoche la tête. De nouveau, cette impression de déjà-vu, cette certitude que je connais cette femme… Que certains morceaux manquants sont sur le point de se placer…

Elle me tend la clé. Ma main est si molle que j'ai du mal à la prendre. Je viens pour sortir. Elle me lance :

— Attnds. Prnds clle-là, ussi…

Elle me tend une autre clé, plus petite. Je pose pas de questions. La prends. Remercie. Sors.

Dehors. Vite, une Macro, sacrament, sinon je me couche dans la rue pis j'attends qu'un char m'écrase…

L'avale. Ferme les yeux. Attends.

OK… C'est mieux… OK…

Le pas décidé. De retour dans la ruelle. De retour dans le couloir arrière du Palais. De retour devant la porte de l'appartement de la Reine.

Regarde autour de moi. Couloir désert. Bruit de ménage qui vient du Grand Salon. Si je me fais prendre, je suis cuite. Je vais me retrouver dans la cave de Chair et Bone. Je vais finir dans un des musées de la Reine.

Clic clic dans la serrure. La porte s'ouvre.

Petit salon meublé très moderne. Murs rouges, meubles rouges. Quelle originalité. J'examine le salon, les meubles, la petite table, la télé. Sur la table, un livre, avec un signet à l'intérieur : *Ainsi parlait Zarathoustra!*

Le choc !

Elle est en train de le lire, c'est génial ! Ça m'émeut presque, c'est bête ! Quand je lui ai parlé de la surfemme, ça l'a sûrement intriguée. Elle veut savoir.

Peut-être qu'elle va se reconnaître… Et si je ne m'étais pas trompée, après tout ? Si elle était *vraiment* la surfemme ?

Ce n'est pas la bonne question…

Je devrais sortir, maintenant. Cette simple découverte me donnerait de la patience jusqu'à ce que je la voie tout à l'heure, je suis sûre… Pourtant, je continue mon tour d'inspection, presque contre ma volonté.

Pas de cuisine. Juste une autre pièce. Une chambre à coucher. Murs rouges. Un lit simple avec draps rouges. Un classeur dans le coin, rouge. Ridicule. Ça en lève le cœur.

Sur le mur, au-dessus du lit, une illustration. Un grand carton blanc sur lequel on a dessiné une reine qui tient un sceptre, porte une couronne et une longue robe. Rouges, évidemment. Illustration naïve, maladroite, visiblement faite par un enfant. Le visage est quand même étonnant, expressif, avec un regard flamboyant, fauve et moqueur qui est assez effrayant. Y a-t-il une vague ressemblance avec la Reine Rouge ? Dur à dire. Un dessin d'enfant, c'est jamais très ressemblant…

Je m'approche de l'illustration. En bas, dans le coin, une signature.

Michelle Beaulieu, 8 ans, 1983.

Chess, l'autre soir, qui avait crié : « Vive Michelle ! »

Michelle Beaulieu... Le vrai nom de la Reine ! Et elle a fait ce dessin à huit ans ? Plutôt réussi. Ça veut dire que, déjà à cet âge, elle pensait à la Reine Rouge... C'est capoté !

Michelle Beaulieu. Un nom banal qui la rend soudain tellement accessible. Ce dessin d'enfant, qu'elle a fait petite fille, alors qu'elle vivait *là-bas,* sûrement dans une maison ordinaire, avec une famille comme toutes les autres... comme la mienne. Moi aussi, je dessinais beaucoup, enfant...

Elle était peut-être comme moi... Oui, peut-être... Heille, me v'là ben énervée ! Il faut que je trouve d'autres traces de son passé...

Ce classeur, là...

Je veux ouvrir le premier tiroir. Verrouillé. *Fuck !*

Minute ! La deuxième petite clé que m'a donnée Mme Letndre !

Elle s'insère parfaitement dans la serrure du classeur. Le tiroir s'ouvre ! Bénie soyez-vous, Mme Letndre !

Fouille, fouille. Un dossier, là. Un seul mot écrit dessus, en feutre rouge : AVANT. Mot bref, mais très éloquent. Batince ! j'ai le cœur qui pique une crise d'hystérie ! Si je lui mets pas une camisole de force, il va défoncer les murs ! Je tourne la tête vers la porte, dresse l'oreille. Pas de bruit.

Envoye, Aliss, vas-y. Le tout pour le tout.

J'ouvre le dossier. Il contient des coupures de journaux. La première date de 1991 :

MICHELLE BEAULIEU TOUJOURS EN FUITE

Montcharles – La fugitive Michelle Beaulieu n'a toujours pas été retrouvée par la police. On se souvient que cette jeune fille de seize ans est l'aînée de la famille Beaulieu, famille qui fait la manchette depuis plus de deux semaines et dont la maison, depuis la descente qu'y a faite la police, est surnommée « La maison des horreurs ». L'adolescente de seize ans avait réussi à échapper aux policiers et n'a toujours pas été retrouvée depuis. La police est par contre convaincue qu'elle est revenue dans la maison (et ce, même si celle-ci est surveillée par la police !) puisqu'il manque certains effets personnels de la jeune fille. Michelle Beaulieu est accusée du meurtre de son directeur d'école, assassiné la journée même de la descente de la police dans la « maison des horreurs ». Pour ce qui est des affreux événements survenus dans cette maison, rappelons les faits : la famille Beaulieu avait tenu prisonnier un------

L'article était coupé à partir de là.

Michelle en fuite… Accusée de meurtre… La maison des horreurs… Merde ! Mais c'est qui, cette fille ? Quelle sorte de passé possède-t-elle ?

Les deux ou trois articles suivants relatent les mêmes événements mais dans d'autres journaux. Chaque fois qu'on vient pour donner des détails sur la « maison des horreurs », l'article est coupé. Merde de merde !

Plus loin, un article relate un autre événement. Cette fois, une photo. Pas de doute, c'est la Reine Rouge ! Beaucoup plus jeune, adolescente, mais c'est elle. Une photo d'école, banale, où elle affiche un sourire dédaigneux, supérieur… Une sorte de brouillon du sourire qu'elle exhibe aujourd'hui devant tout le monde et qui nous fait baisser les yeux… Je fixe la photo, fascinée. Elle doit être un peu plus jeune que moi, là-dessus… Je vois bien que cette expression, ce regard, cette attitude n'ont rien à voir avec moi. À Brossard, j'étais rebelle, orgueilleuse, marginale pour une fille de bourgeois, mais j'ai jamais ressemblé à ça.

Jamais.

Pincement au cœur

Je lis l'article qui accompagne la photo. Il date de 95 :

RÉAPPARITION BRUTALE DE MICHELLE BEAULIEU

Drummondville – Une propriétaire de cantine a été retrouvée poignardée dans son établissement hier matin. Tout semble indiquer que la meurtrière est une jeune femme de vingt ans qui se faisait appeler Jacinthe Brouillard et qui travaillait dans cette cantine depuis quelques mois. Elle aurait tué son employeure à la fermeture et se serait sauvée avec l'argent de la caisse. Après enquête, il semblerait que la jeune femme se nomme en réalité Michelle Beaulieu, une meurtrière en fuite que la police recherche depuis maintenant quatre ans (voir photo). La police est sur les dents et patrouille tout le secteur de Drummondville depuis hier, mais en vain. Rappelons que cette Michelle Beaulieu avait été l'une des protagonistes de la célèbre affaire de la « maison des horreurs », à Montcharles, maison appartenant à la non moins célèbre famille Beaulieu qui----

L'article est encore coupé.

J'ai les joues en feu, je sue à grosses gouttes. Faut que j'arrête, je force trop ma chance, là, je vais me faire pogner, ça va être ma fête.

Mais je continue de feuilleter les articles, incapable de m'en empêcher.

Encore un ou deux articles qui parlent du même meurtre, qui expliquent que Michelle Beaulieu reste introuvable… Et là, une dernière coupure : octobre 97.

UNE MEURTRIÈRE ÉCHAPPE MYSTÉRIEUSEMENT À LA POLICE

Montréal – Hier soir, la police a effectué une descente dans un hôtel malfamé de la rue Sainte-Catherine. Sur les lieux, les policiers ont trouvé le cadavre d'un homme surnommé Mambo, proxénète très connu de la police. Selon des témoins, l'homme de trente-cinq ans venait d'être poignardé par une des prostituées qui travaillaient pour lui, une surnommée Queen. Cette dernière, qui s'était enfuie à peine quelques minutes avant l'arrivée des policiers, a été vite retrouvée par ceux-ci, alors qu'elle tentait de fuir par le métro Beaudry, direction Honoré-Beaugrand. Plusieurs agents se sont rendus dans chaque station de métro de ce circuit avec, selon le sergent Mélançon, « une rapidité telle qu'il était impossible que la fugitive nous échappe ». Mais la meurtrière n'est sortie par aucune des stations de métro concernées, et à Honoré-Beaugrand, les policiers ont fouillé les wagons ainsi que le tunnel, mais en vain.

La prostituée-meurtrière semble s'être volatilisée. La police est encore incapable d'expliquer comment elle a pu ainsi disparaître. « La meilleure explication est qu'elle se serait faufilée par une sortie de service normalement non utilisée par les usagers », nous a expliqué un sergent Mélançon déconfit. Autre surprise : le vrai nom de la fugitive serait Michelle Beaulieu, recherchée depuis de nombreuses années pour---

Et voilà, le reste est coupé. Je relis les dernières lignes.

Disparue. Volatilisée. Dans le métro. Entre Beaudry et Honoré-Beaugrand.

Qu'est-ce qui se passe ? Une secousse terrestre ? Non… Non, c'est la feuille qui tremble entre mes mains. Ça alors, une vraie crise de Parkinson, ma vieille Aliss !

Sauf que je ris pas pantoute.

Faut que je quitte cet appartement, pis vite. Quelqu'un va arriver, je le sais, je le sens, c'est déjà incroyable que personne soit encore passé dans le couloir depuis que je suis entrée !

Décriss !

Remets le dossier dans le tiroir du classeur. Referme le tiroir. Sors de la chambre. Sors de l'appartement. Verrouille la porte derrière moi. Personne dans le couloir, juste des voix qui viennent du Grand Salon. Sors par la porte de derrière. Me retrouve dans la ruelle. Puis dans la rue. Fiou !

Je me rends jusqu'à Lutwidge et marche d'un pas mécanique. Me sens mêlée, confuse, perdue, et excitée en même temps.

J'essaie de comprendre ce que je viens de découvrir, d'y trouver un sens, un lien avec la surfemme, avec moi, avec ma présence ici, avec la question, la bonne question, celle que… que…

Je percute quelqu'un.

— *Hey ! you bitch ! Watch your…*

On se regarde. On se reconnaît. Un client que j'ai eu hier, ou avant-hier, j'sais plus. Il s'étonne, sourit :

— Ho, Aliss ! *Sorry, honey*, je t'avais pas reconnue tout habillée…

Il rit, fier de son gag. Je ris aussi, ha, ha, ha, ostie que t'es drôle, gross criss de mononcle, hi, hi, hi. Il repart. Moi aussi, mais plus hésitante, les jambes engourdies.

Réfléchis, réfléchis… Confuse, confuse…

Encore ces affiches, sur les poteaux, qui annoncent le procès de demain…

Tiens, me voilà devant le club d'Andromaque. La pancarte est toujours là : *Fermé ce soir.*

Tout à coup, je ressens le besoin de *la* voir. Tout de suite.

J'entre dans le club par la porte arrière, qui n'est pas verrouillée. Hou, la-la ! Ça fait drôle de se retrouver dans ce corridor que j'ai pas vu depuis… juste depuis quelques jours, au fond. Ç'a l'air tellement plus loin… Au fond, je ne suis ici que depuis un mois… C'est fou. J'ai l'impression d'avoir quitté Brossard il y a dix ans…

Un mois… tout ça en un mois…

Je passe devant la loge, devant le bureau d'Andromaque, devant la salle de répétition. Déserts. Silence. La porte qui mène à la salle est verrouillée.

Je sais où aller. Au fond du couloir, à droite. L'appartement d'Andromaque.

Je frappe. Pas de réponse. Je tourne la poignée. Ça s'ouvre. Première fois que j'entre dans l'appart de mon ancienne *boss*. Je monte les marches.

Cuisine. Décoration de marbre, des plantes partout, surtout des vignes.

Couloir. Je le traverse. Passe devant une porte ouverte. Intérieur : une chambre d'enfant, avec une bassinette, des murs bleus recouverts de dessins de personnages mythologiques. Très jolie.

J'ai le motton dans la gorge, tout à coup. J'imagine Astyanax, étouffé, trouvé mort dans la poubelle…

Je continue à marcher. Au fond, un salon. Encore très imposant, tout en imitation de marbre, avec colonnes grecques et immenses peintures sur les murs. Deux divans qui, en fait, sont des sortes de couchettes romaines. Kitch, mais beau en même temps. Un seul fauteuil, large, de faux marbre avec des coussins blancs. Et dedans, Andromaque. Elle me regarde pas. Elle fixe le néant. Elle porte une grande robe noire avec une cape d'ébène. Cheveux attachés. Pas de couronne, pas de maquillage. Son visage exprime quelque chose de fini, de terminé, de brisé, de coulé. Malgré cet anéantissement, elle est superbe. On aurait qu'à mettre un cadre autour d'elle, et cela donnerait le plus beau tableau jamais fait sur la noblesse du désespoir.

Toujours le motton dans la gorge. Petit raclement, brhmm, grhmmm, aarhumm… Ça passe.

— Andro ?

Son regard se déplace. Seule partie de son anatomie qui bouge. Elle m'aperçoit. Je m'attends à voir de la rage emplir ce regard, de la colère ou, à la limite, de la déception. Non. Rien que cette brisure, cette cassure définitive.

Je sais pas quoi dire. Comment ça va ? T'as besoin de quelque chose ? Je suis là pour t'aider ? Toutes des phrases merdiques, qui sont pas dignes d'Andromaque. Je dis donc la seule chose qui, au fond, m'importe, la seule raison qui m'a fait venir jusqu'ici :

— Pourquoi, Andro ?

Son regard est toujours fixé sur moi, mais elle ne me voit plus. Quand elle se met à parler, je comprends bien qu'elle s'adresse pas vraiment à moi.

— J'étais une reine déchue, me voilà reine maudite.
Toute gloire m'est ainsi à jamais interdite.
La reine déchue peut croire au bonheur de demain
Et vivre dans l'espoir du couronn'ment prochain.
Mais la reine maudite, elle, ne voit rien devant
    elle,
Sinon que l'œil de Dieu qui lui lance son fiel.

Depuis longtemps déjà, depuis bien trop long-
   temps,
L'atroce soif du pouvoir faussait mon jugement.
Et c'est ainsi qu'hélas, sur mon vil cœur de fer,
Les mots de la Reine Rouge poussèrent comme
   un cancer.
Moi qui, depuis toujours, trouvais fondamental
De respecter un code, m'imposer une morale,
Je me suis mise à croire, pour mon plus grand
   malheur,
Que cette foutue morale était une grave erreur !
Et comme, de cette morale, la plus grande con-
   séquence
Fut, de mon fils unique, l'embêtante naissance,
J'en fis le responsable de mon désœuvrement,
Celui qui empêchait mon second couronn'ment !
Maintenant je comprends que la Reine m'a
   piégée…
En voulant l'égaler, je me suis suicidée.
J'ai renié la morale, j'ai donc damné ma vie.
Je voulais la lumière, mais j'ai créé la nuit.
Et même si, devant moi, le chemin est ouvert,
C'est un chemin en pente et il mène aux Enfers.
Car le trône, désormais, ne m'intéresse plus
Parce qu'il suffirait que je m'assoie dessus
Pour que je sente mon sceptre devenir très pesant
Et pour que mes repas s'imprègnent d'un goût
   de sang…

Tout à coup, elle craque, elle s'effondre, elle grimace
et porte soudain une main douloureuse sur son front.
Sa voix elle-même se fissure entre chaque syllabe.

— Calice de tabarnac ! Pis dire que je croyais
   Qu'il était mon supplice, ma damnation, ma plaie !
   Mais là, je donn'rais tout pour entendre de nou-
      veau
   Ses si beaux hurlements et ses jolis sanglots !

Mais le silence, maint'nant, règne dans l'appartement

Et dans ma tête résonnent ses hoquets d'étouf-
f'ment…

Ah ! J'ai cru, pauvre folle, pouvoir être comme
elle !

Faire abstraction de tout, rendre glaciales mes
mamelles !

Je ne suis pas comme elle, je l'ai compris trop
tard…

Je ne suis que tristesse, malheur et désespoir

Et entre chaque sanglot, je jalouse la Mort

Car c'est maintenant elle qui berce mon trésor…

Je peux rien dire. Je suis trop bouleversée. C'est la
première fois qu'Andromaque est si naturelle, si vraie,
si dénuée de masque, et jamais elle m'a paru si spectaculaire, si imposante, si intrinsèquement tragique. Elle
tourne la tête vers la fenêtre et y voit des choses qu'elle
seule peut percevoir. Ce n'est plus une boule que j'ai
dans la gorge, mais un ballon de soccer, avec l'équipe
au complet. Il faut que je dise quelque chose. Je commence donc en faisant preuve d'une originalité admi-
rable :

— Andromaque…

Heureusement, elle m'empêche de m'enfoncer
davantage car elle me coupe aussitôt, la voix soudain
dure :

— Je n'suis plus Andromaque. J'en suis même le
contraire.

Celle de l'Antiquité était prête à tout faire

Pour sauver son honneur et la vie de son fils.

Moi, j'ai perdu les deux. Pis…

Elle relève alors le menton et se concentre. La comédienne refait donc son apparition un bref moment
et j'attends la citation… mais rien ne sort. Elle fronce
les sourcils, perplexe, puis renonce, finalement vaincue.

La comédienne est partie et le désespoir est revenu. Elle lâche dans un souffle :

— … pis j'tannée d'parler, criss…

Et c'est le silence.

Je comprends qu'ajouter quoi que ce soit serait inutile. Andromaque me fait horreur et pitié en même temps. Comme je viens pour partir, elle me lance alors, péniblement :

— Un bon conseil, Aliss : ne fais pas comme j'ai fait.

Y a des choses en nous-même qu'on ne chang'ra jamais…

Un long frisson… De nouveau, cette impression que je suis près, tout près de la bonne question… Près de la révélation…

Je m'en vais en silence, en avalant distraitement une Macro.

Dans la rue, le soleil redouble d'ardeur. Piétons qui marchent. Ils sont pas surpris d'être là. Ils se posent pas de questions. Ils marchent, parlent, rient, discutent. Tous un peu bizarres, tous un peu louches. Tous parfaitement intégrés dans leur milieu.

Et moi, je suis là, sur le trottoir, immobile, à les regarder.

◆

Pas mal de monde, ce soir. Ça paraît pas trop parce que la plupart des clients sont déjà occupés dans les chambres. Bien collés dans un divan, Nana et Joey discutent avec un homme et une femme, et les mains ont déjà commencé à se balader. *Nine Inchs Nails* joue en sourdine. Dans le Salon rouge, je pense qu'il y a cinq ou six personnes. Au bar, il reste que deux clients, deux hommes, dont un reluque dans ma direction depuis un petit moment. Franchement, je l'ignore le plus que je peux. J'ai déjà eu trois clients, pis tant que je parlerai pas à la Reine Rouge, je pense que je pourrai pas en prendre un de plus.

Pis après avoir parlé à la Reine ?…

On verra…

— T'as entendu les rumeurs ?

C'est Suzie, assise dans un fauteuil en face de moi. C'est pas la plus belle du Palais, mais c'est elle, paraît-il, qui est la plus populaire auprès des clients. Elle refuse rien, à ce qu'on dit, même les *golden showers.* Tant qu'on paie et que c'est pas violent, elle est d'accord.

Je réponds pas. Je regarde le rideau du coin de l'œil, m'attendant toujours à voir la Reine apparaître. Je consulte ma montre : onze heures quinze.

— Tu m'écoutes, Aliss ?

— Franchement, Suzie, non.

Elle hausse les épaules et prend une gorgée de son scotch. L'avantage, ici, c'est qu'on peut être franc et ça choque jamais personne.

Le gars au bar me fait enfin un petit signe clair. J'y échapperai pas, on dirait. Je suis surprise d'encore attirer les clients. Je me trouve tellement maganée.

Va falloir que je prenne une Royale…

— J'pense qu'il y a un gars au bar qui te veut, fait machinalement Suzie.

Je sais, je sais. Je souris au client, je me prépare à me lever pour aller le rejoindre.

pourquoi, ostie, pourquoi, pourquoi, pourquoi

Le rideau s'écarte et… la Reine Rouge apparaît ! Longue robe moulante en vinyle rouge, avec ouverture à la hauteur du ventre qui laisse voir son nombril percé. Cheveux détachés, en désordre. Elle s'appuie sur un divan vide, regarde dans la salle, salue les clients de la tête.

Enfin !

— Faut que j'aille voir la Reine, que je dis en me levant.

— Mais… ton client !

— Qu'il te prenne, c'est tout !

— Mais voyons, Aliss ! C'est pas moi qu'il veut !

— Ben oui, ben oui, je suis sûre qu'il a envie de te pisser dessus !

Elle éclate de rire et lâche un « Sacrée Aliss ! » pendant que je marche vers notre patronne. La Reine me regarde approcher, les mains sur les hanches, avec un vague sourire railleur.

— Salut, Aliss… T'as l'air malade, toi… Malade pis *fuckée*.

— J'aimerais ça vous parler…

— Ah, oui ? De quoi, au juste ?

— De…

C'est fou, ça ! Ça fait plus de deux jours que je veux la voir, pis là, je bloque, je sais pas quoi dire, comment commencer…

— Je… je sais pas si… je sais pas ce que je fais ici, je sais pas… je sais pas pourquoi je…

Je m'arrête. Je suis aussi essoufflée que si je venais de piquer un sprint. La Reine me considère avec un petit sourire moqueur :

— C'est-tu vraiment le moment de parler de ça ? Y a un client, là, qui a l'air ben déçu que tu…

— Je m'en fous, du client ! Je peux plus continuer comme ça !

Ho là ! Elle aime pas mon ton du tout ! Elle me regarde avec un air majuscule. Elle va sûrement me répliquer quelque chose d'assez sec, mais un tapage épouvantable nous fait tourner la tête. Ça vient du couloir de l'entrée, trop près de la porte de devant pour qu'on puisse voir. Des protestations, des menaces, des bruits de bousculade, et la voix de Junk, le *doorman*, qui crie :

— Si vous crissez pas votre camp d'ici tout de suite, j'appelle les Valets pis…

Que c'est ça, ces bruits-là ? Des pétards épouvantables, j'en ai le cœur qui hurle de stupeur. Des coups de fusil ? Mon Dieu, qu'est-ce qui se passe ? Dans le Grand Salon, tout le monde a l'air aussi ahuri que moi, même les quelques clients du Salon rouge viennent voir ce qui se passe...

— Couche-toi, Aliss...

C'est la Reine qui vient de me dire ça. La voix froide, calme.

— Qu... quoi ?

— Couche-toi, j'ai dit !

Et elle m'agrippe par le cou, se jette derrière le divan en m'entraînant dans sa chute. En même temps que je tombe, j'ai juste le temps de voir un groupe de personnes, sept ou huit, peut-être plus, entrer dans la salle en hurlant. Ils tiennent dans leurs mains des choses en métal, comme des... on dirait des... Paf ! La face m'écrase par terre.

Tout à coup, j'ai l'impression qu'on fait exploser des feux d'artifice dans le Salon. Ça pétarade, ça pète, ça canarde, c'est l'enfer ! Je reste par terre, je bouge pas, mais je vois le bar, pis... Mon Dieu, Martini et les deux clients, ils se mettent à... à tressauter, comme pris de convulsions, pis y a du sang, tellement de sang, des jets, des éclaboussures écarlates qui fusent de leurs corps comme s'ils étaient des poupées de chiffon remplies de peinture et qu'ils explosaient ! Les chaises, le bar, les bouteilles, le grand miroir, le mur, tout vole en morceaux, des milliers d'éclats de vitre, de bois, de vêtements qui dansent dans les airs, c'est complètement fou, on dirait un film de gangsters, ça peut pas être vrai !... Nana et Joey, avec leurs deux clients, qui étaient assis là-bas ! Pis les clients du Salon rouge qui étaient venus voir ! Je les vois pas, mais... ils doivent aussi être... Réflexe absurde et incompréhensible : je commence à me relever ! La Reine me tire encore par le cou et me remet sur le sol.

— Bouge pas, niaiseuse ! me hurle-t-elle à travers la fusillade.

Notre divan qui sert de paravent est secoué par l'impact des balles, mais il tient bon. Des bruits, derrière nous… C'est quoi, encore ? *Fuck !* Dites-moi pas qu'il en arrive d'autres par là ! On est foutus, alors, on va crever, c'est certain ! Je tourne la tête. Je vais me rendre, je vais lever les mains !

Ce sont des Valets ! Trois, quatre Valets qui entrent ! Tous armés de fusil, ils se mettent à tirer, imperturbables. Bang, bang, bang ! Leur visage reste de glace, c'est pas croyable, ça ! Ils tirent, ils tirent, et devant, on entend quelques cris. Touchés, ils en ont touché ! Mais un Valet tombe, le visage en sang ! Un autre, dont l'estomac se fait littéralement déchiqueter par une rafale ! Calice ! Deux Valets de morts ! Pis les deux autres continuent à tirer, pas intimidés du tout ! Deux autres Valets arrivent, non : trois autres ! Pis bang ! bang ! bang ! à leur tour !

Mais ça peut pas durer, c'est trop débile !

Trois Valets jonchent maintenant le sol, morts ! Puis quatre ! Puis cinq ! Une hécatombe, c'est une hécatombe ! Chaque fois qu'un Valet tombe, un autre entre ! Un vrai jeu vidéo !

— Restez cachés ! leur hurle alors la Reine, plus folle de colère que de peur. Restez cachés, osties de tarlas ! Vous voyez pas qu'ils vous massacrent comme des canards !

Dociles, les Valets retournent derrière, dans le couloir, mais leurs bras sortent par le rideau et continuent de tirer ! Bang, bang, bang ! Je me bouche les oreilles, je hurle, le divan qui nous cache tressaute comme un épileptique, j'ai l'impression que les fous, de l'autre côté, avancent de plus en plus ! Criss ! combien ils sont ? Dix ? Vingt ? Cent ? Chair et Bone, qu'est-ce qu'ils foutent ? Ils se cachent ? Ils ont peur ? Ils abandonnent leur Reine ?… Là ! Un premier trou apparaît

dans le divan ! Un deuxième ! Et pof ! Un trou gros
comme mon poing, juste au-dessus de ma tête ! Ça va
devenir une passoire dans quelques secondes ! Je crie,
je hurle ! Au secours, au secours ! Derrière nous, les
Valets ne tirent plus. Qu'est-ce qui se passe ? Ils se
sont sauvés ?

La Reine, elle, bouge pas d'un poil, appuyée sur
ses coudes, le visage dur ! Comme si elle attendait !

Tout à coup, les coups de feu s'arrêtent et une voix
crie :

— La Reine Rouge ! On veut la Reine Rouge !

Haletante, j'ose regarder par le gros trou dans le
divan. Il y a beaucoup de cadavres, de l'autre côté,
des cadavres d'attaquants. Au moins une dizaine. Mais
il en reste encore debout. Cinq ou six. C'est trop.
Infiniment trop. Il y a une ou deux femmes parmi eux.
Ils ont leurs fusils pointés, à bout de souffle, les yeux
écarquillés de peur et d'excitation. L'un d'eux vocifère :

— On va venir te chercher, la Reine, si tu sors pas !
On va aller te chercher pis on va te massacrer ! Fini,
la tyrannie ! Fini, la monarchie !

Ça y est, *game over !* Je pleure, peux pas m'en empêcher ! Je regarde la Reine, comme si je cherchais
de l'aide. Elle est étendue à mes côtés, fixe le plancher,
le visage grave. En attente, toujours…

En attente, ostie !

— Il faut se rendre !

Comment ai-je pu marmonner cela avec mes dents
qui claquent ?

— Non ! souffle-t-elle. Non, attendons encore un
peu !

— Mais attendre quoi ?

J'ai hurlé, je pense, pas sûre. En tout cas, j'ai pas
été discrète parce que le fou furieux, de l'autre côté,
se remet à crier :

— Là ! Derrière le divan ! On y va !

Ho, mon Dieu, ça y est, on est foutues, foutues !

Encore des coups de feu ! Ferme les yeux, hurle, pleure ! Je vais mourir, je vais mourir, mourir !

Et… soudain… tout… cesse…

Silence de nouveau. Sauf mes oreilles qui résonnent encore, pleines de bruits aigus, douloureuses. Une morte a pas mal aux oreilles, il me semble…

J'ouvre les yeux et, hagarde, regarde la Reine. Elle sourit ! Je l'entends marmonner :

— Hé ben, mieux vaut tard que jamais…

De l'autre côté, une voix. Distinguée. Un peu pédante. Amusée. Avec un infime accent anglais.

— Vous pouvez venir, Majesté ! Nous avons mis les agresseurs… disons K.O. !

— Oui, maintenant qu'ils sont K.O., il n'y a plus de chaos ! ajoute une voix presque identique.

Petits rires amusés. Je pousse un long soupir. Aussi soulagée qu'exaspérée.

La Reine se lève sans crainte. Je finis par l'imiter. Je regarde autour de moi.

Tous les attaquants sont maintenant morts, étendus et ensanglantés. Ils devaient être une quinzaine, peut-être vingt ! Au milieu de ce charnier, Chair et Bone sont debout, revolvers en main, tout souriants, impeccables, pas un pli sur leurs vêtements, pas une ride d'inquiétude au visage.

— Franchement, ils ne sont pas très rapides ! explique candidement Chair. Pas un seul d'entre eux n'a eu le temps de se retourner.

— Il faut quand même avouer que nous avons eu de la chance qu'il n'en restât que six de vivants, précise Bone. S'il en fût resté plus, la tâche aurait été plus ardue…

— Croyez-vous, collègue ?

— Le doute est permis, collègue.

— Mais que c'est que vous faisiez, ciboire ! s'énerve la Reine en marchant vers eux, enjambant les cadavres comme s'il s'agissait de vulgaires branches d'arbres.

Vous êtes allés pique-niquer ? Ça prend quand même pas deux heures faire le tour du Palais !

— Imaginez-vous, Majesté, que nous avions oublié nos armes dans notre voiture !

— C'est vrai ! Comble de malchance, les portières étaient verrouillées et nous avions laissé nos clés Dieu seul sait où !

— Alors, il fallait, bien sûr, casser une vitre, mais laquelle ?

— J'optais, personnellement, pour celle du pare-brise, mais Bone ne semblait pas d'accord.

— En effet ! Pourquoi casser la plus grosse vitre de la voiture quand celle de la portière est suffisante ? C'est d'ailleurs ce que je me tuais à lui expliquer !

— Mais moi, je tentais de lui faire comprendre qu'étant donné que les armes étaient sur le tableau de bord, il serait plus facile et rapide de les prendre si on cassait le pare-brise !

— Mais enfin ! quel inutile gaspillage de matériel ! Et tout ça pour ne pas faire l'effort de s'étirer quelque peu le bras à l'intérieur !

— Il ne s'agit pas d'effort, entêté collègue, mais d'efficacité et de ra…

— Fermez vos gueules ! s'exaspère la Reine Rouge. Sacrament ! je dois être encore plus folle que vous pour laisser ma sécurité personnelle entre vos mains !

Moi, je bouge toujours pas. Je tremble trop. De toute façon, il est hors de question que je déambule entre ces corps sanglants…

C'est quoi, ce liquide sur mes jambes ? Est-ce que je saigne quelque part ? Merde ! Je me suis pissé dessus !

La Reine se tourne alors vers le rideau du fond et crie :

— Pis vous autres, pourquoi vous avez arrêté de tirer ?

Cinq Valets sortent de derrière le rideau.

— Nous n'avions plus de munitions et Quatorze était allé en chercher, explique l'un d'eux, la voix neutre. Neuf était aussi allé chercher du renfort et…

— Correct, correct ! Prenez tous ces corps pis crissez-les dans la ruelle ! Chair et Bone vont s'en occuper plus tard !

Ils s'exécutent. Du rideau commencent aussi à surgir quelques Filles et Fils, avec leurs clients, déconcertés et curieux. Ils sont restés dans les chambres pendant la fusillade, trop terrifiés pour sortir. En haut, sur la mezzanine, Sadomasos et clients se penchent aussi vers le salon.

Les Valets, indifférents, transportent les corps dehors. Je reste toujours immobile, toujours tremblante, à les regarder passer de chaque côté de moi. Je reconnais quelques cadavres ainsi transportés : Martini, Nana, Joey… Suzie, presque coupée en deux par les balles…

Pour la première fois, je remarque que la musique n'a jamais arrêté de jouer.

Faut que je prenne quelque chose pour me relaxer, pis vite…

Ma sacoche, là-bas, sur le fauteuil… Je titube jusqu'à elle, la prends, fouille. Une Micro, vite. En avale une. Me laisse tomber dans le fauteuil et ferme les yeux. Je tremble déjà moins, mais ma respiration est encore sifflante.

Un gémissement, suivi d'un juron. Qui c'est ? J'ouvre les yeux. Bone, Chair et la Reine observent l'un des corps, à leurs pieds. Un corps qui bouge.

— Il est pas mort, lui ? s'étonne la Reine.

— Nous lui avons seulement tiré dans les jambes, Majesté. Nous nous doutions bien que vous aimeriez en interroger un.

Elle regarde ses deux subalternes avec un sourire satisfait.

— Je retire ce que j'ai dit tout à l'heure. Vous êtes vraiment *too much* !

Elle se penche vers le blessé.

— Écoute-moi, trou d'cul. Je veux savoir qui vous a vendu ces armes !

— On... on les a achetées chez Stan...

— *Bullshit!* J'ai une confiance inébranlable en Stan, il m'aurait tenue au courant d'une aussi grosse livraison ! Alors, tu me dis c'est qui l'ostie de traître que je lui mange les gosses, sinon tu prends sa place !

Le gars dit rien. La Reine lève son talon aiguille droit au-dessus du visage du blessé et crache :

— Je transforme ta calice de face en zone sinistrée si tu me donnes pas un nom dans cinq secondes !

Batince, pas encore du sang, j'en peux plus, moi ! Chair et Bone, eux, ricanent, enchantés. Mais le gars lance alors :

— Mario ! C'est Mario !

Quoi ? Mario ? Mon beau Mario ? J'ose enfin approcher du petit groupe. Grimaçant de peur et de douleur, les cheveux collés au visage, le blessé en mène pas large. Chair et Bone, au nom de Mario, sont devenus sérieux. Les yeux de la Reine s'allument, littéralement.

— Mario ! Il est donc encore ici...

Le gars, qui semble tenir à son visage, se met à parler à toute vitesse :

— Il avait pris le métro, mais il est revenu, il y a quelques jours ! Avec plein d'armes qu'il a achetées *là-bas !* Il... il a monté une petite rébellion secrète pis... pis il nous a convaincus de le suivre !

— Ça ne tient pas debout, ça, marmonne Chair en se frottant le menton. Avec quel argent Mario a-t-il pu acheter une telle quantité d'armes ?

— Avec le mien, criss de cave ! vocifère la Reine, excédée.

Le visage de Chair s'éclaire bêtement, comme s'il venait de se rappeler.

Je m'en doutais ! Mario a volé la Reine ! Et toute une somme, on dirait ! Comment avait-il pu réussir un tel coup ? Mon admiration pour lui s'en trouve décuplée. Mario devenu le chef d'une bande de rebelles !

… et moi, moi qui me pensais rebelle, je suis maintenant du côté du pouvoir…

Goût amer dans la bouche…

— Il est où, Mario ? demande la Reine au blessé. Il était pas du commando ?

— Non, comme… comme il est le chef, il a préféré nous attendre dans notre planque.

— Hé, ben ! Il envoie ses troupes au massacre, mais lui reste en arrière ! Tout un *leader* !

Celle-là, elle me refroidit un peu. Pourtant, Mario est pas un lâche, j'en suis sûre. S'il est resté caché, il a sûrement une raison…

— Bon ! Il est caché où, votre courageux chef ?

— Dans la… la cave de l'ancienne quincaillerie…

La Reine lance à deux Valets qui se préparaient à ramasser un cadavre :

— Vous avez entendu, vous autres ? *Let's go !*

Les deux Valets s'exécutent. Moi, j'espère juste que Mario ne sera plus là ! Le pauvre gars blessé marmonne :

— Pis… pis moi ?

— Toi ?

La Reine, fébrile, cherche quelque chose sur le sol, le trouve, le ramasse : un revolver. Elle le pointe vers le visage du blessé, prête à tirer, lorsque Bone crie :

— Majesté, s'il vous plaît !

Elle se tourne vers lui, agacée. Poliment, Chair poursuit :

— Permettez… Si vous acceptiez de nous le laisser… Vous savez… Notre quête de l'absence de l'âme…

— Oui… Raisons scientifiques, je suis sûr que vous comprenez…

La Reine se mord la lèvre, le revolver hésite, le gars louche tant il est effrayé. Et elle lâche soudain avec dédain :

— *Fuck !*

Sur quoi, elle baisse le revolver vers l'entrejambe de l'homme et, bang ! J'ai pas eu le temps de fermer les yeux, merde ! Cris, hurlements, le gars se tord et pleure en plaquant ses deux mains sur ses couilles… Bon ! Mes jambes qui se remettent à trembler ! Je retourne m'asseoir dans un fauteuil. Me cache le visage entre les mains. Mal à la tête. Mal au cœur. Entends la Reine qui dit :

— OK, il est à vous ! Mais faites ça ici, dans une des chambres !

— Ici ? Mais nous n'avons pas de thé, ici, et…

— Ici, j'ai dit ! Je veux vous garder sous la main !

— Ma foi… Le compromis est fort valable, approuve Bone.

Je me masse le front à m'en brûler la peau. Le silence, est-ce que je peux avoir le silence !!! Relève la tête. Juste le temps de voir Chair et Bone traîner le gars qui hurle toujours et disparaître derrière le rideau.

Clients, Filles et Fils survivants sont tous dans le Salon maintenant, indécis. Bouleversés, certes, mais manifestement pas autant que moi. Sissi demande bêtement, en regardant tous les cadavres :

— Ben… On fait quoi ?

Quelle bonne, quelle excellente, quelle judicieuse question !

— Rentrez chez vous, tout le monde ! clame la Reine avec un large geste. Le Palais est fermé pour le reste de la soirée !

Grand mouvement d'exode. Moi, je bouge pas. Je suis fascinée par les traces de sang sur le mur. Rouge sur rouge.

Deux minutes après, il n'y a plus que la Reine, moi, et les Valets qui continuent à sortir les cadavres. Elle donne des instructions :

— Je veux que tout soit remis en ordre pour demain soir, c'est-tu compris ? Pas de changement au programme, le Procès a toujours lieu ! Pis va falloir engager trois nouvelles Filles et deux nouveaux Fils. Voyez Chair et Bone pour ça, ils ont une liste de candidats… Ah, oui : on a aussi besoin d'un nouveau barman pis d'un nouveau *doorman*…

Elle se passe une main dans les cheveux, regarde le carnage autour d'elle, me voit enfin. S'approche. Me considère avec gravité.

— T'es-tu correcte ?

Qu'est-ce que je peux répondre à ça ? Nouvelle envie de pleurer. Je bredouille :

— Vous m'avez sauvé la vie…

— On dirait ben…

Elle regarde autour d'elle, puis soupire. Elle semble pas vraiment bouleversée, ni dans une rage folle. Seulement agacée. Contrariée.

— Ce que tu viens de voir, Aliss, c'est une tentative de coup d'État. Le troisième depuis que je suis Reine. Mais franchement, les deux premiers étaient moins *heavy*…

Elle réfléchit pendant quelques instants. C'est la première fois que je la vois si sérieuse. Puis, elle revient à moi et me parle lentement, comme si elle voulait me faire comprendre quelque chose d'important :

— Ceux qui viennent ici, dans ce quartier, ils veulent avoir le droit d'être ce qu'ils sont vraiment, ils veulent fonctionner à leur manière. Ils veulent être libres. Y en a qui me voient comme une entrave à leur liberté. Ils ont tort. Depuis deux ans, j'impose un ordre, c'est vrai, mais un ordre différent. Autre. *Anyway,* peu importe où on va, il y en aura toujours des plus forts pour diriger, pis ça, faut l'accepter.

Elle hausse les épaules.

— De toute façon, ils ont le choix. S'ils sont pas contents, qu'ils s'en aillent !

Elle sourit avec fierté. Avec une assurance totale, elle conclut :

— Pis comme très peu y retournent, faut croire qu'ils préfèrent mon ordre à celui de *là-bas*…

Je l'écoute béatement. Enfin, elle me parle vraiment ! Elle me dit comment elle voit les choses, comment elle pense ! Et j'ai envie d'approuver, d'être d'accord avec elle, mais l'ambiance, les cadavres, le sang, ce que je viens de vivre… Tout cela peut-il être… *acceptable ?*

De nouveau, elle hausse les épaules et fait mine de s'éloigner. Je me lève :

— Ma Reine !

Elle se retourne, me fait face. Je me mets à renifler, ma voix est chevrotante.

— Il faut… il faut m'expliquer tout ça… Il faut que je… que je me pose la bonne question, que je… que je…

— Pas maintenant, Aliss…

Ça y est, mes larmes coulent, mais doucement, sans sanglots, sans crise. Juste un peu d'eau qui rafraîchit mes joues brûlantes.

— Il le faut ! Il le faut, criss, parce que moi, je pourrai plus… je pourrai plus *toffer* tellement longtemps, je suis en train de… de… de perdre complètement le… mon…

— Je connais la bonne question, Aliss, dit la Reine doucement.

Quoi ? Qu'est-ce qu'elle a dit ? J'ai pas rêvé ça, moi, là ! J'ai bien entendu ? Mes pleurs redoublent mais je réussis à crier :

— Dites-la-moi !… Dites-la-moi !

Elle met ses mains sur mes épaules. Pas de colère ni d'agacement dans son visage. Juste un grand calme impressionnant.

— Demain, Aliss. En ce moment, c'est pas vraiment le temps, tu penses pas ? Demain soir, tu vas tout savoir, tu vas tout comprendre. Je te le promets.

Je me tais, comme si on venait de débrancher mon haut-parleur. La Reine a son regard plongé dans le mien.

— Tout ce que tu fais a un sens, Aliss.

Je lui souris, bêtement. Elle sourit aussi. Mais encore une fois, je crois percevoir ce petit pli de moquerie, d'ironie… Non, je dois paranoïer…

Elle tourne les talons et s'éloigne, ne faisant aucun effort pour éviter les flaques de sang. Elle s'éclipse derrière le rideau.

Immobile.

De moins en moins de cadavres dans la salle. Les Valets continuent leur job de déménagement, imperturbables.

Ça pue le sang.

M'en aller. Chez moi. Dans mon lit. Ça ferait tellement de bien.

Légèrement titubante, je vais au rideau à mon tour et le franchis. Marche dans le long couloir sombre. Plus loin devant, je vois une porte s'ouvrir, celle de la chambre onze. Deux hommes en sortent. Il fait sombre, mais je reconnais Chair et Bone. Sur leurs vêtements, leurs mains, leurs visages, des taches plus noires. Ils me voient pas. Ils sont trop excités, trop rivés l'un à l'autre, se caressant et s'embrassant. Ils ouvrent une autre porte et disparaissent dans la pièce.

J'imagine qu'ils en ont fini avec le terroriste de tout à l'heure. Il doit se trouver dans cette chambre onze, en morceaux… avec une montre gousset enfoncée quelque part.

Haut-le-coeur.

Demain soir.

Dodo, vite.

Je me remets en marche. Au fond du couloir, une forme apparaît dans l'obscurité. Une silhouette à peine perceptible avec, à l'intérieur, quelque chose de large et de blanc. Je m'immobilise, mal à l'aise. Qu'est-ce qu'il fait là, lui ?

Quelle question ! Chess est *toujours* là !...

Il avance lentement. Dans la pénombre, il semble encore plus maigre, rachitique, digne de recevoir de l'aide de *Vision Mondiale*. Il ouvre la porte de la chambre onze, entre, referme.

Qu'est-ce qu'il va foutre là ?

Je me mets en marche. Devant le numéro onze, je m'arrête, hésite.

Ma main se tend vers la poignée.

Calice, t'en as pas assez vu pour ce soir ? Va-t'en, va te coucher !

Je poursuis mon chemin, arrive à la porte de sortie. Un déclic, derrière moi. Me retourne.

C'est Chess qui sort de la chambre. Il me voit enfin. Son sourire est plus éclatant que d'habitude, son regard encore plus exorbité. On se regarde un moment, le silence à peine perturbé par les cris de jouissance étouffés de Chair et Bone, provenant d'une autre pièce.

— Bonsoir, Aliss... Tu l'as échappé belle, ce soir...

— Tu étais ici quand c'est arrivé ?

Sourire, puis :

— Dors bien, cette nuit... C'est une grosse soirée pour toi, demain...

Il s'éloigne alors, lentement, gracieusement, comme s'il flottait.

Je sors enfin. La ruelle est pleine de cadavres empilés. Est-ce que je peux enfin voir autre chose que du sang et des macchabées !?

Je vais dans la rue en vitesse. Soirée fraîche. Une cinquantaine de curieux sont massés devant l'entrée du Palais tandis qu'un Valet leur explique, calmement, qu'il y a eu un attentat contre la Reine, mais que celle-ci est saine et sauve.

Je marche vers mon immeuble, soulagée, lorsque soudain, alors que je suis sur le point d'y entrer, un vacarme de vitre brisé éclate au-dessus de ma tête. J'ai juste le temps de voir une fenêtre du second étage voler en morceaux, tandis que quelque chose plane, tombe, puis s'écrase sur le trottoir.

Un corps! C'est un corps! Le corps d'un homme, étendu, disloqué, le bras cassé... Non, pas cassé, arraché... Et c'est pas du sang qui coule du moignon, c'est du son.

Un empaillé!

— Révoltons-nous!

Une voix féminine hurle en haut. La voix de la proprio. Deux secondes plus tard, un autre corps, celui d'une femme, s'écrase à côté du premier. Le ventre éclate comme une baudruche et une explosion de son forme un nuage de poussière.

Immobile, je contemple les deux corps, éclairés de manière lugubre par le lampadaire. Quelques curieux s'approchent aussi.

La propriétaire surgit alors de l'immeuble. En robe de chambre, les bigoudis en désordre, le visage tordu par une joie féroce, elle brandit une hache et hurle, en pointant le doigt vers le Palais:

— La révolte est commencée! Suivons le mouvement! À mort la Reine!

Elle se précipite vers les deux corps et tchac! Un coup de hache sur l'homme! Une jambe est coupée, nouveau vomissement de son et de poussière.

— Fini, les musées de la Reine! Je n'en veux plus chez moi!

Elle frappe, encore et encore, dans ces poupées impassibles qui se laissent charcuter sans protester, leurs yeux de billes vides d'émotions. Tous les curieux qui étaient devant le Palais sont maintenant ici, contemplent la scène en ricanant.

Moi, je regarde, lasse, presque indifférente... Au moins, il n'y a pas de sang. Et cette constatation me donne autant envie de rire que de pleurer.

De nouveau, cette pensée absurde que je suis pas du côté des rebelles... Que je suis du côté des dociles...

Mais que veulent dire ces mots, ici ? Rebelles, dociles… Rebelles par rapport à qui, dociles par rapport à quoi ?

Étourdissement…

Deux Valets finissent par arriver.

— Madame, vous êtes en état d'arrestation pour bris de matériel appartenant à la Reine et encouragements à la révolte.

Mais la proprio réplique, la bouche baveuse :

— C'est fini, l'humiliation ! La Reine a jamais voulu me montrer la moindre considération, alors, maintenant, je proteste !

— Madame, suivez-nous immédiatement.

Elle pousse une sorte de cri de guerre et, hache levée, marche vers les Valets. Mais, aussitôt, l'un d'eux sort calmement un revolver de son veston et, sans même prendre le temps de viser, tire. La proprio est atteinte en plein front, s'écroule sur les deux empaillés déchiquetés. Et voilà, du sang à nouveau !

— *Good shot !* crie un des curieux en applaudissant.

Est-ce que j'aurai donc jamais la paix et le silence, même chez moi ?

Écœurée, je monte dans mon appartement. Par la fenêtre, je regarde en bas. Des Valets nettoient le carnage sur le trottoir, les curieux parlent à voix haute, un Valet traîne le cadavre de la proprio vers le Palais…

Je ferme les yeux.

J'avale deux Micros. Même si j'en ai pris une il y a quinze minutes. Me jette sur mon lit.

Aussitôt que je ferme les yeux, je revois la fusillade, les coups de feu, les cadavres, les empaillés qui tombent du ciel… Des larmes coulent de nouveau…

Les paroles de la Reine me reviennent : tout ce que je fais a un sens.

Demain soir… Peut-être que la surfemme est encore possible… Peut-être…

Mario… Les Valets doivent être déjà à l'ancienne quincaillerie… Mario a dû se sauver à temps… Oui, sûrement… Viens me rejoindre, Mario… Tu vois pas à quel point j'ai besoin de toi?

Je me calme. Trois Micros, ça va faire tout un effet, je le sens…

Le silence dans la rue. Toujours étendue, je regarde vers la fenêtre ouverte. Soudain, quelque chose de minuscule entre dans l'appartement. Ça voltige dans ma chambre, de haut en bas, de gauche à droite, puis ça se pose sur ma table de chevet, juste à côté de ma tête couchée sur l'oreiller. C'est un papillon de nuit. Je le regarde longuement.

— Tu sais où est Verrue, toi? je demande au papillon, la voix molle. Il voulait devenir l'un de ta race, tu savais ça?

Le papillon ne me répond pas. Pas poli. Papillon pas joli, pas poli.

Il se met à grossir, le papillon. Oui, oui, il grossit… la table de chevet aussi, d'ailleurs… me contente de sourire… papillon s'envole… gros comme un corbeau… grandes ailes transparentes qui font flouch flouch… sort par l'immense fenêtre pleine d'étoiles et d'infini… infini noir et profond qui entre par la fenêtre, qui envahit ma chambre… et un arbre pousse au milieu de cette nuit… l'arbre interdit, l'arbre de ma petite école… avec la concierge, assise sur une branche, qui m'envoie la main… les étoiles me rejoignent, m'atteignent… l'obscurité violette du ciel m'avale… et je m'endors en elle…

MICKEY ET MINNIE

OU

*Pour en finir une fois pour toutes
avec l'enseignement de la littérature*

*Cette fois, ça y est, ami lecteur, la fin est proche ! Mais,
bien sûr, toute aventure se termine par une ultime
épreuve, habituellement si difficile que le héros lui-même
doute de sa victoire. Aliss a-t-elle encore la force et les res-
sources nécessaires pour réussir ? Suspense, suspense…*

Il est juste vingt heures et il y a déjà une vingtaine
de clients. La plupart viennent pas pour s'envoyer en
l'air, mais plutôt pour le procès de dix heures. Comme
les deux clients qui me parlent depuis quinze minutes,
par exemple…

— Tu as déjà vu un procès, toi ?

— Non. Non, jamais.

— Tu vas voir, c'est très intéressant…

Ce soir, c'est pas le procès qui m'intéresse… Je
regarde autour de moi en prenant une gorgée de mon
verre. Incroyable, quand même, comme ils ont travaillé
vite : aucune trace de la fusillade d'hier. Bon, ça sent
encore la peinture fraîche, mais c'est supportable…
Là, au fond du salon, on a monté une grande estrade,
plus grande que celle de l'anniversaire de la Reine.
C'est là-dessus qu'aura lieu le procès, j'imagine. Je
suis pas sûre que j'ai envie de voir ça.

Ah ! voilà la Reine qui franchit le rideau ! Elle a le
même costume que lorsque je l'ai vue la première

fois, à la grande partouze. Elle cherche quelqu'un des yeux, tombe sur moi. Me fait signe d'approcher.

Mon cœur fait un bond. Ça y est, le moment est venu ! Je m'approche, tout énervée.

— En forme ? me demande-t-elle.

— Pas pire… Je pense qu'on… qu'on devrait parler ailleurs qu'ici, dans…

— Non, non, je veux pas qu'on parle tout de suite, qu'elle me coupe. Pas avant le procès… C'est pas pour ça que je t'ai fait signe d'approcher…

Je suis un peu déçue. Mais j'écoute.

— Y a deux clients qui voudraient t'avoir, tout de suite. Un homme pis une femme.

Elle ajoute :

— Deux clients particuliers.

Je fronce les sourcils.

— Mickey et Minnie.

— Ça va pas ? Ils sont avec les Sadomaso, eux, d'habitude ! Qu'ils aillent en haut !

— Écoute, de temps en temps, l'une des Filles tombe dans l'œil de Mickey pis il veut l'avoir. C'est ton cas. À ces moments-là, l'entente est claire : ils font aucun mal aux Filles ! Juste une baise normale.

— Ils respectent l'entente ?

La Reine hausse les épaules.

— Ç'a arrive que Mickey frappe la fille quand même…

— Ben, *fuck* !

— Une seule gifle, pis on arrêtait tout ! En plus, on gardait l'argent !

— Même là, je suis pas sûre que…

— Il paie six cents dollars.

— Combien ?

La question est purement rhétorique. J'ai parfaitement compris. La Reine poursuit :

— Écoute ben, Aliss, tu fais comme tu veux, mais tu sais qu'il y a une sonnette d'alarme dans chaque chambre ! S'il y a un problème, tu sonnes, on arrive tout de suite, pis c'est fini ! Au pire, tu te ramasses avec une petite prune. Au mieux, il est doux et gentil. Pis dans les deux cas, on garde le fric. Trois cents pour moi, trois cents pour toi. Qu'est-ce que t'en penses ?

Merde, je suis pas sûre, vraiment pas ! C'est beaucoup d'argent, c'est vrai, mais c'est pas l'argent qui m'intéresse, ce soir ; c'est de parler avec la Reine, c'est de… de…

Elle me regarde avec attention… et je comprends qu'elle souhaite que je dise oui. Pourquoi ?

— Oublie pas, Aliss… Tout ce que tu fais a un sens…

Batince, qu'est-ce que je fais ? Pourquoi elle me dit ça ?

Tout a un sens… Un sens que je vais comprendre tout à l'heure, j'imagine…

Elle me fixe toujours intensément. Je sens qu'il faut pas que je la déçoive… Pas avant notre discussion…

— OK, OK, je vais le faire.

Elle me sourit. Avec, encore, ce petit pli narquois aux lèvres… ce pli que je comprends pas, que j'haïs tant…

— Bon choix, Aliss…

— On s'entend, hein ? Si j'ai le moindrement peur, je sonne ?

— C'est ça. Pis ils sont au courant que, cette fois, ils doivent pas désobéir à l'entente. Tiens, je te propose quelque chose : si Mickey te frappe une seule fois, c'est toi qui lui règles son compte. *Deal ?*

Elle rit, amusée. Je ris aussi, je joue le jeu, pour lui faire plaisir.

— Ouais… Bon *deal*…

— Parfait. Ils t'attendent. Chambre vingt-huit, en haut…

— Comment, en haut ?

— Relaxe, Aliss… C'est leur chambre habituelle. Ils aiment mieux rester là que descendre, c'est tout…

Bon, bon… Mais monter là-haut, franchement, c'est pas la joie…

Je marche vers l'escalier, me retourne une dernière fois vers la Reine.

— On se parle vraiment, tout à l'heure, hein ?

— Compte sur moi.

On s'observe un long moment, immobiles, en silence. Je me remets en marche, monte l'escalier. Je suis sur le point de prendre une Macro, mais je décide que non. Avec Mickey et Minnie, ce serait mieux que je sois le plus en contrôle possible. J'ai pris une Royale, il y a quinze minutes. Ça devrait être suffisant…

En haut, le couloir est encore plus obscur que celui d'en bas. Des bruits sourds et entremêlés traversent les portes fermées, des cris de douleur et des rires, des gémissements et des soupirs, des supplications et des insultes, et d'autres bruits métalliques.

Je traverse le couloir, indifférente. Les numéros des portes défilent sous mes yeux : vingt et un, vingt-deux, vingt-trois…

La porte vingt-quatre s'ouvre brusquement ; un homme immense, tellement large qu'il en est difforme, en sort et se plante devant moi. Il est complètement nu, sauf cette cagoule de cuir sur la tête. Malgré ce masque, je le reconnais : c'est Hulk, pas de doute. Il peut pas y avoir deux physiques comme le sien, ce serait l'échec de l'évolution humaine.

Il est en érection, la queue dressée et sanglante. Et là, sur ses testicules, c'est quoi ? On dirait… oui, ce sont des poids, des poids cloués dans ses couilles et qui étirent horriblement la peau de son scrotum !

J'avoue que ça me saisit un peu.

Soudain, la chose s'exprime :

— 'u 'ous 'es'io'ais, 'alo'e ??

Pas très clair, avec cette cagoule ! Mais j'ai compris : *tu nous espionnais, salope ?*

— Non… Non, pas du tout, je vous assure…

Ma voix est calme. Franchement, je m'épate.

Hulk me regarde de haut en bas, le regard foudément-capoté-craqué-mental… Je remarque qu'il tient une pince dans ses mains. Dieu seul sait à quoi elle peut lui servir…

— 'u 'eux 'e 'oind'e à 'ous ?

— C'est gentil, mais, non, j'ai un client qui m'attend…

Le monstre ne bouge toujours pas. L'ombre de la peur commence à m'atteindre lorsque, soudainement, Hulk hoche la tête puis, rapide comme l'éclair, retourne dans la pièce. J'ai juste le temps d'apercevoir dans celle-ci une femme contre le mur, le corps dégoulinant de divers liquides, attachée avec ce qui semble être des barbelés…

La porte se referme sur cette vision atroce.

Long soupir. Me remets en marche. Me sens *down*. Besoin de Macro.

Non, non… Pas maintenant… Rester lucide…

Porte vingt-huit, voilà.

Je viens pour frapper, mais soudain une voix se fait entendre dans ma tête, une voix que je connais : la mienne. Je ne l'ai pas entendue depuis longtemps, car c'est celle que j'avais *avant,* quand j'habitais chez papa et maman :

Non.

Ma main reste suspendue en l'air. Je cligne des yeux. Perplexe.

Ça suffit. Va-t'en. Retourne à la maison.

La porte s'ouvre au même moment. C'est Mickey. Habit-cravate. Cheveux poivre et sel bien peignés. Toujours l'air sérieux, austère. Il me sourit, mais assez froidement.

— Aliss. Je suis bien content que tu aies accepté. Entre, je t'en prie.

En moi, mon ancienne voix s'est tue. J'entre.

La chambre est comme celles d'en bas : murs rouges, grand lit, un bureau. Sauf qu'il y a deux anneaux de métal dans le mur. Charmant. Une armoire en fer, au fond. J'ai pas envie de savoir ce qu'il y a dedans. De toute façon, on en aura pas besoin, hein, Mickey?

Sur le bureau, une lampe jette un éclairage blafard et discret dans la pièce. À côté de ce bureau, Minnie est assise sur une chaise droite. Bustier et veston. Jupe mi-longue. Élégante. Plus très jeune, mais encore jolie. Enfin, elle pourrait l'être si elle avait pas ce visage de cloîtrée. Elle fume une cigarette et me regarde sans aucune émotion.

Discrètement, je cherche le bouton d'alarme des yeux. Il est là, sur le mur, à la tête du lit. Parfait, parfait. Mickey sort de son veston une liasse de billets et la tend vers moi.

— Six cents dollars, comme convenu.

— Merci, je dis en souriant, et je mets l'argent dans ma sacoche.

— Déshabille-toi et assieds-toi sur le lit.

— C'est entendu, n'est-ce pas? que je lui rappelle doucement. Aucun coup. Je suis pas une Sadomaso, moi…

Il sourit, conciliant.

— C'est très bien…

Tigidou. Je commence donc à délacer mes longues bottes. Mes gestes sont lents, un peu mous. Criss, que je prendrais une Macro! Pas sûr que la Royale va être suffisante…

Mickey colle ses deux mains ensemble, les met sous son menton et ferme les yeux, comme s'il se concentrait. Tout à coup, il se met à marcher de long en large et, d'une voix forte, clame:

— Les institutions scolaires ont la prétention d'inculquer la culture à nos étudiants. Ils veulent former l'esprit critique des jeunes, leur ouvrir les yeux sur le monde! Bref, on veut former des citoyens responsables, intelligents et ouverts!

J'enlève mon bustier, ahurie. Qu'est-ce qu'il fout là, il donne un cours ? C'est vrai qu'il enseignait au cégep… Il est peut-être nostalgique du passé… D'ailleurs, il semble pas vraiment s'adresser à moi. Ni à Minnie, qui le regarde d'un air morne. Un public imaginaire, peut-être ? Il fait toujours les cent pas, mais son visage austère est maintenant remplacé par une expression passionnée, alerte, dynamique.

— Mais c'est faux ! C'est un mensonge ! L'école, au fond, ne fait que reproduire les valeurs de la bourgeoisie bien-pensante ! Cela est particulièrement frappant dans les cours de français, au cégep ! On veut faire découvrir les grands écrivains des siècles passés, en se donnant ainsi la bonne conscience d'avoir inculqué à nos jeunes la Culture avec un grand C ! Le but est noble, mais le contenu plus hypocrite !

Me voilà nue. Je m'assois sur le lit et je l'écoute, incertaine. Il est passionné, il faut bien le dire. Ça devait être un bon prof…

… qui a été renvoyé pour scandale sexuel, non ?

— Prenons, par exemple, le dix-huitième siècle, propose Mickey, qui a même pas remarqué que j'étais nue. Quels auteurs, d'après ce qu'on enseigne, sont considérés comme les plus importants ?

Il me regarde enfin, attendant une réponse. Je hausse les épaules :

— Ben… Disons Voltaire…

Mickey cligne des yeux, d'abord incrédule, puis émerveillé.

— Une élève qui répond ! marmonne-t-il. Qui répond correctement, en plus !

Ce qu'il sait pas, c'est que j'étais une bol, moi, au cégep, je pétais des scores. En plus, la littérature m'a toujours intéressée…

— Et Rousseau, ça te dit quelque chose ? ajoute le prof.

— Je l'aimais moins, lui. Je le trouvais téteux, un peu…

Je parle de littérature, ici, avec un client ! Hé, ben !
Mais j'ai pas la tête à ça, franchement…

— Téteux ! répète Mickey, presque ému. C'est juste,
très juste ! Tu penses à un titre en particulier ?

Je soupire intérieurement. On peux-tu fourrer, que
ça finisse pis que je prenne une couple de Macros ?…
Bon, aussi bien que je réponde, pour pas le fâcher…

— Ouais, son livre, là… voyons, comment ça
s'appelle…

C'est bête, je l'ai sur le bout de la langue… J'ai pas
le temps de réfléchir, car Mickey, engaillardi par ma
culture, se relance avec deux fois plus de passion :

— Voltaire, Rousseau, Diderot ! Voilà les écrivains
que l'on présente comme de grands révolutionnaires,
comme des gens qui ont ouvert l'esprit du peuple !
Ah ! Bon, ce n'est pas tout à fait faux, je l'admets…
Ils ont dit des choses qu'à l'époque il ne fallait pas
dire. Ils ont osé critiquer les institutions. Mais assez
frileusement, il faut bien l'admettre ! Voltaire et Diderot
dénonçaient l'Église, c'est vrai ! *La Religieuse* de
Diderot a fait scandale, c'est vrai aussi… Mais ils
n'ont jamais critiqué Dieu lui-même ! Et que dire de
leurs supposées attaques contre le Roi ? Voltaire dé-
guisait ses pamphlets en contes orientaux, en carica-
turant le plus possible, comme s'il n'osait nommer
les choses par leur nom ! Bref, ils donnaient bonne
conscience au peuple qui, en les lisant, se sentait
intelligent ! Quand on fait lire ces livres aux étudiants,
on dit : voilà de grands révolutionnaires ! Voilà des
gens qui dérangeaient ! Ah ! Hypocrisie ! Voltaire est
vu comme un anticonformiste… et pourtant, comment
se termine *Candide,* ce conte philosophique considéré
comme son chef-d'œuvre ?

Il attend encore que je réponde. Bon, bon, d'accord,
jouons le jeu. Je me rappelle qu'on a lu *Candide* au
cégep, je me rappelle aussi la dernière phrase… Je
réponds donc, sans enthousiasme :

— C'était : il faut... heu... il faut...

Bon, ça m'échappe ! Pourtant, notre prof nous l'avait tellement répétée !

— Il faut... heu... Il faut balayer sa cour !

— Heu, non, pas tout à fait, mais ça ressemble à ça, fait mon nouveau prof, conciliant. C'est : il faut cultiver son jardin.

Oui, merde, c'est vrai. Ah ! Je suis trop *fuckée* pour réfléchir, criss ! Pis je commence à être tannée !

— Il faut cultiver son jardin ! ricane Mickey en levant les bras. Quelle mièvrerie ! Quelle conclusion moralisatrice ! Voilà le terme : moralisateur ! Malgré leurs aspects dérangeants et contestataires, ils étaient tous des moralisateurs ! Tous ! Tel est le vrai but de l'école : elle donne l'impression de vouloir faire de nos étudiants des gens qui vont changer le monde, mais c'est faux ! Elle reproduit le monde tel qu'il est ! Un monde rassurant, conformiste, hypocrite et *moral !*

Oups, ça m'intéresse un peu plus, ce qu'il vient de dire là...

Le visage de Mickey change alors d'expression. Une expression d'envie, de désir. On est loin de son air froid de tout à l'heure.

— Mais toi, comme tu es différente, comme tu es ouverte d'esprit, je vais te donner un cours. Un vrai.

Il marche vers sa femme. Minnie, qui fume sa cigarette, a toujours pas dit un mot et est toujours aussi impassible. Une vraie bête de party, celle-là. Mickey tend la main vers elle. Elle sort un livre de poche tout racorni de son veston et le tend à son mari. Il le prend et le brandit devant lui.

— Voilà le vrai, le seul grand auteur du dix-huitième siècle : le Marquis de Sade.

Ça me dit quelque chose... Il a pas écrit des livres qui ont été mis à l'index ?

— Évidemment, lui, on ne l'enseigne pas dans les cégeps ! poursuit Mickey dont la fougue revient. On le nomme rapidement et on passe à autre chose ! Et tu sais pourquoi, Aliss ? Parce qu'il a osé montrer une facette de l'humanité qu'on s'efforce de cacher et de nier !

Mickey lève le livre un peu plus haut et annonce :

— *La Nouvelle Justine,* 1797…

Là-dessus, il redonne le livre à sa femme. Minnie écrase sa cigarette, prend le livre et attend. Mickey revient au centre de la pièce. Met ses mains sur son front. Réfléchis. Moi, j'attends, de plus en plus inconfortable. C'est pas une Macro que je vais prendre, en sortant d'ici, mais un flacon complet ! Enfin, il lève la tête et dit, solennel :

— Page 198, ligne onze à quinze.

Sur quoi, il commence à se déshabiller. Minnie ouvre le livre, trouve la page et sa voix s'élève, morne, sans émotion, sans intonation, une voix qui endormirait n'importe quel insomniaque endurci :

— « En général, il n'est pas deux peuples sur la surface de la terre qui soient vertueux de la même façon : donc la vertu n'a rien de réel, rien de bon intrinsèquement, et ne mérite en rien notre culte. »

Ça alors ! J'ai l'impression d'entendre Nietzsche ! C'est incroyable, ça ! Peut-être… peut-être que c'est pour ça que la Reine voulait que j'accepte de prendre Mickey ! Elle doit le connaître, elle devait savoir qu'il me parlerait de tout ça ! Elle me prépare pour tout à l'heure, pour notre discussion !

Ça m'emballe tellement que *fuck* la prudence : j'étire le bras, prends ma sacoche et m'envoie une Macro, gloup ! Bon ! Si Mickey veut parler, parfait ! Je vais être en forme !

— C'est ben intéressant, ce qu'il dit, votre Sade ! que je lui lance.

— N'est-ce pas ? sourit Mickey qui se trouve maintenant en chemise et caleçons. Tu comprends pourquoi on n'enseigne pas cela dans les cégeps ? C'est une vérité qui créerait trop de remous ! Plus de remous que Voltaire, en tout cas !

Je ricane, amusée. Me sens mieux. Mickey, en déboutonnant sa chemise, dit à Minnie :

— Page suivante, lignes trente jusqu'en bas.

Minnie tourne la page, se remet à lire, aussi expressive qu'une borne-fontaine :

— « Mais, vous disent les sots, le mal ne rend point heureux… Non, quand on est convenu d'encenser le bien. Mais déprisez, avilissez ce que vous appelez le bien ; ne révérez que ce que vous avez la bêtise d'appeler le mal, et tous les hommes auront du plaisir à le commettre, non point parce qu'il sera permis… mais c'est que les lois ne le punissent plus, et qu'elles diminuent, par la crainte qu'elles inspirent, le plaisir qu'a placé la nature au crime »

Ça me semble plus spécial, ça… Nietzsche aussi parle du mal, le dit nécessaire, mais… c'est pas pareil, il me semble…

— C'est… c'est troublant, que je dis enfin.

— Troublant, en effet…

Il n'est plus qu'en caleçons. Ça grossit à vue d'œil, là-d'dans… La voix plus grave, il lance de nouveau :

— Page 277, lignes huit à dix-huit…

— « Qui recevra vos plaintes, dans un lieu qui ne sera jamais rempli pour vous que de délateurs, de juges et de bourreaux ? Implorerez-vous la justice ? Nous n'en connaissons d'autre que celle de nos voluptés… Les lois ? Nous n'admettons que celles de nos passions… L'humanité ? Notre unique plaisir est d'en violer tous les principes… Des parents, des amis ! Il n'y a rien de tout cela dans ces lieux ; vous n'y trouverez que de l'égoïsme, de la cruauté, de la débauche et de l'athéisme. »

Je dis rien.

Ça n'a plus rien à voir avec Nietzsche, ça. Plus rien pantoute.

Mickey est nu. En érection. Il respire un peu plus vite, son visage dégage une grande excitation qu'il tente de contenir. Il dit alors, la voix basse et rauque :

— Voilà. Nous allons maintenant joindre la pratique à la théorie…

Il avance vers moi. Docile, je me couche sur le dos, écarte lentement les jambes. Mais je me sens bizarre, l'ambiance créée par cette lecture me plaît pas trop… Mickey se couche sur moi et je lui souris, essayant d'avoir l'air convaincante. Il me pénètre doucement. Parfait. S'il reste doux comme ça, tout devrait bien aller. Tout en commençant son va-et-vient, il souffle vers Minnie, sans me quitter des yeux :

— Page 226… ligne 21 et suivantes…

La voix plate de Minnie s'élève de nouveau :

— « Et Rodin faisait baiser son vit à sa fille Rosalie ; il lui en frottait le visage, ainsi que de son derrière, duquel il semblait flétrir voluptueusement les roses de ce teint d'albâtre. Il la souffletait, il l'invectivait, en blasphémant comme un scélérat. Et Rombeau, voyant tout cela, se branlait sur les fesses de Justine en encourageant son ami… »

Ç'a vraiment été écrit au dix-huitième siècle, ça ?

Tandis que Mickey me baise, je tourne la tête vers Minnie. Elle tient le livre d'une main, et de l'autre, elle a relevé sa jupe et se masturbe. Ses doigts s'agitent, frétillent, tournent à une vitesse inouïe. Batince ! Elle a un moteur d'hélicoptère dans le poignet ! Elle va se foutre le feu aux poils pubiens si elle ralentit pas ! Sauf qu'elle a beau se décaper le clito, son visage demeure inexpressif, éteint, parfaitement insensible ou inconscient du plaisir que sa main s'évertue à lui procurer ! Et sa voix, aussi ennuyante que celle d'un curé, continue toujours :

— « … le cruel Rodin qui, pendant ce temps, apprête bien d'autres supplices à sa malheureuse fille. Le vilain encule sa sœur : il semble que ce ne soit qu'au sein de l'inceste et de la sodomie qu'il veuille arriver à l'infanticide… »

Ça s'en vient franchement dégoûtant, cette lecture ! Il était pas avant-gardiste, ce Sade, il était malade ! Ça semble en tout cas exciter Mickey qui s'active avec de plus en plus de vigueur et me regarde avec perversité, la bouche crispée, ses cheveux poivre et sel en désordre. Le professeur rangé de tout à l'heure n'existe plus.

— « Marthe lui donne un scalpel, et il l'expérimente… On juge des cris de victime… Le bas-ventre s'ouvre… »

Non, là, ça suffit, je peux plus entendre ça ! Surtout pas en me faisant…

— Mickey…

Il m'entend pas. Rentre et sort avec force, avec violence. Ça commence à faire mal…

— Mickey, arrêtez…

Son regard est celui d'un fauve… il bave légèrement… respiration creuse… et il serre mon sein, il le serre fort… trop fort…

— « Rodin, tout en foutant, taille, déchire, détache, et dépose dans une assiette et la matrice et l'hymen, et tout ce qui s'ensuit… »

— Arrêtez ! que je m'écrie.

Sans y penser vraiment, j'assène contre mon client une grande poussée des deux mains. Il se relève d'un coup, sort de moi, recule au milieu de la pièce, hagard. Il bredouille :

— Qu… qu… quoi ? Mais… mais le cours n'est pas fini !

Qu'est-ce que je vais lui donner, comme raison ? Il m'a pas frappée, quand même ! Redressée sur le lit, je le regarde, incertaine, puis je jette un coup d'œil à Minnie. Elle ne lit plus. Sur son sexe, sa main vibratique est à *off*. Elle nous observe et attend.

… trouver une excuse…

— Hé bien, c'est que… je… je ne suis pas sûre de l'utilité de ce genre de cours…

— L'utilité? s'exclame-t-il, outré. L'utilité! Et ce que tu as appris au cégep, tu trouves ça utile?

Qu'est-ce que je peux répondre à ça? Voilà le prof engagé et révolté de retour! Il fait deux pas vers moi et, les mains sur les hanches, la queue ramollie, me demande avec un air de défi:

— Voyons l'utilité de ce que tu as appris! Nomme-moi un auteur réaliste du dix-neuvième siècle!

— C'est niaiseux, franchement!

— Allez, je t'écoute, mademoiselle Connaissance! Ah, pis *fuck!*

— OK! Chateaubriand!

— Chateaubriand! ricane Mickey avec méchanceté. Un romantique! Et même, un préromantique! Un auteur mièvre et geignard, qui se plaint sur son sort jusqu'à écœurement!

Bon, bon, je me suis trompée! C'est vraiment grotesque, comme situation!

Sauf que ça fait deux ou trois fois que je me trompe, depuis tout à l'heure…

— Je te croyais plus cultivée, jeune fille! Allez! Nomme-moi le grand courant littéraire du dix-septième siècle qui comportait des règles très strictes, surtout en théâtre, et qui était particulièrement prisé par Louis XIV!

Facile! J'ouvre la bouche pour le dire. Hésite. Voyons, c'est quoi, donc… Mais qu'est-ce que j'ai? Comment ça se fait que j'ai tous ces trous de mémoire? Je sais que la plupart des étudiants ne se souviennent plus de rien deux semaines après la fin des cours, mais pas moi! Je me souviens toujours de ce que j'ai appris! Toujours! Pis la dope est pas une excuse, je suis sûre!

— Heu… le… le baroque!

— Le classicisme, pauvre petite inculte! Courant étouffant, conformiste et réactionnaire tourné vers l'Antiquité au lieu de regarder vers l'avenir! Véritable prison pour tout artiste qui se respecte!

Je me frotte le bras, nerveusement… Ça marche pas, là, ça marche pas pantoute…

— Et Molière ? Ça te dit quelque chose, Molière ?

— Ben oui, ben oui !

— Auteur qui passait pour un grand dénonciateur d'injustice parce qu'il faisait quelques plaisanteries inoffensives sur la religion et la bêtise, mais qui léchait le cul du roi pour que ses pièces soient jouées !

Il plie les jambes, se penche devant moi et, soudain calme, la voix suave, demande :

— Nomme-moi l'une de ses pièces… Il en a écrit tellement… toutes plus puériles les unes que les autres…

J'ai lu quatre pièces de Molière. Parce que je l'aimais bien.

Et là, maintenant, je ne me souviens d'aucune d'elles. Aucune.

Ça se peut pas ! C'est tout simplement impossible !

— Un titre ! répète Mickey avec plus d'autorité.

— Je sais pas, que je souffle. Je m'en souviens plus…

Il a alors un petit sourire victorieux, ironique, un sourire qui m'écœure. Il se relève lentement. Je panique ben raide ! Je deviens folle ou quoi ? J'ai pas pu tout oublier, qu'est-ce qui m'arrive ? Vite, un autre cours, n'importe lequel… Les maths, tiens, une autre de mes matières fortes ! J'essaie de me remémorer une formule, en trigonométrie… Voyons. Voyons…

Rien !

Rien, ostie, rien !

— Tu sais pourquoi tu ne te rappelles rien, Aliss ?

Je lève la tête vers Mickey, sur le point de pleurer. Toujours fier de sa victoire, il dit :

— Parce que tout ce que tu as appris *là-bas* ne t'est d'aucune utilité ici… Aucune.

Voyons, c'est absurde, ça ! Ça se peut pas, c'est… c'est pas… c'est pas *logique* !

… pas logique…

De nouveau, le désir réapparaît sur son visage. Son sexe se redresse lentement et il dit, la voix rocailleuse :

— Très bien… Continuons donc notre cours…

Il me prend par les épaules et me recouche sur le dos. Je me laisse faire, encore trop abasourdie, trop sonnée par tout ça. Aussitôt qu'il me pénètre, la voix mortuaire de Minnie reprend :

— « Rodin, pour la punir, l'oblige à sucer le vit tout barbouillé de sang… »

Pas encore cette abominable histoire ! Ah, pis de la marde ! Tant pis ! Je vais me laisser fourrer pis attendre que ça finisse, c'est tout ! Je vais penser à autre chose ! Je vais essayer de me rappeler mes cours, tiens ! Ça va me revenir, je peux pas croire ! Il *faut* que ça me revienne !

— Alors, Aliss, tu apprends bien ta leçon ?

C'est Mickey. Son visage bestial est revenu. Il me serre le sein de nouveau avec force. Il me rentre dedans avec trop de violence.

— Vous me faites mal, Mickey…

Et soudain, il me frappe ! Sur le visage ! Juste une claque, pas très forte, mais quand même ! Sur la joue droite ! J'en reviens pas ! J'en reviens crissement pas !

— « … puis, la faisant contenir, la tête courbée sur la plaie, il la fustige en cet horrible état… »

— Mickey, vous avez pas le droit de me…

Paf ! Une autre claque, mais plus forte, celle-là, qui me brûle la joue ! Il me regarde toujours, et ce que je vois dans ses yeux me fait enfin peur, vraiment peur… Je me débats, mais il est trop lourd, il me rentre dedans avec tellement de force ! Je regarde Minnie, pour la supplier… Elle a recommencé à se masturber, le visage vacant, et elle lit toujours !

— « … on le fouette lui-même. Il n'y tient plus ; tant de férocités l'entraînent… »

— Mickey, arrêtez !

Je l'implore du regard, commence à pleurer… Seigneur, il va me battre, il va me faire mal, *très* mal…

— « … que la tête de celle-ci est entre les jambes de notre héroïne… »

… son poing… le visage fou… il lève son poing…

— « … et que la sienne est appuyée… »

… il va frapper !… un vrai coup de poing, cette fois !…

— « … contre la plaie vaste et sanglante… »

— NON !

C'est mon poing à moi qui frappe. Directement sur le visage de Mickey, un coup plus fort que je l'aurais espéré. Mickey recule, perd l'équilibre, tombe sur le sol. Vite, vite, je rampe sur le matelas ! Le bouton d'alarme ! J'appuie dessus, deux, trois, dix fois ! Venez ! Venez vite, vite ! Je me lève, debout sur le lit, me tourne vers la pièce.

Mickey s'est relevé. Courbé vers l'avant, il avance lentement vers le lit, prêt à bondir, un sourire mauvais aux lèvres.

— Parfait… Une étudiante qui participe, c'est le rêve de tout professeur…

Je recule contre le mur, me recroqueville, haletante, pétrifiée de terreur… Minnie, de nouveau au neutre, observe son mari, imperturbable. Mickey s'humecte les lèvres, salive…

— Rien de mieux qu'une bonne interaction entre maître et élève…

Je recommence à pleurer. Qu'est-ce qu'ils crissent, en bas ? La sonnette est brisée ? C'est ça, elle fonctionne pas, ils m'ont pas entendue ! Ils m'ont pas entendue, cette gang de salauds !

Soudain, la porte explose. Chair et Bone surgissent dans la pièce, enjoués et gaillards :

— Ne craignez rien, Aliss ! Voici la cavalerie !

— Oui, et la cavale rit !

Tout en s'esclaffant, ils empoignent Mickey et le propulsent littéralement jusqu'à l'autre extrémité de

la pièce, zzzoummmm, où il va s'écraser contre le
mur en produisant un « boum » creux. Il s'effondre
sur le sol, sonné.

— Il m'a frappée ! que je mets à crier, hystérique.
Il m'a frappée, l'ostie d'écœurant ! Pis deux fois, en
plus ! Il… il allait me casser la gueule, je vous le dis !

Ils se tournent vers Mickey, prenant un air déçu.

— Mickey, Mickey, Mickey… Vous avez encore
failli à votre parole !

— De nouveau, vous n'avez pas respecté l'entente !

Mickey se relève lentement. Plus de trace de perversité ou de supériorité, ho que non ! C'est de la
crainte, maintenant, qui envahit son visage.

— Écoutez, je… oui, j'avoue, je me suis laissé
entraîner, je… Désolé, c'est ma faute… Je vais… je
vais payer le double et on en parle plus, d'accord ?

Moi, je me rhabille rapidement. Calmos, Aliss, tu
es saine et sauve, maintenant…

— Non, cette fois, on ne peut pas passer l'éponge,
Mickey, rétorque Chair. La Reine vous avait prévenu :
une faute de plus, et ce serait celle de trop.

— Alors, vous allez vous habiller et nous suivre gentiment, avec votre sympathique épouse, d'accord ?

Mickey est pas d'accord, car il se rue, tout nu, vers
la porte ouverte, mais Chair, avec une rapidité qui me
semble impossible, le rattrape et le frappe au visage.
Mickey titube jusqu'au milieu de la pièce, jusqu'à
Bone qui le frappe à son tour au ventre. Il s'effondre
de nouveau. Minnie, elle, est toujours assise et ne
bouge toujours pas.

Bone sort un revolver et le pointe vers Mickey ; sa
voix reste polie, douce :

— Vous vous habillez et vous essayez d'être coopé-
ratif.

Mickey commence à s'habiller… puis se met à
pleurer. Je l'observe un moment, bonhomme de cinquante ans terrifié, pathétique dans sa maigre nudité.

Et je sais pourquoi il a peur. Je le devine très bien. J'imagine Mickey, dans la cave chez Chair et Bone… j'en ai mal au cœur… Maintenant maîtresse de mes émotions, j'essaie de tempérer les choses :

— Écoutez, je… je crois qu'il a eu sa leçon, non ?… Après tout, il m'a donné deux petites claques seulement, je suis même pas marquée, vous voyez ?… En plus, il va payer le double…

— Vous l'entendez ? s'écrie l'ancien prof, la peur maintenant mêlée d'espoir. Elle dit que ça va !

— Malheureusement, Mickey, vous connaissez la Reine : quand elle donne une dernière chance, c'est vraiment une dernière. Vous venez de la gaspiller.

— Mais voyons, vous allez pas le tuer pour ça ! que je m'écrie avec indignation. Ç'a pas de sens ! Je veux pas avoir sa mort sur la conscience, moi !

Chair et Bone font une moue surprise, se regardent.

— Mais Chair et moi n'avons nullement l'intention de le tuer !

— Ni même de le torturer !

Vraiment ? Ça me déstabilise complètement. Mickey, maintenant rhabillé, clignote des yeux, hébété, puis il ose un léger sourire :

— C'est vrai ? C'est pas une blague ?

— Je vous le jure, Mickey.

— Moi aussi.

— Je peux partir, alors ?

— Non, vous venez avec nous…

— Mais vous avez dit que vous me tueriez pas !

— Et nous le répétons ! s'impatiente légèrement Bone en relevant son arme. Alors, vous nous suivez et vous arrêtez de poser des questions !

Chair se tourne vers moi et, très gentiment, me dit :

— Vous aussi, Aliss, vous venez avec nous…

— Moi ? Mais pourquoi ? J'ai pas envie de…

— Une autre qui rouspète ! C'est une manie, ma parole ! La Reine veut que vous veniez avec nous, et c'est tout !

La Reine… Pourquoi donc ? J'y suis : on va aller la rencontrer… Elle va sûrement faire payer une amende à Mickey, ou un truc du genre, et après, elle va me parler… Notre discussion…

Étrangement, je suis moins excitée à l'idée de cette discussion que je l'étais hier, ou même tout à l'heure… Beaucoup moins…

— Allez, en route tout le monde !

Minnie, qui n'a eu aucune réaction durant toute cette scène, remet le livre dans son veston et, sans un mot, se lève.

Nous sortons par l'escalier de secours, derrière l'immeuble. Dans la ruelle, Bone va ouvrir la portière arrière de sa Cadillac rouge :

— Mickey, Minnie, à l'arrière, je vous prie…

Je ne comprends plus. On sort du Palais ? Mickey rouspète encore un peu, mais il finit par obéir, ainsi que sa docile zombie.

— Vous, Aliss, vous montez devant, avec nous.

— Je… je sais plus si j'ai envie d'aller avec vous…

D'ailleurs, je sais pas si j'ai envie de quoi que ce soit… Je crois… Je crois que j'ai plus envie de tout ça, en admettant que j'en aie déjà eu envie, je sais pas, ça va vite dans ma tête, et j'aime pas ça…

— Allons, Aliss, fait Chair. Nous faisons ça pour vous, alors s'il vous plaît, soyez raisonnable…

Ils font ça pour moi ? Mais qu'est-ce que ça veut dire, merde ? Je vois bien que les deux siamois commencent à s'impatienter, et s'il y a une chose que j'ai pas envie, c'est bien d'impatienter ces deux gars-là !

On monte en avant tous les trois, Bone derrière le volant. Il doit enlever son haut-de-forme pour entrer dans la voiture et le met sur ses genoux.

— Nous allons à la maison, collègue ? demande Bone.

— Vous n'y pensez pas ! Avec la fusillade du Palais d'hier soir, notre cave est pleine à ras bord !

— Vous avez raison. Parfait, nous irons ailleurs.

J'ouvre la bouche pour une nouvelle question, mais la voiture démarre en trombe, parcourt la ruelle à une vitesse folle et, à peine deux secondes plus tard, tourne dans Lutwidge en faisant hurler ses pneus.

— Vous êtes fou ! Vous voulez nous tuer ou quoi ?

— Non, je veux défier le temps, répond Bone avec sérieux.

Nous roulons dans Lutwidge à 110 ! Klaxons, piétons terrifiés, voitures qui montent sur les trottoirs pour nous éviter !… Moi, je me cramponne de toutes mes forces à la portière, morte de peur, parce qu'on va se tuer, c'est sûr ! Mais on finit par arriver dans la partie tranquille de Lutwidge. Je commence à respirer, même si Bone roule toujours aussi vite. Puis, peu à peu, je reconnais le décor : maisons de plus en plus rares, grands espaces vides… et finalement, fin de la route.

Bone freine si brutalement que mon front passe à un doigt d'aller embrasser le tableau de bord.

— Voilà, ici, ce sera parfait !

Nous descendons. Bone jette un coup d'œil à sa montre-gousset et s'exclame victorieusement :

— Une minute huit secondes ! Quatre secondes de moins que la dernière fois ! Ah !

Je contemple le paysage familier en remontant ma sacoche sur mon épaule : les vastes terrains vagues, plongés dans les ténèbres, les grues abandonnées au loin qui, sous l'éclairage lunaire, ressemblent à d'immenses squelettes de dinosaures… et encore bien plus loin, là-bas, le pont Jacques-Cartier, lumineux, qui flotte dans les ténèbres.

Je fixe longuement le pont. De nouveau, cette sensation qu'il est si près et si loin… Impression bizarre…

— Superbe soirée ! lâche Bone avec un grand soupir de contentement. Avec un peu de thé, tout serait parfait ! Ah ! Que serait l'existence sans thé !

— Cela serait *l'exisence,* répond Bone.

Ils ricanent. Mickey et Minnie sortent à leur tour.

— Qu'est-ce qu'on fait ici ? Où allons-nous ?

— Droit devant vous, mon ami, répond Bone en indiquant le terrain vague avec sa canne, le revoler dans l'autre main.

Ils se mettent en route, sauf Chair qui ouvre le coffre de la voiture.

— Venez, Aliss, me lance Bone.

Je les suis. Qu'est-ce que je peux faire d'autre ?

Ils les tueront pas… ils l'ont promis…

Nous sortons de la route et marchons sur un sol terreux, parsemé de quelques touffes d'herbes et éclairé par les phares de la voiture restés allumés derrière nous. Je jette un coup d'œil dans cette direction. Chair fouille toujours dans le coffre, j'entends des bruits métalliques…

Au moment où Mickey et Minnie passent à côté d'un bloc de ciment perdu au milieu du terrain, Bone leur crie :

— Stop. Ça ira, ici…

Bone dépose sa canne sur le sol et sort une paire de menottes de son veston. Il s'approche de Mickey et, tout en le tenant en joue de son fusil, réussit à menotter la main droite de l'ancien prof à un vieil anneau rouillé fixé au bloc de béton. Mickey ne proteste pas, intimidé par le revolver. Ensuite, avec une autre paire de menottes, Bone fait la même chose avec Minnie, qui le regarde faire sans réagir. Bone reprend sa canne, recule et contemple les deux menottés, satisfait.

— Mais enfin, Bone, à quoi ça rime ? Vous allez nous abandonner ici ?

— Patience, professeur, patience…

Je suis à l'écart. Réponds rien. Mauvais *feeling*… Mes yeux retournent au pont, là-bas, tout éclairé…

Et pour la seconde fois de la soirée, cette voix, ma voix *d'avant,* chuchote à mon oreille…

C'est fini, maintenant...

C'est vrai. Peu importe ce qui va se passer dans les minutes qui vont suivre, tout est fini, je le sens. Ce n'est pas à la mort que je pense, non, je suis sûre que Bone et Chair me tueront pas... Mais pour moi, c'est terminé. Je le réalise avec un calme et une grande, très grande lassitude.

Je ferme les yeux.

Claquement de coffre. Je me retourne. Chair revient vers nous. Il tient toutes sortes de choses non identifiables qui dépassent de sa silhouette éclairée en contre-jour par les phares, le faisant ressembler à une sorte de mutant aux multiples membres...

— Bone ! crie Mickey. Vous nous aviez juré que vous nous tueriez pas !

— C'est vrai. Ni Chair ni moi. Après tout, vous ne nous avez rien fait personnellement...

Bone se tourne vers moi, me sourit.

— C'est Aliss, la victime, non ?

Chair est revenu et il laisse tomber à mes pieds ce qu'il transportait : hache, batte de baseball, scalpel, pince, barre de fer et autres instruments pédagogiques. J'observe le tout en clignant des yeux.

— Ça veut dire quoi, ça ?

— Ça veut dire que c'est vous qui allez vous charger de nos deux amis.

C'est donc ça ! Mais ils sont fous, complètement fous ! Je dévisage Mickey. Il me regarde, aussi blanc que la lune.

— C'est une *joke*, non ? je marmonne.

— Comment ? s'étonne Chair. Mais pas du tout. Vous êtes l'agressée, n'est-ce pas ? À vous de punir.

Mickey se met alors à tirer sur son bras menotté, mais, évidemment, en vain. Minnie le regarde faire, indifférente.

— Mais c'est débile ! je rétorque avec indignation. Y est pas question que je les... que je leur...

— La Reine nous a pourtant dit que vous aviez eu une entente, tout à l'heure.

— Oui. Elle vous a proposé de leur régler vous-même leur compte s'ils vous faisaient quoi que ce soit. Vous avez accepté, paraît-il.

Quoi ? Je ris. Un rire nerveux, angoissé, mais un rire quand même. Parce que c'est trop ridicule !

— Mais voyons, c'était… c'était pas sérieux, ça ! C'était une façon de parler ! Je voulais pas dire que… Je les tuerai pas, comptez pas sur moi !

Chair et Bone, peu impressionnés, haussent les épaules :

— Très bien, ne les tuez pas ! Contentez-vous de les torturer, pour leur donner une bonne leçon !

— Mais oui, pourquoi pas ? Commencez par Mickey et… Je ne sais pas, moi, coupez-lui un bras avec cette hache, tiens !

— Ou cassez-lui les jambes avec cette batte !

— Ou arrachez-lui les dents avec cette pince !

— Ou coupez-lui le nez avec ce scalpel !

— Ou crevez-lui un testicule avec… heu… avec ce… cette… voyons, avec quoi peut-on crever un testicule ?

— Un clou ?

— Je les torturerai pas, je les toucherai pas, je leur ferai rien ! que je me mets à crier en reculant de quelques pas. Vous entendez ? Rien, rien pantoute ! C'est fini, je m'en vais, je retourne chez nous, à Brossard, je crisse mon camp d'ici, pis *fuck* la Reine, *fuck* la bonne question, *fuck* la surfemme, *fuck* toute la gang !

Je suis en train de péter les plombs, je le vois bien… Bone et Chair, de leur côté, ne sont ni en colère ni déçus. Au contraire, ils ont un petit sourire entendu, puis Chair marmonne :

— La Reine avait donc raison… Elle avait vraiment tout prévu depuis le début…

— Quoi ? je demande, soudainement intriguée. Qu'est-ce que vous venez de dire ?

Là-dessus, Bone range son revolver dans son veston, sort ses clés et les tend à Chair. Celui-ci les prend et, se tournant vers Mickey, explique :

— Puisque mademoiselle a la bonté de vous épargner, Mickey, vous êtes libre. Je vais vous détacher, vous et votre épouse…

Mickey soupire de soulagement. Je l'imite. Chair avance vers l'ex-professeur en ajoutant :

— Après quoi, vous pourrez faire d'elle ce que vous voudrez… Continuer votre petit cours, par exemple… Nous nous en lavons les mains…

Comment ? J'ai mal entendu certain !

Mickey, d'abord surpris, a un petit sourire intéressé et me jette un regard d'une parfaite lubricité. Mais… mais je viens de lui sauver la vie, à celui-là, et il pense déjà à me ressauter dessus ?

— Voyons, Chair ! que je bredouille. Vous allez pas le… le laisser me…

— Il est trop tard pour les jérémiades ! s'écrie alors Chair en se tournant vers moi, agacé. Vous avez voulu jouer la bonne samaritaine ? Hé, bien ! tendez l'autre joue, maintenant !

Et il retourne vers Mickey, dans l'intention de lui enlever ses menottes… Mickey qui, impatient, me lance des regards pleins de convoitise… Je me mets à crier :

— Arrêtez, Chair ! Détachez-le pas !

Mais Chair se penche déjà vers Mickey, la clé tendue…

Alors, la panique s'empare de moi. Je laisse tomber ma sacoche – me penche vers le tas d'instruments – prends le premier qui me tombe sous la main – me lance vers Chair – et frappe ! Je visais le cou mais j'accroche l'oreille. Aussitôt, un bruit mou, puis du sang qui me gicle sur la main ! Pouah ! Je lâche l'instrument que je tenais et réalise enfin que c'était un scalpel. J'essuie ma main sur ma jupe en vinyle en grimaçant.

Hurlements. C'est Chair, les deux mains appuyées sur le côté gauche de sa tête. Du sang sur son cou, sur son épaule… Il regarde par terre, éperdu, et vocifère :

— Mon oreille ! Où est mon oreille ?

Je le regarde, haletante, confuse, surprise de ma propre audace. Du coin de l'œil, j'entrevois Bone qui, la bouche camouflée derrière le pommeau de sa canne, émet un petit… mais oui ! il ricane, tout étonné !

Chair me voit enfin. Son visage n'a plus rien du gentleman poli et suave ! Il grince des dents et avance, menaçant ; moi, je recule, épouvantée, paralysée. Chair marmonne alors d'une voix rauque :

— Espèce de petite friponne !

Il se penche vers le tas d'instruments, ramasse une hache et fonce vers moi ! J'entends Bone crier :

— Non, Chair, ne la tuez pas !… Ordre de la Reine !

Je me protège d'un bras dérisoire, en gémissant… mais en même temps que Chair brandit la hache d'un geste très rapide et très brusque, la lame se détache du manche, virevolte par en arrière et… va se figer dans la gorge de Minnie !

Le cri terrible de Mickey ! Minnie se met à tressauter, prise de spasmes, essaie d'arracher la lame de son cou, y arrive pas ! De longs jets de sang fusent, comme si elle avait un boyau d'arrosage dans la gorge, de longs jets écarlates qui éclaboussent partout autour, sur Mickey, Mickey qui hurle, Mickey qui tente aussi d'enlever la lame ! Mais le plus terrible, c'est le visage de Minnie ! Aucune expression, aucune grimace, comme si elle sentait rien, rien du tout ! Pis aucun son ! Aucun ! Elle tombe sur le dos, la main menottée au bloc de béton… Mickey se penche sur elle, crie toujours… Bone intervient… s'incline sur elle et sort sa montre gousset… dit gravement :

— C'est la jugulaire ! Dans une minute au plus, c'est fini !

— Profitons de ce court laps de temps pour nous livrer à nos expériences scientifiques ! propose Chair.

Oubliant son oreille coupée, il ramasse le scalpel que j'ai échappé et court rejoindre le petit groupe.

Mickey réussit enfin à enlever la lame de la gorge de Minnie. Celle-ci, le visage couvert de sang mais imperturbable, fouille alors frénétiquement dans son veston et… elle sort le livre de Sade ! Elle l'ouvre d'une main, puis remue les lèvres pour… Ostie, elle veut faire la lecture ! Elle veut le lire, une dernière fois ! Elle ouvre donc la bouche, tente de parler, fait un effort… elle veut tellement, tellement !… mais la seule chose qui sort enfin, c'est un flot visqueux, presque noir, qui vient éclabousser le livre !

Elle cesse enfin de bouger. Le sang cesse de fuser. Tout cesse.

Mickey, assis par terre, lâche Minnie. Abasourdi. Assommé.

Chair regarde stupidement son scalpel brandi, comme s'il se demandait ce qu'il allait maintenant en faire. Bone, déconcerté, sort sa montre-gousset, la fixe avec incrédulité, puis hurle avec fureur :

— Comment, vingt-huit secondes ? Une minute ! Nous avions droit à une minute ! Encore vaincus ! Encore, encore, encore !

Et rageusement, il… enfonce sa montre dans… la plaie de Minnie…

Qu'est-ce qui se passe ?… Ça chavire dans ma tête, tout se teinte de rouge, même la nuit… M'en aller. Fuir. Crisser mon camp. Tout de suite. Parce que ! Parce que ! Parce que !

Tourne les talons, m'élance. À peine deux enjambées d'accomplies : un bruit terrible, un claquement assourdissant… Dans ma jambe, ho ! la douleur ! Une brûlure, une morsure aiguë, comme si on entrait un fer chauffé à blanc dans ma cuisse ! Ahhh, mon Dieu ! Je tombe, je roule sur le sol, je me tiens la cuisse à deux mains, ma cuisse qui saigne, qui me fait tellement, tellement mal, pis je crie de souffrance... Qu'est-ce que c'est, qu'est-ce qui... je lâche ma jambe, reste sur le dos... couverte de sueur... la douleur gonfle, dégonfle, gonfle, dégonfle, comme un cœur qui bat dans ma chair meurtrie... j'ouvre mes yeux emplis de larmes...

Chair et Bone se tiennent au-dessus de moi. Tous deux couverts du sang de Minnie. Chair a la main plaquée sur sa blessure à la tête, Bone tient de nouveau son revolver.

— Désolé, Aliss, mais votre fuite n'est pas prévue au programme...

Il m'a tiré dessus ! L'ostie de salaud m'a tiré dessus ! J'ai une balle dans la jambe ! Moi !

Bone examine alors la plaie de Chair, qui grimace de douleur.

— Vilaine blessure...

— Je vous crois !

— J'aurais dû le prévoir... Quand elle a foncé vers vous, avec le scalpel, cela aurait dû me mettre la puce à... l'oreille...

Là-dessus, il sourit légèrement, en lançant un regard complice à son ami... Chair, tout en serrant les dents de souffrance, réussit à sourire à son tour et ajoute :

— Ne parlez pas trop fort... Les murs ont des oreilles...

Ils rigolent, encore et toujours ! Moi, je gémis de douleur, de désespoir... Ça finira donc jamais... jamais...

— Bon. Reprenons là où nous en étions...

Chair sort de mon champ de vision... Je tourne péniblement la tête pour le suivre des yeux... Il se penche vers Mickey, assis par terre, hagard, près du cadavre de Minnie... Et Chair... Chair lui enlève ses menottes... Mickey cligne des yeux, revient tranquillement à la réalité...

Chair rejoint son collègue.

— Parfait, fait Bone. On va maintenant aller soigner cette vilaine blessure au Palais…

— Mais… mais nous sommes supposés attendre que Mickey ait…

— Nous enverrons quelqu'un d'autre, c'est tout. Votre blessure est trop urgente. Allez, en route.

Ils… ils s'en vont ! Ils s'en vont, comme ça, sans même me regarder ! Je roule sur le côté, tends un bras :

— Attendez ! Pis… pis moi !

Ils se retournent… souriants…

— Vous ? me répond Bone. Hé bien, nous nous reverrons plus tard, ne craignez rien…

Là-dessus, ils repartent !

— Attendez !

Je veux me lever… Ma cuisse explose de souffrance. Retombe sur le dos, gémis, pleure un peu. Ostie, que ça fait mal !

Bruit de moteur… d'éloignement… et le silence total…

Des pas, tout près… Soudain, Mickey apparaît au-dessus de moi.

— Mickey ! Aidez-moi, je suis blessée…

Il est couvert du sang de sa femme. Il dit rien. Il me regarde. Je reconnais son regard… Je reconnais son visage… Son expression de tout à l'heure… dans la chambre…

— Mickey…

Sa voix est rauque, animale :

— Nous allons poursuivre notre leçon…

Il commence à détacher son pantalon !

— Mickey ! Mickey, non ! Je vous ai sauvé la vie ! Son sexe apparaît. Menaçant.

— C'est vrai, râle-t-il. Et pour te remercier, je vais te donner le meilleur cours que j'ai jamais donné…

Non, non, non ! Je l'ai sauvé, calice ! Il devrait me remercier ! Me remercier pis m'aider ! C'est comme ça que ça marche ! C'est comme ça qu'on agit dans un monde…

… dans un monde normal !!!! Nooooormaaaaal !!!!!

Je crie, me retourne sur le ventre. Je vais ramper ! Je vais ramper jusqu'au bout du monde, s'il le faut, mais il me touchera pas ! Il me tou…

Il m'agrippe, me retourne ! Tombe sur moi ! Relève ma jupe ! Me pénètre, violemment ! Je crie, je hurle, je le frappe, sur le dos, dans les côtes, partout ! Salaud, salaud, ostie de chien sale, j'aurais dû te tuer, tantôt, j'aurais dû te couper en morceaux ! Espèce de criss de salaud !

Hooo ! Le coup ! Le coup sur mon nez !… Explosion, étoiles !… Pis la voix sourde, déformée, de Mickey…

— On n'a plus de lectrice… Mais c'est pas grave, je vais y aller de mémoire…

… commence son va-et-vient… sa voix haletante qui récite :

— « … et le féroce Rodin plante avec volupté ses dents au milieu des chairs encore palpitantes… »

Il me frappe une deuxième fois !…

… pis encore…

… pis en… cc… core…

… *au secours, papa, maman, au secours…*

… douleurs, douleurs partout, dans mon sexe, dans mon corps, dans mon âme… l'engourdissement… l'engourdissement progressif… la voix du monstre devient indistincte… les coups irréels… un fleuve sombre et glauque déferle dans mon crâne… ma tête tombe sur le côté… je dérape… je glisse………

… *bricolage à la maternelle… accident de vélo… chicane avec maman qui veut pas que je mange de chocolat… premier baiser avec un gars… pyjamas partys avec les filles… engueulades avec directeur d'école… Mélanie… bières et drogue dans le sous-sol d'Annie… première baise avec Marc… bal des*

finissants... voyage en Europe avec famille... conflits
avec papa, maman, l'école, l'autorité... envie d'ail-
leurs... d'ailleurs... d'ailleurs...

    ... les coups, toujours, toujours...

             me ferme-

                  m'évade-

                        rapetisse...

                              entrouvre yeux... tout
embrouillé... par-dessus épaule monstre, ténèbres
nuit... loin là-bas pont Jacques-Cartier... illuminé
mille feux... le pont... le pont... le p... ont...

Je tombe toujours dans le vide et, en bas, la voiture de Laurent Lévy est là, le toit ouvert... Elle m'attend...

Cette fois, je veux bien... je veux tomber dans cette voiture, m'y asseoir et partir... repartir...

Soudain, deux doigts gigantesques apparaissent et me saisissent par le collet... deux doigts féminins qui me remontent lentement, vers le haut du précipice... et la voiture, en bas, s'éloigne, rapetisse ! Je ne veux pas ! Je veux aller dans la voiture !

En haut, deux yeux immenses, noirs, emplissent l'horizon. Des yeux que je connais. Des yeux emplis de puissance, de moquerie et de certitude. Des yeux qui ont tout vu, et plus encore... Une voix familière tonne dans le ciel :

— Tu vas partir comme ça, Aliss ? Sans avoir enfin tes réponses ?

Les doigts, qui me tiennent toujours, me transportent vers les yeux.

— Sans connaître la bonne question ?

Je me débats, je crie. En vain.

— Tu veux savoir, Aliss... et moi, je sais...

J'arrête de me débattre. Je regarde les yeux, hypnotisée.

— Allez, Aliss, un dernier effort... Une ultime conscience, une ultime révélation... et après, tu accompliras ton destin...

Et je tombe dans les yeux...

TOUS

OU

Verdict unanime d'une Cour
impartialement amorale

Pauvre, pauvre Aliss! L'aventure peut parfois prendre des formes insoupçonnées! Est-ce donc la fin? Toute cette quête pour une si lamentable conclusion? Je te vois t'insurger, ami lecteur: un conte ne peut pas mal finir! C'est impensable! Ce n'est pas dans les règles! Mais regarde!... Il reste encore quelques pages... Y a-t-il de l'espoir? Continue, ami lecteur... Peut-être que la fin te rassurera... Peut-être...

... yeux bleus... tout près...

... un sourire, en dessous...

... je réussis à parler... à coasser, plutôt...

— Madame Letndre...

Elle me sourit.

— Allz... Il fut s'occper de ctte blssure...

Elle a un morceau de tissu dans les mains... entoure ma jambe blessée... serre le tissu sur ma cuisse avec force... me fait un garrot... Je gémis... douleur partout... partout... mon corps est une épave qui souffre... du sang sur moi... ma noune brûle, brûle...

— Vous... vous êtes mon ange gardien... c'est ça?...

Elle répond rien... Elle tient ma tête entre ses mains et sourit, entourée de nuit... Je connais cette femme...

Suis sur le point de la reconnaître... à l'instant... Les morceaux vont se remettre en place d'une seconde à l'autre...

— Ramenez-moi... Aidez-moi à... à aller au métro...

Elle secoue la tête.

— Ps mintnant, Alss... Tu as sauté, tu dois assmer jsqu'au bot... Je te l'a djà dit, il y a lngtmps...

De quoi... de quoi elle parle ? Son sourire est mi-triste, mi-amusé...

— Mas ctte fois, la brnche état pls haute que qund tu étas ptite, n'st-ce pas ?

Est-ce que... est-ce qu'elle parle de...

— Tellmet haute que tu n'as ps encre fini de tombr...

C'est pas croyable ! C'est pas possible !

— Vous ! C'est vous ! Ici !

Elle a un petit rire doux, gentil... Je sens ses doigts qui caressent mes cheveux... Elle ajoute :

— Le monde est petit, n'est-ce pas ?

Les morceaux manquants se sont remis en place...

Tant de questions à lui poser... mais la souffrance... trop grande... Je dis rien...

Bruit de voiture, tout près... Phares qui balaient la nuit... Mme Letendre regarde vers la direction du bruit, revient à moi... Sérieuse...

— Pour assumer ta chute jusqu'au bout, Aliss, il faut que tu comprennes où tu vas tomber...

Je hoche la tête en silence... crois comprendre...

Elle se lève. Me lance un dernier sourire. S'éloigne. Je ne la vois plus.

Je contemple la nuit... Livre mon corps à la douleur...

Deux Valets de la Reine apparaissent... Immuables...

Lorsqu'ils me relèvent, doucement, je proteste pas... Proteste pas non plus quand ils me poussent à l'intérieur de la voiture... Vue embrouillée... Étire la tête par la portière ouverte… vomis… douleur, douleur…

Renverse ma tête contre la banquette… les Valets déposent ma sacoche sur mes genoux meurtris… je ferme les yeux…

La voiture roule… Mon étourdissement s'atténue lentement… la souffrance s'engourdit… se congèle… se cristallise…

J'examine mon corps… des bleus, des contusions, partout… ma jupe est déchirée… plus de bottes… essuie le sang sur mes jambes, mon visage… entre mes cuisses… touche légèrement mon sexe… atroce brûlure, je gémis… pleure…

… mon Dieu… mon Dieu…

Regarde dehors… piétons, voitures, nuit… on passe devant le club d'Andromaque… une pancarte énorme sur la porte : *FERMÉ — LOCAL À LOUER*…

Chez Andromaque ne rouvrira plus. Terminé. Pas surprise. Pas du tout…

J'ai mal… si mal…

— Où… où vous m'amenez ?

— Au Palais, répond le conducteur.

Au Palais… Évidemment… Pour comprendre où je vais tomber…

Une dernière fois…

Main tremblante… fouille dans ma sacoche… Des Macros… Vais en avoir besoin… si je veux me rendre jusqu'au bout… N'en reste que deux… Les avale… Ferme les yeux… Pleure un peu…

Voiture finit par s'arrêter… On est devant le Palais… Aucun des deux Valets ne bouge… Je gémis en sortant… Laisse ma sacoche dans la voiture… Chaque muscle de mon corps proteste… Ma jambe ne saigne plus grâce au garrot, mais la douleur… trop…

Suis sur le trottoir… La voiture repart… Personne dans la rue… Complètement seule… silence…

Je prends une grande respiration, puis titube jusqu'à l'entrée du Palais. Douleur, encore et toujours… mais

moins mordante que tout à l'heure… Macros commencent à… faire effet…

Je sonne d'un doigt tremblant. Le nouveau *doorman*… Il a pas l'air surpris de me voir en si piteux
état… Me laisse passer… J'entre sans un mot… Je
boite, avance…

J'arrive au Grand Salon.

La salle est remplie de gens. Debout, ils discutent
entre eux… et lorsqu'ils me voient, ils se taisent, tous.
Me regardent, sans surprise, intéressés… Silence
complet… Combien sont-ils ? Cent ? Deux cents ?

Là-bas, sur la grande estrade, deux lutrins. Derrière
l'un se trouve un homme que je reconnais pas. Derrière
le second, c'est Bone, l'air très sérieux. Entre les deux
lutrins, un énorme bureau, derrière lequel se trouve
assise la Reine Rouge, la tête recouverte d'une couronne, une vraie. Elle est habillée d'une longue toge
rouge, ample, majestueuse. C'est la première fois
qu'elle ressemble vraiment à une Reine traditionnelle.

Elle me regarde. Satisfaite.

— Ah ! te v'là… On va pouvoir commencer…

Et en silence toujours, la foule devant moi s'écarte,
forme une haie, dégage ainsi un chemin qui mène
jusqu'en avant, jusqu'à l'estrade…

Tous ces gens qui m'attendaient… Je devrais être
surprise… Pourtant, non… Je le suis pas pantoute…

Péniblement, je me remets en marche, grimaçante,
saignante…

La Reine me regarde approcher… le silence autour…
je serre les dents, je veux pas trop lui montrer que je
souffre… et quelque chose gonfle, en moi… une force,
une énergie inattendue… créée par les Macros, oui,
mais aussi par la délivrance toute proche…

Je jette des coups d'œil aux gens qui m'entourent…
ils tiennent tous quelque chose, dans la main… un
petit instrument en métal, cylindrique, que j'arrive pas
à reconnaître…

Je m'arrête devant l'estrade, lève la tête avec défi vers la Reine. Elle a un sourire faussement candide :

— Je t'avais promis que nous aurions notre discussion, Aliss. Voilà, le moment est venu. Tu vois, je tiens parole.

— Tenir parole ! que je lance d'une voix chevrotante. Mickey aurait pu me… me tuer !

— Ben sûr que non, rétorque la Reine avec calme. Je connais Mickey. Il aime jouer dur, mais c'est pas un assassin…

Elle ajoute, la voix légère :

— … mais faut avouer que, ce coup-là, il y est pas allé de main morte…

Court moment de faiblesse… Mais je prends une grande respiration et lance :

— Si vous voulez me parler, c'est le temps ! Parce que… parce que je m'en vais ! C'est fini !

— Allons, garde tes forces si tu veux écouter le procès jusqu'au bout…

Le procès ? Mais je m'en fous du procès ! La Reine doit lire ma perplexité sur mon visage, car elle ajoute :

— Voyons, Aliss, tu savais qu'il y avait un procès à soir ! Bon, ben assis-toi, ça va commencer…

Je viens pour protester… mais tout à coup, je comprends… Dans un flash aussi aveuglant que douloureux, je devine enfin qui va être jugé ce soir…

— Nous vous avons ordonné de vous asseoir ! fait Bone derrière son lutrin.

Alors, sans réfléchir, je lance quelque chose d'absurde, d'insensé, quelque chose dont je comprends même pas le sens moi-même :

— Qui se soucie de vos ordres ! Vous n'êtes qu'un… qu'un jeu de cartes !

Tout le monde dans la salle éclate de rire. D'abord déconcerté, Bone se joint à la foule et ricane sobrement, en parfait gentleman. La Reine se contente de sourire, tout en hochant la tête… Moi, je me traite d'épaisse. Qu'est-ce qui m'a pris de dire ça? Qu'est-ce que j'ai voulu dire? Les Macros ont pas l'habitude de me faire débloquer à ce point!

La Reine lève la main et la salle arrête de rire graduellement.

— Oui, on est un jeu de cartes, susurre la Reine. Des cartes bizarres, inquiétantes, dont on peut pas se servir dans aucun jeu traditionnel… Des cartes qui font peur aux honnêtes joueurs, parce qu'ils ont aucune criss d'idée de la façon de jouer avec de telles cartes…

Je ne réplique rien, confuse et impressionnée. La Reine redevient autoritaire:

— Astheure, assis-toi.

Elle me désigne une chaise, isolée, devant l'estrade… et malgré moi, malgré mon état plus que précaire, je me traîne jusque-là, me laisse tomber sur la chaise, tout de même soulagée de n'être plus debout…

La Reine clame alors à la foule:

— Aliss, ici présente, est accusée de se prendre pour quelqu'un qu'elle n'est pas!

Qu'est-ce que c'est que cette accusation absurde? Mais je réagis toujours pas. Je sais qu'il faut que j'écoute… Que ce que j'attendais depuis si longtemps va enfin… se produire… maintenant…

La Reine avait raison, tout à l'heure: elle a tenu parole…

— Premier témoin!

Le rideau s'écarte et Anaïs, mon ex-collègue de *Chez Andromaque*, entre. Elle monte les quelques marches de l'estrade et va s'installer derrière une sorte de barre à témoins. Elle me fait un petit salut de la main, un tantinet gênée.

Je réponds pas à son salut.

— Votre témoin, procureur, annonce la Reine Rouge.

— Merci, madame la Juge! dit Bone.

Il quitte son lutrin. Bone ? Procureur ? J'en rirais, tiens ! Sauf que mon rire serait plus douloureux que toutes les blessures de mon corps…

Bone, haut-de-forme bien droit, canne à la main, tout propre, sans aucune trace du carnage de tout à l'heure, sort une nouvelle montre-gousset et demande :

— J'ai combien de temps ?

— Deux minutes.

— C'est parfait !

Il remet sa montre dans son plastron puis se met à marcher de long en large, très grave. Il demande enfin, la voix exagérément forte :

— Madame Anaïs, vous avez travaillé avec l'accusée, n'est-ce pas ?

— Oui.

— Pourriez-vous nous dire quand, exactement ?

— Ça va aller ! coupe la Reine. Allons à l'essentiel.

— Mais, madame la Juge, je crois qu'il est important de…

— L'essentiel, Bone !

Déçu, il reprend :

— Bon. Diriez-vous, madame Anaïs, que l'accusée semblait à l'aise dans son travail ?

— C'est difficile à dire… Elle se débrouillait bien, mais elle refusait de faire beaucoup de choses…

— Précisez, je vous prie.

— Hé, bien… Elle refusait tout numéro érotique… Elle ne faisait que danser… Un peu *straight*, quoi…

— Et vous en concluez ?

— Ben… elle devait avoir des… des tabous…

— Parfait. Est-ce qu'elle buvait du thé ?

— Pardon ?

— Buvait-elle du thé ?

— Heu… je sais pas, là…

— Pourquoi cette question, procureur ? demande la Reine.

— Pour rien. J'étais curieux, c'est tout… Et dites-moi, Anaïs…

— Votre temps est terminé, procureur.

— Comment ? Mais… mais permettez, madame la Juge ! Mes deux minutes ne sont pas passées !

— Ben oui, criss, elles sont passées !

Outré, il consulte sa montre-gousset, écarquille les yeux, puis retourne s'asseoir en maugréant de rage. Ça commence à être trop ridicule ! Je veux bouger, mais je grimace de douleur… *Fuck !* La Macro a beau me donner de l'énergie, j'ai tout de même le corps en compote…

— La parole est à l'avocat de la défense.

Il manquait plus que ça ! J'ai un avocat ! L'homme, derrière le second lutrin, s'avance… C'est un Asiatique qui me semble avoir déjà… Ça y est, je le reconnais. C'est un client que j'ai eu, avant hier. Il m'avait dit que, lorsqu'il habitait *là-bas,* il était avocat. On dirait que… mais oui, il me fait un clin d'œil ! L'air de dire que tout va bien aller, que je vais m'en sortir haut la main !

— Madame Anaïs, vous dites que ma cliente avait beaucoup de tabous pour une danseuse de *Chez Andromaque*, c'est ça ?

— J'en avais l'impression.

— Pourtant, n'avait-elle pas commencé à coucher avec des clients, dans les dernières journées ?

— Objection !

C'est Bone. Tous le regardent. Il dresse la tête, tout fier.

— Oui ? demande la Reine. C'est quoi, votre objection ?

— Hé bien, celle que je viens de formuler.

— Vous l'avez pas formulée !

— Si, si ! J'ai crié : objection !

— Mais vous vous objectez à quoi ?

— À ce qu'a demandé l'avocat de la défense.

— Qu'est-ce qu'il a demandé ?

— Attendez, je ne me rappelle plus… Dites-moi, maître, vous ne pourriez pas répéter ?

Quelques rires dans la salle. Me masse les tempes. Grimaçante de douleur, de lassitude…

La Reine frappe sur son bureau avec agacement.

— Ça suffit, Bone ! Une autre de tes niaiseries, pis je te fais remplacer par n'importe quel *twit* dans la salle !

Bone hausse les épaules, piqué. L'avocat de la défense répète sa question :

— Alors, a-t-elle, oui ou non, couché avec des clients durant les dernières journées ?

— Oui.

— Pas si mal, alors, pour une fille avec des tabous, admettez-le !

— Oui, mais elle l'a fait pour pouvoir payer sa drogue… Enfin, c'est vrai qu'on fait tous ça un peu pour l'argent, mais c'est pas pareil… Aliss, elle, semblait le faire… contre elle… malgré elle…

Je cligne des yeux, attentive.

— Comme si elle se défiait elle-même.

… me défier…

— Vous ne trouvez pas ça un peu convenu, comme réponse ? demande alors mon avocat en prenant un air rempli de morgue.

— Hein ? Non, pas du tout…

— Non ? Ah, bon…

Ça le prend de court. Penaud, il dit à la Reine :

— Dans ces conditions… J'ai terminé, madame la Juge…

Il retourne à son lutrin, en me lançant un regard désolé. À croire qu'il se prend vraiment au sérieux !

— Parfait. Le second témoin, maintenant !

Goule entre. Vient à la barre. Bone refait son numéro de caricature :

— Vous êtes un des Fils de la Reine et vous travaillez au Palais, n'est-ce pas ?

— Ouais…

— Depuis quand, dans quelles conditions et, surtout, à quelle heure ?

— L'essentiel, Bone, l'essentiel ! grogne la Reine.

— Comment décririez-vous l'attitude de l'accusée au travail ?

— Ben… C'était pas l'enthousiasme fou… Il y a ben des affaires qu'elle voulait pas faire… Pis en plus, elle prenait beaucoup de dope pour travailler… Ho, j'ai rien contre la Royale, je trouve moi aussi que c'est une drogue super cool, mais… Il fallait toujours qu'elle en prenne, comme si elle pouvait pas travailler sans ! Pas sûre que c'était une job pour elle… En fait, elle me faisait penser à une pute de *là-bas*…

Rumeur de surprise dans la salle. Moi, j'écoute de nouveau attentivement. Voilà, on y arrive… Je commence à comprendre où ce cirque va mener…

— Quelle autre impression vous donnait-elle ?

— C'est drôle… Elle travaillait, couchait avec les clients, mais… elle avait toujours l'air de faire ça avec l'intention de trouver quelque chose… comme si elle voulait y trouver un sens… quelque chose du genre…

J'écoute. Faible, meurtrie, mais attentive.

Lorsque vient son tour, mon avocat a l'air embêté.

— Heu… Est-ce que… hmmm… Auriez-vous quelque chose à dire en faveur de l'accusée ?

— Ben… Elle était gentille… Pis pas folle pantoute…

— Bien… Heu… Bien, bien… Je vous remercie…

Il retourne à son lutrin, en me lançant de nouveau son regard contraint. Je le regarde à peine. J'attends. J'attends la fin de ça, l'aboutissement.

Le verdict.

… tellement lasse…

Deux autres témoins. Micha et Hugo. Hé ben.

Péniblement, je tourne la tête vers l'assistance. Tout le monde écoute, attentif, sérieux. Mais c'est pas eux que je veux voir. C'est… Oui, il est là… Au fond, appuyé contre le mur, légèrement recroquevillé, les mains croisées devant lui… Il me fixe de ses yeux immenses… Souriant.

— Comment décririez-vous l'accusée ? demande Bone aux deux témoins.

— Le genre de personne qui sait pas ce qu'elle veut, répond automatiquement Micha.

— Le style de fille qui veut se donner un genre, mais qui sait pas lequel, ajoute Hugo sur le même ton.

— À se faire des idées.

— À se chercher.

— À essayer de se convaincre.

— À se faire des accroire.

Je ferme les yeux. Pourquoi pas arrêter tout ça ? J'ai compris. J'ai parfaitement compris le but. Stop. Fini. *Over*. Même la bonne question, celle que j'ai tant cherchée, je la vois apparaître dans le brouillard, de plus en plus près, de plus en plus accessible… de plus en plus évidente…

Mais mon avocat, évidemment, veut faire son travail jusqu'au bout :

— Vous ne semblez pas l'aimer, cette fille… J'ai raison ?

— Tout à fait.

— Absolument.

— Parfait, je vous remercie !

Cette fois, en retournant à son lutrin, il me fait un signe satisfait et encourageant. Seigneur !…

— Prochain témoin ! clame la Reine qui me lance un regard d'une ironie cruelle.

Assez, pas un autre ! Ça va, arrêtez !

C'est Chair qui entre. Avec un bandage autour de la tête, tout habillé de propre lui aussi, et une tasse de thé à la main. Bone, emballé, interroge son ami :

— Monsieur Chair, vous faites partie de la garde personnelle de la Reine Rouge, n'est-ce pas ?

— Certainement.

— Et dites-moi, ce thé, vous l'avez préparé ici ?

— Bien sûr.

— Êtes-vous en train de me dire qu'il y a du thé dans ce Palais et que je l'ignorais ?

— Depuis peu, oui. C'est Walker, le nouveau barman, qui est un fin connaisseur de thé, et qui…

— Ça va faire ! tonne la Reine.

Bone fait signe qu'il a compris et se relance :

— Mon cher Chair, à moins que je ne sois aveugle, il semblerait que vous soyez blessé à la tête ?

— Vous n'êtes pas aveugle, mon bon Bone.

— Me voilà rassuré.

— En fait, il me manque une oreille. Elle a été coupée, vous imaginez ?

— Embêtante blessure. Et qui vous l'a donc infligée ?

— C'est l'accusée. Aliss de son prénom.

— Je vois. Pourtant, cette Aliss travaillait aussi avec la Reine, donc avec vous ?

— C'est exact.

— Pourquoi cette attaque ?

— Comme elle refusait de se faire justice elle-même en se vengeant d'un malotru qui l'avait frappée, j'ai voulu libérer ledit malotru. Mais comme elle a compris que ce malotru lui voulait toujours du mal, elle a voulu m'empêcher de le libérer. C'est ce qu'on appelle ne pas savoir ce que l'on veut, si vous voulez mon humble avis.

— Qu'en déduisez-vous ?

— Hé bien, je dirais que cette Aliss ne comprend pas trop comment ça fonctionne ici. Elle a… disons… une autre façon de voir les choses… Une façon de fonctionner basée sur des valeurs, sur un code qui, pour nous, n'est pas très logique…

Pas très logique…

Je vois Bone approuver… Je suis convaincue que, derrière moi, tous approuvent aussi.

Et la Reine qui me regarde, les yeux étincelants…

— Voudriez-vous ajouter quelque chose ? demande Bone.

— Hé bien, j'aimerais bien, dans ma tasse, ajou*thé* un peu de *thé*…

— Je vous comprends ! C'est si bon d'ajou*thé* du *thé,* surtout en é*thé* !

— Oui, avec de bons petits pâ*thé*s, c'est délicieux !

— C'est une *thé* bonne idée !

Ils gloussent. Silence de glace dans la salle. Devant le regard explosif de la Reine, les deux compères se taisent enfin.

— La parole est à l'avocat de la défense.

Perplexe, mon brillant avocat réfléchit une seconde, puis fait signe qu'il a rien à dire. Chair ne descend pas de l'estrade, il va rejoindre Bone derrière le lutrin, tandis que la Reine annonce :

— Le dernier témoin !

Ça suffit, maintenant ! Allez, un effort, Aliss, debout ! Je rassemble mes forces, me redresse un peu… Criss, ça me fait mal, ma tête tourne… Je réussis à pousser :

— Arrêtez ça !

On me regarde en silence. Je ferme les yeux, me gonfle d'énergie et, la voix faible, un peu défaillante, je me lance :

— Arrêtez, j'ai compris ! Arrêtez de tout vouloir me faire comprendre comme si j'avais huit ans, je suis pas… je suis pas naïve !

Je regarde la Reine, essoufflée. Elle a de nouveau ce petit sourire qu'elle me lance si souvent…

— Hé bien, je crois que tu devrais écouter le dernier témoin…

Là-dessus, le rideau s'écarte et deux Valets poussent devant eux un chariot sur roulettes sur lequel est fixée, dressée en hauteur, une large et haute planche de bois... et sur cette planche, il y a Mario! Mario! Ils ont fini par le capturer! Il est là, bras et jambes écartés et attachés contre la planche, complètement nu, incapable de bouger, le corps en sueur, et que l'on pousse lentement vers l'estrade... La surprise et la stupeur me clouent sur mon siège! Je le regarde approcher et je remarque alors ces drôles de dessins sur son corps nu... Comme des chiffres... Sur son ventre, le chiffre 10... sur ses bras, le chiffre 5... Sur son front, le 15... Là, sur son pubis rasé, le 20... Plein de numéros, comme ça, inscrits partout sur sa peau...

— C'est vraiment une chance qu'on ait mis la main sur lui hier soir! fait la Reine en souriant. Il va amener un peu de... piquant à ce procès...

Au mot « piquant », plusieurs ricanements parcourent la salle. Les deux Valets immobilisent le chariot devant l'estrade. Attaché sur sa planche verticale, Mario promène un regard mi-effrayé, mi-arrogant sur l'assemblée, la mâchoire serrée. Il me voit enfin. Mon état lamentable semble à peine l'étonner.

— Allez-y, procureur, fait la Reine en s'enfonçant confortablement dans son fauteuil.

— Mario, vous êtes accusé d'avoir volé vingt mille dollars à la Reine Rouge et d'avoir organisé un coup d'État contre...

— Il est témoin, pour l'instant! coupe la Reine. On va s'occuper de son cas tout à l'heure!

— Bien, bien... Dites-nous, Mario, comment avez-vous rencontré Aliss?

Mario s'humecte les lèvres, hésite un instant, puis une sorte de résignation apparaît sur son visage, comme s'il se disait: *What the fuck!* Il commence donc, en fixant le sol:

— On s'est *matché* dans un party... chez Verrue...

— Qu'avez-vous fait?

— On a fourré.

L'indifférence avec laquelle il dit ça !

— Quelles ont été vos relations, après ?

— Je l'ai revue une fois ou deux… pour fourrer, encore…

— Vous la trouviez de votre goût ?

— Disons que…

Il fait une pause. Écartelé, en sueur, l'air très fatigué…

— Son côté pur, naïf… Ça m'amusait… Elle voulait m'impressionner, faire sa dure… je trouvais ça drôle… pis ça m'excitait de la débaucher…

Mais… mais que c'est qu'il raconte-là ? Pourquoi il… pourquoi il est si méprisant ?

— Vous êtes allé vous cacher chez elle, non ?

— Oui…

— Elle a accepté ?

— Elle *tripait* tellement sur moi… Je pouvais la manipuler comme je voulais…

Il dit ça sans me regarder, la tête baissée ! Moi, je pense que je ne respire plus depuis deux minutes !

— Et vous êtes parti le lendemain ?

— Ouais… mon chum Pouf m'a convaincu que c'était trop risqué… Je suis parti sans le dire à Aliss…

— En prenant quelque chose, non ?

Il soupire, ce qui le fait grimacer. Sa voix est morne :

— Ouais… l'argent dans sa sacoche… deux cents piastres…

Ça, c'est le coup de poignard ! C'était lui ! C'était donc lui ! Il avait vingt mille dollars dans son sac pis il m'a volé deux cents piastres ! Pis moi, j'ai accusé mes collègues, chez Andromaque !

— Elle a dû se douter que c'était vous, fait Bone. Surtout que vous êtes parti sans le lui dire.

— Je lui ai laissé un petit mot… Un remerciement, une niaiserie du genre… Je savais que ça lui ferait plaisir, qu'elle me croirait…

Pas de remords, dans sa voix, pas de regrets ni de gêne, rien ! Juste une sorte d'indifférence résignée, comme si, maintenant qu'il était pris, il se foutait de tout ! De tout et de moi ! Comme il s'est toujours foutu de moi ! Depuis le début !

— Quelle sorte de fille est donc l'accusée, selon vous ? demande encore Bone, comme s'il voulait, l'ostie de salaud, enfoncer le clou…

Cette fois, Mario lève la tête vers moi. Un regard neutre, indifférent… vaguement dédaigneux… Malgré mes cuisantes blessures, je sens mon corps se transformer en glace.

— Celle qui veut jouer les *toughs* mais qui, malgré tout, croit aux bonnes valeurs de l'amour, du respect, de l'entraide…

Pour m'achever, il ajoute :

— Une bonne petite fille qui croit encore aux contes…

Je pousse un long soupir. J'ai soudain mal, très mal. Souffrance qui provient d'une nouvelle blessure, toute fraîche, qui saigne de l'intérieur. J'entends la Reine dire, mielleuse :

— Parfait… L'avocat de la défense veut interroger le témoin ?…

Mon avocat, le menton appuyé contre son lutrin, semble avoir abandonné…

— Non ?… Parfait ! Mais laissez le témoin ici, on a pas encore fini avec lui…

La douleur en moi s'atténue. Quelque chose de pire commence à prendre sa place. Quelque chose qui, lentement, s'impose à moi, se découvre le visage… mais je peux pas l'accepter, pas encore…

… et la bonne question, tellement claire, tellement proche, que si je me forçais un peu, je pourrais non seulement la lire, mais y répondre…

— Tous les témoins sont venus témoigner. L'accusée veut-elle ajouter quelque chose pour sa défense ?

Alors, je parle. Voix tremblante, haletante, mais claire :

— J'ai voulu être ce que je suis pas, c'est vrai… Mais vous aussi…

Pourquoi encore la vouvoyer ?

— … toi aussi, tu y as cru, à un moment… puisque tu m'as engagée… puisque t'as voulu que je me joigne à toi… T'as cru que j'étais comme toi…

Elle se penche en avant, un rictus ironique aux lèvres. Elle abandonne son rôle de juge : la Reine Rouge est de retour.

— Tu penses vraiment ça ? Ben, t'es plus naïve que je croyais ! Je t'observe depuis le début, Aliss, depuis que t'es sortie du métro y a un mois ! Je sais à peu près tout ce que tu as fait ! Pas tout, mais presque ! J'ai suivi chacune de tes étapes ! Pis je t'ai protégée, je t'ai rendu tout plus facile ! Pourquoi tu penses que tu payais cinquante piastres de dîme par mois au lieu de cent comme tout le monde ? Parce que je l'ai voulu ! Pourquoi tu penses que personne t'a attaquée, la nuit ? Parce que j'avais ordonné qu'on te protège ! Je voulais que tu voies tout, que tu vives toutes les étapes, jusqu'au viol final ! Parce qu'évidemment je le savais que t'oserais pas tuer Mickey et Minnie ! Calvaire, c'était évident ! J'ai tout prévu, j'te dis ! Pis je voulais que tout ça t'amène jusqu'ici, jusqu'à moi, jusqu'à ce soir ! Sais-tu pourquoi ?

Réponds rien. Bouche bée.

— Parce que je savais que t'étais pas faite pour vivre ici ! Que t'étais pas des nôtres ! J'ai tout de suite vu que t'étais une de ces petites criss de bourgeoises à la recherche de sensations fortes pour se donner l'impression de vivre ! Fourrer pis prendre de la dope ! Pas besoin de partir de Brossard pour faire ça ! Mais ça m'aurait rien donné de te dire de câlisser ton camp, ça aurait rien donné de te dire que t'étais dans le mauvais bateau ! Tu nous aurais pas crus, parce que…

Elle avance davantage sa tête et son regard me lance un éclair douloureux :

— … parce que tu savais pas qui tu étais !

L'éclair de ses yeux devient foudre, foudre qui m'atteint, me consume, me réduit en cendres. La voilà, la question, la bonne, celle qu'au fond je me posais depuis le début, mais inconsciemment, sans m'en rendre compte, sans *vouloir* m'en rendre compte. Les yeux enfin grands ouverts, je la vois, immense, lumineuse, inscrite en lettres d'or au milieu du brouillard : QUI SUIS-JE ?

… Verrue, dès notre première rencontre, m'avait posé cette question… et je ne l'avais pas pris au sérieux…

— Tu l'ignorais ! poursuit la Reine d'une voix forte. Il fallait que tu te rendes à moi pour le découvrir ! Ça fait que je t'ai laissée venir ! Pis franchement, t'étais le *fun* à voir aller ! Assez étonnante, même, par bouttes ! T'es allée chez Andromaque plus vite que je l'aurais cru ! Quand Chair et Bone t'ont invitée chez eux, je me suis dit que là, peut-être, tu flancherais… Ben non, t'as continué ! T'es quand même forte, p'tite criss de tête dure, t'as quand même des couilles ! En fait, t'es entêtée ! Mais t'es pas ce que tu penses, Aliss ! T'es pas la surfemme !

Sur quoi, elle brandit un livre et le secoue en tous sens. C'est *Zarathoustra*.

— Je l'ai lu, ton fameux bouquin, pour voir c'était quoi, ce surhomme dont tu parlais ! Tabarnac de livre plate ! Je suis pas sûre d'avoir tout compris, mais j'ai *catché* une couple d'affaires, par exemple ! Oui, le surhomme de Nietzsche se dépasse, se criss des conventions pis des règles de la société pour atteindre la liberté et devenir une sorte de Dieu ! Oui, il fait ce qu'il veut ! Oui, il refuse de se faire arrêter par la pensée dominante pis tous les autres calices de bien-pensants ! Mais t'as oublié une affaire, Aliss : tout ce que fait le

surhomme, ou la surfemme, est authentique pis convaincu ! Toi, ce que t'as fait depuis ton arrivée ici,
l'as-tu fait vraiment par conviction ? Te sentais-tu
toujours authentique ? Non ! Tu l'as fait parce que tu
croyais qu'il fallait faire *ça* pour être libre, tu voulais
t'en convaincre ! Exactement comme le p'tit criss de
nerd qui arrive dans un gros party pour la première
fois ! Il va boire comme un cave, il va fumer du pot,
il va rire fort, il va danser comme un épais, il va se
défouler au max ; pas parce qu'il est convaincu *d'être*
comme ça, mais parce qu'il est convaincu qu'il *faut
être* comme ça pour être *cool !* Ton Nietzsche a pourtant
dit une phrase importante : « Deviens ce que tu es ! »
En venant ici, t'es pas devenue ce que tu es fonda-
mentalement, Aliss : t'as tenté de devenir *ce que tu
n'es pas !*

Je tremble, haletante. La Reine lance le livre sur
son bureau, avec mépris, et crache :

— Le surhomme ! Ostie de niaiserie ! Un concept,
un idéal ! Une abstraction, calvaire ! T'es pas la surfemme, Aliss, pis moi non plus ! Tu le sais pas qui je
suis !

— Oui, je le sais ! que je crie soudain, malgré la
terrible douleur à la tête que déclenche ce cri. Tu t'appelles Michelle Beaulieu, tu viens de Montcharles, ta
famille a été mêlée à une horrible histoire, t'as tué
ton directeur d'école, ton ancienne patronne pis ton
pimp ! T'as fui la police ! Pis même si je comprends
pas le rapport, tu empailles des gens en souvenir de
ton père !

Je viens de lâcher la bombe A sur Hiroshima ! Un
gros « hooooooooo » parcourt la salle, on se croirait
dans une *sitcom* américaine. Les figures de Bone et
de Chair blêmissent, ils reluquent vers la Reine avec
incrédulité et, surtout, terreur. Le silence se fait dans
la salle… Tous viennent d'apprendre une partie du
passé de leur Reine, mais ça enlève rien du respect et

de la crainte qu'ils éprouvent vis-à-vis d'elle… La Reine Rouge me dévisage avec un ahurissement total, qui, je l'avoue, est jouissif à voir… mais rapidement, son sourire revient, cette fois presque admiratif…

— Ben là, tu m'as ben eue… Je sais pas comment t'as su ça, ma tabarnac, mais bravo…

Elle avance de nouveau la tête.

— Mais même si tu sais ça, qu'est-ce que ça te dit de moi ? Sais-tu plus qui je suis vraiment ? Pantoute ! Je suis insaisissable, Aliss ! Impossible à classer, à étiqueter ! Je peux pas tenir dans une terminologie de sociologue ou de psychiatre ! T'as cru que j'étais la surfemme parce que certaines phrases-chocs du livre de Nietzsche t'ont impressionnée ! Des phrases qui disaient que le surhomme distinguait ni le bien ni le mal ! Que le surhomme méprisait les lois, les conventions, les règles ! Que le surhomme trouvait que la vertu rendait les gens faibles ! Que le mal était nécessaire ! T'as pris ces phrases-là au premier degré, t'as voulu les appliquer pis t'as cru me reconnaître là-d'dans ! Ah ! Oui, je suis tout ça, mais pas dans la même intention ! Le surhomme, y a une mission spirituelle, métaphysique ! Trouves-tu que je suis spirituelle, moi ? Calvaire ! Pis le surhomme cherche un idéal humain, un absolu ! Un absolu, calice ! S'il est centré sur lui-même, s'il recherche la liberté, c'est parce qu'il veut étendre ce principe pis cet état à tous les humains ! Zarathoustra a des disciples, il enseigne aux gens pour créer un futur pis un homme meilleurs ! *Meilleurs !* Penses-tu que ça m'intéresse, moi, que l'homme soit meilleur ? Que tous soient libres pis heureux ? Je m'en tabarnaque ! C'est moi qui dois être libre pis heureuse, pas les autres ! Penses-tu que j'ai des disciples ? J'ai des sujets, criss, pas des disciples ! En plus, Nietzsche est contre le désir ! Il trouve ça faible ! Le surhomme doit être au-dessus des désirs ! Heille, la seule chose

qui m'intéresse, moi, c'est justement mes désirs ! Rien
d'autre ! Pis écoute ben ! Écoute ce que dit ton surhomme sur les vertueux :

Elle reprend le livre, cherche une page rapidement
et lit en grimaçant :

— « Ils ont jalonné de signes sanglants le chemin
qu'ils suivaient et leur folie leur enseignait que l'on
prouve la vérité avec du sang. Mais le sang est le plus
mauvais témoin de la vérité ; le sang empoisonne
même la doctrine la plus pure du venin de la folie et
de la haine des cœurs ! »

Elle referme le livre et clame :

— Me reconnais-tu, là-d'dans ? Pas sûre, moi !
Ton Nietzsche est contre le sang ! Il y a donc de la
morale dans ton surhomme ! Même s'il y a une quête
de liberté, même s'il y a lutte contre le bien pis le
mal conventionnels, contre l'hypocrisie, il y a quand
même une *morale* ! Une morale nouvelle, différente de
celle de *là-bas,* mais une morale quand même !

Elle se lève alors, et l'expression de son visage est
si puissante, si resplendissante d'orgueil et de force
que je dois faire un terrible effort pour pas baisser la
tête.

— Y a pas de place pour le surhomme, ici ! Y a
pas de place pour cette nouvelle morale ! Y a pas de
place pour la philosophie, pour l'homme meilleur, pour
comprendre qui on est ! Je m'en crisse de ce que je
suis ! Je fais ce que j'ai envie de faire, ça finit là ! Ton
surhomme, c'est ben plus compliqué ! C'est ça que t'as
pas compris ! Moi, je suis pas compliquée ! Pas une
miette ! Je me pose pas de questions ! À part moi, je
me crisse du reste ! Pis si moi j'ai réussi à diriger ce
monde, si je peux en décider les règles, c'est parce
que moi, plus que personne ici, je peux me détacher
de tout ! *De tout!* Je me calice de ton surhomme, Aliss !
Tout le monde s'en calice, ici, *on se calice de tout!* Pis
si je fais tout ce que je veux, si j'obtiens absolument

tout ce que je désire, c'est pas par quête d'absolu, ni de liberté, ni d'idéal ! C'est par quête de pouvoir ! *Du* pouvoir ! *Mon pouvoir !*

Un tonnerre d'applaudissements explose derrière moi et tous se mettent à scander *Vive la Reine Rouge ! Vive la Reine Rouge !* Je les regarde, abasourdie. Dans leurs cris, sur leurs visages, il y a cette certitude absolue, cette assurance indicible, cette parfaite conscience de ce qu'ils sont ! Et, surtout, de ce qu'ils *ne sont pas !*

Là-dessus, la Reine pointe un doigt fatal vers Mario et hurle :

— Pis pour avoir voulu défier ce pouvoir, je te condamne, Mario, à mourir par les mains du peuple ! Ce peuple qui est pas victime de mon pouvoir, mais qui en profite ! Pis qui va en profiter tout de suite ! Meurs, criss d'imbécile ! *Meurs maintenant !*

Nouveau délire de joie dans mon dos. Les deux Valets se remettent alors à pousser le petit chariot roulant, cette fois vers la foule. Mario, écartelé, incapable de bouger, serre les poings, roule des orbites terrifiées… Moi, je le suis des yeux, affolée. Son corps nu et recouvert de chiffres avance vers ces fous dangereux, qui brandissent tous ce petit objet métallique et pointu… Tout à coup, je reconnais ce qu'ils tiennent : des dards ! Des fléchettes ! Et ces numéros, sur le corps de Mario…

Il a été transformé en cible !

En même temps que je comprends, le chariot pénètre dans la foule et aussitôt, tous lancent leur dard… Même si la planche sur laquelle est attaché Mario me fait dos, je vois les dizaines de fléchettes voler vers elle, lancées avec rage et euphorie, tandis que le chariot, poussé lentement par les deux Valets, continue sa lente avancée… et les dards volent toujours, et les cris, et les applaudissements, et la démence, la démence…

… au fond, toujours appuyé contre le mur, immobile, Chess me crucifie de son sourire impossible…

Je me détourne, prise d'une nausée... mon corps recommence à me faire souffrir...

J'ose enfin regarder la Reine... Debout derrière son bureau, haletante de fierté, ivre de pouvoir, elle contemple son peuple hurlant...

Elle lève enfin la main, et en quelques secondes c'est le silence. Elle revient à moi.

— Est-ce que l'accusée a compris?

Immobilité. Oui... Oui, j'ai sûrement compris... sinon pourquoi me sentirais-je aussi vide, aussi démolie, aussi désillusionnée? Je parle enfin, mais cette fois ma voix est moins assurée, plus faible:

— J'ai compris... mais je regrette rien... je regrette pas d'être venue... je regrette pas... d'avoir essayé *autre chose*...

La Reine hoche la tête, étonnamment sérieuse:

— C'est vrai. Je suis d'accord avec toi. Pis en plus, tu vas enfin avoir *la* réponse: je vais te le dire, qui tu es...

Je voudrais lui dire que c'est pas nécessaire, que je le sais, maintenant... Mais rien sort de ma bouche. Peut-être parce que j'ai besoin de l'entendre... La Reine se lance, sans aucun signe de moquerie:

— Tu es une fille intelligente, une fille qui a des idées, qui réfléchit, qui pose un regard sur ce qui l'entoure, qui interroge, qui cherche pis qui réagit. Mais les gens comme toi sont prévus dans la société de *là-bas*. Ils sont, si on veut, le Parti de l'opposition qui contribue au fonctionnement du système, parce que, tout en brassant de la marde, ils s'intègrent. Les gens comme toi veulent changer la formule. Pourtant, ils font partie de l'équation. Les gens comme toi rasent des maisons, mais ils laissent toujours les fondations intactes.

Chaque mot me rentre dans la tête comme une longue et douloureuse épingle. La Reine garde le clou de neuf pouces pour la fin. Lentement, d'une lenteur insupportable, elle conclut :

— Tu es donc… parfaitement… normale.

Je ferme les yeux.

La lucidité. La pire des souffrances.

Mes paupières se relèvent. Chair et Bone ont un très léger sourire gouailleur. Quant à la Reine, maintenant assise, elle a un visage de marbre. Lorsqu'elle ouvre enfin la bouche, j'ai peine à reconnaître sa voix, comme si c'était pas elle qui parlait mais quelqu'un d'autre, une autre instance.

— Aliss, la Cour te reconnaît coupable et te condamne à retourner *là-bas*… parmi les tiens.

Une minute. Peut-être deux. Sans que je réagisse, ni physiquement, ni mentalement.

C'est fini.

Ni tristesse ni joie. Lucidité, encore. Pour toujours.

Je me lève. La souffrance s'éveille. Dizaines de pointes de douleur dans tout le corps. Plus aigu dans ma cuisse blessée.

Je me retourne.

Tout le monde est debout. Impassible. Attend.

Chess n'est plus là.

Je prends une grande respiration, puis me mets en marche. Je boite terriblement, mais je marche. Je conserve un visage digne. Solide. Du moins, j'espère. De nouveau, la mer s'ouvre devant moi. Je traverse la foule. Je regarde personne. Eux, je le sens, m'observent tous.

Au fond, juste à côté de la porte, le chariot avec sa planche est immobile et retourné vers l'avant. Avant de sortir, je m'arrête et regarde Mario, tout près. Toujours attaché, son corps n'est plus qu'une masse sanglante, hérissé de plusieurs dizaines de fléchettes. Ses bras, ses jambes, son ventre, son visage, ses parties génitales, aucun endroit a été épargné. Il bouge absolument pas, mais un léger râlement glaireux confirme qu'il vit encore. Malgré son visage recouvert de dards et de sang, je crois voir son œil droit, miraculeusement épargné, se braquer vers moi. Mais je suis pas sûre…

Je regarde vers la salle. Silence. Là-bas, les yeux noirs de la Reine Rouge sont fixés sur moi.

Je me retourne. Et sors.

◆

Dehors, la rue Dodgson. Personne. Je me mets en marche. Je boite, je tremble, j'ai mal, je suis tellement maganée… Les deux Macros, heureusement, me donnent encore un semblant d'énergie. Faut que j'en profite. Faut que je me rende.

Je remarque alors les fenêtres, aux immeubles. Derrière chacune d'elles, mangé par les ténèbres, un visage.

Je les ignore.

J'arrive dans Lutwidge.

Plus aucune voiture ne roule. Elles sont toutes arrêtées. Plus aucun piéton ne marche. Ils sont tous arrêtés.

Ils me regardent. Tous. En silence.

Je m'arrête un bref moment. Soutiens leurs regards. Me remets en marche.

Boite, traîne la patte, titube, tremble. Mais j'avance, en plein milieu de la rue. Des centaines de visages me suivent des yeux, éclairés par les luminaires, par les façades des commerces. Visages de piétons, d'automobilistes arrêtés, de gens derrière les vitrines, de locataires penchés à toutes les fenêtres de tous les immeubles… Tous graves, sérieux, solennels. Partout autour de moi, tout au long de la rue, à perte de vue. Pas un mot, pas un son. Un silence qui rend sourd.

J'essaie le plus possible de regarder droit devant moi. De rester neutre.

Dix minutes. Quinze minutes. Peut-être plus. Couverte de sueur et du sang de certaines plaies qui ont recommencé à saigner. Amas de souffrance. Ma jambe de plus en plus traînante. À bout de souffle. Toujours entourée de tous ces visages qui m'observent dans une immobilité absolue. Et enfin, le métro. Tout près. À deux coins de rue.

En traversant la rue Snark, je m'arrête alors. Snark. La rue de Charles.

Je me tourne vers la gauche, vers son appartement, tout près. Contraste effrayant avec Lutwidge : la rue Snark est vide. Non, une personne, là-bas, debout devant l'escalier qui mène à l'appartement de Charles… Malgré la distance, je la reconnais. Plus noire que la noirceur de la nuit. Elle est tournée vers moi.

Je tourne la tête vers le métro, haletante. Si près. Reviens à la silhouette dans Snark. Si près aussi.

Un petit détour. Un tout petit. Un dernier.

Je tourne et claudique en grimaçant vers la silhouette, laissant derrière moi les centaines de témoins silencieux. Elle me regarde approcher… Je m'arrête devant elle… Je suis tellement faible, je pourrai plus tenir debout longtemps…

— Andromaque…

Ma voix est un souffle.

Toujours habillée en deuil, les cheveux attachés, elle me salue pas. Même infinie tristesse qu'hier. Se contente de dire :

— Il a piqué une crise. Il n'a plus de pilules.

La Mort l'entoure déjà d'un de ses tentacules.

Je regarde vers la porte de Charles, en haut des marches.

Je suis en morceaux… Mon garrot vient tout juste de se détacher, je sens que ma jambe a recommencé à saigner… Je risque de me vider de mon sang… Faut que je m'en aille… pis vite…

Mais je commence à monter l'escalier… Pénible. Atroce. Je gémis à chaque marche…

Devant la porte, je me retourne vers Andromaque… Je sais pas comment, mais je réussis à parler…

— Andro, attends… attends-moi là… pis tu pourras revenir avec moi… on prendra le… le métro ensemble…

Elle dit rien.

J'ouvre la porte…

Je reconnais le salon, plongé dans l'obscurité totale.

Là, le corps de Charles étendu sur le divan… Il tressaute, sa respiration est spasmodique… Je m'approche… Réussis à me pencher…

— C'est moi, Charles…

Il me voit enfin. Son visage est en sueur, ses yeux écarquillés, des petits hoquets inquiétants franchissent ses lèvres…

— A… A… Aliss !

Je suis à bout… mais je réussis à lui caresser le visage… tout à coup, je ressens une profonde pitié, malgré tout ce qu'il est… Ou peut-être, justement, *à cause* de ce qu'il est…

— Je suis là…

Charles lève une main qui bouge en tous sens, comme s'il arrivait pas à la contrôler… Il finit quand même par atteindre mon visage, effleurer ma joue… Sa poitrine monte et descend rapidement, trop rapidement… Ses yeux se posent sur moi… Pendant une seconde, j'y vois passer l'été, la quiétude d'un lac, le vol groupé des oiseaux, la beauté de la campagne, l'innocence de l'amour vrai… Ça ne dure qu'un instant, car son regard me quitte, ses yeux s'écarquillent une dernière fois et, entre deux convulsions, il réussit à souffler :

— Les rêves n'existent pas…

Et il meurt.

Je reste immobile un temps… puis regarde autour de moi avec une sorte d'inquiétude… comme si… comme si, stupidement, je m'attendais à ce que, avec Charles, tout disparaisse, tout s'estompe… Évidemment, rien ne bouge…

Me relève… chancelle jusqu'au mur… m'appuie dessus… me laisse glisser jusqu'au sol…

… me sens si faible… ma jambe saigne beaucoup… mon sexe aussi… l'effet des Macros est passé… la tête me tourne… faut je m'en aille avant qu'il soit trop tard… avant que je puisse plus bouger du tout…

Le salon. L'obscurité. Le corps de Charles sur le divan.

Et soudain… je vois… je vois comme… une vapeur… une fumée, lente, transparente… sortir de la bouche de Charles… oui, de sa bouche… j'observe, fascinée malgré mon extrême faiblesse… je regarde cette vapeur qui jaillit, sans discontinuer, tout doucement, d'entre les lèvres du mort pis je me dis… ho, mon Dieu, je me dis que… que c'est son *âme*… son âme qui sort, qui s'en va…

Impression de rêver… c'est peut-être le cas d'ailleurs… je… j'ai peut-être commencé à délirer…

Qui donc peut voir les âmes, selon Chess ?… Les immortels pis… pis ceux qui sont près de la mort…

C'est ça, je suis en train de mourir…

Là… au fond du salon… une silhouette apparaît… avance… si maigre… les yeux si grands… le sourire si large…

Depuis quand il est ici ?… Pas la force de lui demander… peux plus parler…

Chess me regarde même pas… s'approche du cadavre de Charles… s'agenouille… j'entends ses os craquer… il fixe longuement la vapeur qui sort de la bouche… il la regarde avec amour… Il la voit donc lui aussi ?… Il voit cette vapeur ?… Pourtant, il est pas près de la mort, lui… Alors, ça veut dire…

J'ai peur, tout à coup… vraiment peur… peur de
ce que Chess est, de ce qu'il est *vraiment*… toujours
appuyée contre le mur, je me mets à haleter… incapable de détacher mon regard de la scène…

Chess sort alors de sa poche une… un petit cylindre
mince, comme une paille qui sert à boire… lentement,
minutieusement, sans cesser de sourire, il met le bout
de cette paille dans la bouche du cadavre… amène une
de ses narines à l'autre extrémité et… il renifle ! Un
long, très long reniflement !… Toute la… toute la
vapeur qui sort de la bouche de Charles est aspirée…
aspirée dans le nez de Chess !… Et quand il enlève la
paille, plus rien ne sort d'entre les lèvres du cadavre…

Seigneur !… Seigneur Dieu du Ciel !

Chess lève alors la tête… me voit enfin… Son
sourire a jamais été aussi fou, ses yeux aussi brillants…
il frotte son nez, renifle, puis, sans me quitter des
yeux, se met à reculer, lentement… retourne dans le
fond de la pièce… et quand tout son corps, tout son
visage a disparu, son sourire continue à flotter, à planer,
étincelant, immaculé, moqueur… il voltige dans les
ténèbres et ne disparaît pas… ne disparaît pas…

… ne disparaîtra jamais…

Alors, je hurle !

Et je hurle !…

Et je hurle !…

◆

Il pleut…

Je suis debout, en haut des marches, sur le balcon
de l'appartement de Charles, pis il pleut… Une averse…
Une grosse.

… descendre les marches pis aller au métro… vite…

Andromaque est plus là…

… vais vers Lutwidge… criss ! comment j'arrive
encore à marcher ?… où c'est que je trouve la force ?…

… plus personne dehors… rue vide…

… jamais vu autant de pluie… toute trempée… pluie froide… ça me fait du bien, me donne quelques forces…

… vois le métro, tout près…

… marche… tombe… me relève…

… entre dans le métro… m'appuie sur la rampe de l'escalier roulant… me laisse descendre, le visage enfoui dans mes bras, haletante…

… en bas… me rends jusqu'à la guérite… Monsieur Métro est là… me sourit, goguenard…

— Bon retour, ma petite…

… je pousse le tourniquet, sans payer… difficile, si difficile…

… descends l'escalier… m'arrête plusieurs fois… plus capable… plus capable…

… assise… yeux fermés… je tremble, j'ai froid, je brûle de fièvre…

… je vais mourir… je vais mourir…

… bruit de métro… ouvre un œil… vue embrouillée, déformée… mais je vois le métro arriver… ralentir… arrêter… porte qui s'ouvre…

… chancelle… me laisse tomber à l'intérieur du wagon… tombe à terre…

… me relève, m'écroule sur une banquette… le wagon est vide…

… ferme les yeux… doux balancement du wagon…

… tellement froid… n'ai plus de sang en moi… dois être vide… venez me chercher, papa, maman, venez me chercher tout de suite… tout de suite… même plus la force de pleurer…

… sens le wagon arrêter plusieurs fois… entends des gens entrer, sortir… des commentaires sur moi, sur mon état, à voix basse… dois avoir l'air d'une loque… ouvre pas les yeux… pas capable…

… mais faut que je sorte… sortir, dehors…

… nouvel arrêt… ouvre les yeux, me lève… ho, mon Dieu, l'univers chavire, tout chavire… vois presque rien, tout bouge trop, tout est confus… vois visages qui me toisent avec inquiétude ou mépris…

… sors du wagon… tombe à terre… relève… me traîne jusqu'à escalier roulant… monte… en haut… réussis à me relever… brouillard… gens qui s'écartent devant moi, incertains… sortie du métro… pousse la porte fermée… tombe… me relève…

… mourir, vais mourir, vais mourir… papa… maman…

… sors dehors… vois rien, tout mélangé… plein de gens, d'autos, de bruit… je crois… je crois que c'est… là, on dirait l'UQAM… Sainte-Catherine… suis rue Sainte-Catherine…

… en peux plus… vais encore tomber… pis cette fois, me relèverai pas… pourrai pas… pourrai pas…

… tombe…

… deux bras qui me saisissent au vol… distingue une femme… inconnue… inquiète… perçois des mots…

— … *va, mademoiselle… blessée ?… besoin d'aide ?…*

… besoin d'aide… ho, ces mots !… ces mots… ils existent donc encore ?…

— … *votre nom ?… quel… votre nom ?…*

… dire quelque chose… ouvre la bouche… réussis à articuler… à râler…

— Alice… m'appelle Alice…

… chavire… sombre… noir.....................................

ALICE

OU

« There's no place like home »
et autres vérités troublantes

HÉLÈNE RIVARD, la mère :

Si nous sommes fiers de notre fille ? Mais évidemment !
Vous savez qu'elle travaille depuis deux ans dans l'une
des plus grosses firmes d'ingénieurs de Québec ? Abso-
lument ! Beau travail, gros salaire ! Ça fait son affaire,
puisqu'elle préfère Québec à Montréal. Ça nous fait
plus loin pour aller la voir, mais c'est pas grave !

MARC RIVARD, le père :

Très fier ! On nage dans le bonheur ! Et son fiancé,
Luc ! Excellent choix ! Un artiste ! Mais un bon, là,
pas un parasite ou un paresseux ! Il gagne sa vie ! Il
est metteur en scène de théâtre. Une des plus grosses
troupes de Québec !

LUC BILODEAU, le fiancé :

Alice est tellement brillante ! Pis ouverte d'esprit,
aussi ! Je l'ai tout de suite vu... Elle aime les arts, la
littérature, la musique, c'est une fille qui tient rien
pour acquis et qui a pas peur de dire ce qu'elle pense !
C'est tellement rare de nos jours ! Pis elle est engagée
dans plusieurs causes ! Par exemple, elle est à la tête
du syndicat de sa boîte... Je l'adore ! On va d'ailleurs
se marier. Un mariage religieux, oui... On pratique
pas vraiment ni l'un ni l'autre mais, bon, pourquoi
pas ?

HÉLÈNE RIVARD :

Non, je ne crois pas qu'elle ait gardé aucune séquelle de ce qui lui est arrivé, il y a huit ans… En tout cas, rien de grave… Elle a failli en mourir, vous savez. Elle était dans un tel état ! Elle avait même une balle dans la jambe ! Les médecins ont été extraordinaires ! Le plus dur, ç'a été son refus de nous parler de ce qui lui était arrivé. Jamais un mot. Elle a seulement dit qu'elle avait essayé, qu'elle avait vu autre chose et qu'elle ne voulait pas en parler… Rien de plus ! Tout ce qu'on sait, c'est qu'elle a eu des problèmes de drogue, puisqu'elle a été en désintoxication. Six mois ! On a trouvé cela très bouleversant…

MARC RIVARD :

Qu'est-ce qu'elle avait fait, pendant ces quatre semaines ?… Je le sais que ç'a pas l'air long, mais quand même ! Et des histoires de drogue, c'est inquiétant ! Toutes sortes d'idées m'ont traversé l'esprit, j'ose même pas vous dire lesquelles. Mais des psychologues ont fini par nous faire compendre qu'il fallait respecter son silence… Et puis, elle est retournée à l'école, a eu des bonnes notes ! À l'Université, c'était une des meilleures ! De quoi on pouvait se plaindre ? En plus, toute tension a disparu entre nous ! Plus de chicane ! C'est ça l'important, au fond.

MÉLANIE BOUDRAULT, la grande amie :

Même à moi, elle a jamais rien dit… Elle m'a juste dit qu'elle regrettait rien, qu'il fallait qu'elle le fasse… J'ai fini par l'accepter… Elle a un peu changé, c'est sûr… Des fois, elle a des moments de… je sais pas, de repliement sur elle-même. Mais ça dure jamais longtemps. En général, je dirais qu'elle est plus conciliante qu'avant. Elle a encore son caractère pis ses opinions, mais on dirait qu'elle veut moins jouer les… les contestataires, vous voyez ? Il y a encore des

*choses contre lesquelles elle se révolte, mais, bon...
Elle a arrêté de vouloir changer le monde, on dirait.
Elle s'est rangée, quoi. On finit tous par vieillir, n'est-
ce pas ?*

LUC BILODEAU :

*Elle a des manies, mais qui en a pas ? Comme quand
on va à Montréal, elle refuse de prendre le métro. Toujours ! Au début, on se disputait à cause de ça, mais
j'ai fini par abandonner. (rire)*

MÉLANIE BOUDRAULT :

*Une fois, à Montréal, alors qu'on était allées maga-
siner chez GAP, elle a voulu prendre le métro. C'était
bizarre... Elle voulait, mais, en même temps, ça semblait la terrifier. Elle voulait prendre la ligne verte,
de Berri jusqu'à Honoré-Beaugrand. On a fait toutes
les stations. À chaque arrêt, elle regardait vers le quai,
nerveuse. Au bout de la ligne, on est descendues. Elle
disait rien, elle avait vraiment une drôle d'expression,
soulagée pis déçue en même temps. En sortant du
métro, elle m'a juste dit : « Aujourd'hui, je ne fuis plus
rien, c'est pour ça... Je me demande si ça devrait me
satisfaire ou me déprimer. » J'ai rien compris. Pis j'ai
rien pu lui tirer de plus. Mais on est allées manger au
Queen Elizabeth, pis sa bonne humeur est revenue.
Vous voyez, quand je vous parlais de comportements
parfois déroutants, c'est un bon exemple.*

MARC RIVARD :

*Oui, elle a parfois des réactions étranges qui sont sû-
rement liées à ce qui lui est arrivé... Mais comme on ne
sait rien, c'est dur de juger, vous comprenez ? Comme
il y a trois ans, à une fête chez ma sœur... Les enfants
nous ont appelés pour nous montrer un papillon qu'ils
avaient attrapé... Jaune, coloré, vraiment splendide...
Un monarque, je pense, c'est ça ? En tout cas, il avait*

*une drôle de particularité : il manquait la moitié
d'une de ses ailes. Curieux, n'est-ce pas ? Un papillon
handicapé, quoi ! (rires) Mais quand Alice l'a vu, elle
a eu une drôle de réaction ! Elle a crié aux enfants de
ne pas lui faire de mal, elle l'a elle-même pris dans
ses mains... Elle l'a regardé un long moment, avec un
drôle de sourire... Et là, elle a dit une phrase curieuse.
Elle a dit : « Toutes les éclosions sont pas aussi réussies
que la tienne... » Elle disait ça au papillon ! Puis, elle
l'a laissé s'envoler, au grand chagrin des enfants.
Quand je lui ai demandé pourquoi elle avait dit ça,
elle s'est enfermée dans un mutisme déroutant. Elle a
été silencieuse pendant une couple de jours. Vous
voyez, elle a des réactions incompréhensibles comme
ça, des fois... Faut l'accepter...*

HÉLÈNE RIVARD :

*Alors, non, franchement, on peut pas se plaindre ! Après
le cauchemar qu'on a vécu, tout est rentré dans l'ordre !
Tout est redevenu normal ! Alice est heureuse, elle a
un fiancé... Elle a une magnifique maison à Québec,
à Sillery ! C'est un quartier très chic, très riche !...
Une belle grande maison, un travail à temps plein...
Une vie stable et normale ! Vous savez pas le plus
beau ? Elle attend un enfant ! Mais oui, un petit bébé !
Dans sept mois ! Elle est folle de joie ! Elle en veut
plusieurs, vous savez ! Elle met déjà de l'argent de
côté, parce qu'elle veut l'envoyer dans une école
privée ! Et la meilleure, évidemment ! (rire) Voilà !
C'est le bonheur ! Tous les jours, je remercie le bon
Dieu de nous avoir ramené notre petite fille, il y a
huit ans ! Si je l'avais perdue, je serais devenue folle !
Je l'aime tant ! C'est une fille exceptionnelle, vous
savez ! Hors de l'ordinaire !*

... et elle vécut heureuse et eut beaucoup d'enfants !

FIN

REMERCIEMENTS

À Mélanie Ouellette, Marianne Cadotte et ma mère, Camille Séguin, qui ont lu et commenté le manuscrit : merci à vous.

À René Flageole et Éric Tessier, qui non seulement ont lu et commenté le manuscrit, mais l'ont disséqué avec une précision chirurgicale : gros merci, les gars.

À Sophie Dagenais, qui non seulement a lu, commenté et disséqué le manuscrit, mais a supporté (dans tous les sens du mot) l'auteur pendant deux ans et demi : je t'aime, chouchou.

À Jean Pettigrew, qui non seulement lit, commente, dissèque et supporte, mais paie : *thank you, boss*.

Et pour leur inspiration sous diverses formes (parfois à leur avantage, parfois non), merci à Milan Kundera, Jo Dassin, Friedrich Nietzsche, Walt Disney, Jean Racine, Michel Louvain, Nine Inch Nails, Hergé, Anaïs Nin, Peter North, Pamela Anderson, the Incredible Hulk, Jean Coutu, le marquis de Sade... et tout particulièrement à Lewis Carroll.

PATRICK SENÉCAL...

... est né à Drummondville en 1967. Bachelier en
études françaises de l'Université de Montréal, il
enseigne depuis quelques années la littérature, le
cinéma et le théâtre au cégep de Drummondville.
Passionné par toutes les formes artistiques mettant
en œuvre le suspense, le fantastique et la terreur,
il publie en 1994 un premier roman d'horreur,
5150 rue des Ormes, où tension et émotions
fortes sont à l'honneur. Il sera suivi, un an plus
tard, par *Le Passager*, autre roman au suspense
insoutenable. Au printemps 1997, le théâtre de
La Licorne, à Montréal, montait la première pièce
de l'auteur, *Les Aventures de l'inspecteur Hector*.
Son troisième roman, *Sur le seuil*, publié en 1998,
a été acclamé de façon unanime par l'ensemble
de la critique.

EXTRAIT DU CATALOGUE

ALIRE

« L'AUTRE » LITTÉRATURE QUÉBÉCOISE !

➡ FANTASY

ROCHON, ESTHER

013 • *Le Rêveur dans la citadelle*

En ce temps-là, Vrénalik était une grande puissance mari-
time. Pour assurer la sécurité de sa flotte, le chef du pays,
Skern Strénid, avait décidé de former un Rêveur qui, grâce
à la drogue farn, serait à même de contrôler les tempêtes.
Mais c'était oublier qu'un Rêveur pouvait aussi se révolter…

022 • *L'Archipel noir*

Quand Taïm Sutherland arrive dans l'Archipel de Vrénalik,
il trouve ses habitants repliés sur eux et figés dans une
déchéance hautaine. Serait-ce à cause de cette ancienne
malédiction lancée par le Rêveur et sa compagne, Inalga
de Bérilis ?

KAY, GUY GAVRIEL

018 • *Tigane -1*   019 • *Tigane -2*

Le sort de la péninsule de la Palme s'est joué il y a vingt ans
lorsque l'armée du prince Valentin a été défaite par la sor-
cellerie de Brandin, roi d'Ygrath. Depuis lors, une partie de
la Palme ploie sous son joug, alors que l'autre subit celui
d'Alberico de Barbadior. Mais la résistance s'organise enfin ;
réussira-t-elle cependant à lever l'incroyable sortilège qui
pèse sur tous les habitants de Tigane ?

024 • *Les Lions d'Al-Rassan*

Tout a commencé lorsqu'Ammar ibn Khairan a assassiné
le dernier khalife d'Al-Rassan. Affaiblie et divisée, la contrée
redevint alors la convoitise des royaumes jaddites du Nord
et de Rodrigo Belmonte, leur plus célèbre chef de guerre. Mais
un exil temporaire réunira à Ragosa les deux hommes et
leur amitié – tout comme leur amour pour Jehane bet Ishak
– changera à jamais la face du monde…

MEYNARD, YVES

029 • *Le Livre des Chevaliers*

Opprimé par des parents adoptifs mesquins et sévères, Adelrune se réfugie au grenier où il a découvert un livre dont les illustrations l'enchantent. Obsédé par les hommes qui y sont représentés, tous différents mais toujours porteurs d'une armure, le jeune garçon apprendra à lire afin de connaître leurs secrets. Lorsqu'Adelrune comprend que ce sont des chevaliers, il se jure que lui aussi deviendra chevalier un jour. Et à douze ans, il quitte sa famille. Ainsi commence la plus belle des aventures du *Livre des Chevaliers*…

➡ ## SCIENCE-FICTION

CHAMPETIER, JOËL

025 • *La Taupe et le Dragon*

Nouvelle-Chine, qui orbite autour de l'étoile double epsilon du Bouvier, a été terraformée au prix d'investissements colossaux afin d'accueillir un milliard de Chinois. Un siècle plus tard, l'heure des comptes a sonné, ce qui ne plaît guère au gouvernement en place. Pour s'assurer qu'il ne fera pas de bêtises, les investisseurs veulent éveiller la taupe qu'on y a introduite. Mais voilà, elle ne répond plus !

PELLETIER, FRANCINE

011 • *Nelle de Vilvèq* (Le Sable et l'Acier –1)

Qu'y a-t-il au-delà du désert qui encercle la cité de Vilvèq ? Qui est ce « Voyageur » qui apporte les marchandises indispensables à la survie de la population ? Et pourquoi ne peut-on pas embarquer sur le navire de ravitaillement ? N'obtenant aucune réponse à ses questions, Nelle, une jeune fille curieuse éprise de liberté, se révolte contre le mutisme des adultes…

016 • *Samiva de Frée* (Le Sable et l'Acier –2)

Apprentie mémoire, Samiva connaissait autrefois par cœur les lignées de Frée. Elle a cru qu'elle oublierait tout cela en quittant son île, dix ans plus tôt, pour devenir officier dans l'armée continentale. Mais les souvenirs de Frée la hantent toujours, surtout depuis qu'elle sait que le sort de son île repose entre ses mains…

020 • *Issa de Qohosaten* (Le Sable et l'Acier –3)

Devenue la Mémoire de Frée, Samiva veut percer le mystère des origines de son peuple. Mais son enquête la mènera beaucoup plus loin qu'elle ne le croyait, jusque sur la planète dévastée des envahisseurs. Et c'est là, en compagnie de Nelle, qu'elle découvrira enfin la terrible vérité…

SERNINE, DANIEL

026 • *Chronoreg*

Blackburn est hanté par la mort de son ami Sébastien et il essaie de modifier le passé en se procurant du *chronoreg*, une drogue qui permettrait de voyager dans le temps. Officier du contre-espionnage, il doit en plus neutraliser le chef des «Irréguliers», un escadron rebelle qui peut changer le cours de la guerre opposant le Québec souverain à Terre-Neuve et au Canada. Et si c'était le passé qui, dès lors, rattrapait inexorablement Blackburn?

VONARBURG, ÉLISABETH

003 • *Les Rêves de la Mer* (Tyranaël –1)

Eïlai Liannon Klaïdaru l'a «rêvé»: des étrangers viendraient sur Tyranaël… Aujourd'hui, les Terriens sont sur Virginia et certains s'interrogent sur la disparition de ceux qui ont construit les remarquables cités qu'ils habitent… et sur cette mystérieuse « Mer » qui surgit de nulle part et annihile toute vie !

004 • *Le Jeu de la Perfection* (Tyranaël –2)

Après deux siècles de colonisation, les animaux de Virginia fuient encore les Terriens. Pourtant, sous un petit chapiteau, Éric et ses amis exécutent des numéros extraordinaires avec des chachiens, des oiseaux-parfums et des licornes. Le vieux Simon Rossem sait que ces jeunes sont des mutants, mais est-ce bien pour les protéger qu'il a «acquis» la possibilité de ressusciter?

005 • *Mon frère l'ombre* (Tyranaël –3)

Une paix apparente règne depuis quelques siècles sur Virginia, ce qui n'empêche pas l'existence de ghettos où survivent des « têtes-de-pierre ». Mathieu, qui croit être l'un d'eux, s'engage dans la guerre secrète qui oppose les « Gris » et les « Rebbims », mais sa quête l'amènera plutôt à découvrir le pont menant vers le monde des Anciens…

010 • *L'Autre Rivage* (Tyranaël –4)

Lian est un lointain descendant de Mathieu, le premier sauteur d'univers virginien, mais c'est aussi un «tête-de-pierre» qui ne pourra jamais se fondre dans la Mer. Contre toute attente, il fera cependant le grand saut à son tour, tout comme Alicia, l'envoyée du vaisseau terrien qui, en route depuis des siècles, espère retrouver sur Virginia le secret de la propulsion Greshe.

012 • *La Mer allée avec le soleil* (Tyranaël –5)

La stupéfiante conclusion – et la résolution de toutes les énigmes – d'une des plus belles sagas de la science-fiction francophone et mondiale, celle de Tyranaël.

DEIGHTON, LEN

009 • *SS-GB*

Novembre 1941. La Grande-Bretagne ayant capitulé, l'armée allemande a pris possession du pays tout entier. À Scotland Yard, le commissaire principal Archer travaille sous les ordres d'un officier SS lorsqu'il découvre, au cours d'une enquête anodine sur le meurtre d'un antiquaire, une stupéfiante machination qui pourrait bien faire basculer l'ensemble du monde libre…

PELLETIER, JEAN-JACQUES

001 • *Blunt – Les Treize Derniers Jours*

Pendant neuf ans, Nicolas Strain s'est caché derrière une fausse identité pour sauver sa peau. Ses anciens employeurs viennent de le retrouver, mais comme ils sont face à un complot susceptible de mener la planète à l'enfer atomique, ils tardent à l'éliminer : Strain pourrait peut-être leur servir une dernière fois…

022 • *La Chair disparue*

Trois ans plus tôt, Hurt a démantelé un trafic d'organes en Thaïlande, non sans subir des représailles qui l'ont blessé jusqu'au plus profond de son être. Et voici qu'une série d'événements laisse croire qu'un réseau similaire a pris racine au Québec, là même où F, l'énigmatique directrice de l'Institut, a trouvé un refuge pour Hurt…

MALACCI, ROBERT

008 • *Lames sœurs*

Un psychopathe est en liberté à Montréal. Sur ses victimes, il écrit le nom d'un des sept nains de l'histoire de Blanche-Neige. Léo Lortie, patrouilleur du poste 33, décide de tendre un piège au meurtrier en lui adressant des *messages* par le biais des petites annonces des journaux…

030 • *Ad nauseam*

Le directeur d'*Écho-Matin* veut acheter un quotidien en France ! Pour évaluer la possibilité de l'affaire, il enverra sur place ses deux experts, Pouliot et Malacci. Inutile de dire que le premier se mettra rapidement les pieds dans les plats et que Malacci tentera désespérément de sauver les meubles. Mais comment y arriver lorsque la xénophobie, cette fameuse *bête-qui-sommeille*, se met de la partie ?

CHAMPETIER, JOËL

006 • *La Peau blanche*

Thierry Guillaumat, étudiant en littérature à l'UQAM, tombe éperdument amoureux de Claire, une rousse flamboyante. Or, il a toujours eu une phobie profonde des rousses. Henri Dieudonné, son colocataire haïtien, qui croit aux créatures démoniaques, craint le pire : et si « elles » étaient parmi nous ?

028 • *L'Aile du papillon*

Afin de démasquer les auteurs d'un trafic de drogue, les autorités d'un hôpital psychiatrique décident de travestir en « patient » un détective privé. Mais ce dernier découvre qu'il se passe, à l'abri des murs de l'hôpital, des choses autrement plus choquantes, étranges et dangereuses qu'un simple trafic de drogue…

SENÉCAL, PATRICK

015 • *Sur le seuil*

Thomas Roy, le plus grand écrivain d'horreur du Québec, est retrouvé chez lui inconscient et mutilé. Les médecins l'interrogent, mais Roy s'enferme dans un profond silence. Le psychiatre Paul Lacasse s'occupera de ce cas qu'il considère, au départ, comme assez banal. Mais ce qu'il découvre sur l'écrivain s'avère aussi terrible que bouleversant…

ALISS
est le quarante-cinquième titre publié
par Les Éditions Alire inc.

Ce cinquième tirage
a été achevé d'imprimer
en octobre 2005 sur les presses de